LESLEY DOWNER

Orientaliste ayant vécu quinze ans au Japon, l'Anglaise Lesley Downer a écrit de nombreux essais sur l'histoire japonaise, dont *Le Monde secret des geishas* (L'Archipel, 2006). *La dernière concubine* (Presses de la Cité, 2008), son premier roman, est en cours de traduction dans une vingtaine de pays.

Retrouvez toute l'actualité de l'auteur sur www.lesleydowner.com

LA DERNIÈRE CONCUBINE

LESLEY DOWNER

LA DERNIÈRE CONCUBINE

Traduit de l'anglais (États-Unis)
par Régina Langer

PRESSES DE LA CITÉ

Titre original :
THE LAST CONCUBINE

Le papier de cet ouvrage est composé de fibres naturelles, renouvelables, recyclables et fabriquées à partir de bois provenant de forêts plantées et cultivées durablement pour la fabrication du papier.

ISBN 978-2-266-19138-8

À Arthur

Si ce n'est à toi,
À qui montrerais-je
La fleur du prunier
Car, lorsque vient le temps de son essor
et de son parfum,
Lui seul sait qui connaît la vérité.

Ki no Tomonori

EZO
MER DU JAPON
Nagasaki
OCÉAN PACIFIQUE
0 KILOMÈTRES 200
Route intérieure de montagne
VALLÉE DE KISO
Kano
Kyoto
Suma
Kobe
Fleuve Kiso
Route de la mer Orientale
Nara
Osaka

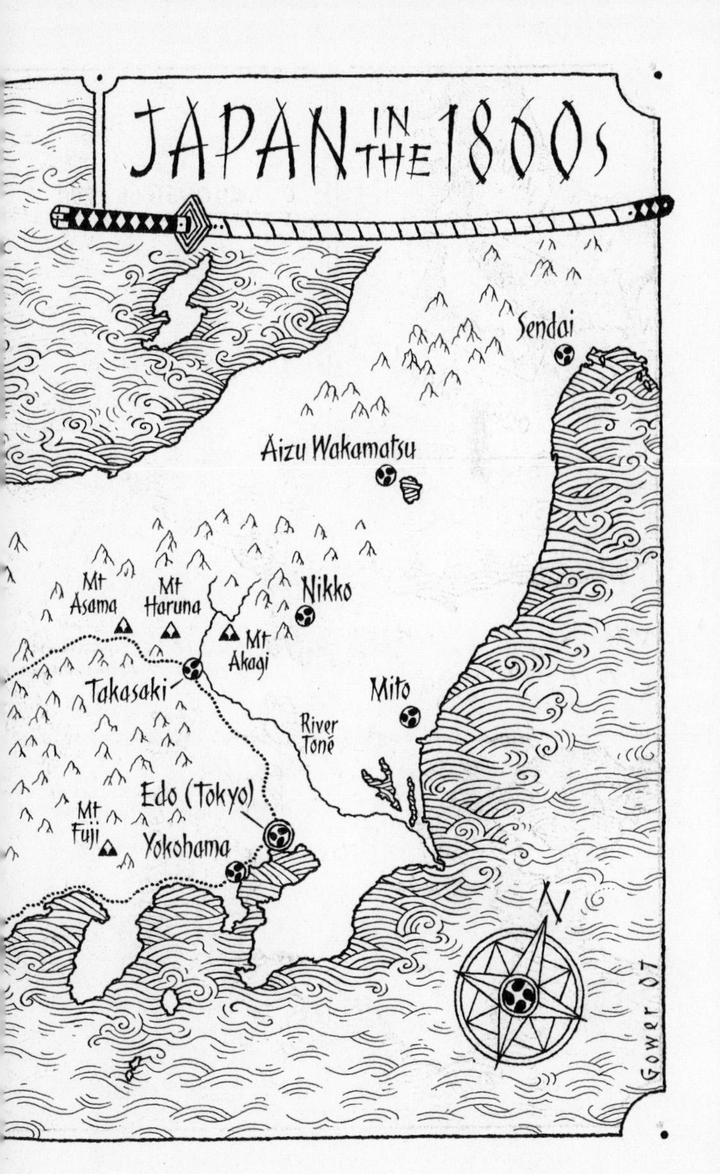
JAPAN IN THE 1860s
Sendai
Aizu Wakamatsu
Mt Asama
Mt Haruna
Nikko
Mt Akagi
Takasaki
Mito
River Tone
Edo (Tokyo)
Mt Fuji
Yokohama
N
Gower 07

PREMIÈRE PARTIE

Le village

1

Vallée de Kiso, 1861

Oshikaraji	Sans regret
kimi to tami to no	et ceci vaut pour toi
tame naraba	et pour ton peuple, Seigneur
mi wa Musashino no	je m'évanouirai avec la rosée
tsuyu to kiyu tomo	sur les plaines de Musashi.

Princesse Kazu, 1861

I

— *Shita ni iyo ! Shita ni iyo ! Shita ni... Shita ni...* À genoux ! À genoux ! Prosternez-vous ! Prosternez-vous !

Les cris se propageaient dans la vallée, si faibles qu'on aurait cru un bruissement de feuilles apporté par le vent. En haut du col, là où la route plongeait vers le village, quatre enfants aux cheveux ébouriffés, emmitouflés dans des kimonos superposés aux couleurs fanées, s'arrêtèrent pour prêter l'oreille. C'était un de ces jours d'automne où le temps paraît en suspens. Un calme étrange figeait les pins au bord de la grand-route, même si une brise légère soulevait imperceptiblement les feuilles rouge et or repoussées en petits tas bien nets sur les accotements. Un faucon décrivait des cercles paresseux quand un vol d'oies sauvages traversa brièvement le ciel. De la route montaient des senteurs familières : feu de bois et crottin de cheval, ordures ménagères et soupe miso. De temps à autre, un petit coq chantait et les chiens du village lui répondaient par un chœur d'aboiements. Mais le silence retombait ensuite sur la vallée. En temps normal, une foule de voyageurs, de palanquins et de chevaux circulait sur la grand-route, aussi loin que portait le regard. Aujourd'hui, elle était vide.

Des années plus tard, chaque fois qu'elle évoquerait ce jour, Sachi reverrait toujours le même paysage : la ligne interminable des pins hauts et sombres sur les coteaux, un fragment de ciel si bleu qu'il paraissait à portée de main, bien plus proche que les pâles montagnes qui miroitaient à l'horizon.

À onze ans, Sachi était petite et menue. En été, le soleil lui donnait un hâle semblable à celui des célèbres chevaux alezans de Kiso. Mais en cette saison sa peau était étrangement pâle, translucide, presque aussi blanche que la buée de son souffle dans l'air gelé. Souvent, elle rêvait d'être brune et robuste comme les autres enfants, mais, en réalité, aucun d'eux ne s'en souciait. Ses yeux aussi étaient différents. Non pas bruns ou noirs, mais d'un beau vert sombre qui évoquait les ramures des pins en été ou la mousse recouvrant le sol de la forêt. Sachi aimait secrètement sa peau blanche. Parfois, elle s'agenouillait devant le miroir terni de sa mère pour contempler son visage. Elle sortait alors le peigne qu'elle cachait dans sa manche, un joli peigne étincelant, son talisman, son porte-bonheur. Il lui avait toujours appartenu, aussi loin qu'elle s'en souvenait. Elle peignait ensuite lentement ses cheveux, jusqu'à ce qu'ils brillent, et les attachait en arrière avec un ruban de crêpe rouge.

Deux étés plus tôt, le village avait reçu la visite d'acteurs ambulants. Plusieurs jours durant, ils avaient présenté sur une estrade de fortune des histoires de fantômes qui avaient donné le frisson à tout le monde. Assis par terre les uns contre les autres, les enfants avaient tremblé devant le sort funeste d'une épouse délaissée qui dépérissait de chagrin avant de réapparaître à la fin du spectacle, morte, flottant au-dessus du mari infidèle. Le visage d'un blanc spectral, elle peignait ses longs cheveux noirs qui tombaient par poignées. Les enfants avaient alors poussé de tels cris de terreur que le public n'entendait plus les acteurs. Depuis, pour taquiner Sachi, certains la traitaient de fantôme.

Quant à sa grand-mère, elle l'appelait « Sachi la rachitique ».

« Cette enfant… grommelait la vieille femme en admonestant sa fille. Tu la gâtes trop. Crois-tu qu'elle trouvera un mari, pâle et maigre comme elle est ? Et coquette avec ça… Toujours en train de se coiffer. Aucun homme n'a besoin d'une femme qui passe son temps devant le miroir. Ce qu'il veut, c'est une fille aux hanches larges, capable de mettre au monde plusieurs enfants, et qui sache travailler. Tu n'arriveras jamais à t'en débarrasser. »

La mère de Sachi répondait patiemment :

« Elle est si délicate, si différente des autres enfants. Et si jolie.

— Jolie ? répliquait la grand-mère. Sans doute… Mais un paysan n'a pas besoin d'une femme “jolie”. »

Sachi se frotta les mains et sautilla d'un pied sur l'autre pour se réchauffer. Malgré plusieurs couches de vêtements de coton brut, la veste ouatée que sa mère lui avait dénichée et les écharpes enroulées autour de sa tête, elle avait encore froid. Sa seule chaleur lui venait du bébé qu'elle portait sur son dos, une petite fille à moitié endormie dont la tête oscillait au gré de ses mouvements, comme celle d'une poupée de chiffon. Son amie Mitsu se blottissait elle aussi contre Sachi. Depuis leur plus tendre enfance, elles étaient inséparables. Physiquement, elles offraient un contraste presque parfait. Mitsu était brune et trapue comme un singe, avec de petits yeux et un nez camus.

À sa naissance, sa mère avait supplié la sage-femme de tuer le bébé. « Elle est trop laide. Jamais elle ne trouvera de mari. Que ferons-nous d'elle ? » La sage-femme avait acquiescé, jugeant la demande raisonnable. Elle avait recouvert le visage du nouveau-né d'un linge humide avant de l'envelopper dans des chiffons bien serrés. Pourtant, alors qu'on la croyait morte, la petite s'était mise à gigoter, puis à pleurer et enfin à hurler. Apparemment, les dieux avaient décidé de lui accorder la vie. « Qui sommes-nous pour nous opposer à la volonté céleste ? » concluait la mère de Mitsu chaque fois qu'elle racontait cette histoire, en tendant devant elle ses mains rougies par le travail. Ce sauvetage miraculeux valut au bébé un surcroît d'amour. Mitsu grandit sans être affectée par le récit de son entrée agitée dans l'existence. C'était une fillette joyeuse et maternelle. Comme Sachi, elle portait toujours un de ses petits frères ou une de ses petites sœurs sur son dos.

De l'extrémité de la vallée montaient des sons de plus en plus nets. En tendant l'oreille, les enfants perçurent des bruits de pas, le martèlement étouffé de sabots enveloppés de paille, le cliquetis des armes qui s'entrechoquaient. Au milieu de ce vacarme confus, ils distinguèrent bientôt des voix qui répétaient sans relâche, sur un ton chantonnant : *Shita ni iyo ! Shita ni iyo ! Shita ni... Shita ni... !* Les marcheurs se trouvaient encore au cœur de la forêt qui couvrait le flanc de la montagne. Les voix ne se taisaient jamais, comme si elles exigeaient que tout – les grands arbres couronnés de feuillages, les loups, les renards, les daims, les ours noirs à l'allure pesante et les féroces sangliers des montagnes –, oui, que tout se prosterne devant elles.

Genzaburo, meneur incontesté de la petite troupe d'enfants, grimpa sur un arbre et rampa avec précaution le long d'une branche jusqu'à se balancer au-dessus de la route. Grand, vigoureux, la peau tellement hâlée qu'elle en était presque noire, un perpétuel sourire malicieux aux lèvres, Genzaburo avait le don de se mettre dans des situations périlleuses. Il préférait attraper les poissons ou nager dans la rivière plutôt que de travailler. Son plus grand plaisir consistait à se glisser derrière un cheval et à sauter sur sa croupe pour arracher quelques crins de sa queue avant de détaler, poursuivi par l'animal furieux. Les crins gris, peu visibles pour les poissons, faisaient d'excellentes lignes pour la pêche. Les enfants mettaient donc un point d'honneur à en attraper dès qu'ils apercevaient un cheval gris. À l'âge de dix ans, Genzaburo s'était taillé une belle réputation en repoussant un sanglier sauvage qui dévastait le village, terrorisant tout le monde. Il l'avait roué de coups de pied et de poing avec tant de vaillance que l'animal avait fui au fond des bois. Genzaburo se plaisait à exhiber la cicatrice de la blessure que l'énorme bête lui avait faite au bras.

Chobei, jeune frère de Sachi, un garçonnet crasseux aux cheveux hérissés, enveloppé dans un épais kimono brun, était bien le seul à ne pas se soucier du tumulte approchant. Accroupi en bordure de la route, il examinait un lézard qui s'était aventuré hors des broussailles.

Genzaburo poursuivit sa progression le long de la branche tout en scrutant l'horizon.

— Ils arrivent ! Ils arrivent ! s'écria-t-il soudain.

Peu après, les premières bannières rouges, pourpres et or apparurent au-dessus des arbres, flottant comme des pétales multicolores. Les rayons du soleil faisaient étinceler les hampes des étendards et les lances. Le cœur battant, les enfants contemplèrent ce spectacle, les yeux écarquillés. Tous savaient ce que signifiait « *Shita ni iyo !* ». Ils avaient tous senti un jour la grosse main rude de leur père peser sur leur tête pour les obliger à se prosterner, le front contre le sol sale, tandis qu'il leur criait : « À genoux, tout de suite ! Sinon tu vas te faire tuer ! »

Personne n'avait oublié le sort tragique de Sobei, l'ivrogne. Quelques années plus tôt, après avoir bu un peu trop de saké, Sobei s'était avancé au milieu de la route en titubant au moment où arrivait un cortège. Avant qu'on ait pu le tirer en arrière, deux samouraïs s'étaient précipités vers lui, sabre au clair, et l'avaient massacré sous les yeux de tous. Il ne resta plus aux villageois stupéfaits qu'à écarter en silence son corps du chemin. Les samouraïs avaient sur eux pouvoir de vie et de mort. Il en était ainsi depuis toujours, et il n'y avait pas de raison que cela change un jour.

Mais les bannières étaient encore loin. Les enfants continuèrent à regarder, paralysés par leur audace et par le danger qui se rapprochait à chaque seconde.

Tout à coup, ils virent sortir du bois une foule de minuscules personnages vêtus de noir et de bleu. En abritant leurs yeux du soleil, ils distinguèrent des bataillons de soldats en formation serrée, des cavaliers coiffés de casques à cornes étincelants et de longues files de porteurs chargés de coffres laqués aux reflets chatoyants. Les silhouettes grandirent à mesure que le cortège approchait. Le vacarme était de plus en plus assourdissant : le cliquetis des lances, les piétinements des marcheurs, le martèlement des sabots des chevaux et, surtout, ces cris incessants et sinistres :

— *Shita ni iyo ! Shita ni iyo !...*

Secouant leur torpeur, les enfants dévalèrent le coteau en trébuchant dans leur affolement. Les bébés tressautaient sur le dos des fillettes.

À cause de la montagne, les premiers rayons du soleil n'atteignaient jamais le village avant l'heure du cheval, lorsque l'astre parvenait presque à son apogée. Les enfants firent halte au bout de la rue pour reprendre leur souffle. Ils n'avaient jamais vu une telle foule. Les auberges miteuses qui bordaient la route étaient envahies de clients et les tenanciers avaient ouvert toutes grandes les portes branlantes. De l'intérieur s'échappaient les fumées des feux de bois et la bonne odeur de la soupe miso. Des porteurs vêtus de vestes en coton ouaté, les mollets entourés de jambières, se frayaient un passage à travers la cohue, un bol de gruau d'orge à la main. Plus loin, des palefreniers sellaient des petits chevaux rétifs. Des hommes allaient et venaient, enveloppés dans de longs manteaux de paille qui leur donnaient l'air de meules en mouvement. La plupart se contentaient d'attendre en tirant sur leur pipe à long tuyau. On trouvait là des habitants des villages voisins, qui apparaissaient chaque fois qu'on avait besoin de porteurs, mais la plupart étaient des inconnus, des montagnards maigres et noueux qui avaient marché toute une journée pour venir.

Debout au milieu de la foule, un homme de haute taille au large visage paisible, ses cheveux drus attachés en queue-de-cheval, lançait des ordres en agitant les bras. Sachi et ses compagnons se faufilèrent à travers la foule pour le rejoindre. Ils le tirèrent par la manche, s'écriant en chœur :

— La princesse arrive ! La princesse arrive !

L'homme leur tapota la tête en souriant.

— C'est bon, c'est bon, leur dit-il avec autorité. À présent, courez à la maison rejoindre vos mères, et vite !

II

Comme tous les hommes de sa famille avant lui, Jiroémon, le père de Sachi, faisait office de chef du village depuis que son père s'était retrouvé infirme, une dizaine d'années plus tôt. Autrefois, il y avait bien longtemps de cela, ses ancêtres portaient le titre de samouraï. Si ce privilège avait été révoqué des siècles plus tôt, Jiroémon arborait encore volontiers une courte épée de cérémonie pour marquer son rang.

C'était un homme imposant par rapport aux autres villageois, si bruns et trapus qu'on les traitait de « singes des monts Kiso ». On lui donnait un peu moins de quarante ans – au village, peu d'adultes connaissaient leur âge exact – même si de longues années d'arbitrage entre villageois et autorités locales avaient creusé son visage de rides profondes. La région de Kiso appartenait à un seigneur qui n'octroyait aux villageois qu'une infime partie de la forêt. Chaque hiver, des malheureux à court de bois de chauffage étaient contraints d'abattre des arbres. La peine encourue par les contrevenants était on ne peut plus claire : « Un arbre, une tête ». Jiroémon plaidait toujours ardemment leur cause, implorant la clémence du seigneur. Aux yeux de celui-ci, les villageois n'étaient que des animaux – cela, ils ne devaient pas l'oublier.

Jiroémon devait essentiellement surveiller la circulation sur la grand-route qui traversait le village. On appelait cet axe la Nakasendo – la Route intérieure. En temps normal, elle fourmillait de voyageurs apportant avec eux le parfum exotique d'horizons inconnus. Des pèlerins en robe blanche, en route vers de lointains sanctuaires, cheminaient en faisant tinter leurs clochettes, même s'ils donnaient moins l'impression de faire leurs dévotions que de prendre du bon temps en découvrant le monde. De riches marchands se déplaçaient avec une foule d'épouses, de concubines et de serviteurs, tous habillés à la dernière mode. On y croisait aussi des paysans pauvres, certains ne vivant que d'aumônes, des cohortes de samouraïs à cheval ou dans des palanquins, des commerçants ambulants et leurs marchandises transportées à dos d'homme. Des poètes itinérants s'arrêtaient parfois pour organiser des soirées littéraires tandis que des prêtres et des étudiants apportaient les nouvelles, les controverses et les ragots des trois grandes villes du pays – Osaka, Kyoto et Edo. On y rencontrait également des courriers qui faisaient halte le temps de changer de monture et des hommes aux yeux fureteurs, que tout le monde savait être des espions ou des agents de la police, chargés de tenir à l'œil les autres voyageurs.

À tous ceux-là, il convenait encore d'ajouter des samouraïs renégats, des vagabonds, des trafiquants, des bandits, des joueurs, des acteurs ambulants, des magistrats, sans oublier les vendeurs d'huile de crapaud – remède garanti contre tous les maux. Le soir, les geishas sortaient en nombre pour distraire les hommes de passage. Et, toute la nuit, de la musique et des rires s'échappaient des auberges vivement éclairées.

Jiroémon tenait également une auberge, mais de tout premier ordre et exclusivement réservée aux daimyo qui empruntaient chaque année la Route intérieure pour gagner la capitale. En dehors de cette période, les fonctionnaires et les personnages importants ou suffisamment riches pouvaient aussi y séjourner.

Le daimyo était un prince régional qui se considérait comme souverain dans son petit domaine. Les daimyo disposaient d'une armée propre, levaient les impôts et avaient pouvoir de vie et de mort sur leurs sujets. Mais tous devaient allégeance au shogun qui résidait à Edo, avec obligation de se rendre chaque année à la cour (tous les deux ans s'ils demeuraient sur des terres éloignées) pour y séjourner plusieurs mois. Ils possédaient en ville plusieurs palais où leurs femmes vivaient en permanence, prisonnières de leurs cages dorées.

Trente-quatre daimyo plus ou moins importants empruntaient la Route intérieure dans un sens ou dans l'autre, les uns pour se rendre à Edo, les autres à Kyoto, ville sainte et capitale officielle du pays, où résidait l'empereur. Une magnifique escorte de plusieurs centaines de gardes et de serviteurs les accompagnait, offrant aux paysans un spectacle à couper le souffle. À leur approche, tous étaient censés s'écarter ou se prosterner face contre terre. Mais certains s'arrangeaient pour observer en cachette le défilé.

À l'exception des porteurs de palanquins, tous les membres de la suite arboraient d'élégantes tenues de soie noire. Certains voyageaient à cheval mais la plupart cheminaient à pied en formation serrée. Les plus modestes – porteurs de piques, de chapeaux de soleil, d'ombrelles ou de malles – relevaient l'arrière de leurs robes pour se pavaner, le postérieur tout juste recouvert d'un mince pagne. À chaque pas, ils levaient excessivement haut le talon et balançaient le bras opposé, donnant ainsi l'impression de nager dans l'air.

Le cortège s'arrêtait toujours au village de Jiroémon pour se reposer, changer de chevaux et de porteurs. Tandis que les serviteurs s'affairaient, les palanquins étaient transportés à l'auberge où le daimyo et son entourage prenaient le thé, quand ils n'y passaient pas la nuit. La plupart faisaient ce voyage depuis leur plus jeune âge et connaissaient bien cet aubergiste sympathique et courtois. Après avoir bu un peu de saké et réclamé leur geisha favorite, il arrivait que certains le fassent venir pour bavarder quelques instants, sans jamais oublier toutefois l'énorme différence de rang qui les séparait. Jiroémon n'ignorait pas qu'il n'était à leurs yeux qu'un paysan, un peu plus intelligent seulement.

Jiroémon s'était lui-même rendu plusieurs fois à Edo, cette métropole légendaire située dans la plaine de Musashi, à quatorze jours de marche à travers la montagne. Il en avait rapporté d'étonnants récits. Quelque huit ans plus tôt, quatre énormes bateaux noirs revêtus de métal et hérissés de canons, crachant fumée et vapeur, avaient surgi à l'horizon et jeté l'ancre dans la baie près de Shinoda. Plusieurs catastrophes s'étaient alors succédé – de violents tremblements de terre, des raz-de-marée – et une comète était apparue dans le ciel, annonçant de nouveaux malheurs.

Les bateaux avaient vomi une délégation de barbares. Jiroémon ne les avait pas vus personnellement, mais on les décrivait comme des hommes costauds, avec des nez énormes et une vilaine peau blafarde qu'ils dissimulaient sous la fourrure rouge et puante des animaux morts dont ils se nourrissaient. On les croisait à cheval jusque dans les rues d'Edo. Non contents de poser leurs pieds impurs sur la terre sacrée du Japon, ils avaient annoncé qu'ils comptaient y demeurer et demander l'autorisation d'y établir des comptoirs commerciaux.

Jiroémon était toujours informé des dernières nouvelles grâce aux voyageurs qui faisaient halte dans son auberge. Le pays traversait indéniablement une crise grave. Le printemps précédent, le premier conseiller Ii Naosuké, qui gouvernait le pays d'une main de fer, avait été abattu devant la grille du château d'Edo, la résidence du shogun. On avait reconnu parmi les assassins des samouraïs de Mito, le domaine d'un des plus grands et des plus puissants princes du pays, parent lointain du shogun. D'autres venaient du domaine de Satsuma, un clan barbare du Sud, ennemi du shogun depuis toujours. Les villageois menaient jusqu'alors une vie dure, souvent cruelle et injuste, mais stable. À présent, on n'était plus sûr de rien. L'avenir ne suscitait que de l'angoisse. L'air lugubre, les vieux marmonnaient que le monde sombrait et que l'âge de Mappo, le dernier mentionné par les écritures bouddhiques, était venu.

La fin n'avait jamais paru aussi proche.

III

La première année de l'ère Bunkyu – 1861 dans les livres d'histoire – fut exceptionnellement froide. Des glaçons pendaient encore à l'extrémité des avant-toits alors qu'on aurait dû planter l'orge. Seuls les voyageurs les plus audacieux, ou ceux traitant quelque affaire louche, se risquaient sur la grand-route enneigée. Un jour, pourtant, un courrier postal apparut sur la route, pressant son cheval dans la boue et la neige fondue. Il apportait à Jiroémon une lettre du commissaire de district en charge des transports.

Les mains tremblantes, le père de Sachi brisa le sceau et déroula la lettre. Quelle nouvelle exigence les seigneurs avaient-ils encore imaginée ? Il lut la missive, se gratta la tête et la lut de nouveau. L'administration l'avisait que Son Altesse la princesse Kazu, sœur cadette de l'empereur, emprunterait la Route intérieure et traverserait le village le dixième mois de l'année en cours. Jiroémon était donc prié d'entamer sur-le-champ les préparatifs nécessaires.

Une princesse impériale du rang le plus élevé, fille du dernier empereur et sœur cadette de l'actuel Fils du Ciel ! De mémoire de villageois, un tel événement ne s'était encore jamais produit. Courant sur le sol gelé, Jiroémon se précipita vers le logement exigu qu'il occupait avec les siens, dans un coin de la splendide auberge réservée aux daimyo. Des volutes de fumée s'échappèrent de la pièce principale quand il ouvrit la porte. Toute la famille attendait son retour, serrée autour du foyer.

Entrant d'un pas vif, il grommela :

— Je n'ai jamais connu chose pareille, Kaachan ! De toute ma vie !

Selon la coutume paysanne, Jiroémon donnait à son épouse Otama le surnom affectueux de *Kaachan* – « maman ».

La grand-mère lui servit une portion de gruau, puis une seconde.

— Des routes toujours surchargées, les villages voisins qui refusent de fournir des porteurs, et maintenant ça ! Combien de voyageurs voyons-nous chaque jour, tu le sais, Kaachan ? Un millier ? C'est déjà beaucoup trop pour nos moyens. Et voilà qu'on m'en annonce dix mille, rien que pour l'entourage de Son Altesse, sans compter les porteurs ! Le défilé à lui seul prendra bien quatre ou cinq jours. Je vais devoir trouver deux ou trois mille porteurs. Deux ou trois mille ! Et aussi cinq cents chevaux par jour, six mille oreillers, du riz, du charbon. Et il faudra nourrir toute cette main-d'œuvre. Comment faire ? C'est impossible !

Otama hocha silencieusement la tête. C'était une petite femme fluette au visage sillonné de rides fines, coiffée d'un simple chignon. Ses mains crevassées témoignaient d'incessants nettoyages, travaux de cuisine et de jardinage. Son dos commençait à se courber à force de repiquer les plants de riz. Lorsqu'elle était toute jeune encore, ses parents l'avaient donnée en mariage à Jiroémon. De nombreux enfants leur étaient nés, mais aucun n'avait survécu. Ils avaient fini par adopter une frêle petite fille au teint pâle qu'ils avaient baptisée Sachi – Bonheur – dans l'espoir que celle-ci au moins resterait en vie.

Sachi n'en savait pas davantage et n'avait jamais posé de questions. Trop de choses occupaient sa jeune vie pour qu'elle songe à interroger ses parents adoptifs sur ses véritables origines. Au village, la moitié des enfants étaient également adoptés ou élevés par une famille proche, celle-ci ayant un enfant malade ou manquant d'héritier pour perpétuer sa lignée. En fin de compte, ils ne savaient plus très bien qui étaient leurs vrais parents, mais personne ne s'en souciait. Seule comptait la famille qui vous élevait.

Quelques années après cette adoption, Otama et Jiroémon eurent un fils, le petit Chobei, puis d'autres enfants. Ceux-là survécurent. Solide, bien portante, travailleuse et paisible, Otama incarnait tout ce qu'un homme comme Jiroémon attendait d'une femme, aussi lui était-il très attaché. C'était elle qui régnait sur la maison depuis que la grand-mère avait pris de l'âge.

Tandis que Jiroémon parlait, elle ne l'avait pas quitté des yeux. Sans un mot, elle reposa bol et baguettes près du poêle et, se glissant derrière lui, se mit à lui pétrir les épaules, grimaçant chaque fois qu'elle rencontrait un nœud particulièrement résistant. Elle se décida enfin à parler :

— Nous ne recevrons sans doute pas un seul sou ni le moindre grain de riz. Ces fonctionnaires savent très bien que nous ne pouvons fournir plus de quelques centaines d'hommes et, au mieux, une cinquantaine de vieux chevaux. Même en faisant appel à tous les villages des environs, nous n'obtiendrons guère plus.

— La lettre mentionne une aide financière, sans précision.

— Tu trouveras une solution, assura Otama. Tu y arrives toujours.

Sachi prêtait rarement l'oreille aux conversations des adultes. Il n'y était question que de travaux, de projets, de soucis d'argent, de racontars. D'ordinaire, elle préférait se retirer dans ses pensées. Mais, ce jour-là, il en allait autrement. Jusque-là, ses parents avaient constitué le centre de son petit univers. S'ils la réprimandaient parfois, elle leur faisait confiance pour la protéger et résoudre tous ses problèmes. Et voilà qu'elle les découvrait aussi fragiles et impuissants qu'elle !

Pourtant, une étrange excitation s'était emparée d'elle. Une princesse allait traverser leur village ! Sachi ignorait tout des princesses. Parfois, elle voyait les riches épouses des marchands, certaines presque aussi pâles qu'elle. Peut-être la princesse avait-elle aussi la peau claire.

Comme toujours quand elle était préoccupée, elle toucha le peigne dans la manche de son kimono. D'ici un ou deux ans, elle devrait partir comme les autres filles du village. L'une s'était rendue chez une cousine pour parfaire son éducation et conclure un beau mariage – du moins l'espérait-on. D'autres avaient été placées au service d'un samouraï ou s'étaient mariées. Son tour viendrait. Les paroles de sa grand-mère hantaient son esprit : « Crois-tu qu'elle trouvera un mari, pâle et maigre comme elle est ? Un paysan n'a pas besoin d'une femme jolie. »

Et si on la jugeait trop petite et trop pâle pour entrer dans une autre famille en tant que jeune épousée ? Quand toutes les autres filles auraient quitté la maison de leur enfance, elle resterait chez ses parents et demeurerait toute sa vie une charge et un objet de honte pour eux.

Les moqueries des geishas lui étaient encore plus pénibles. Avec de petits rires affectés, elles lui proposaient parfois de les rejoindre. Ne devaient-elles pas recouvrir leur peau d'une épaisse couche de fard blanc, alors que la sienne était naturellement aussi pâle que la pleine lune, aussi blanche qu'une colline tapissée de cerisiers en fleur ? De plus, elle était jolie et le devenait chaque jour davantage. Toutes ces réflexions ne faisaient qu'accentuer le sentiment de sa différence. Quand sa mère entendait ces taquineries, elle se contentait d'entraîner Sachi plus loin avec un petit sourire résigné.

Le lendemain matin, le village entier était au courant de la venue de la princesse. Assise près du vieux métier à tisser, Sachi enroulait le coton sur des fuseaux qu'elle tendait ensuite à sa mère. Dans un coin de la pièce, sa grand-mère se tenait courbée sur le rouet au point de l'effleurer de son front. On n'entendait que le claquement rythmé des fuseaux allant et venant sur le métier et le chuintement du rouet. Après un long soupir, Sachi prit la parole :

— Kaachan... La princesse... comment est-elle ?

Otama cessa de tisser pour enrouler l'étoffe qu'elle venait de fabriquer. Elle réfléchit un instant.

— Je n'en sais rien, petite. Ton père dit qu'elle se rend à Edo pour épouser le shogun.

Épouser le shogun ! On aurait dit un des contes de fées que la grand-mère de Sachi lui racontait parfois. Le shogun était peut-être vieux et laid, songea-t-elle, tout ratatiné et desséché comme le prêtre du village. Ou alors, il était jeune et plein de vitalité. L'image du corps svelte de Genzaburo émergeant de la rivière lui traversa brièvement l'esprit.

De nombreuses rumeurs circulèrent les jours suivants, véhiculées par les voyageurs de passage. Dans la salle de réunion, les lampes à huile fumaient et tremblotaient dans la nuit. Jiroémon rentrait de plus en plus tard pour dîner. Le temps d'avaler deux ou trois bols d'orge, de s'asperger d'eau fumante au-dessus d'une cuvette, et il s'écroulait sur une grossière natte de paille à côté des enfants. Les villageois s'étaient mis au travail. Ils durent d'abord paver la route de pierres blanches sur toute la longueur du village et même un peu au-delà. La voie devait être large de douze *shaku,* même s'il fallait pour cela abattre les murs de certaines maisons.

Quand la neige eut enfin fondu, Sachi chaussa une paire de socques, les *geta,* s'assura que le vieux seau de bois ne fuyait pas et descendit jusqu'au puits. Elle y trouva toute une assemblée de femmes bavardant avec excitation. La corvée d'eau incombait aux plus jeunes. Surtout, c'était un bon prétexte pour échapper à une belle-mère acariâtre et papoter un moment.

— Savez-vous que la princesse a tout juste quinze ans ? Mon beau-père me l'a dit.

C'était justement l'âge de Shigé, qui habitait l'auberge de l'autre côté de la route, une fille bien en chair à la peau hâlée, consciente de sa féminité malgré ses dents de travers. Elle était l'épouse du fils aîné de la maison, auquel elle avait déjà donné un héritier, aussi prenait-elle des airs importants. Genzaburo était le plus jeune frère de son mari. Sachi la regardait avec une certaine crainte. Comment pouvait-on avoir tant d'assurance ?

— Savez-vous ce que j'ai entendu dire ? lança Kumé, la toute jeune épouse du fils du fabricant de *geta.* Il paraît que la princesse ne veut pas…

— Elle a refusé, conclut Shigé à sa place. Peut-on imaginer cela ? Une femme qui refuse de se marier !

Un chœur de voix aiguës et incrédules lui répondit.

— Il paraît qu'elle n'avait que six ans quand on l'a fiancée à un prince impérial, reprit Shigé. Elle a dit qu'elle préférait se faire nonne plutôt que d'épouser le shogun.

— Mon beau-père trouve que c'est un scandale d'envoyer une jeune fille aussi loin de chez elle, intervint Kumé. Edo est une ville de garnison, pas un endroit pour une personne si délicate et bien élevée.

— Comme elle doit être belle ! murmura Oman, une voisine de Sachi. Il paraît qu'on apporte de l'eau de source depuis Kyoto pour son bain.

— Impossible ! s'écrièrent les autres.

— C'est pourtant vrai. Sa peau est trop délicate pour supporter l'eau de Kiso. Que ne donnerais-je pas pour la voir, ne serait-ce qu'une seconde !

Des gloussements choqués saluèrent sa témérité.

— Hélas, soupira la jeune femme. Aucune de nous n'a la moindre chance de contempler un jour la princesse. Quel dommage ! Jamais nous ne verrons une dame de cette importance !

Sachi écoutait sans mot dire. Ainsi, la princesse était à peine plus âgée qu'elle. Quelle tristesse d'être arrachée à sa demeure pour entreprendre un aussi long voyage vers un lieu étranger où l'attendait un mari dont elle ne voulait pas ! À cet égard, son destin ne différait guère de celui des villageoises les plus démunies. Mais la princesse avait eu l'audace de refuser ce destin, même si elle avait finalement dû céder. Une princesse, une des premières dames du pays… N'avait-elle aucun droit sur sa propre vie ?

— Elle a sûrement la peau claire, affirma Oman. Peut-être même plus claire que la tienne, petite Sa.

— Oui, je parie qu'elle te ressemble, Sa, renchérit Yuri. Avec une longue figure et un long nez, comme toi !

— Ne soyez pas stupides, intervint Shigé d'un air supérieur. La princesse est belle et ne ressemble à aucune d'entre nous.

L'année s'écoula, avec sa succession de fêtes, de jours heureux ou moins heureux. Au printemps, Sachi se levait chaque jour avant l'aube pour parcourir les bas versants de la montagne à la recherche de crosses de fougères, de prêles des bois, de racines de bardane et des autres jeunes plantes comestibles qui y poussaient en abondance. Il y eut ensuite la fête du printemps, suivie de la fête des jeunes filles et du repiquage des plants de riz. En été, les enfants furent occupés aux travaux de la route ou des champs, mais, dès qu'ils le pouvaient, ils filaient à la rivière, arrachaient leurs vêtements et plongeaient dans l'eau froide en s'éclaboussant mutuellement avec des cris de joie. Genzaburo organisait des expéditions dans les bois pour grimper aux arbres et chasser les lapins, les renards ou les blaireaux. La fête du *Bon* marqua le septième mois, si chaud déjà que tous se déplaçaient avec peine et ruisselaient de sueur. C'était le moment de l'année où les ancêtres revenaient d'entre les morts, et les villageois célébraient ces retrouvailles en dansant jusqu'à une heure avancée de la nuit.

Avec l'automne, Sachi retourna dans les collines pour y cueillir des champignons.

Otama nettoyait, astiquait, balayait et cuisinait afin que l'auberge soit impeccable chaque fois qu'un personnage de haut rang s'y arrêtait. Le métier à tisser tout comme le rouet de la grand-mère fonctionnaient sans relâche. Tandis qu'elles accomplissaient leurs tâches quotidiennes, les femmes avaient conscience des efforts de Jiroémon pour préparer la venue du cortège princier. Il menait d'interminables pourparlers avec les chefs de villages de plus en plus éloignés, à la recherche de porteurs et de chevaux en nombre suffisant. Pas question de se contenter de vagues promesses. Il n'avait pas droit à l'échec.

Au début du neuvième mois apparut une foule de fonctionnaires, de gardes, de soldats et de daimyo accompagnés de leur cour, en route pour Kyoto où ils allaient chercher la princesse afin de l'escorter. Les porteurs et les soldats formaient des groupes si serrés qu'ils marchaient presque les uns sur les autres. Même si Jiroémon avait réussi à trouver plus d'un millier de porteurs supplémentaires, on était encore loin du compte.

Un jour, on vit arriver un cortège de palanquins aux décors somptueux. La nouvelle se répandit à la vitesse de l'éclair et, bientôt, les villageois se pressèrent en foule de chaque côté de la route jusqu'à ce que les gardes les obligent à déguerpir.

Sachi entendit Jiroémon dire à sa femme :

— Ce sont des dames du Grand Intérieur. Elles doivent passer la nuit chez nous. Que suis-je censé faire ? Sortir et les saluer ? On ne m'a donné aucune instruction à leur sujet.

— Le Grand Intérieur ? s'étonna Otama. Qu'est-ce que c'est ?

— Le palais des femmes au château d'Edo.

Otama secoua la tête, incrédule.

— De grandes dames comme ça sur la route ? On n'a jamais vu ça !

En effet, Sachi n'avait jamais aperçu que des paysannes, quelques citadines en pèlerinage et, parfois, d'élégantes épouses de marchands, souvent plus dures en affaires que leur mari. Il était arrivé qu'une poétesse passe par le village, mais jamais une femme d'un rang plus élevé. L'entourage des daimyo se composait exclusivement d'hommes. Aux postes-frontières du village, les gardes avaient ordre de s'assurer qu'aucune dame de la haute société ne franchisse les barrières sous un déguisement en tentant de fuir Edo pour regagner sa province. Si quelque autre faute pouvait à la rigueur s'excuser, le garde aurait payé de sa tête une aussi coupable négligence.

Le défilé dura neuf jours, puis il s'interrompit, et les villageois firent le compte des dégâts : la grande salle de réunion saccagée, plusieurs cloisons en papier de l'auberge endommagées lors de rixes entre samouraïs ivres, des porteurs battus et deux autres tués alors qu'ils tentaient de fuir. Le long de la grand-route, on découvrit les corps de vingt à trente d'entre eux, morts à la tâche. Les villageois s'empressèrent de tout remettre en ordre avant le passage de la princesse

Vint ensuite le tour des commissaires au transport. Leurs palanquins pénétrèrent dans le village, escortés de serviteurs, d'employés et de gardes. Eux-mêmes se pavanèrent dans la rue centrale dans leurs *hakama* – de larges pantalons plissés –, un chignon huilé pointant au sommet de leur tête, avec au côté deux sabres qu'ils balançaient avec ostentation. Ils passèrent la nuit à l'auberge de Jiroémon, accompagnés de leurs cuisiniers personnels pour préparer le thé et leur dîner, se jugeant bien trop importants pour consommer la cuisine d'Otama, si délicieuse fût-elle.

Tout en tapotant leur éventail, ils déployèrent des plans, mesurèrent la route et donnèrent leurs instructions à Jiroémon : tout le temps du défilé, femmes et enfants devraient rester à la maison, volets clos, à genoux et en silence. Chiens et chats seraient attachés ou enfermés, et toute personne se trouvant au-dehors se prosternerait, visage contre terre. Aucun feu ne pourrait être allumé, et les lourdes pierres maintenant en place les tuiles des toits devraient être consolidées pour éviter tout accident. Aucun trafic n'était autorisé sur la route pendant au moins trois jours.

Un calme étrange tomba aussitôt sur le village.

Les premiers éléments du convoi arrivèrent le vingt-quatrième jour du dixième mois. Quarante-huit heures durant, on assista à un interminable défilé de porteurs titubant sous le poids de paniers, de coffres recouverts de riches brocarts, de malles laquées d'or. Jiroémon avait réussi à rassembler deux mille deux cent soixante-dix-sept hommes venus de trente-trois villages. Ayant porté les bagages jusqu'au village suivant, ils revinrent se mettre à la disposition de nouveaux arrivants.

La princesse elle-même était attendue le troisième jour. Sachi se leva bien avant l'aube et suivit Otama à l'auberge pour s'assurer que tout était parfaitement en ordre. Pendant que sa mère disposait des branches d'érable dans un vase, Sachi courait d'un étage à l'autre, poussant devant elle un chiffon humide jusqu'à ce que les tatamis étincellent de propreté. Les deux femmes firent reluire une dernière fois le plancher de bois dans les couloirs et dans l'entrée, où il ne resta bientôt plus un seul grain de poussière. Après quoi, Sachi et les autres enfants allèrent se poster à l'entrée du village pour guetter le cortège.

— Je vais me cacher sous l'avant-toit pour les voir passer, souffla Genzaburo alors qu'ils venaient de faire leur rapport à Jiroémon. Viens avec moi, Sa. Ce sera amusant et personne ne le saura !

Mais Sachi avait mieux à faire. Chaque fois qu'un cortège approchait, Jiroémon allait à sa rencontre pour saluer le daimyo, puis il regagnait précipitamment l'auberge pour l'accueillir au moment où l'on déposait les palanquins. Cependant, la princesse lui posait un problème. Il était impensable qu'un modeste aubergiste lève seulement son regard sur elle. D'un autre côté, il semblait tout aussi impensable que personne ne l'accueille à son arrivée. Au fur et à mesure que la date approchait, Jiroémon devenait de plus en plus soucieux. Les commissaires au transport n'avaient pas daigné lui donner d'instructions à ce sujet.

Finalement, il prit seul sa décision. Comme à son habitude, il irait saluer le palanquin à l'entrée du village, puis il accueillerait la princesse devant l'auberge, accompagné de sa femme et de sa fille. Après tout, eux aussi avaient été des samouraïs.

Sachi revêtit son nouveau kimono bleu indigo. Le fil était l'œuvre de sa grand-mère et le tissu celle d'Otama, qui avait choisi un motif de damier clair et sombre et cousu une amulette protectrice à l'intérieur de la manche. Sachi y rangea son peigne et ceignit sa taille d'une obi de crêpe rouge.

Puis elle s'agenouilla au côté de sa mère près de l'entrée réservée aux visiteurs éminents.

Dissimulée derrière un haut mur, l'auberge de Jiroémon se situait au milieu du village, en retrait de la route. À l'intérieur, un second mur protégeait les hôtes de marque des indiscrétions des villageois et des autres voyageurs.

Le sol vibra bientôt sous des milliers de pieds qui foulaient la route en cadence. Sachi aperçut par-dessus le mur les pointes des lances, les bannières et de grandes ombrelles rouges.

Soudain des hommes apparurent près du mur intérieur. Sachi leva légèrement la tête. Une file de porteurs, le derrière nu, le visage luisant de sueur, s'approchait de l'auberge en remorquant des baquets d'eau, des paniers de nourriture, des coffres laqués et une caisse noir et or assez grande pour contenir une baignoire. Des hommes solidement bâtis, portant un court kimono rembourré, des jambières, un chapeau de paille pointu et deux sabres de samouraï, prirent position autour du porche avec des porteurs chargés de banquettes noires.

Un palanquin s'immobilisa devant l'entrée. Une femme en sortit, pointant d'abord un pied minuscule, puis l'autre, pour chausser une paire de socques. D'autres palanquins arrivèrent et leurs passagères se mirent à se saluer avec de petits cris aigus. Leurs voix évoquaient à Sachi les pépiements d'une nuée d'oiseaux. Le porche fut envahi de silhouettes drapées d'étoffes aussi fines et délicates que des pétales de fleur, aussi colorées qu'une prairie au printemps. L'air se remplit de parfums si doux, si intenses, que Sachi en fut presque étourdie. Jamais elle n'avait vu des créatures aussi exquises, comme surgies d'un monde plus merveilleux que tout ce qu'elle avait pu imaginer.

En tordant le cou, elle aperçut un superbe palanquin, véritable palais ambulant surmonté d'une bannière pourpre, au flanc sculpté d'un chrysanthème, l'emblème impérial. Six hommes le transportaient, trois devant et trois derrière, et des gardes marchaient de chaque côté, escortés par des serviteurs tenant de larges parasols rouges. À sa vue, toutes les femmes tombèrent à genoux en un gracieux envol de soieries. Jiroémon et Otama se prosternèrent, le visage pressé contre le plancher ciré. Mais Sachi brûlait de curiosité. Bravant à nouveau les interdits, elle leva les yeux une seconde. Il fallait qu'elle voie la princesse coûte que coûte.

Des domestiques firent coulisser la porte du palanquin et une femme émergea de l'ombre. Elle portait plusieurs kimonos superposés, dans un subtil dégradé d'orange, d'or et de vert. Coiffée d'un chapeau de voyage, elle écarta fugitivement de sa main blanche l'épaisse voilette qui lui tombait aux épaules, et Sachi entrevit enfin son visage.

Aussitôt, elle baissa la tête. Qu'avait-elle vu au juste ? Qu'espérait-elle voir ? Elle avait tant rêvé de la princesse qu'elle s'attendait à une vision extraordinaire. Mais le visage qu'elle avait aperçu ne pouvait être celui de la princesse qui hantait ses pensées. Si le fard blanc, les minces lèvres rouges, les sourcils dessinés haut sur le front désignaient bien une grande dame, cette inconnue paraissait toute menue dans des kimonos bien trop grands pour elle. Plus curieux encore, Sachi avait lu sur ses traits la même peur panique que celle qu'elle observait parfois chez les poulets avant qu'on leur tranche la tête. Il y avait forcément une erreur.

Même une enfant comme Sachi savait que les grands de ce monde avaient des sosies, car ils étaient entourés d'ennemis prêts à les enlever ou même à les tuer. Cette voyageuse était peut-être un sosie. Mais, s'il s'agissait de la princesse, alors celle-ci était une créature ordinaire.

Dans un bruissement soyeux, les femmes accompagnèrent la princesse à l'intérieur. En marchant d'un curieux pas glissant, elles dépassèrent Jiroémon,

Otama et Sachi, feignant d'ignorer jusqu'à leur existence.

De nouveaux palanquins se présentèrent et d'autres femmes en descendirent. Vint enfin un palanquin d'aspect banal, avec des stores de bambou. Sachi observa à la dérobée la femme qui en sortait. Habillée plus simplement que les autres, elle avait l'air d'une domestique. Son regard croisa brièvement celui de Sachi.

Ce n'était pas une beauté, mais son allure attirait tous les regards. Son visage ovale aux rondeurs encore enfantines était éclairé par de grands yeux sombres un peu mélancoliques. Elle avait un nez droit, un menton pointu et une petite bouche à l'expression résignée. Sa peau fine était si claire qu'elle laissait transparaître une ombre bleutée.

Elle quitta le palanquin avec une sorte de réticence et resta sur le pas de la porte, l'air indécis. Les autres femmes se dépêchèrent de jeter un voile sur sa tête et échangèrent des propos bruyants sans la regarder, jouant l'indifférence. Mais chacun de leurs gestes trahissait une immense dévotion.

Sachi les épiait entre ses cils, pétrifiée. Il lui semblait avoir déjà vu cette jeune fille, peut-être en rêve. Lorsque la voyageuse l'aperçut à son tour, une étincelle s'alluma dans ses yeux, comme si elle la reconnaissait également. Pendant que les femmes arrangeaient le voile devant son visage, elle murmura quelques mots à l'une d'elles. Tous les regards se tournèrent alors vers l'effrontée. Les gardes en faction autour du porche posèrent la main sur la poignée de leur sabre. Alerté par cette agitation, Jiroémon regarda à son tour, horrifié.

Instinctivement, Sachi serra son peigne dans sa manche. En un éclair, elle se rappela le sort de Sobei l'ivrogne, les corps abandonnés le long de la route. Sa courte vie défila devant ses yeux et elle pensa à Genzaburo caché sous l'avant-toit.

Elle comprit tout à coup pourquoi le visage de cette jeune fille lui avait paru familier. Avec quelques années de plus, ç'aurait pu être le sien.

DEUXIÈME PARTIE

Le palais des femmes

2

Les coquillages de l'oubli, 1865

I

Sachi et la princesse Kazu jouaient au jeu des coquillages. À genoux face à sa maîtresse, les mains jointes et les yeux baissés, Sachi perçut le doux froissement de la soie lorsque la princesse, d'un geste lent, remonta sa longue manche pour plonger la main dans la boîte laquée et gravée à l'or fin. Les petits coquillages s'entrechoquèrent quand elle les remua du bout des doigts. Elle cueillit délicatement l'un d'eux et le déposa sur le tatami, face visible. Des personnages miniatures, seigneurs et nobles dames, se détachaient sur un fond doré à l'intérieur de la minuscule coquille.

D'autres coquillages, face cachée, étaient soigneusement alignés entre les deux joueuses. La princesse en prit un, regarda l'intérieur et le reposa.

— Pourquoi n'ai-je jamais de chance ? s'exclama-t-elle d'un ton dépité. Que n'avons-nous des coquillages d'oubli…

Elle murmura un court poème :

Wasuregai
Hiroi shi mo seji
Shiratama o
Kouru o dani mo
Katami to omowan

« Je ne ramasserai pas
Les coquillages de l'oubli
Mais des perles,
Seuls souvenirs
Du joyau que j'ai aimé. »

Sachi leva brièvement les yeux vers la princesse, songeant à ce qu'elle avait entendu dire. Fiancée à un prince impérial, elle était venue à Edo sous la contrainte pour épouser le shogun. Mais c'était il y a longtemps. Si seulement Son Altesse cessait de ruminer le passé, si seulement elle n'était pas toujours aussi triste…

Comme la princesse la regardait, Sachi choisit à son tour un coquillage et le compara à celui que la princesse avait extrait de la boîte. Elle poussa un petit cri : ils étaient parfaitement identiques. Tout excitée, elle laissa échapper un petit rire, puis elle plaqua ses mains sur sa bouche, rouge de confusion.

— Quelle enfant ! soupira avec indulgence dame Tsuguko.

En tant que première dame d'honneur de la princesse, Tsuguko jouissait d'une influence certaine et faisait autorité en matière de protocole. Cette grande femme à l'allure aristocratique dont la longue chevelure striée de gris frôlait le sol terrifiait la plupart des jeunes dames de la cour, même si elle se montrait aimable avec les préférées de la princesse.

Cette dernière esquissa un pâle sourire.

— Tout le monde tomberait sous le charme de ces yeux verts, murmura-t-elle. Cette petite irradie la joie de vivre. Si tous les jours pouvaient être aussi paisibles que celui-ci…

Après un rapide coup d'œil en direction de sa première dame d'honneur, elle ajouta d'une voix altérée :

— Il nous reste si peu de temps !

— La vie est toujours incertaine, madame. Mais les dieux nous seront peut-être favorables, cette fois au moins.

— Pas si la Retirée a son mot à dire. Or, je sais qu'elle a l'oreille de Sa Majesté.

On était le quinzième jour du cinquième mois de la première année de Keio, et la pluie tardait à venir. La chaleur devenait de plus en plus oppressante et de sombres nuages plombaient le ciel. On avait démonté les cloisons de papier et de bois délimitant les espaces intérieurs et extérieurs des bâtiments, transformant le vaste palais en un labyrinthe de pavillons communicants. Aucun souffle d'air n'agitait les stores de bambou.

Ce matin-là, profitant d'une courte récréation, Sachi était sortie pour admirer les jardins du palais : les pelouses, les buissons soigneusement taillés, l'étourdissante mosaïque des pins… Avec ses ponts en demilune, le lac était aussi immobile qu'une image. Des pousses de bambou jaillissaient du sol et les branches noueuses des arbres étaient chargées de bourgeons rebondis et de nouvelles feuilles.

Tandis que la jeune fille respirait à pleins poumons les senteurs d'herbe et de terre, une cigale avait brisé le silence en frottant ses élytres. Sachi s'était alors imaginée sur la pente d'une colline, au cœur d'une épaisse forêt. Des toits d'ardoise lestés de pierres se blottissaient dans la vallée à ses pieds. Elle pouvait presque sentir la fumée montant des foyers et l'odeur alléchante de la soupe miso. Le village… *son* village. L'illusion était si parfaite que ses yeux s'étaient remplis de larmes.

Comme chaque jour, elle avait repensé au matin d'automne où son destin avait basculé. Elle s'était revue sur le seuil de l'auberge, agenouillée sur le plancher de bois qui lui blessait les genoux. Des femmes se pressaient autour d'elle, pépiant avec des voix aiguës. Sa mère essuyait ses larmes tandis que son père lui répétait : « Allons, petite Sachi, tu dois partir avec ces dames. Tu as beaucoup de chance, ne l'oublie jamais. Quoi qu'il puisse t'arriver, ne pleure pas. Aie confiance et fais en sorte que nous soyons fiers de toi. »

Puis elle s'était vue sur la grand-route, marchant au côté d'une dame d'honneur qui la tenait fermement par la main. Sans cesse, elle se retournait vers son cher village qui s'éloignait lentement. Des jours et des jours plus tard, le cortège de la princesse avait atteint Edo et les grilles de la haute forteresse s'étaient refermées derrière lui comme un sombre présage.

Oh, quelle solitude ! Jamais elle n'avait imaginé ressentir tant de tristesse. C'est à peine si elle parvenait à comprendre ce qu'on lui disait. Et il y avait tant à apprendre : marcher, parler comme une dame, lire, écrire… Quatre hivers et trois étés s'étaient écoulés depuis lors et, pourtant, il ne se passait pas une seule journée sans que ses pensées s'envolent vers ses parents, sans qu'elle s'inquiète de leur sort.

À présent, agenouillée auprès de sa maîtresse, elle entreprit de l'éventer. Un filet de fumée odorante s'élevait en volutes de l'encensoir. Derrière les écrans dorés délimitant les appartements de la princesse, des dames d'honneur papotaient gaiement, leurs robes ondoyant autour d'elles comme des feuilles à la surface de l'eau. Peu d'entre elles étaient admises derrière les paravents. Si elle avait été plus âgée, Sachi aurait pu s'étonner du privilège qui lui était accordé. Mais la princesse désirait sa compagnie, qu'elle jugeait apaisante.

Sachi coula un regard vers elle. Elle était censée garder toujours les yeux baissés, particulièrement en présence de Son Altesse. Mais il y avait tant de règles à observer… En outre, elle avait parfois l'impression d'être la seule à se soucier de la princesse Kazu, qu'elle tenait pour la perfection incarnée. Son écriture surpassait en élégance celle de toutes les autres dames de la cour, ses poèmes étaient les plus émouvants et, quand elle jouait du koto, elle vous tirait des larmes. Lors de la cérémonie du thé, ses gestes étaient empreints d'une grâce délicieusement poétique. Pourtant, par moments, Sachi croyait déceler dans ses beaux yeux noirs une lueur de panique qui lui évoquait le regard d'un daim aux abois. Malgré son jeune âge, Sachi rêvait alors de la protéger.

Des pas précipités résonnèrent dans le couloir, puis une porte coulissa. Il y eut ensuite un concert de voix, des froissements de soie, et une dame d'honneur apparut au coin du paravent avec une révérence. Dame Tsuguko se pencha vers la visiteuse d'un air hautain, puis elle se retourna vers la princesse et lui murmura à l'oreille :

— Le moment de la visite matinale approche, Votre Altesse.

La princesse se raidit. Elle regarda Sachi, qui s'empressa de baisser les yeux. Avec un calme étudié, elle s'adressa alors à dame Tsuguko :

— Ordonne à mes dames d'honneur de commencer les préparatifs.

Sachi rassembla vivement les coquillages, les rangea dans leurs jolies boîtes et noua soigneusement les cordelettes à glands qui les maintenaient fermées. À son arrivée au palais, tout lui avait semblé si nouveau qu'elle n'avait pas vraiment eu conscience du luxe inouï qui l'entourait. Presque quatre ans plus tard, elle manipulait avec le plus grand respect les minuscules coquillages peints et leurs superbes boîtes octogonales laquées.

Seules les dames d'un rang très élevé pouvaient espérer se trouver un jour en présence du shogun. Tout leur monde gravitait autour de celui-ci. Lorsqu'il s'absentait, on aurait dit qu'un voile noir s'abattait sur le palais. Toutes les femmes habitant cette aile du château, les plus nobles comme les plus humbles – dames d'honneur de haut rang ou suivantes de moindre condition, vieilles et jeunes servantes, gardes armées de hallebardes, préposées aux bains ou au ménage, porteuses de charbon et d'eau, et les plus insignifiantes d'entre toutes, les simples domestiques surnommées avec ironie « honorables morveuses » –, se cantonnaient alors dans un silence craintif. Le retour de leur maître était comparable au lever du soleil. Et cependant, bien peu d'entre elles, malgré une existence entièrement vouée au service de celui qu'elles considéraient comme l'égal d'un dieu, avaient la moindre chance de l'entrevoir.

En réalité, ainsi que Sachi l'avait entendu dire par les Aînées, le shogun quittait très rarement sa royale demeure. Aucun ne l'avait fait depuis que le seigneur Iemitsu, troisième de la dynastie, s'était rendu à Kyoto au cours de l'ère Kan'ei, plus de deux cents ans auparavant. Quant au shogun précédent, le pauvre seigneur Iesada, il avait, comme ses ancêtres, passé toute son existence entre les murs du château.

D'ailleurs, pour quelle raison aurait-il souhaité partir ? Le château était un univers en soi. Outre le palais intérieur – un ensemble de bureaux, de salles de garde, de vastes cuisines, de salles à manger et de bains –, les quartiers des femmes, véritable labyrinthe entouré de jardins exquis, de lacs, de rivières et de cascades, il comprenait le palais intermédiaire, la deuxième résidence du shogun, ainsi qu'une aile extérieure affectée aux affaires officielles et aux bureaux du gouvernement.

Naturellement, les femmes n'avaient pas accès à cette dernière partie et n'étaient même pas censées savoir ce qu'on y faisait. Mais les nouvelles et les rumeurs finissaient toujours par parvenir au palais intérieur, de sorte que, même confinées, les femmes étaient au courant de tout ce qui se passait à l'extérieur.

Il existait encore une seconde citadelle, où l'héritier – quand il y en avait un – et sa mère tenaient leur cour. Sans oublier la citadelle occidentale, réservée aux veuves, à leurs familles et aux concubines du précédent shogun qui, en théorie du moins, faisaient vœu de vivre en nonnes. Ces deux dernières citadelles étaient des répliques miniatures de la première.

Au-delà des douves et des hautes murailles, on trouvait un petit bois, les jardins de Fukiage et la colline

Momiji, où les femmes avaient le droit de se promener, ainsi que les palais des familles Tayasu et Shimizu, apparentées aux Tokugawa.

Tout ce que l'on pouvait désirer était rassemblé dans ce cadre enchanteur. Lorsqu'une femme pénétrait dans le château, elle était sûre d'y passer sa vie entière, à moins de commettre une faute grave. Néanmoins, elle pouvait s'absenter de temps à autre pour rendre visite à sa famille, comme Sachi serait bientôt autorisée à le faire. Mais, pour le moment, son ancienne vie lui paraissait si lointaine qu'elle avait peine à s'en souvenir.

Chaque fois que la princesse accomplissait sa visite quotidienne au shogun, Sachi restait dans l'appartement royal. Ce ne fut pas le cas ce jour-là. Ce changement tenait sans doute à son âge : elle se trouvait désormais dans sa quinzième année et ses menstrues avaient commencé. Depuis, elle était coiffée comme une adulte et son nouveau kimono la désignait comme une apprentie suivante. Elle avait même reçu un nouveau nom : Yuri – le lys. Grâce à lui, elle se sentait plus délicate, plus féminine. Plus importante, aussi. Il lui avait fallu un peu de temps pour s'y habituer, mais, à présent, elle avait presque oublié la Sachi d'autrefois. Son corps aussi avait changé, pour se développer aussi vite qu'une pousse de bambou à la saison des pluies. Ses bras et ses jambes s'étaient allongés, et elle devait comprimer ses petits seins ronds sous son kimono. Son visage lui-même semblait différent quand elle le contemplait dans un miroir.

Pour cette raison peut-être, dame Tsuguko lui avait demandé ce matin-là de se préparer à accompagner la visite au shogun. Elle n'avait pas osé poser de questions : comme les Aînées ne cessaient de le lui répéter, sa personne et ses sentiments ne comptaient pas. Elle devait présenter en toutes circonstances un visage aussi serein que la surface d'un étang. Pour cela, elle n'avait qu'à se tenir à sa place, obéir à ses supérieures et ne faire honte ni à elle-même ni aux autres.

À l'approche de la quatrième heure, vers le milieu de la matinée, la princesse se leva et, tenant à la main un éventail de cérémonie en bois de cyprès, quitta ses appartements. Elle se déplaçait si légèrement que la mince fumée des encensoirs n'eut pas un frémissement à son passage. Son large pantalon rouge ondulait et son grand manteau à ourlet matelassé se déployait derrière elle. Un subtil parfum l'enveloppait. Elle était suivie d'une longue procession de dames d'honneur, semblables à de grandes fleurs dans leurs légers kimonos blancs d'été et leurs amples jupes vermillon. D'ordinaire, dame Tsuguko marchait en tête, comme il sied à une première dame d'honneur. Ce jour-là, cependant, elle resta à l'arrière, près de Sachi.

Des femmes et des huissiers étaient agenouillés le long du couloir. Sachi trottinait à pas menus, empêtrée dans ses kimonos. Plus petite que les autres, elle avait du mal à suivre le groupe et elle finit par trébucher.

— Fais de plus petits pas, lui conseilla dame Tsuguko en lui prenant délicatement le coude. Et tourne les orteils vers l'intérieur. Mains sur les cuisses, doigts tendus, pouces rentrés. Baisse la tête. Regarde le sol.

Précédées par les huissiers, la princesse et ses dames avançaient très lentement, leurs robes ondulant mollement derrière elles telles des vagues léchant les rives d'un fleuve. Le palais était un véritable labyrinthe. Les yeux fixés sur les tatamis, Sachi songea qu'elle aurait été incapable de s'y diriger seule. Devant elle s'étirait un corridor interminable, bordé de portes derrière lesquelles vivaient quelques centaines de dames d'honneur ainsi que leurs servantes.

Enfin, le petit cortège déboucha dans une vaste salle d'audience dont on distinguait mal les limites. À peine visibles dans la pénombre, des grues peintes s'élevaient vers le ciel et des tortues nageaient. Plus loin, des montagnes et des cascades rappelèrent à Sachi les paysages de son enfance. Les yeux des léopards luisaient dans la semi-obscurité, des dragons rampaient le long des linteaux et des frises, le plafond étincelait de mille feux – même les têtes des clous étaient en or ! Un côté de la salle ouvrait sur une cour intérieure où l'on apercevait un petit bassin et un minuscule pan de ciel gris. Des fleurs d'un blanc éclatant poussaient sur les rochers. L'air était lourd, chargé d'humidité, la chaleur si intense qu'on avait peine à se mouvoir.

— Tête baissée ! tonna dame Tsuguko.

Elles avaient atteint le passage conduisant aux appartements privés du shogun, un pavillon entouré de pelouses, de saules, de ruisseaux et de parterres d'iris pourpres. Une nuée de femmes les attendait, toutes à genoux. Elles reculèrent à l'approche de la princesse. Au premier rang, Sachi remarqua sept vieilles toutes ridées, coiffées de perruques compliquées : les Aînées, qui réglaient les infimes détails de la vie au palais des femmes. Dans leur jeunesse, disait-on, elles étaient les plus belles parmi les centaines de concubines du seigneur Ienari, grand-père de l'actuel shogun. Pour Sachi, elles évoquaient plutôt des dragons cracheurs de feu. Toutes les dames du château redoutaient leurs langues acérées et leurs mains noueuses, promptes à distribuer les gifles. Comment réagiraient-elles en voyant une créature inférieure telle que Sachi se hisser tellement au-dessus de sa condition ? Elle leva brièvement les yeux quand dame Tsuguko la présenta. À sa grande surprise, les Aînées l'accueillirent avec gentillesse. L'une d'elles lui concéda même un sourire et un signe de tête.

Elle eut à peine le temps de s'en étonner que la princesse et son entourage s'engageaient déjà dans un long couloir bordé sur tout un côté de stores en roseau garnis d'énormes glands rouges.

C'était le fameux corridor de la Cloche haute, reliant le palais des femmes aux palais intermédiaire et extérieur, domaine exclusif des hommes. Il n'y avait que le shogun, seul homme autorisé à pénétrer dans les appartements des femmes, qui puisse l'emprunter. On y croisait des prêtres desséchés, des médecins aux visages lisses ou de robustes gardes, mais ils comptaient si peu que nul ne les remarquait. Aux yeux des femmes, ils n'existaient même pas.

Des clochettes de cuivre tintaient chaque fois que le shogun s'apprêtait à franchir la lourde porte en bois au fond du couloir. De part et d'autre de celle-ci étaient agenouillées des dames d'honneur ainsi que des prêtresses, de vieilles femmes fripées au crâne rasé. D'abord étonnée par leur allure, Sachi s'était habituée à les voir aller et venir à l'intérieur du palais.

La princesse et son entourage portaient le costume officiel de la cour impériale – robe blanche, pantalon rouge et long manteau vermillon. Les nobles dames qui se prosternaient sur leur passage exhibaient pour leur part des tenues somptueuses, brodées de glycines, d'iris, d'éventails en bois de cyprès, de charrettes tirées par des bœufs, voire de paysages miniatures réalisés dans d'extraordinaires dégradés de bleu. Alors que les cheveux de la princesse et de ses dames tombaient en cascade jusqu'au sol, elles arboraient des chignons hérissés de peignes, d'épingles et de rubans.

Dame Jitsusei-in, la mère du shogun, était agenouillée à la place d'honneur, tout contre la porte. En tant que veuve, elle portait les cheveux courts, une robe toute simple et une capuche de nonne. Sachi l'avait surnommée Vieille Corneille : chaque jour, elle fondait sur les appartements de la princesse dans le frou-frou de ses vêtements noirs, trouvant à redire au moindre détail, indifférente aux efforts de tous pour la satisfaire.

La princesse prit place sur le coussin en face d'elle. Comme elle arrangeait sa jupe, une procession de femmes richement vêtues s'avança dans le couloir d'un pas lent et solennel. Celle qui marchait en tête, grande et d'allure imposante, était également vêtue en nonne, mais sa robe était taillée dans la soie la plus pure et son manteau hardiment drapé laissait entrevoir une gorge aussi blanche que la neige. Tout dans son attitude désignait une princesse.

Sachi leva brièvement les yeux et eut un coup au cœur en reconnaissant dame Tensho-in, la Retirée. On la disait autoritaire et aussi forte qu'un homme. Lors d'un tremblement de terre, elle avait soulevé dans ses bras le défunt shogun, son époux, pour le transporter hors du palais. Les femmes chuchotaient qu'elle était aussi remarquable cavalière, experte dans le maniement de la hallebarde, chanteuse et danseuse hors pair. Âgée d'à peine trente ans, elle était dans tout l'éclat de sa beauté. Ses lèvres rouges esquissaient un sourire et ses yeux brillaient d'une énergie farouche.

Soudain, tous les regards se dirigèrent vers la jeune femme qui la suivait. À peu près de l'âge de Sachi, elle avait le nez retroussé et le teint olivâtre des habitantes d'Edo, à l'opposé de la pâleur aristocratique des femmes de Kyoto. Son visage rond, encore enfantin, était peint à la dernière mode d'Edo, et un curieux vernis aux reflets verdâtres, appelé « rouge de jeunes pousses de bambou », teintait ses lèvres charnues. Si elle glissait à petits pas timides, les yeux baissés, ses épaules fièrement rejetées en arrière prouvaient qu'elle appréciait d'être ainsi le point de mire de l'assemblée.

Sous la couche de fard, Sachi avait reconnu Fuyu, l'idole des jeunes dames d'honneur. Elle lui enviait son aisance qui lui faisait d'autant plus cruellement sentir sa propre inexpérience et la bassesse de ses origines. Quant à Fuyu, elle ne lui adressait la parole qu'en de rares occasions. Ainsi, lorsque Sachi excellait dans le maniement de la hallebarde lors d'un entraînement, elle levait le menton, pinçait son délicat petit nez et lâchait dédaigneusement : « Pas mal… pour une paysanne. » Son père était capitaine de la garde et elle-même apprentie suivante, tout comme Sachi. Malgré ses grands airs, elle n'avait pas plus le droit qu'elle de se trouver en présence du shogun.

À sa vue, un murmure d'admiration avait parcouru l'assistance : pour la circonstance, Fuyu avait revêtu un manteau somptueux, entièrement brodé d'un motif représentant la ville d'Edo. Le long de l'ourlet matelassé courait le fleuve Sumida, bordé d'entrepôts et enjambé par l'arc du pont Nihonbashi. À hauteur des hanches ondulait la courbe de la baie d'Edo et sur le dos et les manches se pressaient des maisons, des temples, une pagode, des rues peuplées de minuscules personnages, des arbres, et même une vue du château avec ses tours brodées de fil d'or. Une véritable œuvre d'art, d'un prix inimaginable.

La Retirée s'avança vers Vieille Corneille et la princesse, s'inclinant profondément.

— Toutes mes salutations, Altesse Impériale, lança-t-elle d'une voix grave qui résonnait jusqu'au bout du couloir. Soyez la bienvenue. C'est un honneur de vous compter parmi nous. J'espère que vous prenez bien soin de votre santé par ce temps torride.

On n'entendait que le bruissement des éventails qui tentaient en vain de dissiper la chaleur. Sachi se contorsionna, mal à l'aise. Ses vêtements collaient à sa peau moite. Elle inclina la tête, inquiète, dans l'attente de la réponse de sa maîtresse.

La princesse Kazu s'attendait à être traitée avec déférence. Fille du dernier Fils du Ciel, sœur de l'empereur actuel, elle était de ceux qui « vivent au-dessus des nuages ». À aucun moment, elle n'oubliait qu'elle avait quitté la cour impériale de Kyoto pour vivre parmi les gens du commun. Mais, au lieu de lui témoigner respect et reconnaissance pour le sacrifice qu'elle avait consenti, la Retirée ne manquait jamais de la rabaisser. Veuve du shogun précédent, mère adoptive du seigneur en titre, elle avait exercé un pouvoir absolu à l'intérieur du palais jusqu'à l'arrivée de la princesse et se montrait déterminée à conserver ses prérogatives.

Les dames qui avaient suivi la princesse Kazu depuis la capitale n'avaient que mépris pour la Retirée et ses suivantes, qu'elles jugeaient impolies, voire vulgaires. Comment pouvaient-elles traiter la princesse avec une telle désinvolture ? Quant à leur façon de s'habiller, de parler et de se comporter, elle était ridicule, pour ne pas dire pitoyable. Lorsque les dames d'honneur de la princesse croisaient une suivante de la Retirée, c'est à peine si elles lui adressaient un signe de tête avant de poursuivre leur chemin. En revanche, leurs servantes respectives se querellaient fréquemment. On murmurait même qu'il leur arrivait de se battre, de se mordre ou de se tirer les cheveux.

Les deux grandes dames faisaient de leur mieux pour s'éviter, sans toujours y parvenir. La princesse était beaucoup trop fière et bien élevée pour se défendre. Mais Sachi savait combien les piques de sa rivale la blessaient.

— Je vous remercie, Honorable Retirée, répondit la princesse Kazu de sa voix d'oiseau.

Pendant plusieurs minutes, les deux femmes échangèrent force compliments dans une langue fleurie. Après quoi la Retirée se redressa et, fixant les yeux sur la princesse, elle déclara avec un sourire fielleux :

— Je vous présente mes sincères remerciements, Altesse Impériale, pour prendre si grand soin de Sa Majesté, mon fils adoptif. Cependant, je suis au regret de constater que les huissiers se sont une fois de plus trompés en vous attribuant ma place. Vous comprendrez qu'en tant que belle-mère et première dame de cette maison je sois la première à accueillir mon fils chez lui. Je ne doute pas que vous aurez à cœur de rectifier cette erreur.

Un lourd silence suivit ces paroles. Chacune retenait son souffle. La princesse Kazu répondit enfin avec une politesse glaciale :

— Je vous exprime toute ma gratitude, dame Tensho-in, pour m'offrir le plaisir de contempler votre auguste personne. Vous savez parfaitement, néanmoins, que je représente ici le Fils du Ciel. En tant qu'humble épouse de Sa Majesté, la préséance me revient nécessairement, si peu de prix qu'ait ma personne. J'espère que vous serez assez aimable pour me permettre de garder ma place, au moins cette fois.

— Nous avons discuté ce point de nombreuses fois déjà, belle-fille, répliqua la Retirée. Vous évoquez la tradition, mais vous oubliez que nous sommes au château d'Edo. Nous avons notre propre étiquette, fixée par le premier shogun, Sa Gracieuse Majesté le prince Ieyasu. Nos ancêtres l'ont jugée suffisamment bonne pour la perpétuer au fil des siècles. Vous n'ignorez pas que je suis la veuve de Sa Majesté le prince Iesada, treizième shogun. Je suis choquée que vous puissiez contester la volonté de votre belle-mère. Vous insistez pour maintenir votre titre suranné, et cette manière provinciale de vous coiffer et de vous habiller. Soit ! Mais quand nous sommes obligées de nous rencontrer, je vous prie de vous comporter à mon égard avec le respect qui convient.

Sachi frémit à cette nouvelle humiliation infligée à sa maîtresse. Sans un mot, la princesse Kazu recula, toujours à genoux, pour laisser sa place à la Retirée.

II

Des clochettes tintèrent au bout du corridor. Leur écho à peine éteint, quatre roulements de tambour se succédèrent sur les remparts du château, annonçant l'heure. Les Aînées et les huissiers, les dames d'honneur et les prêtresses se prosternèrent de chaque côté de la porte.

Les yeux fixés sur le tatami, Sachi entendit crisser les verrous de fer et la grande porte s'ouvrit en grinçant. Au milieu du brouhaha qui suivit, elle perçut une voix mâle, la première depuis quatre ans. Par-dessus le piétinement des socques et le bruissement soyeux des robes, elle distingua un pas souple foulant le tatami et respira les effluves d'un parfum riche et exotique. Le temps s'écoula avec une douloureuse lenteur. Les voix et le parfum se rapprochèrent. Après un échange de compliments et des rires, les pas s'arrêtèrent devant Sachi.

— C'est elle ? s'enquit la voix.

— Lève la tête, mon enfant, murmura dame Tsuguko. Salue Sa Majesté.

Sachi obéit. Elle aperçut d'abord un bas de soie blanc, puis, comme elle s'enhardissait, son regard croisa deux yeux bruns emplis de curiosité. Elle replongea aussitôt face contre terre, rouge de confusion.

Il y eut un long silence.

— Quel est son nom ? demanda à nouveau la voix.

Une rumeur parcourut le corridor, aussi légère que le vent agitant les herbes d'été. Dame Tsuguko laissa échapper un petit rire cristallin.

— Sire, cette humble enfant se nomme Yuri, de la maison des Sugi, sujets du daimyo d'Ogaki. Elle est sous ma protection.

Sachi tremblait encore bien après que les pas se furent éloignés, emportant avec eux l'enivrant parfum. Les portes des appartements privés du shogun s'ouvrirent puis se refermèrent.

L'esprit en ébullition, elle suivit en silence les dames d'honneur qui reprenaient le chemin des appartements de la princesse, consciente d'avoir transgressé la loi. Elle avait osé regarder en face Sa Majesté le shogun, d'essence bien plus divine qu'humaine. Certes, la princesse Kazu occupait un rang élevé, mais ce n'était pas pareil. Parce qu'elle l'avait choisie et gardée auprès d'elle, Sachi lui appartenait. Aurait-elle mal compris les ordres de dame Tsuguko ? Jamais elle n'aurait dû enfreindre ainsi le protocole…

Plus étrange encore, Sa Majesté était jeune. Pour Sachi, cet être si puissant qu'aucun mortel ordinaire ne pouvait le contempler en face était nécessairement plus âgé, plus bourru, plus effrayant que le doyen de ses conseillers qui, parfois, apportait au palais des femmes un message destiné à l'une ou l'autre grande dame.

Et Fuyu ? Que faisait-elle là, dans une tenue aussi extravagante ?

Sachi avançait à pas menus d'oiseau, courbant les épaules comme le lui imposait une étiquette aussi incompréhensible qu'écrasante. Pourquoi ne pas jeter tout ce fatras et courir, sauter comme autrefois ? Il fallait absolument qu'elle parle à Taki, sa seule amie. Rien ne lui échappait et elle aurait certainement les réponses aux questions qu'elle se posait.

Dame Tsuguko garda le silence jusqu'aux appartements de la princesse. Là, elle attira Sachi derrière les paravents et la fit agenouiller en face d'elle.

— Ma fille, tu as de la chance !

À l'évidence, elle rayonnait de plaisir alors que Sachi ne l'avait jamais vue que distante et hautaine.

— Tu t'es bien comportée, mon enfant, très bien. Tes parents seront fiers de toi.

Stupéfaite, Sachi releva la tête, oubliant un instant les convenances.

— Sa Majesté semble avoir accepté l'offre de Son Altesse. Bien entendu, tout sera conclu dans les formes. Sa Majesté a exprimé sa volonté et Son Altesse a donné son accord. Viens me voir ce soir à l'heure où le soleil se couche, afin que je t'instruise.

— M'instruire de quoi ?

— Quelle innocence ! s'exclama dame Tsuguko en riant. Ignores-tu donc que tu viens d'être nommée servante de rang intermédiaire ? À la demande de Sa Majesté, Son Altesse t'offre à lui comme cadeau d'adieu pour être sa concubine.

Sa concubine ! Sachi se prosterna, face contre terre.

— Je ne mérite pas un tel honneur !

Tandis qu'elle prenait peu à peu conscience de ce que cela signifiait, la terreur l'envahit.

— Madame… C'est trop. Son Altesse a toujours été si bonne pour moi, bien au-delà de mes mérites. Je n'ai d'autre ambition que de la servir. Je vous en prie, choisissez quelqu'un d'autre. Je suis tellement ignorante…

— Mon enfant, il ne t'appartient pas de discuter notre décision. Tu es jeune et tu ne sais rien du monde. Comprends que c'est là l'honneur suprême dont rêvent toutes les jeunes filles, surtout d'une extraction aussi modeste que la tienne. Tout est allé si vite que je n'ai pas eu le temps de t'apprendre ce que tu dois savoir. Mais ton charme repose précisément sur ton innocence. Sa Majesté part demain matin pour Osaka. Nous remettrons donc à son retour les cérémonies officielles d'union. Puisses-tu lui plaire ! Dans ce cas, tu auras déjà un pied sur la marche du palanquin doré. Crois-moi, une pareille chance ne se renouvellera pas. Tout dépend de toi, désormais. Cette nuit, tu te rendras dans les appartements de Sa Majesté.

Sachi sentit un tourbillon de pensées l'emporter. On frappa alors à la porte et la Retirée fit son apparition. Toutes les dames d'honneur plongèrent à genoux. Jamais, jusqu'à ce jour, la Retirée ne s'était aventurée aussi loin dans les appartements de la princesse. Son beau visage était impassible, à l'exception d'une veine palpitant sur sa tempe.

— Eh bien, lança-t-elle à dame Tsuguko, vous devez être fière de vous, j'imagine. Vous et votre maîtresse avez réussi votre coup, en jetant dans les bras de mon fils cette créature sans noblesse… Une enfant trouvée !

Tsuguko haussa un sourcil et afficha une expression d'humilité teintée de moquerie.

— Quelle surprise et quel honneur pour nous, madame, que vous ayez daigné vous rendre en personne dans nos humbles quartiers ! Vos félicitations me touchent et je vous en remercie. Je crois inutile de vous rappeler que dame Yuri est fille adoptive des Sugi, sujets du daimyo d'Ogaki.

— Vous pouvez la faire monter en grade tant que vous voulez, tout le monde connaît ses origines, rétorqua la Retirée, rouge de colère. Ce n'est rien d'autre qu'un animal, une rustaude illettrée. Elle ne parle même pas comme un être humain !

— Reprenez votre calme, madame. Rappelez-vous nos efforts désespérés pour présenter à Sa Majesté une concubine qui lui donne un fils. Cette affaire vous concerne également. Si le régent, le seigneur Yoshinobu, venait à prendre le pouvoir, ce serait un désastre pour nous tous. Jusqu'ici, Sa Majesté avait écarté toutes les dames d'honneur que nous lui présentions. Et voilà que cette humble fille s'est attiré sa faveur. Remercions-en les dieux.

— Vous jetez le déshonneur sur la maison des Tokugawa !

Dame Tsuguko prit sa voix la plus sucrée pour répondre :

— Madame, vous ne pouvez avoir oublié dame Tama, mère du cinquième shogun et épouse bien-aimée du prince Iemitsu, troisième de la dynastie.

N'était-elle pas la fille d'un épicier, et d'un rang si inférieur qu'il ne lui était même pas permis de se trouver en présence de Sa Majesté ? Souvenez-vous, c'est en aidant à préparer le bain de Sa Grâce qu'elle s'attira son auguste faveur. Quant au prince Ienobu, sixième shogun, il eut pour mère une femme si humble qu'on ne put lui attribuer le statut de concubine officielle. Si je puis me permettre de rafraîchir la mémoire de Sa Seigneurie, Sa Majesté fut élevée en secret par un serviteur. Prenons aussi le cas de dame Raku, mère du quatrième shogun. Voyons, son père n'était-il pas fripier ?

— Assez ! Assez !

— Quoi qu'il en soit, madame, cela n'a rien à voir avec nous. Vous étiez présente quand Sa Majesté a choisi sa favorite – notre candidate, et non la vôtre.

— Il est encore si jeune. Vous l'avez ensorcelé !

— Vous savez fort bien qu'offrir une concubine à Sa Majesté est une prérogative de Son Altesse. Vous n'avez donc aucune raison de vous plaindre.

Dame Tsuguko s'inclina profondément, les mains posées à plat sur l'odorante natte en paille de riz.

— Nous vous remercions d'avoir daigné nous rendre visite, conclut-elle d'un ton définitif.

— L'avez-vous seulement initiée aux arts de la chambre ? rugit la Retirée. Cette créature est épouvantablement rustre. Elle ne tiendra pas longtemps.

Sur ces mots, elle quitta la pièce, l'air indigné.

Quand la porte se fut refermée et que le bruit de ses pas se fut éteint, dame Tsuguko tourna vers Sachi un visage préoccupé.

— Que de paroles cruelles et inconsidérées !

Jamais elle n'avait exprimé une telle émotion devant la jeune fille.

— Nous sommes censées faire preuve de déférence envers dame Tensho-in. Mais cette fois elle est allée trop loin. Ne sois pas triste, mon enfant. Oublie sa jalousie mesquine. Quand Son Altesse t'a aperçue pour la première fois, elle a immédiatement su que tu n'avais rien à voir avec ces paysans. Tu es des nôtres. Sa Majesté est jeune et aimable. Tensho-in et les Aînées lui ont présenté de nombreuses femmes belles et bien nées, expertes en coquetteries, mais il les a toutes repoussées. La princesse, qui le connaît bien, savait que tu lui plairais, avec ton joli visage et ton cœur pur. Ne crains rien. Son Altesse et moi avons entièrement confiance en toi. Sois prudente, malgré tout. Jusqu'à cette nuit, tu resteras ici, dans les appartements royaux. Personne ne sait à quelles extrémités la jalousie peut conduire une femme.

Sachi hocha imperceptiblement la tête. Maintes fois, déjà, elle avait été la cible de piques aussi venimeuses que celles de la Retirée. Sous leurs airs bienveillants, les femmes du palais n'étaient pas avares de paroles cruelles qui vous transperçaient le cœur aussi sûrement qu'une dague. Qu'elle ait été adoptée officiellement par une famille de samouraïs ne comptait guère. Tout le monde connaissait ses origines. De nombreuses dames et servantes étaient présentes quand Son Altesse avait jeté les yeux sur elle. Celles-ci ne voyaient en elle qu'une créature sauvage, que la princesse avait adoptée tel un animal familier. Elle avait appris leur langue, leur démarche, leurs manières, vivait toute la journée en leur compagnie. Mais leur monde lui demeurait interdit, ce qui n'excluait pas certaines gentillesses, comme celles que l'on distribue à un petit chien.

Toutefois, le trouble dans lequel elle se trouvait l'empêchait de prendre trop à cœur ces moqueries. Ce n'étaient pas les paroles de la Retirée qui résonnaient dans son esprit à présent, mais celles de dame Tsuguko : « Ton joli visage, ton cœur pur… » Elle ne s'était jamais vue ainsi.

Si seulement Son Altesse avait bien voulu l'éclairer et répondre à ses interrogations… Mais la princesse ne reparut pas.

Néanmoins, Sachi avait compris ce que l'on attendait d'elle. Quoi qu'il arrive, elle ferait de son mieux pour servir les intérêts de Son Altesse et les desseins que les dieux avaient formés pour elle.

III

Sachi regagna la chambre qu'elle partageait avec d'autres servantes, ôta son kimono de cérémonie et le rangea avec soin. Une fois rhabillée, elle s'agenouilla dans un coin et se perdit dans ses pensées, un ouvrage de couture à la main. Des pas pressés retentirent dans le couloir et la porte s'ouvrit sur une jeune fille au visage illuminé d'un sourire. C'était Taki.

— Est-ce que tu l'as vu ?

Sa voix évoquait les couinements d'une souris.

Originaire de Miyako, et fille d'un samouraï ruiné, Taki était entrée à douze ans au service de dame Kin, une dame d'honneur de la princesse, qui l'avait fait venir à Edo. Sachi et elle étaient arrivées au château à la même époque.

Avec son visage pâle et grêlé, ses dents qui lui donnaient l'air d'un lapin, Taki n'avait rien d'une beauté. Taki avait toujours défendu Sachi contre les jeunes suivantes qui se moquaient de son accent et de sa maladresse, et elle lui avait appris à parler et à se comporter selon les règles du palais. Une solide amitié les liait, bien que Taki fût d'un rang plus élevé de par sa naissance.

Pour l'instant, elle sautait sur place en claquant des mains.

— Toutes les filles ne parlent que de ça ! exulta-t-elle en battant des mains. Elles sont mortes de jalousie ! Tu vas devenir la nouvelle concubine ! Dis-moi, est-ce que tu as pu apercevoir le prince ? À quoi ressemble-t-il ? Est-il aussi jeune et beau qu'on le prétend ?

Elle se laissa tomber à côté de Sachi et l'enlaça, radieuse.

— Je ne sais pas… Je l'ai à peine vu, murmura Sachi, gênée. Il a l'air jeune… Peut-être même qu'il est beau.

— Te voilà servante de rang intermédiaire ! Qu'as-tu bien pu faire dans une autre vie pour avoir tant de chance ? Je me disais bien que les dieux ne t'avaient pas donné un visage aussi beau pour rien.

— Que peut-on bien attendre d'une concubine ?

— Les servantes intermédiaires forment trois équipes – le matin, l'après-midi et la nuit. À tout moment, l'une d'elles doit être prête à servir Son Altesse Impériale.

— Allons, cesse de me taquiner. Tu sais très bien ce que je veux dire. Parle-moi de Sa Majesté.

— Ma foi… Tu seras en quelque sorte sa femme numéro deux et, par voie de conséquence, la reine de ce palais. Si tu lui donnes un enfant, naturellement, mais nul doute que tu le feras. Ta famille deviendra riche et n'aura plus jamais à se soucier de rien. C'est la chose la plus extraordinaire qui puisse arriver à une fille. Je t'en prie, Yuri... Laisse-moi devenir ta servante. Demande à dame Kin.

— Mais... je dois le rejoindre cette nuit !

— Ne t'en fais pas. Tu as certainement lu un de ces ouvrages d'alcôve, ou contemplé ces images dont les dames raffolent. Sinon, ferme les yeux et laisse-toi faire. Il n'en aura sans doute pas pour longtemps. Peut-être même trouveras-tu l'expérience agréable. À entendre certaines, elle l'est parfois. Viens, allons rejoindre les dames d'honneur.

À peine avaient-elles pénétré dans la grande salle que Haru, la préceptrice de Sachi, apparut sur le seuil. Ravie, Sachi se précipita vers elle avec tant de hâte qu'elle faillit se prendre les pieds dans sa jupe. Les dames d'honneur et leurs servantes étaient dispersées à travers la pièce telle une nuée d'oiseaux multicolores. Elles détournèrent les yeux à son passage. Une seule risqua un regard dans sa direction, un regard où Sachi crut lire de la pitié, ou de l'envie – elle n'aurait su dire laquelle des deux.

Haru s'inclina profondément.

— Vives félicitations, dit-elle d'un ton solennel.

Puis elle s'assit sur ses talons et sourit à Sachi, ajoutant avec un gloussement satisfait :

— La nouvelle a fait le tour du palais.

Son visage rond avait dû être séduisant autrefois, mais, avec le temps, Haru avait pris de l'embonpoint. Elle avait des joues rebondies et des yeux de chat qui disparaissaient presque quand elle riait, ce qui lui arrivait souvent. Sachi l'avait baptisée « grande sœur ». De tempérament joyeux, toujours prête à raconter une bonne histoire, Haru montrait parfois un air mélancolique quand elle ne se savait pas observée. À trente ans, elle avait passé la plus grande partie de son existence au palais des femmes du château d'Edo, le plus somptueux du pays. Pourtant, elle portait toujours le modeste kimono des servantes de rang inférieur et se coiffait d'un simple chignon. Tandis que ses compagnes montaient en grade, elle demeurait préceptrice, sans doute à cause de ses talents de pédagogue. Venant de la même région que Sachi, elle comprenait le dialecte barbare que parlait celle-ci à son arrivée. C'est donc tout naturellement qu'on l'avait chargée de lui enseigner les bonnes manières.

S'étant retirées dans un coin de la grande salle, elles firent mine de se mettre au travail. Mais Sachi était distraite par les nombreuses questions qui la hantaient. Haru était la seule à qui elle pouvait se confier. Rassemblant son courage, elle se lança :

— Haru, as-tu déjà connu un homme ?

Haru rejeta la tête en arrière et éclata d'un rire tonitruant. Immédiatement, tous les regards convergèrent vers les deux femmes.

— Tout le monde t'envie ! s'exclama Haru. Rares sont les filles à vivre cette expérience, et je ne suis pas du nombre.

Sachi n'ignorait pas que, des trois mille femmes du palais, très peu pouvaient espérer devenir concubines. Les autres devaient néanmoins rester vierges toute leur vie.

Haru avait retrouvé son sérieux.

— Ce bonheur nous est interdit, tu le sais, reprit-elle avec un sourire voilé de tristesse. Mais j'ai rencontré une dame qui a osé le saisir.

— Qu'est-elle devenue ?

— Elle est morte. Ce n'est pas aux femmes de décider de cela, surtout si elles appartiennent au shogun. Elle était très belle. Elle te ressemblait un peu.

— Mais comment dois-je me comporter ?

— Comment veux-tu que je le sache ? Surtout, fais comme si tu souffrais pour bien montrer que tu n'as jamais connu d'homme. Sa Majesté part demain, mais elle reviendra bientôt. C'est alors que débutera vraiment ta carrière de concubine. Je peux t'apprendre en théorie comment procurer du plaisir à un homme, car j'ai étudié nombre d'ouvrages d'alcôve. Comme tu es encore très jeune, tu engendreras sûrement un fils bien portant. Ne pose aucune question et fais exactement ce qu'on te dit, voilà l'essentiel. Et quoi qu'il arrive, ne révèle jamais tes sentiments, pas un seul instant.

— Penses-tu que cela fera mal ?

— Quelle question ! J'espère que personne ne t'a entendue. C'est le plus grand honneur dont on puisse rêver ! Tu as quinze ans, petite sœur. La plupart des filles sont mariées à cet âge. Ce n'est pas à moi de t'en parler, mais tu as de la chance. Sa Majesté est un homme bon et aimable. On ne pouvait pas en dire autant de tous ses prédécesseurs. Et, pour ne rien gâcher, il est jeune.

Nerveusement, Sachi fit courir ses doigts sur le peigne glissé dans sa ceinture.

— Que caches-tu là ?

— Rien…

Mais c'était mal de mentir à Haru. Sachi sortit son peigne et le lui montra. Une extrême surprise se peignit sur le visage rond de sa préceptrice.

— D'où tiens-tu cela ?

Sachi s'était toujours contentée d'enfouir le petit objet dans ses vêtements sans lui prêter autrement attention. Elle l'examina pour la première fois. Il était magnifique, tout en écaille de tortue incrustée d'or, et frappé d'un motif qui évoquait le blason d'une famille noble. Sachi le glissa de nouveau dans sa ceinture.

— C'est mon porte-bonheur. Je l'ai depuis toujours.

Haru secoua la tête comme pour chasser un souvenir pénible.

— Quelle merveille ! observa-t-elle, songeuse. Un vrai travail d'artiste. J'ignorais qu'on trouvait ce genre de chose à la campagne.

IV

Sachi regagna les appartements privés de la princesse bien avant le soir et se retira derrière les paravents en attendant dame Tsuguko et ses instructions. Son Altesse n'était toujours pas là. Sachi ne l'avait jamais vue aussi longtemps absente. Si seulement elle avait eu l'assurance que ce qu'elle s'apprêtait à faire soulagerait la tristesse de sa maîtresse au lieu de l'aggraver !

Dame Tsuguko apparut alors.

— Le moment approche.

Sachi la suivit dans un grand salon d'habillage éclairé par des lampes à huile et de hautes bougies qui projetaient une lumière dansante sur les paravents décorés de fleurs, d'arbres et d'oiseaux peints. Même les objets les plus simples étaient laqués d'or et marqués du sceau impérial : miroirs ronds sur pied, porte-serviettes, coffrets de maquillage avec brosses, peignes, pinces à épiler et tubes de fard bien alignés, cuvettes rondes et aiguières à long col. Des kimonos brodés de fleurs d'été étaient suspendus à des portants.

Sachi s'agenouilla. Une servante ouvrit une petite bouilloire métallique contenant le mélange d'extraits de feuilles de sumac, de saké et de fer qui servait à noircir les dents de la princesse. Une odeur amère se répandit dans la pièce tandis qu'elle en recouvrait soigneusement les dents de Sachi. Celle-ci vit ainsi disparaître dans le miroir son sourire d'enfant, aussi étincelant que la denture d'un animal sauvage. Comme celle de toutes les femmes ayant connu un homme, sa bouche s'ouvrait à présent sur une caverne sombre.

La servante rasa ensuite ses sourcils, enlevant jusqu'au dernier poil. Elle lui frotta le visage de cire, appliquant par-dessus une couche de fard blanc elle-même recouverte de poudre. Puis elle plongea ses pouces dans du charbon pilé et traça deux courbes semblables aux antennes d'un papillon de nuit sur son front à la place de ses sourcils. Pour finir, elle souligna ses yeux d'un trait noir, colora ses joues et, à l'aide d'une pâte de carthame rouge, peignit un minuscule pétale sur chacune de ses lèvres, donnant à sa bouche l'aspect d'un bouton de rose.

Quand Sachi contempla son reflet dans la glace, elle crut voir une de ces poupées qu'on dispose en rangs pour le *Hinamatsuri* – la fête des filles.

D'autres servantes partagèrent ses cheveux en mèches qu'elles lissèrent avant de les disposer en éventail autour de sa tête. Une fois huilée et peignée, chaque mèche était tirée en arrière afin de dégager le visage et former une queue de cheval noire et luisante, attachée par des rubans. Sachi se laissa ensuite envelopper dans un kimono de cérémonie en soie blanche, semblable à une tenue de mariage – ou à un suaire.

Le couloir était plein de recoins sombres et inquiétants. Jamais encore Sachi n'avait quitté les appartements de la princesse après la tombée de la nuit. Les femmes alignées contre les murs la regardèrent passer avec curiosité en chuchotant entre elles. Les bougies des gardiens et les lampions crépitants jetaient une lumière tremblotante et dégageaient une fumée qui piquait le nez. Des ombres longues dansaient sur les cloisons de bois, et le plancher ciré craquait sous le trottinement d'une multitude de pieds.

Dame Tsuguko les attendait dans le corridor de la Cloche haute, près de la porte des appartements du shogun. Elle se prosterna, front contre terre, et annonça :

— Sire, je vous amène l'humble dame de la chambre attenante. Je sollicite votre faveur.

Puis elle ajouta à voix basse :

— Fais de ton mieux, mon enfant.

Sachi sentit des gouttes de sueur perler sous son vêtement de soie et pria silencieusement pour qu'elles ne tachent pas le tissu. Un sentiment de solitude extrême s'abattit sur elle. Il lui semblait faire l'objet d'une punition.

Elle se retrouva dans une antichambre éclairée par des lanternes et d'énormes bougies fumantes fichées dans de hauts candélabres d'or. Menue et élégante sous sa perruque lustrée, dame Nakaoka, la plus âgée des sept Aînées, attendait, entourée de ses assistantes.

— Viens ici, mon enfant, dit-elle non sans douceur.

Dans la pénombre, son teint cireux et ses joues flasques lui donnaient l'apparence angoissante d'un masque de démon.

Sachi se laissa dépouiller de ses vêtements par les assistantes. Rien de tout cela ne lui paraissait réel.

Dame Nakaoka désigna un futon devant elle.

— Écarte les jambes, ordonna-t-elle d'un ton bref

Sachi s'étendit, terriblement petite et vulnérable. La vieille femme se pencha, tâta, sonda. Le regard fixé au plafond de bambou, Sachi sentit qu'elle enfonçait en elle un doigt noueux. Les conseils de Haru lui revinrent en mémoire : toujours rester digne et impassible, malgré la douleur ou l'humiliation. Des souvenirs heureux qu'elle croyait avoir oubliés affluèrent brusquement à sa mémoire : la grande maison de bois avec son toit de tuiles, le chant des cigales, les eaux fraîches de la rivière Kiso… Elle avait du mal à se représenter la petite fille d'alors, heureuse et libre dans son village perdu au cœur des montagnes. Tant de choses avaient changé !

Manifestement satisfaite, dame Nakaoka se redressa.

— Bien, dit-elle.

Puis Sachi s'agenouilla et les servantes dénouèrent ses cheveux. Dame Nakaoka les examina mèche par mèche, comme si elle cherchait quelque chose, avant de répéter :

— Bien.

Toujours nue, Sachi fut conduite dans un nouveau salon d'habillage et une nuée de servantes s'empressa autour d'elle. Ses cheveux furent ramenés en arrière et fixés par un peigne. On la revêtit d'une robe de nuit en fin damas blanc, puis dame Nakaoka la fit agenouiller en face d'elle.

— C'est ta première fois, mon enfant. Écoute-moi bien. Dame Chiyo et une prêtresse monteront la garde près du lit. Dame Tsuguko et moi-même demeurerons la nuit entière dans une pièce voisine, car notre devoir exige que nous écoutions chaque parole échangée entre Sa Majesté et toi. Demain matin, tu me rapporteras tout ce que vous vous serez dit, aussi veille à bien t'en souvenir. Dame Chiyo et la prêtresse me feront également leur rapport. Il est important que nos déclarations concordent. Ne demande aucune faveur à

Sa Majesté. Et, surtout, assure-toi de ne jamais t'endormir en lui tournant le dos.

V

Quatre coups de tambour annoncèrent l'heure. Au même instant, les clochettes tintèrent dans le corridor de la Cloche haute. Des pas vifs résonnèrent, accompagnés d'éclats de rire – le rire d'un jeune homme. Lorsque la porte s'ouvrit, un parfum de musc se répandit dans la pièce. Aussitôt, les dames se prosternèrent.

Le temps parut s'arrêter. Face contre terre, Sachi sentit des vêtements parfumés la frôler, puis elle entendit qu'on versait du saké dans des coupes de bois qui s'entrechoquèrent. Des voix et des rires s'élevèrent. Au parfum se mêlaient à présent des effluves de tabac et le doux grésillement des petites pipes sur lesquelles on tirait.

— Venez, madame.

Des servantes entraînèrent Sachi vers la chambre à coucher du shogun. La jeune fille eut à peine conscience du splendide mobilier baignant dans une lumière rouge et or, des reflets nacrés du couvre-lit de soie blanche. À quelque distance de l'estrade occupée par le lit du shogun, elle remarqua un étroit futon doté d'un oreiller laqué. Un coffret de cosmétiques et un kimono de jour étaient posés à côté. C'était là qu'elle dormirait une fois son devoir accompli. Il y avait deux autres futons un peu plus loin. Le plus proche du lit du shogun était destiné à dame Chiyo, l'autre à la prêtresse.

Sachi s'agenouilla, les yeux baissés, tandis que les servantes s'affairaient autour du shogun. Elle distingua un cliquetis quand elles déposèrent ses épées à la tête du lit et un froissement de soie quand elles le dévêtirent pour lui passer une robe de nuit.

Le shogun s'étendit, la tête calée sur un oreiller de bois capitonné. N'osant lever les yeux, Sachi prit place à ses côtés. Le futon était si moelleux qu'elle eut l'impression de flotter. Les servantes soufflèrent toutes les lampes sauf une, puis dame Chiyo et la prêtresse s'étendirent à leur tour.

Sachi perçut la chaleur du shogun couché à ses côtés. Les effluves mêlés de son corps et de son parfum capiteux la firent presque suffoquer.

— Très jolie, murmura une voix juvénile.

Puis une main aussi douce que celle d'une femme ouvrit sa robe de nuit et effleura son ventre, lui arrachant un frisson, avant de remonter vers sa poitrine.

— Très jolie, répéta le shogun.

Après s'être attardée un instant sur son sein, la main reprit sa lente exploration, dépassa son nombril et lui écarta les jambes pour caresser l'intérieur de ses cuisses.

Une appréhension saisit la jeune fille, si vive qu'elle chassa toute autre pensée. Docilement, elle laissa le shogun la retourner sur le ventre. Un corps brûlant l'écrasa sous son poids.

Un cri de surprise et de douleur lui échappa. Elle eut l'impression d'être déchirée en deux. Les mouvements, les halètements qui agitaient le silence semblaient ne jamais prendre fin. Le visage pressé contre l'oreiller, elle crut défaillir, incapable de supporter cette torture plus longtemps. Il se passa alors quelque chose d'étrange. Il lui sembla que ses muscles se liquéfiaient tandis qu'une sensation inconnue, née au creux de son ventre, se propageait lentement à tout son corps. Ce n'était pas déplaisant et, pour finir, plutôt agréable. Oubliant ses craintes, elle s'abandonna tout entière et un faible râle franchit ses lèvres. Le shogun émit à son tour une sorte de grognement avant de s'abattre sur elle.

Le silence retomba. Sachi éprouva soudain un immense soulagement. Voilà… C'était fini et elle avait survécu. Pourtant l'inquiétude ne tarda pas à renaître. Dans son ignorance, elle n'avait su comment se comporter. Et si le shogun se montrait mécontent ? Et s'il ne voulait plus d'elle pour concubine ?

Elle le vit tendre la main et agiter une sonnette.

— *Oi !* cria-t-il.

Une servante apparut à côté du lit. Elle alluma une longue pipe, la tendit à son maître et disparut aussitôt.

Sachi se tourna pour observer son compagnon à la dérobée. Dans la faible lueur des chandelles, sa poitrine nue avait la pâleur des peaux qui ne voyaient jamais le soleil. C'est à cela qu'on distinguait un seigneur d'un paysan sans cesse exposé aux colères du ciel. En regardant entre ses cils, elle découvrit un menton effacé, une bouche délicatement incurvée, un nez retroussé dans un visage ovale et deux yeux bruns sous des sourcils bien dessinés. Le crâne rasé offrait la même pâleur que le reste du corps. De longues mèches huilées s'échappaient d'un chignon en désordre.

Le shogun ne ressemblait à aucun des hommes qu'elle avait pu voir. En réalité, le shogun n'était pas un homme, mais quasi un dieu. Émerveillée, elle le para aussitôt des plus nobles qualités. Étendu à ses côtés, sa chemise de soie négligemment ouverte, il scrutait avec gravité le visage de sa compagne en laissant courir ses doigts sur ses joues, son menton, sa nuque.

— *O-yuri-no-kata*, dit-il en marquant chaque syllabe, dame Yuri ?

Il tira un instant sur sa pipe, remit un peu de tabac à l'intérieur et la ralluma à l'aide d'un tison saisi avec des pincettes.

— Serons-nous amis ?

Sachi sursauta, choquée et même effrayée qu'un personnage aussi important s'adresse directement à elle. Elle songea aux oreilles qui épiaient leurs moindres paroles. Devait-elle lui répondre ?

— Sire… murmura-t-elle.

— Appelle-moi Kiku, du nom que me donnent mes femmes. Enfant, déjà, on m'appelait Kikuchiyo.

Sachi lui devait la plus complète obéissance, mais ce qu'il lui demandait à présent violait toutes les règles de l'étiquette.

— Seigneur… balbutia-t-elle. Je veux dire… Kiku-sama…

Elle crut deviner un léger mouvement près du lit.

— Ces dames…

Le shogun sourit.

— Ne te soucie pas d'elles. Il y a des yeux et des oreilles partout. D'ailleurs, je ne dirai rien qui puisse te nuire. La première fois que je t'ai vue, tu courais dans les jardins. Tu l'ignorais, n'est-ce pas ? ajouta-t-il malicieusement. En riant, tu écartais du pied des fleurs de cerisier, les cheveux au vent. Tu étais si charmante… Une vraie petite fille.

Les joues brûlantes, Sachi ne souffla mot. Il la regarda et se mit à rire. Un rire franc, sans rien de commun avec les gloussements moqueurs des dames de la cour.

Il reprit d'un ton plus sérieux :

— Je n'avais encore jamais vu quelqu'un comme toi. Si libre, si gracieuse. Ton visage est presque parfait, ta peau merveilleusement blanche, si douce qu'on la croirait imprégnée de rosée comme une fleur de lotus. Et tes lèvres…

Il les caressa du bout des doigts.

— Tes yeux clairs, aussi verts qu'une forêt de pins sur la montagne… Mes femmes ont toutes été choisies pour leur beauté, mais aucune ne peut t'être comparée – sauf la princesse Kazu, bien sûr. D'ailleurs, vous vous ressemblez comme deux coquillages jumeaux. Elle m'a parlé de toi. Après t'avoir aperçue, je n'ai cessé de t'observer. Je suis persuadé que nos destinées sont liées.

Il se tut le temps de regarnir sa pipe, puis il reprit comme s'il réfléchissait à voix haute :

— Dans ce monde, tout est entre les mains des dieux, tout dépend de notre karma. Aucun de nous ne peut choisir sa destinée. Autant que toi, je suis un prisonnier ici. Mes prédécesseurs, les seigneurs Ieyoshi et Iesada, ont passé leur vie entière dans ce palais, au milieu de leurs pages et de leurs concubines. Ils jouaient de la musique, écrivaient des poèmes, chassaient le daim et s'intéressaient à la fauconnerie. Je pensais mener une vie semblable.

« Mais il en a été tout autrement. J'ai quitté ce palais, emprunté la Route de la mer Orientale, visité les cinquante-trois sites les plus fameux du pays. Je me suis rendu dans la capitale pour négocier avec le Fils du Ciel. J'ai voulu rencontrer mon peuple, ce qui n'était encore jamais arrivé auparavant. Ces gens ne ressemblent pas à des samouraïs, ils ne dissimulent pas leurs sentiments. On peut lire toute leur existence sur leur visage. Tu leur ressembles et ta présence est un rayon de soleil dans cette sombre demeure.

— Sire ! s'exclama Sachi, horrifiée.

Un homme – et encore moins le shogun – ne devait rien révéler de lui, surtout pas à une humble fille comme elle. S'intéresser si peu que ce soit aux êtres inférieurs pouvait apparaître comme un signe de faiblesse à des oreilles ennemies toujours aux aguets. Quant à ses remarques sur la jeunesse et l'innocence de Sachi, fallait-il y voir une critique de son manque d'éducation ? Pendant qu'elle se rongeait les sangs, le shogun reprit :

— Mes responsabilités ne cessent de s'alourdir. Porter le titre de shogun ne suffit plus, je suis censé agir comme un général à la main de fer. Voilà pourquoi demain, à la tête de mes troupes, je pars pour Osaka réprimer la rébellion de Choshu.

Il avait prononcé ces derniers mots avec une grimace avant de laisser fuser un rire plein de gaieté.

— Profitons de ma dernière nuit au palais. Il y a tant de choses dont j'aimerais te parler. Nous ferons plus ample connaissance à mon retour. Pour l'instant, je vais m'occuper de toi…

Soulevant les cheveux de Sachi, il plongea les doigts dans ses longues et lourdes mèches. Elle ferma les yeux lorsqu'il posa une main sur son ventre. La chaleur de son corps, son parfum l'enveloppaient tout entière. Il la caressait avec une infinie lenteur et sa main descendit entre ses cuisses.

— Si délicate, si douce… murmura-t-il. Comme une fleur.

VI

La pluie tomba à verse cette nuit-là, martelant les tuiles des toits comme un train de chevaux au galop et apportant un peu de fraîcheur à l'intérieur du palais. Au matin, les fleurs des jardins étincelaient de gouttes cristallines.

Quand les servantes se présentèrent pour réveiller le shogun et sa concubine, elles constatèrent que le petit futon disposé à côté du grand lit était resté inoccupé et que le prince avait disparu. Levé avant l'aube, il n'avait laissé derrière lui que le sillage grisant de son parfum.

Dame Nakaoka, la vénérable Aînée, dame Tsuguko, dame Chiyo et la prêtresse au crâne rasé attendaient dans l'antichambre. Sachi s'agenouilla devant elles. Elle se sentait comme une petite souris des champs épiée par des faucons. Bientôt, elle devrait répéter sa conversation avec le shogun et cela la chagrinait. Elle aurait tant voulu conserver pour elle seule les paroles si précieuses de Sa Majesté... Timidement, elle leva les yeux vers dame Nakaoka et eut la surprise de voir flotter un sourire sur ses traits austères.

— C'est bien, c'est bien, mon enfant. Tu t'es bien comportée. Nous avons entendu tout ce que nous désirions.

Une nuée de servantes vola vers Sachi pour la coiffer, retoucher son maquillage et la revêtir d'un kimono de jour. Elles la guidèrent ensuite jusqu'aux appartements de la princesse. Sachi se déplaçait comme en rêve, à peine consciente de ce qui l'entourait. Elle s'était réveillée dans un nouveau monde, sans savoir encore ce qu'il lui réservait.

Dame Tsuguko l'introduisit auprès de la princesse Kazu. Assise à son bureau, celle-ci était occupée à écrire. En la voyant, elle reposa son pinceau.

— Tu dois être fatiguée, mon enfant. Je te remercie de m'avoir loyalement servie.

C'était la première fois qu'elle s'adressait directement à Sachi. Celle-ci releva brièvement la tête, et leurs regards se croisèrent. La princesse lui sourit, mais Sachi lut de la tristesse dans ses yeux.

— Tu m'as rendu un grand service, reprit Kazu. Prions les dieux qu'ils t'accordent de porter un fils à ma place. Dame Tsuguko veillera à ce que tu sois récompensée comme il convient.

Sur ces mots, elle se remit à écrire sans plus de manières. Sachi s'inclina avant de s'éloigner. Elle venait de comprendre qu'en obéissant aux ordres de la princesse elle avait changé à jamais la nature de leurs relations. Mais avait-elle le choix ?

Au même moment, un émissaire du shogun entra, accompagné de suivantes chargées de cadeaux. Sa Majesté adressait à la princesse une paire de coffrets laqués de noir et d'or, décorés d'un délicat motif d'iris dans un tourbillon d'eau. À dame Tsuguko, il offrait une boîte de maquillage et, aux dames d'honneur, des peignes et des éventails. Sachi reçut une amulette dans un sachet de soie.

La princesse accepta les présents. Elle retourna à son bureau, saisit un pinceau et rédigea de sa main gracieuse une note sur un rouleau.

Après le départ de l'émissaire, dame Tsuguko se pencha vers elle.

— Madame, le moment approche.

Le visage aussi impassible qu'un masque, la princesse répondit :

— Je me sens un peu lasse. Aussi ai-je envoyé un billet à Sa Majesté pour l'informer que je ne la verrai pas aujourd'hui.

En proie à des sentiments contradictoires, Sachi n'avait jamais eu autant de mal à conserver le calme protocolaire qu'on exigeait d'elle. Tout lui semblait tellement injuste ! Pourquoi fallait-il que le shogun parte précisément à cet instant ? Et la princesse Kazu, son épouse tant aimée… Pourquoi refusait-elle d'aller le saluer alors que l'absence du prince risquait de se prolonger ? Sachi avait espéré le revoir une dernière fois en même temps que les autres dames d'honneur.

Elle ouvrit lentement le joli sachet blanc lié d'une cordelette de soie pour en sortir l'amulette. Elle avait pensé que son seigneur lui adresserait un poème matinal composé à son intention, mais il avait choisi quelque chose de plus précieux encore : un talisman favorisant la naissance d'un fils. Le cœur lourd, elle le glissa dans sa ceinture à côté de sa dague.

N'osant laisser couler ses larmes en public, elle se rua vers les jardins et se mit à courir, éperdue, à travers les flaques. Elle courut, courut jusqu'à ce que le palais apparaisse aussi minuscule qu'une maison de poupée. Elle leva alors son visage vers le ciel et laissa la pluie se mêler aux larmes qui ruisselaient sur ses joues.

Taki la rejoignit, essoufflée, ouvrit un parapluie et l'abrita d'un geste plein de sollicitude.

— Ne t'inquiète pas, lui glissa-t-elle. Il reviendra bientôt.

3

La dame de la chambre attenante

I

Même à travers les murs épais du palais des femmes, Sachi pouvait entendre l'écho lointain des cris et des ordres flottant jusqu'à elle depuis les confins du château. De sinistres grondements faisaient vibrer les cadres des portes et des fenêtres. Elle essaya d'imaginer à quoi pouvait correspondre ce lointain vacarme : grincements des grilles pivotant sur leurs gonds, lourds canons tirés sur les pierres du chemin, tirs éloignés… Elle reconnut le fracas des tambours de guerre, les pleurs mélancoliques des conques, le martèlement des sabots, les hennissements des chevaux. Puis les chocs sourds et répétés de milliers de pieds foulant le sol d'un pas saccadé avant de s'évanouir lentement dans le lointain.

Le silence retomba telle une chape de plomb. Le shogun s'en était allé avec presque toute sa cour, ses conseillers et les régiments en garnison au palais.

Dans les appartements impériaux, dames d'honneur et suivantes bavardaient comme si de rien n'était. La princesse Kazu demeurait derrière ses paravents rehaussés d'or. D'ordinaire, elle réclamait toujours Sachi à ses côtés, mais cette fois elle ne la fit pas appeler. Sachi alla aider Taki et les autres suivantes à coiffer les dames d'honneur, dont les cheveux étaient si longs qu'ils touchaient presque le sol. Taki lui sourit et chuchota au creux de son oreille :

— O-yuri n'est-elle pas devenue l'honorable dame de la chambre attenante ? Elle n'est plus une servante. Viens t'asseoir.

Sachi s'agenouilla tandis que des servantes l'entouraient pour lui masser les épaules. Elles lui colorèrent à nouveau les dents, peignirent ses petits ongles roses, coiffèrent et huilèrent ses longs cheveux soyeux avant de les parfumer mèche à mèche avec un brûleur d'encens. Puis elles la maquillèrent et l'aidèrent à revêtir un kimono de fine soie blanche et un *hakama* rouge.

La veille encore, elle n'aurait jamais imaginé poser les yeux sur un personnage aussi important que le shogun. Même à présent, elle doutait encore de la réalité de ce qu'elle avait vécu. Tandis que les servantes s'affairaient autour d'elle, elle se retira dans ses pensées, tentant de se rappeler aussi précisément que possible le sourire de sa majesté Kiku-sama, ses yeux éclatants, sa peau blanche, ses mains délicates. Hélas… l'image se fanait déjà. Plus Sachi essayait de la retenir, plus elle lui échappait.

Tout le jour, les dames du château ne cessèrent d'aller et venir. À midi, les sept Aînées entrèrent dans un tourbillon de soie froufroutante et disparurent dans la salle d'audience de la princesse, laissant derrière elles un lourd sillage de parfum. De la fumée s'échappait en langoureuses volutes de leurs minuscules pipes à long tuyau.

Les ombres s'étaient allongées et la chaleur étouffante avait cédé la place à une température plus supportable lorsque dame Tsuguko ressortit enfin de la salle d'audience. Aussitôt les dames d'honneur se rassemblèrent autour d'elle, mais elle s'adressa directement à Sachi d'un ton solennel :

— Désormais, tu ne dormiras plus avec les servantes mais dans ma chambre. Naturellement, si tu as un enfant, tu auras tes propres appartements, quatre servantes et trois habilleuses. Il te sera versé chaque mois une quantité suffisante de riz et de *ryo* d'or pour les nourrir et payer leurs gages. Tu recevras également une allocation pour ton habillement et des réserves d'huile de lampe, de pâte de haricot de soja, de sel et de bois pour chauffer ton bain. Ta famille sera elle aussi gratifiée de nombreux privilèges. Ton père sera promu et se verra attribuer de bons revenus. Je veillerai personnellement à l'exécution de toutes ces mesures. Sa Majesté te protégera et fera en sorte que ton honneur rejaillisse sur ta famille.

Plus tard, alors que les servantes débarrassaient les plateaux du dîner, balayaient les salles et préparaient les lits pour la nuit, Sachi commença à rédiger une lettre destinée à ses parents. Depuis son arrivée au palais, ni elle ni eux n'avaient donné de leurs nouvelles. Son père, en tant que chef du village, s'était toujours montré fier de sa maîtrise de l'écriture. Sa mère, quant à elle, était illettrée, mais elle pouvait faire appel à son mari ou au prêtre local pour rédiger son courrier. Mais peut-être se jugeaient-ils de condition trop modeste depuis que leur fille était devenue une grande dame. À moins qu'ils ne sachent rien de ce qu'il était advenu d'elle.

Sachi prit un pinceau, choisit une feuille de papier d'écorce de mûrier, approcha une chandelle et commença à écrire aussi lisiblement que possible, en s'appliquant à former chaque caractère.

« Salutations. J'espère que vous prenez bien soin de vous par ces temps humides. Ici, au palais, les iris sont en pleine floraison. Je me porte bien, travaille dur et veille à ne pas vous faire honte. Ne vous inquiétez pas de mon sort. On prend bien soin de moi. Récemment, j'ai été promue suivante de rang moyen. »

Lorsqu'elle se mit à penser aux toits de tuiles de son village et aux levers de soleil au-dessus de la montagne, des larmes ruisselèrent sur ses joues. Incapable de poursuivre, elle conclut sa missive par les salutations d'usage puis remit la lettre à Taki. Elle avait déjà demandé que cette dernière devienne sa suivante personnelle.

Après cela, Sachi entreprit des travaux de couture, mais son esprit demeurait distrait. Elle repensa à la nuit précédente, essayant de se remémorer chaque geste, chaque mot, chaque caresse du shogun. Assise à ses côtés, Taki maniait l'aiguille dans un silence complice. Au bout de quelques instants, elle tourna son petit visage pointu vers Sachi et chuchota d'une voix presque inaudible :

— S'il te plaît, raconte-moi… Comment cela s'est-il passé ? A-t-il été rude avec toi ? Est-ce qu'il t'a fait mal ? L'as-tu trouvé… beau ?

Sachi jeta un coup d'œil à la ronde. Occupées à leurs travaux d'aiguille, les dames d'honneur bavardaient bruyamment. Si elles affectaient l'indifférence, de temps à autre l'une d'elles ne pouvait s'empêcher de regarder dans leur direction. Comme Taki, elles brûlaient de curiosité. Chaque fois que Sachi repensait au shogun, à ses mains blanches et douces, les sensations nouvelles qu'il avait éveillées en elle l'envahissaient à nouveau. Elle se sentit submergée par une vague de bonheur au souvenir de cette nuit magique. Le plus beau et le plus puissant des hommes du royaume avait daigné poser les yeux sur elle ! Puis elle se rappela qu'il était parti ce matin-là, nul ne savait pour combien de temps, et la tristesse l'accabla.

Elle se tourna vers Taki et esquissa un faible sourire. Devinant son émotion, son amie lui sourit à son tour.

Des servantes avaient apporté les affaires de Sachi dans la chambre de dame Tsuguko et disposé deux futons sur une estrade. Comparée aux appartements où elle avait dormi jusqu'alors, la pièce lui parut gigantesque, presque effrayante, remplie d'ombres rampantes, de cachettes et de recoins sombres et impénétrables.

Ce soir-là, étendue sur son futon, elle écouta longtemps le souffle régulier de dame Tsuguko et les bruissements des kimonos de nuit des servantes chaque fois qu'elles se retournaient dans leur sommeil. Jamais elle ne s'était sentie aussi seule et vulnérable.

Soudain, son édredon se souleva légèrement et Taki, la petite suivante, se glissa à ses côtés. Rassurées, les deux jeunes filles s'endormirent presque aussitôt dans les bras l'une de l'autre.

Le lendemain, Sachi reçut de manière officielle son nouveau nom de cour – Soko-in. À la fin de la cérémonie, dame Tsuguko vint la trouver et lui dit en souriant :

— Suis-moi. Il est temps d'entreprendre nos visites protocolaires.

Sachi s'inclina en silence. Jusque-là, elle n'avait pensé qu'à sa nuit avec le shogun, mais sa nouvelle vie de dame de la chambre attenante ne faisait que commencer.

— D'abord, nous présenterons nos respects à la Retirée, expliqua dame Tsuguko. Rappelle-toi qu'hier est hier, aujourd'hui est aujourd'hui. Tu n'as rien à redouter.

Cette fois, Sachi marchait en tête du cortège qui cheminait à petits pas le long des couloirs obscurs, escorté par une cohorte de servantes. La pluie crépitait sur le toit d'un corridor qui menait à une partie du palais où Sachi n'avait encore jamais pénétré. La chaleur accablante avait cédé la place à un air plus respirable. Elles empruntèrent de nouveaux couloirs, précédées par une nuée de servantes qui ouvrait les unes après les autres les portes coulissantes. De nombreuses dames d'honneur se prosternaient à leur passage, inclinant gracieusement la tête, leurs mains délicates posées à plat sur le tatami en paille de riz. Leurs atours aux couleurs et aux broderies incomparables surpassaient en magnificence la robe de style impérial que portait Sachi.

Jamais encore elle n'avait vu une telle opulence. Comparés à ceux de la Retirée, les appartements de la princesse Kazu paraissaient misérables. Même les tatamis étaient plus moelleux et plus confortables. Éblouie, Sachi admirait les cabinets et les écritoires laqués, les précieux ustensiles pour la cérémonie du thé, les miroirs et les coffrets de cosmétiques alignés le long des murs. De somptueux kimonos brodés, dont celui porté la veille par Fuyu, étaient accrochés à des portants. Des fleurs, des oiseaux et des paysages peints sur un fond de feuilles d'or décoraient les paravents pliants tandis que les alcôves accueillaient d'élégants arrangements floraux, des fresques et des poèmes calligraphiés. Les hampes et les fourreaux des hallebardes des gardes étaient incrustés d'or et de nacre.

Tout semblait presque trop luxueux, trop splendide. Même l'encens qui flottait dans l'air paraissait un peu trop lourd.

La Retirée les attendait, entourée de ses suivantes. Parmi celles-ci, Fuyu se tenait agenouillée au côté de la grande dame. Sous son large capuchon, la Retirée laissait entrevoir un kimono de soie pâle brodé de glycines, tout à fait incongru pour une femme censée être entrée dans les ordres après son veuvage. Sur son visage aux proportions parfaites flottait le plus doux, le plus innocent des sourires, comme si rien ne comptait plus à ses yeux que de connaître la nouvelle concubine. Sachi s'inclina front contre terre, tremblante d'anxiété.

— Voici donc notre nouvelle élue, dit la Retirée d'une voix vibrante. Bienvenue, ma chère. On dirait que les dieux t'ont souri, puisque tu as gagné la faveur de mon fils. Naturellement, nous espérons toutes que tu ne tarderas pas à lui offrir un héritier.

Sachi avait cru que la toute-puissante dame s'adresserait à elle à travers Tsuguko ou sa première dame d'honneur, ainsi que l'exigeait le protocole. Décontenancée, elle garda le silence. Le sourire de la Retirée la terrifiait encore plus que ses airs menaçants, et elle pouvait lire de la méchanceté dans ses prunelles d'un noir insondable.

— J'ai peur, dame Tsuguko, que votre protégée ne se plaise guère chez nous, poursuivit dame Tensho-in. Nous menons une vie plutôt austère. Cette enfant est certainement habituée au luxe plus ostentatoire des appartements de Son Altesse Impériale, et c'est bien contre mon gré que je vais devoir la priver du confort dont elle jouissait là-bas.

Sachi crut défaillir. En tant que concubine du shogun, elle était devenue la belle-fille de la Retirée. Un sort bien pire que la vie misérable d'une paysanne, sans compter qu'elle était une belle-fille d'un rang très inférieur à celui de la princesse Kazu, première épouse du shogun. Dame Tensho-in allait-elle l'obliger à résider dans ses appartements et la soumettre à chacun de ses caprices ? Parmi les gloussements obséquieux des suivantes, elle reconnut le timbre moqueur de Fuyu. La Retirée jouait avec ses nerfs comme un chat avec une souris.

Heureusement, dame Tsuguko vola à son secours.

— Cette créature indigne est très obligée à Votre Seigneurie de reconnaître ainsi son nouveau statut de favorite, répondit-elle sèchement. Néanmoins, elle demeure la propriété de Son Altesse Impériale. Aussi n'imposera-t-elle pas davantage sa méprisable présence à votre bienveillance. Elle lui en gardera toutefois une éternelle reconnaissance.

Sachi ne se détendit qu'après avoir traversé la dernière chambre de la Retirée, s'inclinant profondément à chaque pas.

De retour dans le couloir, dame Tsuguko releva les coins de sa bouche aristocratique dans un sourire plein d'ironie.

— Les appartements de dame Tensho-in sont magnifiques, tu ne trouves pas ? Presque trop, pourrait-on dire. Quand Son Altesse Impériale devint l'épouse de Sa Majesté, la Retirée refusa de déménager dans l'aile de la citadelle occidentale traditionnellement réservée aux veuves, condamnant du même coup la princesse à vivre dans les quartiers des domestiques. Quelle honte ! Voilà pourquoi nos chambres sont tellement sombres et exiguës. Son Altesse a deux cent quatre-vingts dames d'honneur, chacune avec son propre personnel. Et tout ce monde doit réussir à se loger dans une petite aile du palais ! À présent, tu comprends mieux la mésentente entre dame Tensho-in et la princesse.

Sachi n'avait jamais entendu dame Tsuguko s'exprimer avec tant de véhémence. Elles cheminèrent un long moment en silence, plongées dans leurs pensées.

— Lorsque tu auras un enfant, tu verras la Retirée changer d'attitude à ton égard, reprit dame Tsuguko. Mais, pour l'heure, il est temps de rendre visite à dame Honju-in. Elle souhaite devenir ton amie.

Les appartements de dame Honju-in étaient situés au cœur du palais, là où les rayons du soleil ne pénétraient qu'occasionnellement. Quand les yeux de Sachi se furent accoutumés à la pénombre, elle aperçut un dédale de salles bien plus somptueuses que celles de la Retirée. Une armée de dames d'honneur, toutes âgées, se prosterna sur leur passage. Entourée d'une profusion de trésors, la minuscule douairière se tenait agenouillée sur une estrade, le buste bien droit. Émergeant des plis de son capuchon, son petit visage blanc était éclairé par la flamme vacillante d'une lanterne posée à côté d'elle. Jamais Sachi n'avait vu quelqu'un d'aussi vieux. Sa peau semblait aussi fine et fragile que l'aile d'une mite.

— Quel joli visage ! souffla dame Honju-in en caressant la joue de Sachi de son index maigre. Nous sommes toutes soulagées de voir mon petit-fils ainsi entiché de toi. C'est un garçon si difficile… Nous allons prier pour que tu lui donnes bientôt un fils.

En entendant mentionner le shogun, Sachi rougit comme si dame Honju-in venait de découvrir quelque terrible secret la concernant. Horrifiée, elle gardait la tête obstinément baissée. Pourquoi cette grande dame s'adressait-elle à elle directement, osant même la toucher ? Si seulement ces mondanités et ce cérémonial pouvaient vite prendre fin…

La vieille dame pouffa, puis elle reprit d'une voix qui évoquait les craquements des feuilles d'automne sous les pas :

— Moi aussi, ma chère enfant, j'étais une toute jeune fille à mon arrivée au palais. Sais-tu ce que je faisais ? Je servais dans la chambre sacrée et aidais aux cuisines. J'étais jolie, tu sais. À cette époque, le seigneur – je l'appelais Toshi-sama – n'était encore que l'héritier du trône. Son père, sire Ienari, portait le titre de shogun. En voilà un qui savait faire des enfants ! Cinquante-trois, si ma mémoire est bonne. Voyons, laisse-moi réfléchir. Il y a eu la princesse Toshi, bien avant mon temps, puis une fille qui ne vécut que trois jours…

Elle énuméra les cinquante-trois enfants du défunt shogun, en comptant sur ses doigts.

— … puis vint la princesse Yasu, la dernière. Le seigneur Ienari approchait alors des soixante ans. Quel homme ! Tout y passait… les femmes, bien sûr, mais aussi les hommes, et même les chiens, disait-on ! Il n'a pas été avare de sa semence…

« Et puis, un jour, le seigneur Ieyoshi a posé les yeux sur moi. Oh, ne t'y trompe pas, le vieil homme aussi me portait de l'intérêt, mais il s'effaça devant son fils. Sans avoir eu le temps de comprendre ce qui m'arrivait, j'étais devenue concubine. En ces temps-là, il y en avait légion. Certaines avaient des enfants, d'autres non. La plupart du temps, les bébés mouraient en bas âge. J'étais jeune et vigoureuse, comme toi. On me dit que tu viens de la campagne. Tu dois donc être encore plus robuste que je ne l'étais !

Elle laissa échapper un gloussement rauque, comme le râle d'un vieux soufflet. Ses petits yeux noirs toujours fixés sur Sachi, elle lui effleura le bras de sa main parcheminée.

— Il est très difficile d'être une concubine, ma chère. Regarde-toi, si jeune, si radieuse... Et ces jolis yeux brillants ! Rappelle-toi, pourtant, que tu n'es qu'une parmi tant d'autres – si ce n'est maintenant, ce sera bientôt le cas. Tu n'es qu'un ventre à louer. Ne l'oublie jamais. Tel est notre sort à toutes.

Sachi sentit un frisson courir le long de son dos.

— Certes, tu ne seras jamais un samouraï, reprit la vieille dame, mais tu peux au moins vivre selon leurs principes : cacher tes sentiments – le bonheur aussi bien que la tristesse – aux autres comme à toi-même. Apprendre à être forte. Peu de gens soupçonneront jamais ce que tu éprouves. Mais moi, si. Viens me voir si tu te sens triste.

« Les dieux m'ont favorisée, poursuivit-elle, rêveuse. Masanosuké, mon premier fils, a vécu – j'avais alors quinze ans –, mais mes autres fils sont morts. Oui, tous mes autres fils. C'était un garçon charmant, mais il est resté toute sa vie un enfant. Bien d'autres encore sont morts. Oh, tous ces morts ! Quand l'heure du seigneur

Ieyoshi a sonné, mon Masanosuké lui a succédé. Qui l'aurait cru ? Mon garçon, mon premier-né, est devenu le seigneur Iesada, treizième shogun ! Puis mon Masa bien-aimé est parti à son tour pour les paradis lointains. Comme j'ai pleuré ! C'est une chose terrible d'enterrer son propre enfant.

« C'est vrai que les dieux m'ont bénie. Mais, à présent, je me sens lasse. Trop de choses terribles se sont produites. J'abandonne les rênes à ma fille, car c'est une femme forte. Viens me voir si elle te rend malheureuse. Je n'ai pas oublié ce que c'est d'être belle-fille.

— Dame Honju-in exerce encore une grande influence au palais, expliqua gravement dame Tsuguko quand elles se retrouvèrent hors des appartements de l'Aînée. Il est bon que tu aies son approbation. Si les dieux sont avec toi et que tu surveilles ta conduite, ta vie pourra ressembler à la sienne. Tu enfanteras un héritier et, plus tard, lorsqu'il accédera au trône, tu jouiras des prérogatives réservées à la mère du shogun. Crois-moi, il n'existe aucune position plus puissante que celle-là. Je m'assurerai que chacun sache que tu es sous sa protection. En attendant, montre-toi extrêmement prudente. Tu vas faire beaucoup de jalouses.

Il leur restait plusieurs visites à faire. Les deux femmes traversèrent une nouvelle enfilade de pièces, leurs longues robes bruissant sur les tatamis, pour atteindre les appartements de dame Jitsusei-in, mère du shogun. À leur arrivée, le visage jaunâtre de Vieille Corneille, encadré d'un lugubre capuchon noir, quitta son éternel froncement de sourcils pour se plisser en un drôle de sourire.

Elles présentèrent ensuite leurs respects aux trois dames d'honneur qui avaient observé Sachi tout au long de sa nuit avec Sa Majesté : dame Nakaoka, dame Chiyo et la prêtresse. Sachi et dame Tsuguko remercièrent chacune d'elles en leur offrant de somptueux cadeaux. Après quoi, elles durent encore rendre visite aux autres Aînées, aux prêtresses et à toutes les dames d'honneur de rang assez élevé pour être admises en présence du shogun.

Le jour se terminait lorsque les deux femmes reprirent le chemin des appartements de la princesse. Les dernières visites s'étaient déroulées dans une sorte de brouillard. Sachi se rappelait vaguement le dédale des couloirs, une succession de portes coulissant sur leur passage, les saluts front contre terre, les sourires et les échanges polis, les félicitations inlassablement répétées. Elle avait découvert des parties du palais dont elle n'avait jamais soupçonné l'existence. Ses jambes étaient aussi lourdes que si elle venait d'escalader de hautes montagnes et ses joues lui faisaient mal à force de sourire.

— Tu verras bientôt les personnes les plus improbables t'offrir leur amitié, lui dit dame Tsuguko. Prends garde à celles qui dissimulent leur animosité derrière un masque de bonté. Son Altesse t'a protégée jusqu'ici, mais elle ne sera peut-être plus en mesure de le faire. Pour survivre, tu devras connaître parfaitement le fonctionnement du palais des femmes. Il est grand temps que ton éducation commence.

Sachi espérait que la princesse l'appellerait à ses côtés dès son retour, mais Son Altesse demeura invisible derrière ses paravents. Peut-être était-elle occupée à écrire de la poésie, ou à contempler l'obscurité, immobile, comme elle le faisait parfois. À quoi pouvait-elle bien penser alors ? Peut-être aurait-elle souhaité mener une vie différente de celle imposée par les règles du château. Elle avait tout abandonné pour devenir la première épouse du shogun, et celui-ci n'était même plus là. Si Sachi avait pu porter un fils à sa place, peut-être aurait-elle été plus heureuse.

Un brusque frisson parcourut la jeune fille tandis que les paroles de la vieille dame Honju-in lui revenaient en mémoire : « Tu n'es qu'un ventre à louer. »

II

Le lendemain, Haru se présenta de bonne heure à la porte des appartements de la princesse et entraîna aussitôt Sachi dans le coin où elle lui donnait ses leçons.

— Félicitations, madame, dit-elle en s'inclinant profondément devant son élève. Comment se sent la nouvelle concubine ?

— Oh, grande sœur, répondit Sachi dans un chuchotement, il est si difficile de garder le silence. Mes pensées ne m'appartiennent plus. Depuis cette nuit avec Sa Majesté, je flotte, aussi légère qu'une fleur à la surface de l'étang. Je compte les jours qui me séparent de son retour.

Haru pouffa dans sa manche.

— On dirait que quelqu'un t'a donné de la poudre de lézard sec, plaisanta-t-elle. Tu sais bien : on prend deux lézards, on les laisse copuler et, juste au moment où leurs essences yang et yin sont sur le point de se répandre, on les sépare. Puis on les cuit séparément au four. Leur désir mutuel est si ardent que la fumée de l'un cherche la fumée de l'autre, si éloignés que soient les fours. Après quoi, on les réduit en poudre. Il paraît que l'effet est imparable.

Sachi réprima difficilement un fou rire.

— Pauvres bêtes ! s'exclama-t-elle.

C'était un soulagement de pouvoir redevenir elle-même, ne serait-ce qu'un instant. Les dames d'honneur et leurs servantes qui cousaient un peu plus loin se poussèrent du coude, riant sous cape.

— Il y avait dans mon village un vieil homme qui vendait des vipères cuites au four, reprit Sachi en se tamponnant les yeux de sa manche. Nous l'appelions grand-père Vipère. Les gens racontaient que, si une femme grignotait un seul petit morceau du serpent, plus aucun homme des environs ne serait en sécurité !

— Ces histoires montrent bien ce que sont en réalité les sentiments, commenta Haru, brusquement sérieuse. Tout ce que tu peux ressentir n'est qu'illusion, comme si tu avais avalé de la poudre de lézard ou de vipère. N'oublie jamais cela. Ton émoi passera plus vite que tu ne le penses. Te voilà désormais première concubine de Sa Majesté et, par voie de conséquence, sa seconde épouse. Aussi lui dois-tu à jamais fidélité et dévouement absolu. C'est là tout ce qui compte. Sans doute apprécies-tu ces rêveries qui t'emportent, mais ne te laisse pas abuser par elles. Ne laisse jamais tes sentiments gouverner ta vie.

Les conseils de Haru étaient toujours sages. Pourtant, Sachi ne put s'empêcher de penser qu'elle n'y connaissait rien, n'ayant jamais partagé la couche d'un homme. Mieux valait changer de sujet.

— Grande sœur, supposons que je n'aie pas d'enfant. Que se produira-t-il alors ?

— Nous prierons et nous ferons des offrandes, répondit paisiblement Haru. Puisque nous n'y pouvons rien, autant remettre notre sort entre les mains des dieux. En attendant, fais preuve d'une extrême prudence. Il y a ici des femmes qui pourraient te vouloir du mal !

— Grande sœur, il y a tant de choses que je voudrais savoir ! Quand est-ce que… ?

Sachi s'interrompit. Les questions étaient inutiles. Pour l'heure, on lui demandait seulement de se montrer patiente, d'attendre et d'observer.

— Veille à ne jamais te retrouver seule, reprit Haru. Pas un seul instant. Tu dois toujours être entourée de tes servantes ou de tes dames d'honneur. Ne touche à ta nourriture qu'après qu'on l'aura goûtée, et tiens-toi éloignée des puits et des endroits élevés. Trop de concubines perdent la vie. Certes, nous veillerons sur toi et nous t'épaulerons du mieux que nous le pourrons, mais qui sait de quoi est capable une femme rongée par la jalousie.

Sachi lui jeta un regard incrédule. Jamais encore elle n'avait vu une telle gravité chez Haru. Ses sombres propos firent courir un frisson le long de son dos, mais elle n'arrivait pas à s'inquiéter pour son sort. Seul le souvenir du jeune et doux shogun occupait ses pensées.

— Beaucoup de choses redoutables se sont produites ici depuis l'arrivée des barbares, et même avant cela, expliqua Haru. Les gens en dehors du palais ignorent ce qui se passe ici, mais je vais te raconter une histoire qui s'est déroulée au début du règne de notre pauvre seigneur Iesada, il y a de cela dix ou onze ans.

Sachi se pencha, le menton dans les mains, les coudes posés sur la table basse, s'efforçant de bannir le shogun de son esprit.

— Le seigneur Ieyoshi était mort depuis un an, poursuivit Haru. De ses vingt-sept enfants, un seul avait survécu : le seigneur Iesada, premier fils de dame Honju-in, à qui tu as rendu visite hier. Elle n'était pas aussi douce alors, tu peux me croire. Quant au shogun... comment dire ?

Haru jeta un coup d'œil aux dames d'honneur occupées à jacasser, puis, s'approchant de Sachi, elle baissa la voix.

— Il était... différent. Les femmes ne l'intéressaient guère, pas plus que les hommes, d'ailleurs. C'était un petit garçon qui refusait de grandir. Ses deux premières épouses disparurent avant même qu'il ne devienne shogun. Je me souviens fort bien de la première, dame Nobuko, fille d'un noble de la cour de Kyoto. Elle n'avait que vingt-cinq ans lorsqu'elle est morte de la variole. J'étais alors très jeune et je venais d'arriver au palais. D'un tempérament agréable et bienveillant, dame Nobuko jouait admirablement du tambourin. Aussi le sire Iesada avait-il l'habitude de s'asseoir près d'elle pour l'écouter. Sans doute avait-il un véritable penchant pour elle, même si tout le monde savait qu'ils n'auraient jamais d'enfants.

« La seconde épouse se présenta l'année suivante. Fille du ministre de la Gauche au palais impérial de Kyoto, c'était une pauvre petite chose. Affectée d'une jambe plus courte que l'autre, elle boitillait le long des couloirs sous le regard ironique des suivantes qui murmuraient des commentaires désobligeants. Mais le seigneur Iesada ne s'en souciait guère. Tout ce qui l'intéressait, c'était de continuer ses drôles de jeux. Au bout d'un an, elle aussi avait rejoint ses ancêtres. Beaucoup, alors, commencèrent à s'inquiéter, évoquant même une malédiction. “Si vous voulez mourir, mariez-vous avec Iesada”, disait-on volontiers.

« Tout cela n'importait guère tant que son père, le seigneur Ieyoshi, restait shogun. Hélas, Sa Majesté fut emportée à son tour. Une fin étrange et terrible. Il n'est pas mort d'une mort naturelle, nous le savions tous.

Haru fit une pause pour se tamponner les yeux.

— Le seigneur Iesada est alors devenu shogun. Il n'avait aucune épouse, aucune concubine et pas d'héritier. Quand il se rendait au palais des femmes, c'était pour voir dame Honju-in, sa mère. Même dans sa trentième année, c'était encore un garçon chétif qui ressemblait à un enfant. Il était toujours malade ! Il avait un visage pâle et mince, comme un fantôme affamé, et de grands yeux sans cesse en mouvement. Ce qu'il aimait le plus, c'était de faire griller des haricots et de les remuer avec des baguettes de bambou. Il avait l'habitude de poursuivre ses courtisans avec un pistolet qu'un marchand hollandais lui avait offert. Cela le faisait rire de les voir se sauver, terrorisés. D'autres fois, il se contentait de rester assis durant des heures, le regard fixe.

« Voilà pourquoi dame Honju-in demeurait la personne la plus influente du palais intérieur, et même de tout le royaume. Chaque fois que les chambellans proposaient une nouvelle loi, c'était dame Honju-in qui soufflait à Sa Majesté de la ratifier ou non. Tout le monde cherchait ses faveurs. On lui faisait parvenir des rouleaux de soie brochée, des vases, des bols de thé, des laques, des gâteaux de sucre… Les cadeaux les plus somptueux étaient livrés au château – pour elle, pour ses dames d'honneur… Quelle vie elle a menée !

« Un jour que les gardes effectuaient leur ronde matinale, ils remarquèrent dans une remise un palanquin dont la porte était restée ouverte. Du sang s'égouttait de l'intérieur et, spectacle affreux, un bras et une jambe pendaient au-dehors. Le corps était enroulé dans un sac. Quand les gardes ouvrirent celui-ci, ils virent une femme nue et raide morte. Les femmes du palais accoururent et, à cette vue, s'enfuirent en poussant de grands cris. Quelle panique !

« La morte n'était autre que dame Hitsu, une dame de haut rang. Nous pensâmes toutes à un drame de la jalousie. À ce qu'on disait, dame Hitsu entretenait des relations très privées avec d'autres dames du palais. L'une d'elles, dame Shiga, avait été très éprise, aussi le soupçon tomba-t-il sur elle.

« Mais il apparut bientôt que dame Hitsu était devenue très proche du seigneur Iesada. Ayant accès aux cuisines, elle avait l'habitude de lui apporter des haricots et de bavarder avec lui tandis qu'il s'amusait à les remuer. Il appréciait énormément une espèce particulière de poisson sec qu'elle lui apportait également. Peut-être prévoyait-elle de le séduire… En lui donnant un enfant, elle aurait évincé dame Honju-in pour devenir, à son tour, l'autorité occulte du royaume.

« Il n'y eut aucune enquête, naturellement. On ne sut jamais qui détestait dame Hitsu au point de la tuer, que ce soit par jalousie ou parce qu'elle avait essayé de s'élever au-dessus de sa condition. Personne n'osa suggérer un lien entre dame Honju-in et cette affaire. Et même si cela avait été le cas, sa puissance la plaçait au-dessus des lois.

À ce récit, Sachi se sentit parcourue d'un frisson. Sans s'en rendre compte, elle avait serré si fort les poings que ses mains en étaient toutes brûlantes. Elle jeta un coup d'œil à la ronde, crut voir les dames d'honneur échanger des regards et comploter. Bien des haines et des rivalités bouillonnaient derrière l'apparente tranquillité du palais, mais Sachi s'était toujours crue trop insignifiante pour être en butte à l'hostilité de qui que ce soit. À présent, sa position avait changé. Chacun attendait de voir si elle deviendrait la mère de l'héritier du shogun. Elle devait se tenir sur ses gardes.

Elle pensa à la Retirée. Quand dame Tensho-in était devenue la troisième épouse du seigneur Iesada, elle ne devait guère être plus âgée que Sachi. Malgré tout, elle avait gagné. À la mort de son époux, elle s'était installée dans les appartements de la vieille Honju-in. N'empêche… Partager le lit d'un tel homme, était-ce le bonheur ? Dans ce monde, aucun être humain ne pouvait choisir son destin, encore moins une femme, même aussi brillante et fière que la Retirée. Après tant de combats, finir veuve, échouée sur le rivage de la vie peu après sa vingtième année… Sachi essaya d'imaginer quels chagrins et déceptions avaient façonné l'armure derrière laquelle se cachait la Retirée. Auparavant, ce genre de préoccupation n'aurait jamais traversé son esprit. Mais à présent le monde lui semblait différent.

— Haru, qu'est-il arrivé au seigneur Ieyoshi ? Et au seigneur Iesada ?

Haru se renfrogna et secoua la tête.

— Un autre jour, répondit-elle fermement.

III

Sachi était si distraite qu'elle crut qu'elle ne réussirait jamais à se concentrer sur son travail. Elle s'appliqua à recopier des poésies, essayant de faire danser son pinceau sur le papier avec la même fluidité et la même grâce que Haru. Au fil des heures, son esprit redevint aussi calme que la surface d'un étang après la tombée du vent. Malgré ses efforts, elle avait encore du chemin à parcourir avant de rattraper les autres novices dans presque tous les domaines – calligraphie, classiques chinois, poésie, cérémonie du thé, divination par l'encens, et tous les autres arts que les dames de la cour se devaient de connaître. Mais elle était déterminée à combler son retard aussi rapidement que possible.

Dans l'après-midi, elle se rendit à la salle d'exercice. Des servantes la suivaient, portant son costume, tandis que Taki se chargeait de sa hallebarde.

Plusieurs très jeunes novices étaient déjà là, vêtues de l'uniforme des gardes du palais. Comme elles, Sachi troqua ses vêtements de cour contre une jupe noire fendue et une veste de soie grossière de la même couleur avec, sur le dos, le blason des Tokugawa – trois feuilles de rose trémière. Le tissu était rugueux contre sa peau. Après quoi, elle fixa sur sa tête un chapeau noir à l'aide d'une bande blanche étroitement enroulée.

C'était la première fois qu'elle voyait les autres novices depuis sa promotion, et ces dernières ne se privèrent pas de la dévisager avec curiosité. Toutes des enfants, encore, avec leurs épais sourcils noirs et leurs dents blanches. Sachi était la seule à avoir les sourcils rasés et les dents noircies. Les joues brûlantes, elle gardait les yeux baissés même si, au fond d'elle-même, elle se savait habitée par une calme fierté.

Sachi reconnut Fuyu parmi les élèves qui se rassemblaient autour d'elle pour la saluer et la congratuler.

Aussi coquette qu'à son habitude, le maquillage impeccable, les cheveux huilés, sa rivale réussit à esquisser un sourire glacial.

Leur premier travail fut de nettoyer les nattes. Tandis que les novices frottaient les tapis à l'aide d'un chiffon humide, Fuyu se glissa entre Taki et Sachi.

— En voilà une surprise ! cracha-t-elle. Je suppose que c'est la princesse qui t'a imposée à son époux. Sans doute étais-tu la seule en âge. Quelle épreuve pour Sa Majesté d'avoir à toucher une créature telle que toi !

Sachi se raidit. Fuyu devait avoir perdu la raison pour manifester aussi brutalement ses sentiments. Elle tenta de s'écarter, mais Fuyu la poursuivit. Haletante, elle lança d'une voix forte :

— Si tu as besoin de quelque chose, fais-le-moi savoir. Tu dois en avoir assez de manger du riz blanc. Si tu veux, je te fournirai de l'orge ou du millet. Et même, si tu le souhaites, de la nourriture pour le bétail. C'est à l'étable que tu devrais dormir, d'ailleurs. Tu t'y sentirais chez toi.

Sachi ne dit mot. Fuyu espérait sans doute la ridiculiser en lui faisant perdre son sang-froid. Mais elle ne céderait pas à ses provocations.

Quand les nattes furent immaculées, les novices s'alignèrent sur un côté de la salle et sortirent leur hallebarde de leur sac. Sachi concentra son attention sur son arme. Celle-ci était magnifique. Façonnée par un forgeron réputé, la lame élégamment incurvée pouvait percer une armure sans se briser. Le long manche en bois laqué et marqueté d'or était décoré d'un motif de fleurs ainsi que du blason des Tokugawa. Sachi commença par la nettoyer et la frotter d'huile. Puis elle fit courir un tissu le long du manche avant de ranger la lame dans son fourreau et l'arme dans son sac.

Elle décrocha du mur un bâton d'entraînement en chêne clair qui faisait presque le double de sa taille. À la fois léger et poli, il était effilé à une extrémité.

Dame Masa, leur professeur, une femme robuste et grisonnante, presque aussi grande qu'une hallebarde, avait la réputation de manier les armes avec une virtuosité éblouissante.

— Allons, mes enfants, appliquez-vous ! cria-t-elle à ses élèves. Les temps sont dangereux. À présent que Sa Majesté est absente, nous devons nous préparer à défendre le château en toutes circonstances. Concentrez-vous et exercez-vous sans relâche.

Les novices commencèrent par répéter les différentes attaques et parades, puis elles mirent des casques et des vêtements de protection et entreprirent de s'entraîner pour de bon. Un vacarme assourdissant emplit bientôt la salle.

Ayant grandi dans des familles de samouraïs, les compagnes de Sachi avaient appris très tôt à manier la hallebarde pour pouvoir défendre les leurs en l'absence des hommes de la maison. Chez les samouraïs, la hallebarde – *naginata,* ou épée à long manche – faisait partie du trousseau des jeunes mariées. Longue, légère, elle permettait à une femme de frapper son adversaire aux jambes avant qu'il s'approche suffisamment pour l'atteindre avec son sabre. Le Japon avait connu la paix pendant douze générations de shoguns. Hormis la chasse aux brigands ou aux voleurs occasionnels, aucune femme n'avait jamais eu à utiliser une hallebarde pour se défendre. La pratique de cette arme était donc devenue une forme d'art martial, une discipline de l'esprit et du corps.

Mais, au palais des femmes, la hallebarde demeurait une affaire des plus sérieuses.

Le château était la résidence du shogun. S'il dirigeait les affaires du royaume depuis l'aile réservée aux hommes, le palais intérieur était pour lui un lieu de détente et il y passait toutes ses nuits. À part lui, aucun représentant du sexe masculin n'avait le droit d'y pénétrer, aussi les femmes en assuraient-elles la garde. Personne n'ignorait que les femmes du palais du shogun étaient de formidables guerrières. Un tel niveau de maîtrise exigeait une formation stricte et une pratique quotidienne.

Malgré son inexpérience, Sachi se sentait ce jour-là invincible. Aussi vive qu'une flamme, elle se fendit en avant, fauchant son adversaire, puis sauta hors de portée avant de faire mouche avec une volée de coups d'une rapidité étourdissante.

Mais, comparée à Fuyu, elle était maladroite. Celle-ci était la meilleure combattante de leur groupe. Elle et son bâton semblaient ne former qu'un.

Elles ne s'exerçaient pas depuis longtemps quand Fuyu s'écarta de sa partenaire pour se diriger vers Sachi. Du coin de l'œil, cette dernière la vit se planter devant elle et la défier. Elle ne semblait plus se contrôler.

— Comme ta peau est blanche ! lança-t-elle avec tant de hargne que sa voix en tremblait. Tu es fière de tes sourcils rasés et de tes dents noires, pas vrai ? Mais moi, je ne suis pas dupe. Je sais que tu n'es qu'une paysanne. Montre-moi comment tu sais te battre !

En la voyant esquisser un mauvais sourire, Sachi se rappela les avertissements de dame Tsuguko et de Haru. Malgré cela, et malgré le fait que Fuyu, bien meilleure combattante, ne lui laisserait aucune chance, rien ne pourrait l'empêcher de relever le défi. La lâcheté était la pire des faiblesses. Aussi se redressa-t-elle pour affronter sa rivale. Elle pensa aux yeux calmes du shogun, à ses douces caresses et se sentit plus forte. Elle leur montrerait à toutes qu'elle était digne d'être sa concubine.

Après avoir salué selon le rituel, elle se plaça en position de combat, les pieds bien écartés, son bâton tenu avec souplesse des deux mains, et prit une respiration profonde. Concentre-toi, pensa-t-elle.

Fuyu se rua vers elle, les yeux luisants, le front perlé de sueur. Trop effrayée pour bouger ou s'échapper, Sachi eut l'impression d'être une souris des champs qu'un faucon attaque par surprise. Tout en agitant violemment son bâton, Fuyu lança un cri suraigu et visa l'estomac.

Solidement arrimée au sol, son bâton bien en équilibre, Sachi para le coup. Son bâton tremblait encore de l'impact quand Fuyu fit une brusque volte-face, multipliant les attaques à la poitrine, à la tête, aux tibias. Sachi sautait en une danse frénétique, esquivant ou bloquant les coups, tentant vainement de riposter.

Haletante, Fuyu fit une pause, juste assez pour permettre à Sachi de se ressaisir. Lorsque son adversaire s'élança de nouveau, Sachi était prête. Elle para le coup, virevolta sur la pointe des orteils et dirigea l'extrémité pointue du bâton vers Fuyu. Celle-ci esquiva et revint à l'attaque, la frappant à la poitrine, aux poignets pour l'obliger à lâcher son bâton.

Le combat était si intense que Sachi en perdait le souffle. Un bref instant, elle baissa sa garde. Un coup puissant dans les côtes l'expédia au sol. Fuyu chargea et se mit à la rosser de plus belle avant de se laisser tomber à genoux pour la frapper à l'estomac. Sachi se plia en deux, pantelante. La salle tournoyait autour d'elle et le sang battait furieusement à ses oreilles. Fuyu lui apparut dans une sorte de brouillard, penchée sur elle, le visage pourpre, le bâton levé.

L'image du doux shogun traversa l'esprit de Sachi. Elle songea alors au bébé qui, peut-être, se développait dans son ventre. Haletante, elle se releva et les deux femmes entamèrent un curieux ballet, leurs bâtons levés, prêts à frapper. Sachi ne voyait rien d'autre que le visage tordu par la haine de Fuyu.

Fuyu recula puis, rapide comme le serpent, abattit son arme sur Sachi, qui réussit à parer le coup. Les deux bâtons s'entrechoquèrent en un terrible fracas. Sachi fit un bond en arrière, tourna sur la pointe des orteils et, balançant son bâton d'un côté et de l'autre, repoussa Fuyu sans lui laisser le temps de récupérer son équilibre. L'incrédulité se peignit sur le visage de sa rivale, toutefois elle resta sur la défensive. Son corps n'était plus qu'air et flamme, son bâton le prolongement de son bras. Elle dansait d'avant en arrière, frappant ici, poussant là, essayant de percer les défenses de Fuyu.

Les traits de cette dernière se décomposèrent et elle parut sur le point de pleurer. Ce fut l'instant que choisit Sachi pour abattre son bâton sur son bras. Fuyu hurla. Alors Sachi se laissa tomber à genoux et, de toutes ses forces, frappa les jambes de sa rivale.

Il en fallait plus pour arrêter Fuyu. Le visage cramoisi, elle visa Sachi à l'estomac. Sachi essaya d'esquiver, mais son bâton lui échappa. Déséquilibrée, elle chancela et tomba. Avant qu'elle ait pu se relever, Fuyu fit pleuvoir une volée de coups sur son dos, ses jambes, ses bras. Puis, jetant son bâton, elle lui sauta dessus pour la frapper de ses poings.

Sachi tenta de se dégager, mais Fuyu la maintenait fermement. Elles roulèrent sur le sol, leurs corps emmêlés, jouant des poings, des pieds, des ongles. Tout à coup, Sachi sentit les mains de Fuyu se refermer autour de sa gorge. Elle l'attrapa par les cheveux, tirant si fort qu'elle réussit à en arracher une poignée. Fuyu poussa un cri perçant et lâcha prise. Se redressant brusquement, Sachi se mit à genoux sur Fuyu, qui se débattait en couinant. Sachi lui saisit le bras et le tordit de toutes ses forces jusqu'à ce que Fuyu frappe le plancher de sa main libre en signe de soumission.

La salle résonnait de leurs halètements.

— Assez ! hurla dame Masa. Dois-je vous rappeler qu'il est formellement interdit d'exprimer ses sentiments personnels dans cette salle ? Vous violez la règle principale du code des samouraïs. Cet entraînement doit être aussi une école d'humilité, entendez-vous ?

Sachi enleva précautionneusement son casque. Ignorant les meurtrissures qui lui recouvraient le corps, elle jeta à Fuyu un regard triomphant.

Elle savait à présent qu'elle avait une ennemie.

Les élèves regagnèrent la porte et glissèrent leurs pieds dans leurs sandales de bois. Fuyu toisa Sachi, son visage rond souillé de larmes, un rictus menaçant aux lèvres. Elle se pencha soudain, saisit une de ses sandales encroûtées de boue et, avant que quiconque ait pu l'arrêter, en frappa violemment Sachi sur le côté du crâne.

Chancelant sous le coup, Sachi porta la main à sa tête. Une sandale boueuse… l'insulte suprême. La douleur ne signifiait rien, mais l'humiliation ne pouvait être tolérée. Autrefois, une femme de samouraï aurait commis le suicide face à pareil affront. Mais Sachi n'en avait nulle intention – elle n'était pas samouraï et ne le serait jamais. Mieux valait s'exercer inlassablement au bâton pour battre Fuyu chaque fois que celle-ci lui chercherait querelle. Un jour viendrait où elle serait enfin de taille à venger l'offense.

— N'empêche, murmura Taki, radieuse, en l'enlaçant de son bras maigre, c'est toi que Sa Majesté a choisie, pas Fuyu.

IV

Quelques jours après son départ, le shogun adressa ses premières lettres à la princesse Kazu, à Vieille Corneille, sa mère, et à la Retirée. Il y en avait également une pour Sachi. Elle l'emporta dans la pièce qu'elle partageait avec dame Tsuguko et la considéra longtemps avant de la dérouler avec une lenteur extrême. La calligraphie, aussi exquise et passionnée que Sa Majesté, couvrait de ses lignes élégantes une feuille de papier de mûre légèrement parfumée. Elle se représenta son maître assis dans son palanquin ou à la petite table d'une auberge, son pinceau plongeant en piqué sur la feuille comme un pluvier en vol. Si la plupart des femmes samouraïs connaissaient exclusivement le syllabaire hiragana, Sachi avait commencé à apprendre au palais les caractères chinois kanji, employés dans la littérature classique. Si elle n'en savait pas encore assez pour déchiffrer chaque mot de la missive impériale, elle devina que le shogun lui parlait de ses voyages. Il concluait sa missive avec une poésie de son cru évoquant les fleurs splendides qui, écrivait-il, le faisaient plus que jamais languir de revoir le beau visage de son amante.

Fort bien, pensa Sachi avec anxiété. Mais comment lui répondre ? Son écriture enfantine risquait de faire mauvaise impression. Quant à ses talents en matière de versification, ils étaient encore fort rudimentaires.

Elle avait également reçu une lettre de sa mère, rédigée par le prêtre du village. En déroulant la feuille, Sachi se sentit soudain submergée par le mal du pays.

« Nous sommes heureux d'avoir de tes nouvelles. Quelle joie d'avoir une fille aussi dévouée que toi, écrivait Otama. Depuis des mois, nous ignorions ce qui était advenu de toi et ne pouvions t'écrire au château, certains que, là-bas, tu aurais honte de nous. Prends bien soin de ta santé par ces temps humides. Nous sommes heureux d'apprendre que tu travailles dur. Veille à ne pas être une charge pour les bonnes gens qui t'ont adoptée. Nous sommes fiers de te savoir à présent suivante de rang moyen. Comme tu le sais, il y a de grands troubles sur la route, mais ne t'inquiète pas de nous. Nous nous portons bien. »

Des troubles sur la route ? Même en temps de famines et d'émeutes, la route avait toujours été sous contrôle. Le père de Sachi y veillait. De quels désordres parlait donc sa mère ? Elle reprit sa lecture.

« Dans sa troisième année, la petite Omasa que tu avais l'habitude de porter sur ton dos est tombée malade. Le mal rongeait son estomac et elle est morte. Nous avons eu depuis une autre fille, Ofuki. Les dieux l'ont bénie jusqu'à aujourd'hui et elle est en bonne santé. Ton petit frère Chobei est dans sa neuvième année et c'est devenu un petit garçon robuste et plein de joie de vivre. Il nous donne satisfaction à l'école et aide ton père à l'auberge. Te souviens-tu de la vilaine petite Mitsu qui habitait l'auberge au bord de la route ? Elle a épousé un cousin et vit maintenant de l'autre côté de la colline. Son premier bébé est mort, mais le suivant est en bonne santé. »

Sachi demeura immobile un long moment, perdue dans sa rêverie. Elle se revit courir dans les collines, sa petite sœur sur le dos, son amie Mitsu et son petit frère trottant à ses côtés, par un de ces jours d'automne où les nuages s'entassent à l'horizon. Elle crut apercevoir de nouveau le défilé des porteurs émergeant des bois, aussi minuscules que des insectes, à l'autre extrémité de la vallée. Tant de choses avaient changé depuis. Quand elle repensa à sa petite sœur bien-aimée, un flot de larmes ruissela sur ses joues.

Quelqu'un d'autre courait ce jour-là avec eux : Genzaburo, le petit meneur, tout en jambes et en malice, prêt à inventer toutes sortes de bêtises. Elle le considérait alors comme une sorte de frère d'armes. Elle se rappela leurs aventures échevelées dans les bois, à grimper aux arbres ou traquer les blaireaux, leurs expéditions secrètes sur les rives du torrent. Qu'était-il advenu de lui ?

Elle plongea son pinceau dans l'encre et commença à rédiger sa réponse. Le temps s'améliorait, écrivit-elle, et les pluies avaient enfin chassé l'insupportable moiteur. Les hydrangeas fleurissaient dans les jardins du palais. Elle s'enquit ensuite de sa grand-mère, de l'aubergiste de l'autre côté de la route et des femmes qui se réunissaient au puits. Puis elle roula la lettre, la scella et la remit à une servante.

Après quoi, elle se mit à réfléchir à la poésie qu'elle destinait à Sa Majesté.

Sachi apprenait à se conduire en grande dame, s'efforçant chaque jour de trouver sa place au sein de la hiérarchie du palais. C'est ainsi qu'on lui enseigna à se comporter envers les représentants des rangs inférieurs. D'origine presque aussi modeste que ses servantes, elle traitait celles-ci avec un respect qui ulcérait dame Tsuguko.

— Quand tu t'adresses aux domestiques, ne leur dis pas « Excuse-moi » mais « Toi, viens ici ! » ne cessait-elle de lui répéter. Ce ne sont pas de véritables personnes. Elles ne comptent pas.

Du matin au soir, Sachi s'occupait à parfaire son éducation tandis que Taki apprenait par cœur l'emploi du temps du shogun en voyage. Elle savait sur le bout des doigts à quelle heure le maître prenait ses repas, se reposait, admirait le paysage ou se recueillait devant un lieu saint.

Chaque matin, quand Sachi s'éveillait, Taki lui expliquait en détail la journée de Sa Majesté. « Il est déjà en route », annonçait-elle fièrement. Puis, quand le roulement des tambours marquait la quatrième heure, elle disait solennellement : « Il déjeunera chez Chigasaki » ou bien « Le voici à Yumoto, au temple de Sounji, en train de contempler les hydrangeas. Comme ils doivent être beaux à cette époque ! » Ou encore : « C'est le sixième jour de *ho*, le maître s'arrêtera à la grande auberge de Mishima. Il dînera d'une anguille. » Après quoi, tout heureuse, elle regardait Sachi pour s'assurer qu'elle était impressionnée par l'ampleur de ses connaissances.

Sachi souriait en elle-même. Il était réconfortant de savoir que, dans ce vaste palais peuplé de femmes qui complotaient dans son dos, il existait une personne totalement digne de confiance. Grâce à Taki, elle se sentait moins isolée.

Les lieux cités par son amie ne représentaient que peu de choses pour Sachi. Tout ce qu'elle savait, c'était que, chaque jour, le shogun s'éloignait de plus en plus. C'était son troisième voyage vers l'ouest depuis plus de deux ans. Avant cela, elle était trop jeune pour se préoccuper du shogun et de ses activités. Désormais, en tant que première concubine, elle attendait impatiemment de ses nouvelles. Des messagers galopaient sans trêve pour délivrer des courriers aux bureaux du palais externe et, rapidement, des nouvelles filtrèrent jusqu'au palais des femmes.

Curieusement, le voyage du shogun se déroulait à un rythme d'une exceptionnelle lenteur. Lors de ses précédents déplacements, il avait atteint la capitale deux ou trois semaines après son départ du château d'Edo. Cette fois, pourtant, le voyage s'étirait sur un mois, avec nombre d'arrêts et de visites le long de sa route. Sachi trouvait cette manière de faire la guerre pour le moins étrange.

Il lui était difficile, d'ailleurs, d'imaginer le shogun en train de se battre. Elle pouvait le voir descendre de son palanquin pour contempler une vue célèbre, composer une poésie, plaisanter avec ses courtisans ou dîner dans une auberge locale comme celle de son père. Elle se le représentait à cheval, splendide dans son armure, coiffé d'un casque et le visage dissimulé sous un masque de guerrier aux féroces moustaches, comme elle en avait vu autrefois sur des samouraïs traversant son village.

Celui du shogun était sûrement encore plus magnifique et terrifiant. Mais pouvait-on vraiment l'imaginer menant ses troupes à la bataille ?

Le lendemain matin, Sachi se réveilla avec une terrible douleur, le ventre comme transpercé par une épée.

— Taki, Taki, chuchota-t-elle en secouant la jeune fille.

Brusquement réveillée, la petite suivante s'exclama, effrayée :

— Que se passe-t-il ?

— Je ne sais pas quoi faire. Mon saignement mensuel est revenu.

Taki sursauta.

— Oh… Ainsi, tu ne portes pas d'enfant.

Sachi se mit à sangloter. Elle avait trahi le shogun et déçu la princesse en échouant dans sa mission. Les Tokugawa n'auraient pas encore d'héritier. Elle repensa à son combat avec Fuyu et se demanda si son état n'était pas lié au coup qu'elle avait reçu au ventre.

Elle passa la journée confinée dans sa chambre en compagnie de Taki et de ses servantes. Parfois elle arpentait la pièce, d'autres fois elle travaillait à sa couture, incapable de penser à rien d'autre qu'à son échec. Osant à peine porter le regard vers l'amulette offerte par le shogun, elle finit par l'enfouir dans un tiroir.

— Il n'y a aucune raison de s'inquiéter de la sorte, observa Taki le deuxième jour. C'est ainsi, voilà tout. Tu es toujours la dame de la chambre attenante et encore très jeune, de même que Sa Majesté. Nos destins reposent entre les mains des dieux. Aie confiance, il y aura quantité d'occasions à son retour.

Sachi acquiesça en silence, envahie par une nouvelle et curieuse sensation de soulagement. Exposée pendant si longtemps à tant de pressions, elle commençait enfin à savoir où était sa place. Elle se regarda dans le miroir, étudia son visage d'une pâleur presque surnaturelle. Elle contempla le doux ovale, la ligne oblique des yeux verts, la petite bouche rose. C'était tout ce qu'elle possédait au monde, ce visage. Il l'avait amenée au palais et conduite dans le lit du shogun. Mais comment une simple fille de la campagne pouvait-elle avoir reçu un tel trésor à la naissance ?

Elle sourit à son reflet. À présent, il lui fallait apprendre tout ce qui rendrait Sa Majesté heureuse – chanter, danser, jouer du koto et du shamisen, écrire joliment et tourner une poésie avec talent, exécuter à la perfection les différents cérémonials du thé, connaître les jeux prisés par les dames du palais, tels la divination par l'encens ou le jeu des coquillages assortis. Après cela, elle serait devenue une concubine irréprochable.

Avant que ne s'achève sa période de confinement, les pluies cessèrent, cédant la place aux chaleurs de l'été. Dans les appartements de la princesse, les dames d'honneur paressaient en s'éventant langoureusement, trop épuisées pour entreprendre leurs habituels travaux de couture. Dans la journée, même les insectes et les oiseaux semblaient silencieux. Mais, quand approchait le crépuscule, les moustiques se mettaient à bourdonner de façon exaspérante, les cigales faisaient entendre leur chant strident et les grenouilles entamaient leurs coassements assourdissants dans les étangs du palais.

Un beau matin, peu après le retour de Sachi à la vie normale, dame Tsuguko fit irruption dans la chambre qu'elles partageaient.

— Son Altesse exige que tu reprennes ton service auprès d'elle, annonça-t-elle avec un grand sourire.

Bien des jours s'étaient écoulés depuis que Sachi avait vu la princesse Kazu pour la dernière fois. Très heureuse, elle suivit dame Tsuguko jusqu'aux appartements de Son Altesse et se prosterna humblement devant les paravents. Glissant un regard de l'autre côté, elle fut éblouie par les reflets chatoyants des murs tapissés d'or à la lueur dansante des lampions et des bougies.

Plus mince que jamais, la princesse se tenait agenouillée devant un pupitre, un pinceau à la main, ses longs cheveux tombant en cascade jusqu'à ses pieds. Sous le maquillage blanc, sa peau paraissait translucide. Son visage long et mélancolique, ses traits aquilins, sa petite bouche en bouton de rose semblaient incarner tout ce qui pouvait exister de noble chez une femme. La pâleur de son teint ajoutait encore à sa majesté, comme si elle vivait réellement au-dessus des nuages.

Levant les yeux, elle aperçut Sachi et son visage s'éclaira. Elle s'adressa doucement à dame Tsuguko qui transmit ensuite :

— Son Altesse est heureuse de te voir et se montre affligée d'apprendre que tu ne portes pas d'enfant. Elle te prie de ne pas t'en désoler outre mesure car il y aura par la suite bien d'autres occasions. Sa Majesté écrit fréquemment à Son Altesse et lui parle de son affection pour toi. Désormais, la princesse te considère comme une sœur et souhaiterait que tu la serves régulièrement, ainsi que tu le faisais auparavant.

À la fois enthousiasmée et reconnaissante, Sachi reprit immédiatement sa place auprès de la princesse. Saisissant un éventail, elle commença à l'agiter près du visage bien-aimé de sa maîtresse. Pour l'heure, cette partie de sa vie au moins retournait à la normale.

Mais pourquoi la princesse avait-elle si longtemps gardé ses distances envers son ancienne favorite ? Sachi attendit de se retrouver seule avec Taki, loin des oreilles les plus indiscrètes, pour s'interroger.

— Si c'était une personne ordinaire et non Son Altesse Impériale, on pourrait la soupçonner de jalousie, risqua Taki.

— Tu ne dois pas dire de telles choses ! s'écria Sachi, horrifiée.

— Si tu avais porté l'enfant du shogun, tu aurais eu priorité sur elle, expliqua Taki, et ton influence au palais se serait accrue. À présent chacun se détend, du moins jusqu'au retour de Sa Majesté.

Sachi jeta un coup d'œil prudent à la ronde avant de reprendre :

— Ce n'est pas bien de spéculer sur les sentiments de Son Altesse. Mais peut-être était-elle triste de n'avoir pu dire adieu à Sa Grâce. La vue de ma personne lui a sans doute rappelé ce triste épisode.

— Ne crois-tu pas qu'elle est fatiguée de vivre au-dessus des nuages ? Ce dont rêve la princesse, c'est de pouvoir courir, sauter et rire comme tu le fais. Aussi, chaque fois qu'elle pose les yeux sur toi, sa vie lui semble plus triste et terne que jamais. Voilà pourquoi elle ne voulait pas te voir.

Sachi serra la fine main de Taki, mêlant ses doigts aux siens, et lui sourit avec affection.

— Je crois que Son Altesse n'est pas comme nous. Ce qui ne m'empêche en rien d'améliorer mon comportement par tous les moyens. Je suis une adulte, maintenant.

Au fond de son cœur, toutefois, elle continuait de se demander si Taki n'avait pas raison.

— Je n'ai pu m'empêcher de remarquer que la Retirée et dame Honju-in recevaient entourées de leurs suivantes, reprit-elle doucement. Elles ne se cachent pas derrière des paravents, contrairement à Son Altesse.

— Naturellement, répliqua Taki. Ce sont de grandes dames, mais pas de sang royal comme notre princesse. Seules les personnes de très haute naissance connaissent le privilège de poser les yeux sur elle – et celles qui bénéficient de faveurs spéciales, comme toi. Je sais par exemple que je ne la verrai jamais.

— Je détesterais vivre ainsi au-dessus des autres, soupira Sachi. Et tu sais quoi, Taki ? Je suis vraiment heureuse de t'avoir pour amie.

Quelques jours plus tard, Sachi reçut une nouvelle lettre de son village, beaucoup plus longue que la précédente.

« Tous les membres de la famille se portent bien, écrivait Otama. Tu nous manques beaucoup mais nous sommes heureux de te savoir à présent une dame honorable. Comme tu es bonne de ne pas nous oublier !

« Les temps sont durs ici et des rumeurs de chaos continuent de nous arriver de la capitale. Nous ne souffrons pas encore des combats mais la circulation sur la route est de plus en plus menacée. Il s'y produit tant de choses que je ne peux tout te raconter dans cette lettre. Te rappelles-tu Genzaburo, le plus jeune fils de notre voisin aubergiste ? C'est un bon garçon et son père nourrissait de grands espoirs à son endroit. Mais quand les rebelles de Mito sont venus par chez nous, toute cette fièvre politique lui a tourné la tête.

Apprenant que même les paysans pouvaient rejoindre la milice, il a demandé à son père la permission d'aller défendre la cause de son seigneur et maître. Son père a refusé et, un beau matin, il a disparu. Heureusement, il reste Ichiro, son frère aîné. Lui au moins sait se montrer un fils dévoué et prendre soin de sa famille. »

Les mots se brouillèrent devant les yeux de Sachi. Genzaburo à la guerre… Elle n'osait y penser. Qu'était-il advenu de lui ?

Les premiers temps de son séjour au palais, elle avait entendu des plaintes étranges dans les couloirs, des gémissements si lugubres, si inhumains, qu'elle avait cru au fantôme de quelque concubine morte et oubliée depuis longtemps. Taki lui avait alors expliqué que le frère d'une dame d'honneur avait été tué au combat dans la capitale. Il arrivait encore que des pleurs s'échappent de quelque chambre lointaine, parfois même des appartements de la princesse.

L'été précédent, quand la chaleur était à son comble, elle avait vu la princesse pleurer en silence derrière ses paravents. Ce jour-là, après l'arrivée d'une cohorte de messagers, Son Altesse avait chargé dame Tsuguko de les conduire aussitôt à ses appartements et d'ordonner aux prêtres prières et cérémonies pour repousser le mauvais sort.

Si seulement elle avait eu une meilleure idée de ce qui se passait au-dehors… Parfois l'écho strident des cloches d'alarme traversait les murs du château, mêlé à des cris et aux crépitements des tirs, semblables à des cailloux roulant au pied d'une colline. Un jour, bien après le départ du shogun, elle avait entendu aboyer au loin comme une meute de loups. Les Aînées lui avaient alors expliqué qu'on se battait en ville mais qu'il n'y avait pas à s'inquiéter tant que la situation restait sous contrôle. L'automne précédent, Sachi avait entendu un fracas assourdissant, semblable au roulement du tonnerre, juste de l'autre côté des douves. Les fragiles cloisons du palais des femmes avaient vibré si fort que tout le monde avait cru à un tremblement de terre. On apprit par la suite que le palais du seigneur de Choshu avait été entièrement démoli.

Quand donc Sa Majesté allait-elle se décider à marcher contre ses ennemis ? Et quand reviendrait-elle au château ? Telles étaient les questions que chacun se posait. Mais les jours et les semaines s'écoulaient et rien ne se produisait.

V

Puis l'automne fut de retour, et les arbres des jardins s'embrasèrent de rouge, d'orange et de jaune. Chaque matin, les servantes de Sachi lui présentaient cinq kimonos de soie écrue dans de doux coloris de vert et de rouge, à porter les uns sur les autres. Les nuits s'égrenaient lentement et le crépuscule tombait si vite que les domestiques devaient allumer les lampes au milieu de l'après-midi.

En apparence du moins, la vie au palais continuait comme avant. De temps à autre, de nouvelles lettres du shogun arrivaient, tracées de sa belle calligraphie. Il séjournait à présent à Osaka. Cette année, écrivait-il à Sachi, les érables des jardins du château étaient particulièrement beaux. Il lui disait combien elle lui manquait sans jamais, pourtant, évoquer son retour.

Captivée par ces lettres, heureuse de savoir qu'elle était à lui, Sachi s'efforçait d'entretenir le souvenir de son seigneur bien-aimé. Mais l'intensité des sentiments initiaux se fanait progressivement. Jusqu'au retour de Sa Grâce, elle s'appliquerait à apprendre le plus possible de cette nouvelle vie de concubine même si, parfois, elle avait l'impression de vivre recluse dans une luxueuse prison.

En tant que grande dame, on attendait d'elle qu'elle restât cloîtrée dans ses appartements. Taki était devenue sa médiatrice. Certains jours, Sachi jouait aux cartes ou aux coquillages assortis avec ses suivantes. D'autres fois, une dame d'honneur la conviait à la cérémonie du thé ou à une séance de divination par l'encens. Souvent, elle allait s'asseoir auprès de la princesse qui l'aidait à composer des poésies.

Lorsque vint la fête des Morts, au septième mois de l'année, Sachi découvrit que son rang ne lui permettait plus de participer aux danses. Elle devait rester assise, à jeter des regards envieux aux dames et aux suivantes de rang inférieur qui, dans leurs frais kimonos d'été, ondulaient avec grâce dans les jardins du palais, agitant leurs éventails et battant des mains au son des flûtes et des tambours.

Ne plus danser… C'était le prix à payer pour son changement de statut.

Cependant, en dépit de ces rares désagréments, Sachi se montrait satisfaite. La seule personne qui pouvait menacer sa tranquillité était Fuyu mais, depuis leur combat, Sachi s'efforçait de l'éviter par tous les moyens. Leurs chemins se croisaient parfois aux cours de musique ou de danse, lors d'une cérémonie du thé ou, encore, à une séance de divination par l'encens. Lorsque cela se produisait, Sachi saluait sa rivale avec une scrupuleuse courtoisie avant de s'éloigner. Quant à la Retirée, elle ne la voyait plus.

La matinée venait à peine de commencer lorsque des pas rapides résonnèrent le long du couloir menant à l'appartement que Sachi partageait avec dame Tsuguko. La porte coulissa et le visage mince de Taki se profila dans l'embrasure.

— Aujourd'hui, cueillette de champignons ! annonça-t-elle.

Sachi aimait cueillir des champignons. Elle attendit avec impatience que les servantes finissent de l'apprêter. Les cheveux parfumés, impeccablement maquillée, elle était emmitouflée dans plusieurs épaisseurs de kimonos et dans un manteau brodé de feuilles d'automne rouge et or. Ainsi vêtue, elle ressemblait à une énorme fleur aux multiples pétales.

Portant des paniers de bambou tissé, les deux jeunes filles échappèrent à l'incessant ballet de servantes pour se glisser hors du palais. Ce côté des jardins convenait parfaitement à une partie de cache-cache. Oubliant totalement qu'elle était censée se comporter en grande dame, Sachi s'accroupit derrière un bloc de roche recouvert de mousse et de lichen et attendit que Taki la trouve. Après quoi, les deux amies coururent joyeusement le long des chemins qui serpentaient au milieu des rochers, donnant des coups de pied aux feuilles d'érable rouge, brun et or.

Taki, qui avait grandi dans les beaux jardins de Kyoto, avait enseigné à Sachi les noms des rochers, des étangs, des ponts et des pavillons de thé ainsi que leur signification.

— Voici le pont aux Huit Sections, annonça-t-elle solennellement tandis qu'elles s'engageaient sur une arche enjambant un ruisseau bordé de petits cailloux blancs.

Ses yeux noirs étincelaient et son visage d'ordinaire pâle et sans attraits avait rosi. Ses épais cheveux noirs liés par des rubans tombaient jusqu'à terre. Au mépris de la pudeur, elle avait remonté ses kimonos, montrant ses chevilles blanches et maigres.

— Non, tu te trompes, rectifia Sachi en riant. C'est le pont de la Demi-Lune. Et là-bas, c'est l'étang des lotus, ajouta-t-elle en désignant une mare verte bordée de rochers sur lesquels se blottissaient des tortues.

Plus loin, des barques laquées de rouge se balançaient, amarrées à la rive. En approchant, Sachi vit se refléter dans l'eau l'image d'une majestueuse dame impeccablement coiffée. Elle reconnut, encadré par une masse de cheveux noirs lustrés, le visage qui la regardait dans le miroir de sa mère, à Kiso. Des yeux obliques d'un vert étincelant, des lèvres fines, un nez au dessin délicat. Quel choc de se voir ainsi réfléchie par la surface de l'eau, aussi irréelle qu'un fantôme !

— Non, c'est le lac de l'Ouest ! cria Taki. Et là-bas, le long de la chaussée en pierre, voici les rochers baptisés « Tortue » et « Grue »... Et ce que tu vois là, c'est la cascade du Fil Blanc.

Elles firent le tour du lac, dépassèrent le pavillon du Clair de Lune et s'installèrent à la terrasse du pavillon de thé Lapis, s'amusant à balancer les jambes sous leurs longues jupes en forme de cloches. Puis elles franchirent un nouveau pont menant à d'autres jardins. Les rochers et les ruisseaux argentés leur donnaient l'impression de cheminer dans la montagne, au milieu des torrents et des éboulis. Sachi réprima un frisson, songeant à son village.

Des femmes chaussées de socques piétinaient les feuilles mortes sur le chemin, balançant des paniers de bambou. Enfant, à l'automne, Sachi avait passé des jours heureux à gambader dans les collines à la recherche de champignons. Ici, elle pouvait les voir pointer la tête au-dessus des aiguilles de pin qui tapissaient le sol. Par endroits, les aiguilles semblaient avoir été dérangées pour signaler l'emplacement d'un champignon aux dames de la cour.

— Je n'en vois pas, lâcha Taki, contrariée, en scrutant obstinément le sol.

— Tiens, prends ceux-là, proposa Sachi en glissant deux champignons dans son panier.

Le jeu consistait à en laisser suffisamment pour les autres dames.

Haru apparut sur ces entrefaites, emmitouflée dans des couches de vêtements si nombreuses qu'elle ressemblait à une grosse boule ronde. Ses joues étaient plus roses que jamais.

— Regardez ce que j'ai trouvé, lança-t-elle en brandissant un grand *matsutaké* de taille respectable.

Jetant un coup d'œil au panier vide de Sachi, elle remarqua :

— Tu as encore des progrès à faire.

Secouée de rire, elle se couvrit alors la bouche de sa manche.

— Tu connais l'histoire de la jeune mariée qui ignorait comment cueillir un champignon ? Pauvres filles que nous sommes, notre expérience des plaisirs de l'amour n'ira jamais au-delà de la cueillette des champignons… Quant à toi, chère dame de la chambre attenante, tu pourrais certainement nous en remontrer en la matière…

Sachi et Taki échangèrent un regard. Chaque année, Haru faisait la même plaisanterie, mais c'était la première fois que Sachi en comprenait le sens. Les deux jeunes filles plaquèrent leurs mains sur leurs joues brûlantes et se mirent à rire nerveusement.

C'est alors qu'elles entendirent craquer les aiguilles de pin sur le chemin. Quelqu'un approchait à travers les arbres. Une apprentie suivante venait à leur rencontre d'un pas incertain. Son joli visage était pâle et tiré, ses yeux gonflés. Elle semblait s'être coiffée et habillée à la hâte. Plus étrange encore, elle était seule.

Fuyu !

Sachi jeta des regards affolés autour d'elle, mais Fuyu les avait déjà rejointes. Elle leva vers sa rivale un regard hésitant, comme envahie par une timidité inhabituelle.

— Tu es là, articula-t-elle d'une voix sourde.

Sachi garda les yeux fixés au sol. Elle n'avait pas oublié son agression dans la salle d'exercice, ni le coup de sandale.

Fuyu se remit à parler. Son débit était si précipité que les mots se bousculaient sur ses lèvres.

— Tu t'es rudement bien débrouillée, petite paysanne. Ton étoile brille au firmament tandis que la mienne a été précipitée dans les abîmes. Il doit y avoir un lien entre nos deux destins.

Sachi fronça les sourcils. Était-ce un jeu ? Fuyu cherchait-elle à se moquer d'elle ? Elle sentit que Taki la tirait par la manche pour l'éloigner.

— Je sais que tu me détestes… mais je tenais à te revoir, marmonna Fuyu en se frottant les yeux. Aujourd'hui, j'ai compris bien des choses. Peu importe ce que tu entendras dire de moi. Je… j'aurais aimé parler avec toi.

Elle releva soudain la tête et Sachi lut dans ses yeux le même effroi sauvage qu'elle avait parfois décelé dans ceux de la princesse – un regard d'animal pris au piège. L'instant d'après, Fuyu s'enfuyait d'une démarche de somnambule.

Gênées, Taki et Sachi se mirent à rire, mais sans aucune gaieté. Le soleil avait disparu, laissant derrière lui un ciel sombre et froid.

Deux jours plus tard, Taki entra en trombe dans la pièce où Sachi était occupée à coudre.

— Tu connais la nouvelle ?

— Bien sûr que non, rétorqua Sachi. Sans toi, je ne serais jamais au courant de rien.

— Alors viens… Allons faire une promenade.

Elles revêtirent des kimonos supplémentaires et gagnèrent les jardins. En ce frais matin d'automne, le soleil baignait d'une lueur pâle les rochers, les étangs et les bosquets de pins.

Les deux amies rejoignirent en hâte le pavillon de thé Lapis, loin des oreilles curieuses, et s'abritèrent dans un coin de la véranda.

— Que s'est-il passé ? demanda Sachi, impatiente d'entendre des nouvelles passionnantes.

— Il s'agit de Fuyu. Crois-le si tu veux mais elle s'est enfuie. On ne parle plus que de cela au palais.

Sachi eut envie d'éclater de rire. Si son ennemie était vraiment partie, elle pourrait enfin retrouver sa liberté, parcourir les allées du parc et s'entraîner à la hallebarde sans craindre de la croiser. Au fond, la nouvelle ne l'étonnait guère. Fuyu lui avait semblé si étrange, la dernière fois où elle l'avait vue. On aurait dit qu'elle avait déjà quitté ce monde.

— Hier, quand dame Onkyo-in a souhaité se recueillir devant les tombes des ancêtres impériaux,

Fuyu y est allée avec elle. Mais, quand vint l'heure de rentrer, elle avait disparu.

— Qui est dame Onkyo-in ?

— Celle que tout le monde appelle Shiga. La concubine du défunt seigneur Iesada – tu sais, le fils de la vieille Honju-in… Bref, elle s'appelait Shiga avant de prendre le voile.

Le vent faisait vibrer les minces cloisons du pavillon de thé. Sachi, frissonnante, resserra ses kimonos autour d'elle. Un héron s'envola sur l'autre rive de l'étang, et l'éclat blanc de ses grandes ailes fendit le ciel. Sachi avait déjà entendu parler de dame Shiga. Si le souvenir était confus, il lui avait laissé un sentiment de malaise.

— Peut-être que Fuyu s'est perdue, suggéra-t-elle. Elle agissait si étrangement ces derniers temps. Et puis, la ville fourmille de dangers. Si on l'avait enlevée ?

— Elle a dit à Yano, une des servantes de la Retirée, qu'elle voulait s'enfuir. Il arrivait qu'elle reçoive des lettres d'un homme. Quand Sa Grâce t'a choisie comme dame de la chambre attenante, elle en a été si dépitée qu'on a cru qu'elle avait perdu la raison. Certaines servantes prétendent qu'elle était enceinte…

— Impossible !

— Et pourquoi pas ? Elle accompagnait fréquemment dame Onkyo-in dans ses sorties et, quand on le veut vraiment, ce ne sont pas les occasions de faire des bêtises qui manquent. Peut-être qu'elle a introduit un homme clandestinement au palais, par exemple dans une grande malle. Elle n'aurait pas été la première à le faire.

— Mais on va continuer à la chercher, n'est-ce pas ?

— Elle est probablement rentrée chez elle. À moins que la police du palais ne la trouve avant, j'ai le sentiment que nous apprendrons bientôt sa maladie et sa mort. C'est ce qui s'est produit lorsqu'une autre dame d'honneur s'est enfuie, il y a des années de cela.

Sachi étouffa un hoquet horrifié, envahie par un brusque sentiment de culpabilité. Elle avait si souvent souhaité que Fuyu disparaisse... Et voilà que cela avait fini par arriver. Tout ce qu'elle voulait, c'était le départ de son ennemie, non sa mort ! Même une fille comme Fuyu ne méritait pas un destin aussi tragique.

— On ne la ramènera pas ? insista-t-elle, consternée.

Taki secoua la tête.

— J'oublie toujours que tu n'es pas une samouraï. Bien sûr que Fuyu ne reviendra pas. Les femmes n'ont pas le droit de faire ce qui leur passe par la tête, figure-toi. Nous autres, samouraïs, savons cela. Comme nous, Fuyu appartient au shogun. Aussi, crois-moi, sa famille va connaître de terribles ennuis. Voilà pourquoi son père devra régler le problème au plus vite...

Sachi hocha la tête en silence. Elle se rappelait à quelle occasion elle avait entendu parler de dame Shiga. Haru avait mentionné son nom en lui racontant l'histoire du cadavre dans le palanquin. Dame Shiga avait été éprise de dame Hitsu, peut-être au point de la trahir ou de l'assassiner.

À présent qu'elle n'avait plus à se soucier de Fuyu, Sachi pouvait évoluer librement à travers le palais. Pourtant, au lieu d'en éprouver du soulagement, elle se sentait oppressée. Jamais encore elle n'avait autant pensé à Fuyu. Un mystère insupportable entourait sa disparition, comme dans le sombre récit des malheurs de Shiga et de Hitsu.

Surtout, tout le monde semblait savoir des choses qu'elle ignorait et dont personne ne voulait lui parler. Elle se sentait écartée de la marche du monde, comme une enfant incapable de comprendre. Que diable essayait-on de lui cacher ?

Elle entendit marcher dans le couloir, non les lentes et dignes glissades des dames d'honneur, mais des pas précipités dénotant la panique. Des voix aiguës s'élevèrent et retombèrent aussitôt, s'avisant de sa présence toute proche. Il semblait à Sachi qu'on l'avait brutalement arrachée au cocon douillet de l'enfance. Les temps qui s'annonçaient ne laissaient plus de place à l'innocence. Désormais on pouvait lire dans tous les regards des peurs inavouées. Peut-être en avait-il toujours été ainsi, mais Sachi ne l'avait jamais remarqué auparavant.

On apprit alors que le shogun avait enfin rassemblé ses troupes pour marcher sur Choshu. Un matin, dame Tsuguko, l'air agité, ouvrit toute grande la porte de la chambre de Sachi.

— Son Altesse te demande immédiatement, lança-t-elle, essoufflée. Nul besoin de te faire escorter par tes servantes. Seule ta première dame d'honneur peut t'accompagner.

Avec impatience, elle entraîna Sachi et Taki le long d'interminables couloirs, marchant si vite que les deux jeunes filles peinaient à la suivre. La princesse Kazu les attendait à sa place habituelle, sur l'estrade de la salle d'audience, protégée des regards par des paravents. D'ordinaire, l'endroit était rempli de dames d'honneur, mais ce jour-là la grande pièce était vide.

— Tu n'auras pas besoin de parler, souffla dame Tsuguko à Sachi, mais la princesse souhaite ta présence.

Sachi était à peine installée que les portes s'ouvrirent à l'autre bout de la salle, révélant deux hommes agenouillés sur le seuil. Sans armes, ils avaient revêtu un kimono noir de cérémonie et des *hakama* à larges plis.

Ils s'inclinèrent plusieurs fois et glissèrent sur leurs genoux jusqu'à l'estrade. Ayant posé un petit éventail devant eux, ils saluèrent à nouveau et demeurèrent prosternés, le front sur les mains.

Sachi regarda avec étonnement leurs crânes polis et leurs chignons huilés de samouraïs. Hormis Sa Majesté, c'était les premiers hommes qu'elle voyait depuis son entrée au palais des femmes. Même leur odeur – un mélange de sueur, de parfum et d'onguents – lui semblait terriblement étrangère.

— Son Altesse Impériale a exigé que l'honorable dame de la chambre attenante assiste à cette réunion, annonça dame Tsuguko.

Après une pause respectueuse, l'un des hommes redressa la tête et, les yeux toujours humblement baissés, s'adressa à la princesse d'une voix douce et claire :

— Je suis Tadamasa Oguri, seigneur de Bungo, magistrat de la ville, commissaire du trésor, de l'armée et de la marine, et votre misérable serviteur, Honorable Éminence. Je me réjouis de trouver Son Altesse Impériale en bonne santé et la prie d'excuser notre inqualifiable conduite. Qui sommes-nous pour nous présenter ainsi dans ses appartements privés ? Cependant, des événements de la plus haute importance m'obligent à bousculer ainsi le protocole. Comme Son Altesse le sait, cette visite doit demeurer secrète.

Il s'inclina de nouveau profondément, front contre terre.

Se rappelant que les visiteurs ne pouvaient voir son visage, Sachi risqua un regard entre ses cils.

Le premier samouraï avait une peau couleur de parchemin, les lèvres pincées et l'expression raffinée d'un courtisan. Ses mains aux ongles soignés étaient aussi petites et molles que celles d'une femme. Il lui rappelait le prêtre de son village, un homme pâle et savant qui passait ses jours à lire, écrire et psalmodier, penché au-dessus des sutras.

L'autre avait de larges épaules musclées, des poignets puissants, et son crâne avait l'aspect du cuir. Quand il se redressa, Sachi fut frappée par son cou de taureau et son visage grêlé. Un rictus méprisant relevait les coins de sa bouche. Si le premier homme lui évoquait un renard, celui-ci avait tout du faucon.

— Tadanaka Mizuno, gouverneur de Tosa, maître du château de Shingu et fils de Tadahira Mizuno, chambellan à la Chambre de Kii, marmonna-t-il. Très honoré, Votre Altesse. Comme vous le savez sûrement, ma famille a eu le privilège de servir Sa Majesté ainsi que ses ancêtres pendant des générations.

Il pressa son visage sur le sol.

Le premier homme reprit la parole. Sachi essaya de se concentrer sur son discours, mais elle renonça rapidement. Dès son arrivée au palais, on lui avait enseigné le dialecte de Kyoto parlé par la princesse et ses suivantes. Mais elle n'avait encore jamais rencontré de samouraïs. Celui-ci s'exprimait avec des accents gutturaux, usant de termes alambiqués, de riches formules de politesse et de phrases complexes.

L'autre homme fixait obstinément le tatami, balançant son chignon chaque fois qu'il marquait son approbation d'un grognement. Son bras droit avait parfois un mouvement saccadé, comme s'il maniait une épée imaginaire.

La princesse chuchota à l'oreille de dame Tsuguko. S'approchant du bord du paravent, la première dame d'honneur demanda aux deux hommes :

— Depuis combien de temps est-il malade ?

Sachi sursauta et, cette fois, prêta attention.

Penché en avant, le seigneur Oguri chuchota sur le ton de la confidence :

— Madame, nous sommes très préoccupés.

— Est-il convenablement soigné ?

La princesse avait posé elle-même la question, sans passer par une intermédiaire. L'événement était assez extraordinaire pour que les témoins, saisis de stupeur, tombent à genoux.

— Altesse, je tenais à ce que vous sachiez la vérité avant que de fausses rumeurs vous parviennent. Ne prêtez aucune attention à ces racontars. Les médecins les plus éminents, des spécialistes de la médecine chinoise et occidentale, se tiennent à son chevet jour et nuit. Nous prions pour sa survie. Mais son mal est grave. Il souffre de terribles crampes à l'estomac et ses jambes sont toutes enflées. Il vomit fréquemment et urine avec la plus grande difficulté. On lui administre de la salsepareille bouillie. Cependant…

Sachi se boucha les oreilles, incapable d'en entendre davantage. Ce ne pouvait être vrai. Quand la princesse reprit la parole, sa voix tremblait.

— Oguri, je veux savoir la vérité. Sa maladie… est-elle normale ?

Oguri inspira profondément.

— Eh bien… commença-t-il.

— Je vois. Il n'y a plus d'espoir, n'est-ce pas ? Nous allons devoir… Nous devons tous…

La princesse s'effondra derrière les paravents, le visage dans les mains.

Tsuguko acheva à sa place :

— Nous devons tous prier et faire des offrandes.

Le jour suivant, la nouvelle se répandit dans tout le palais. Partout on murmurait des prières pour le rétablissement du shogun. Des bougies brûlaient devant chaque sanctuaire et des nuages d'encens montaient en spirale vers les cieux. Les prêtresses chantaient des sutras en agitant continuellement leurs cloches tandis que les offrandes s'amoncelaient sur les autels. Des messagers galopèrent jusqu'aux temples d'Edo consacrés à Kurumé Suitengu et Kompira Daigongen, les dieux de la guérison, pour commander des prières et acheter des porte-bonheur qu'on expédia ensuite en toute hâte à Osaka. Les femmes murmuraient des prières tout en travaillant et celles qu'on pouvait croiser dans les couloirs avaient les paupières gonflées par les larmes.

Dans sa chambre, Sachi essayait de se concentrer sur ses travaux de couture. Heure après heure, elle envoyait Taki aux nouvelles. Elle pensa à l'homme jeune, beau et en bonne santé avec qui elle avait passé la nuit, se remémora sa peau nacrée, son sourire malicieux, ses yeux lumineux. Un tel être ne pourrait que repousser le mal qui l'affligeait.

Elle s'efforçait de ne pas penser à ce qu'elle avait entendu dans la chambre de la princesse, mais c'était impossible. La maladie du shogun ne serait donc pas naturelle ? Tant de récits circulaient sur ce qui était arrivé aux précédents seigneurs qu'il fallait envisager cette hypothèse, si terrible fût-elle. Mais Sachi n'osait même pas y songer, craignant d'attirer le mal sur Sa Majesté. Bien au contraire, elle ne cessait de se répéter que le shogun guérirait bientôt.

Les jours passèrent sans apporter de nouvelles plus rassurantes. Sachi priait pendant des heures Amida Bouddha, le suppliant de ne pas emmener Sa Majesté au paradis de l'Ouest mais de la laisser là, avec elle. Elle offrit même trois ans de sa propre existence à Bouddha le miséricordieux s'il pouvait ajouter trois années supplémentaires à la vie du shogun. Elle pria les esprits des arbres et des montagnes qui veillaient sur elle au village, enveloppa l'amulette qu'il lui avait offerte dans une feuille de papier bénite par un prêtre qu'elle jeta ensuite dans l'espoir de chasser en même temps l'infortune de son seigneur.

La princesse réclamait souvent sa présence. Jamais elle ne l'avait vue aussi désemparée.

— Si seulement je lui avais dit adieu, murmurait-elle sans cesse en se tordant les mains.

Un jour, enfin, Sachi reçut une lettre dont elle ne reconnut pas l'écriture. On aurait dit celle d'un vieillard. La signature était si tremblée qu'il était pratiquement impossible de la déchiffrer. Un frisson glacé la parcourut quand elle finit par identifier l'écriture de Sa Majesté.

« Il semble que le seigneur Amida m'appelle, écrivait-il. Je ne te reverrai pas. Mais je pense à toi avec grande affection. Tu es jeune et innocente, avec l'avenir devant toi. Ne pleure pas sur mon sort. La vie est dure. Apprends à te montrer aussi forte et résistante que le bambou, qui ploie mais jamais ne rompt sous les assauts du vent. Prie pour que nous nous retrouvions un jour dans les jardins du paradis de l'Ouest. »

Sachi fit de gros efforts pour saisir la signification de ces mots. Elle pensa à l'homme sensible et courtois qu'elle avait connu, revécut chaque moment passé en sa compagnie. Elle avait envie de crier que ce ne pouvait être vrai, que l'épreuve serait bien trop lourde à porter. Puis, lentement, le sens véritable de la lettre s'imposa à son esprit. Elle s'élança alors vers les jardins, là où personne ne pouvait la voir ni l'entendre pleurer et gémir sur tant d'injustice. Qu'adviendrait-il d'elles toutes à présent ? Sans leur maître, elles étaient condamnées à un sort funeste, vacillant au bord d'un abîme qu'elles n'osaient même pas regarder de peur d'y être précipitées à jamais.

Plus tard ce même jour, Haru se présenta comme à son habitude chez elle, avec une poésie qu'elle lui donna à recopier.

— J'en ai déjà composé une, dit Sachi.

Elle la lut à haute voix :

Yugure Wa
Kumo no hatate ni
Mono zo omou
Amatsu sora naru
Hito wo kou to te

« Au coucher du soleil
Quand les nuages s'étirent comme des bannières
Je pense à des choses :
À ce que c'est d'aimer
Un être qui vit au-delà de mon monde. »

— Tu te rappelles, Haru, tu m'as dit un jour que « celui qui vit au-delà de mon monde » désignait une personne dont le rang m'est inaccessible. Mais peut-être cela veut-il dire « quelqu'un qui ne vit aucunement en ce monde ».

À genoux devant sa petite table, elle rédigea le poème en s'appliquant à tracer de son pinceau des lignes si éloquentes que Sa Majesté, en les voyant, ne manquerait pas de s'émerveiller de l'ardeur et de la maturité de son style.

Des pas rapides se firent entendre dans le couloir. C'était Taki. Deux palanquins venaient de se présenter à la grille, annonça-t-elle, essoufflée. Les seigneurs Oguri et Mizuno en étaient descendus, porteurs d'un message de la plus haute importance. En conséquence, Sachi devait se rendre sans plus tarder chez la princesse.

Sachi ferma les yeux et demeura immobile. Il lui semblait qu'une vague gigantesque fondait sur elle. Avec des gestes d'une lenteur parfaitement maîtrisée, elle nettoya sa pierre d'encre, lava ses pinceaux, rangea le bâton d'encre dans sa boîte et disposa des presse-papiers sur la feuille afin que l'encre sèche. Une seule pensée occupait son esprit.

— Je viens immédiatement, dit-elle enfin. Merci de m'avoir prévenue.

Inutile de poser des questions. Elle avait déjà compris.

Le shogun était mort.

4

La fuite, 1867

I

Sachi contemplait d'un air absent ses socques dont l'extrémité pointait sous ses kimonos d'hiver au rythme de sa marche. Les arbres nus balançaient leurs branches comme des bras noueux contre le bleu glacé du ciel.

Taki se hâtait à sa suite, le bas de sa robe d'extérieur soulevant les feuilles mortes sur son passage. Sur le pont de la Demi-Lune, les deux jeunes filles se penchèrent pour contempler l'eau boueuse de l'étang aux Lotus. Les barques gisaient sur la rive, leurs flancs d'un beau rouge brillant à présent écaillés.

— Regarde ces tortues, lança Taki en désignant un rocher sur lequel se blottissaient trois ou quatre formes qui évoquaient de grosses pierres. Pauvres créatures ! Le lac sera bientôt complètement gelé.

Sachi s'efforça de sourire. Elle aurait voulu chasser les souvenirs qui la hantaient. Des larmes lui montèrent aux yeux. Depuis la mort du shogun, il n'était rien arrivé de bon. Certes, les jardiniers veillaient toujours sur le parc, les servantes de rang inférieur cuisinaient, balayaient et époussetaient, les dames d'honneur consacraient de longues heures à se coiffer, se maquiller, coudre ou s'exercer à la hallebarde. Mais le shogun représentait le cœur et l'âme du palais. Sans lui, celui-ci n'était plus qu'une cosse desséchée, une chrysalide abandonnée.

Plus personne n'avait envie de monter des spectacles, de danser ou de porter des masques. Les dames de la cour étaient toujours plus nombreuses à invoquer des prétextes pour partir – une maladie dans leur famille, par exemple.

Plus d'une année s'était écoulée depuis la mort du shogun. Sachi avait grandi et minci, même si son miroir lui renvoyait encore l'image d'une enfant aux joues rondes. Son teint était aussi pâle que la fleur du cerisier des montagnes ou qu'un rayon de lune, plus encore que celui des orgueilleuses aristocrates de son entourage. Mais la tristesse habitait ses yeux verts. Parfois, quand elle se regardait, il lui semblait voir la princesse le jour de leur rencontre, à l'auberge du village.

De même que ceux de Son Altesse, ses cheveux lustrés ne tombaient plus en cascade jusqu'au plancher. Ainsi qu'il convenait aux veuves des grands seigneurs, les jeunes femmes les portaient à présent aux épaules. Sachi s'appelait désormais la Retirée Shoko-in. Et pourtant, elle avait à peine goûté à la vie !

À chaque heure de la journée, ses pensées s'envolaient vers le shogun. Parfois, il lui semblait percevoir sa présence à ses côtés. Il lui arrivait même de sentir la chaleur de son corps. Puis elle songeait qu'il était mort, et un sanglot la secouait tout entière. Quand elle quittait ses appartements, elle se couvrait la tête et s'habillait de longues robes unies. Les journées se passaient en prières et dévotions, du moins en théorie. Le monde de la dame de la chambre attenante s'était tellement rétréci qu'il se résumait à presque rien.

Quand elle cherchait le sommeil, l'image du prince mort revenait la hanter – le blanc crayeux de son visage embaumé, ses sourcils rasés, ses joues et ses lèvres rougies. Il lui avait paru tout petit, très loin du beau jeune homme aristocratique qui l'avait séduite. Elle revoyait le catafalque devant lequel des centaines de dames d'honneur, toutes vêtues de blanc, étaient venues se recueillir. Elle entendait les prêtres psalmodier d'interminables prières, au milieu des vapeurs d'encens et du parfum de milliers de chrysanthèmes blancs.

— Pourquoi, Taki, pourquoi ? gémit-elle.

Taki lui serra affectueusement le bras.

— Si tu avais été élevée comme un samouraï, tu ne poserais pas ce genre de questions. Notre rôle est de tout supporter.

Des pas se firent entendre sur le chemin et un parfum musqué flotta jusqu'aux jeunes femmes. Dame Tsuguko venait à leur rencontre. Sachi et Taki coururent la rejoindre.

À la manière dont elle agitait son éventail, Sachi devina qu'elle apportait de mauvaises nouvelles.

— Sa Majesté le shogun…

Sachi tressaillit. Comme toutes les dames de la cour, elle nourrissait de sérieux soupçons au sujet du sire Yoshinobu. Sa Majesté n'ayant pas de fils, à sa mort, son cousin avait hérité de son titre et pris la tête du clan des Tokugawa, mais aucune d'elles n'avait encore rencontré le nouveau shogun.

— Le seigneur Yoshinobu a abdiqué... soupira dame Tsuguko. Il n'y a plus de shogun.

— Mais... mais... il vient juste d'accéder au trône, bafouilla Sachi.

Elle n'avait jamais soufflé mot de ce qu'elle avait entendu dans la chambre de la princesse – les détails de la maladie du sire Iesada, les circonstances de sa mort – mais tout le monde au palais soupçonnait un empoisonnement, probablement par le biais de son pinceau dont il avait l'habitude de sucer le bout avant d'écrire. Selon le rapport officiel, son décès était dû à un arrêt cardiaque consécutif à un violent accès de béribéri. « Le béribéri... encore lui ! » avaient ricané les nombreux incrédules. C'était déjà le béribéri qui avait emporté le précédent shogun, tout comme son prédécesseur. Personne n'avait cru un seul instant à cette explication.

— Le seigneur Yoshinobu n'aurait donc accepté le titre de shogun que pour y renoncer ? s'étonna Sachi. Mais pourquoi ?

— Pendant quatorze générations, le clan des Tokugawa a gouverné ce pays, apportant paix et prospérité à notre peuple, répondit dame Tsuguko. Et voilà que Yoshinobu rejette le pouvoir pour l'offrir à l'empereur !

Son expression trahissait le dégoût que lui inspirait cette décision. De même qu'il y avait eu un nouveau shogun, il y avait un nouvel empereur. Sachi ne savait rien de l'empereur défunt, sinon qu'il était le frère de la princesse Kazu. Après sa mort soudaine, son fils, âgé de quinze ans, lui avait succédé. Avec Son Altesse, dame Tsuguko et Taki avaient pleuré le défunt pendant des mois.

Jusqu'à son arrivée au palais, Sachi ne savait même pas qu'il existait un empereur. Celui-ci vivait retiré dans son palais de Kyoto. On disait de lui qu'il entretenait un lien spécial avec les dieux par toutes sortes de rites sacrés qui assuraient au peuple la prospérité et de riches récoltes.

Mais un empereur adolescent saurait-il gouverner le pays ?

Dame Tsuguko soupira :

— Vous êtes jeunes, protégées du monde extérieur mais, bientôt, la vérité sera révélée au grand jour. Depuis le départ de la princesse, Kyoto a été le théâtre de terribles combats. Tout le monde, là-bas, vit dans la crainte des escarmouches et des assassinats. Une grande partie de la ville a brûlé et le palais impérial lui-même a été attaqué.

— Par des rônins, jeta rageusement Taki. Des rônins du Sud.

Les rônins étaient des mercenaires qui n'obéissaient à personne, ne servaient aucun seigneur. Des inconnus sans visage, semant la terreur, les viols et les pillages sur leur passage. Leurs sabres frappaient sans relâche et seule la mort pouvait les arrêter.

— Sa Majesté m'a parlé de… ces rebelles de Choshu, souffla Sachi. Il voulait en finir avec eux.

Dame Tsuguko hocha la tête.

— Kyoto ne rencontre que des problèmes avec les clans du Sud – Choshu, Satsuma, Tosa… Tous défient les Tokugawa pour leur ravir le pouvoir. Heureusement, les maîtres des régions du Nord, toujours fidèles, tentent de repousser les insoumis et de maintenir la paix. Mais les seigneurs du Sud sont puissants et, pour notre plus grand malheur, armés par les barbares anglais.

— Mais pourquoi le shogun Yoshinobu veut-il donner les rênes du pouvoir à l'empereur ? demanda Sachi.

— De brillants penseurs ont émis l'idée que le shogun tenait ses pouvoirs de l'empereur. Selon eux, ce dernier lui aurait délégué le gouvernement du pays il y a plusieurs siècles, expliqua dame Tsuguko. À présent, les clans du Sud exigent que le shogun restitue son autorité. Le dernier empereur ne voulait pas en entendre parler. C'est peut-être pour cela qu'il est mort… Son fils est bien trop jeune et facile à manœuvrer. Hélas, il y a des hommes puissants à la cour impériale qui sont alliés aux clans du Sud.

« Mais le seigneur Yoshinobu est lui aussi très intelligent. Le voilà engagé dans un jeu bien compliqué. Malgré son abdication, il demeure le shogun et le chef des Tokugawa. Rien ne pourra changer cela. Les clans du Nord se tiennent fermement à ses côtés. Quoi qu'il décide, il sera toujours obéi et respecté. Le pire, c'est que l'ennemi approche. Des rônins rôdent déjà à Edo, pillant, incendiant et massacrant tous ceux qu'ils soupçonnent d'être alliés au shogun. Plus personne n'ose sortir.

« Même ici, au palais, vous devez avoir entendu le fracas des combats. Nous sommes en sécurité pour l'instant, mais plus pour très longtemps. Tôt ou tard, les troupes du Sud essaieront de prendre le château, le dernier bastion des Tokugawa. Peut-être même tenteront-ils de capturer la princesse et la Retirée.

Sachi eut l'impression d'être changée en pierre. Les ténèbres venaient de s'abattre sur leur fragile petit univers, menaçant de l'engloutir.

— Je donnerai ma vie pour la princesse, affirma-t-elle.

— Dans ce cas, tiens-toi prête, répondit dame Tsuguko. Ce moment pourrait arriver plus tôt que tu ne le penses.

II

Loin, très loin, des cloches signalaient un incendie. Leur son plaintif se rapprocha lentement et, bientôt, le vacarme devint assourdissant.

Sachi sentit qu'on la secouait dans son sommeil.

— Réveille-toi ! Réveille-toi ! fit la voix de Taki.

Les cloches sonnaient à présent à toute volée, à l'intérieur même du château. Sachi repoussa vivement ses couvertures et frissonna dans l'air glacial. Autour d'elle, d'autres femmes se levaient d'un pas encore mal assuré. Les couloirs bruissaient de chuchotements. Comme il faisait encore nuit, des lanternes éclairaient la chambre. Sachi s'empara de la robe la plus proche, la revêtit en hâte et recouvrit sa tête d'une capuche. Puis elle glissa son poignard dans sa ceinture, son peigne, son miroir, son mouchoir et ses amulettes dans ses manches.

Taki entreprit d'emballer les plus jolis kimonos de sa maîtresse avec ses recueils de poèmes préférés. Malgré les remparts et l'épaisseur de plâtre qui recouvrait les murs, le feu demeurait un réel danger. Quelques années plus tôt, une aile entière du château avait été consumée par les flammes. Beaucoup avaient péri dans l'incendie.

Sachi repéra un paquet poussiéreux dans un coin de la pièce – le maigre bagage qu'elle avait apporté de son village. Tout à coup, le vieux tissu déchiré lui parut plus précieux que tous les ors et les brocarts qu'elle avait accumulés durant son séjour au château. L'ayant calé sous son bras, elle décrocha du mur sa hallebarde dans son fourreau de soie.

Derrière la porte, l'agitation retomba brusquement. Dans le silence qui suivit, on entendit un faible bruissement, semblable au souffle du vent sur un champ de hautes herbes. La porte coulissa et une silhouette menue se matérialisa sur le seuil. Un visage pâle rayonnait faiblement dans la pénombre, à demi caché dans les plis d'un large capuchon.

La princesse entra, laissant un parfum subtil dans son sillage. Interloquée, Sachi et ses servantes lâchèrent leurs paquets pour tomber à genoux, le front pressé contre le tatami.

— Dame Shoko-in, dit la princesse, s'adressant à Sachi.

Celle-ci releva la tête et vit pour la première fois la princesse sans maquillage. Avec ses yeux immenses, ses cheveux défaits, sa peau translucide, on aurait dit une créature d'un autre monde. Au fond de ses prunelles sombres luisait une farouche détermination.

— Les rônins du Sud… reprit la princesse. Ils ont fracassé les portes, mis le feu au château. Ils veulent profiter de la confusion générale pour m'enlever.

— Des rônins ? balbutia Sachi, horrifiée. Comment osent-ils ? Comment ont-ils réussi à entrer ?

Si l'ennemi avait envahi la place, alors tout était perdu. Mais Sachi et ses compagnes s'étaient exercées sans relâche aux armes pour défendre leur petit royaume, même au péril de leur vie.

Dame Tsuguko, le regard brillant, semblait consumée par le désir d'en découdre. Levant la main, elle fit signe à Sachi de se taire et d'écouter.

— Ton moment est venu, reprit la princesse Kazu. J'ai une faveur à te demander, la plus grande de toutes. Prends mon palanquin et quitte le château. J'ai ordonné à mes gardes de te laisser sortir. Ainsi, nous tromperons l'ennemi.

— Tu es la seule capable de réussir, renchérit dame Tsuguko. Le moment de rembourser ta dette à Son Altesse est enfin venu.

Des pas affolés retentirent derrière la porte tandis qu'une fumée noire se répandait dans la pièce. Les suivantes de la princesse jetaient des regards effrayés autour d'elles.

Sachi savait qu'en acceptant de servir d'appât elle courait à une mort certaine. Mais son destin était lié à celui de la princesse. C'était elle qui l'avait repérée au village et emmenée au palais. Elle, encore, qui l'avait installée dans le luxe et offerte comme concubine à son époux le shogun. Sachi avait toujours su qu'un jour il lui faudrait payer sa dette.

Des raisons pratiques justifiaient ce choix. Les rebelles du Sud ignoraient à quoi ressemblait la princesse Kazu. À part ses dames d'honneur et sa famille, nul ne l'avait jamais vue. On savait seulement qu'elle était d'une pâleur extrême. À la mort du shogun, elle avait pris le voile et coupé ses cheveux, comme Sachi. Le visage dissimulé dans l'ombre de sa capuche, cette dernière ferait un sosie parfait.

— Ma dette envers Son Altesse est immense, assura Sachi. Jamais je ne pourrai la rembourser. Tout ce que Son Éminence me demandera sera pour moi une bénédiction. C'est un privilège de pouvoir lui témoigner ma dévotion.

— Le monde a sombré dans les ténèbres, murmura la princesse. Le seigneur Yoshinobu nous a trahis en abdiquant. Désormais il n'y a plus de shogun et les seigneurs du Sud ont fait de l'empereur, mon pauvre neveu, une marionnette. Nous pourrions tout aussi bien être mortes. Quoi qu'il advienne, notre loyauté va aux Tokugawa. En tant que tante du Fils du Ciel et veuve de Sa Défunte Majesté, je représente pour l'ennemi un otage de prix. Voilà pourquoi il est essentiel que je demeure ici, au palais.

Sachi sentit à quel point sa maîtresse souffrait. Forcée d'abandonner la cour de Kyoto pour un mariage dont elle ne voulait pas, elle appartenait désormais aux Tokugawa. Ces derniers étant devenus les rivaux de la famille impériale, elle n'avait d'autre choix que d'accomplir son devoir, coûte que coûte.

— Je suis prête à mourir si vous me le demandez, dit-elle. Ce sera un immense honneur que de prendre votre place dans le palanquin impérial. Je n'échouerai pas.

La princesse avait les larmes aux yeux.

— Tu as été une sœur pour moi, dit-elle doucement. La vie sera triste sans toi. Mais les dieux te protégeront. Je prie pour que nous nous retrouvions en des temps plus sereins.

Elle inclina la tête et acheva dans un souffle :

— Va, et fais de ton mieux.

Sur ces mots, elle quitta la chambre, suivie de ses dames d'honneur. Dame Tsuguko se tourna vers Sachi :

— Vite. Il n'y a pas de temps à perdre.

Sachi saisit son paquet et sa hallebarde. Son cœur battait à se rompre, pourtant elle n'éprouvait nulle crainte. Plutôt de l'excitation, comme si elle s'éveillait d'un long sommeil.

Les couloirs fourmillaient de femmes chargées de paquets, livides dans la lumière tremblotante des chandelles. On aurait dit une armée de fantômes. Cédant à la panique, certaines se bousculaient, mais la plupart s'efforçaient au calme.

— Laissez-nous passer ! aboya dame Tsuguko.

Se frayant un chemin à travers la cohue, elle entraîna Sachi vers la partie du palais d'où provenait la fumée. Soudain, Taki apparut à leur côté.

— Laisse-nous, lui cria dame Tsuguko. Seule la dame de la chambre attenante peut venir. Rejoins les autres suivantes aux jardins.

Mais Taki s'entêta à les suivre sans un mot.

— Va-t-en ! hurla de nouveau dame Tsuguko. Comment oses-tu désobéir à mes ordres ?

Elles se mirent à courir. Dans l'aile des cuisines et des bureaux, la fumée était si dense qu'on n'y voyait pas à deux pas. Elles continuèrent d'avancer en se protégeant le visage derrière leur manche et débouchèrent enfin dans le vaste hall d'entrée. Les portes étaient grandes ouvertes. Haletantes, elles marquèrent une courte pause et sentirent l'air glacial de l'aube s'engouffrer dans leurs poumons.

III

Tel un énorme miroir rond, la lune réfléchissait une lumière opaline au-dessus de l'horizon. Des gardes passèrent en courant, soufflant de petits nuages de givre blanc. Sachi aperçut aussi des pompiers venus de la ville, vêtus de manteaux de cuir brun et coiffés d'épaisses capuches qui masquaient leurs têtes et leurs épaules. Ils s'agitaient en tous sens tels des cancrelats géants, les uns portant des pompes à eau et des baquets, les autres des échelles de bambou et de longues perches. Des fonctionnaires en longues robes de brocart dirigeaient les opérations.

— Remets ta capuche en place, souffla dame Tsuguko. Et surtout, pas un mot.

Sachi s'engagea à sa suite dans un passage couvert.

L'incendie paraissait vouloir tout dévorer. Les flammes jaillissaient des fenêtres, sautaient de toit en toit. Le rugissement du feu, les hurlements, les craquements lugubres de la toiture se mêlaient en un vacarme assourdissant. Les pompiers hissèrent leurs échelles de bambou et coururent sur les toits pour vider leurs seaux sur les charpentes. Aux étages inférieurs, des nuées de femmes sortaient en courant du palais enflammé.

Sachi s'arrêta un bref instant devant ce spectacle de désolation. Elle aurait voulu que ce ne soit qu'un cauchemar, mais le froid lui rappelait la dure réalité. Elle tremblait sous ses vêtements en soie ouatinée.

Des dames d'honneur lui jetèrent des regards envieux comme des gardes l'escortaient vers les remises.

Sachi reconnut immédiatement le palanquin qui, des années plus tôt, avait amené la princesse Kazu au village : des flancs rouges marqués du chrysanthème impérial, un toit étincelant de dorures, des stores de bambou maintenus par des cordons rouges… Si la princesse avait voulu s'échapper, elle aurait choisi un équipage moins voyant.

Un souvenir remonta à l'esprit de Sachi, celui d'une toute jeune femme émergeant du palanquin impérial et posant sur le monde de grands yeux terrifiés. Malgré son ignorance, Sachi avait alors deviné que cette voyageuse n'était pas la véritable princesse.

À présent que son tour était venu, elle tâcherait de se comporter en véritable samouraï. Et si la terreur s'emparait de son âme, elle n'en laisserait rien paraître.

Comme elle grimpait dans le palanquin, des cris s'élevèrent à l'extérieur.

— Laissez-moi passer ! Laissez-moi ! fit la voix stridente de Taki.

— Petite idiote, tu vas tout gâcher ! gronda dame Tsuguko.

Le visage de Taki apparut soudain à la portière du palanquin et Sachi lut une détermination farouche dans son regard. Le cœur battant, elle lui prit le bras pour l'aider à monter. Avec un cri de fureur, dame Tsuguko se jeta sur la petite suivante pour la tirer en arrière.

Des larmes jaillirent des yeux de Sachi. En compagnie de Taki, elle aurait eu le courage de tout affronter. À présent, elle était seule face au danger.

La portière claqua, plongeant Sachi dans l'obscurité, et les porteurs hissèrent le palanquin sur leurs épaules. Surprise, la jeune fille perdit l'équilibre. Jamais encore elle n'avait voyagé de la sorte et l'étrangeté de la situation la privait de tous ses repères. Pour un peu, elle se serait crue à bord d'un bateau.

Sachi écarta les stores de bambou. La pâle lumière de l'aube commençait à dissiper les ténèbres, allumant des reflets sur les parois du palanquin. La jeune fille constata qu'elle se trouvait à l'intérieur d'un minuscule palais mobile, décoré de rochers, d'un ruisseau sinueux et de pruniers en fleur.

Elle aperçut des cavaliers et des gardes qui couraient à côté de la litière. Celle-ci faisait partie d'un convoi qui se dirigeait à vive allure vers d'immenses portes fermées par des barres de fer. Derrière eux, l'incendie faisait rage et des craquements sinistres accompagnaient la chute de pans entiers de murs et de charpentes. Elle songea avec effroi à la princesse, à ses dames d'honneur et à Taki.

Au-delà des portes s'étendaient des jardins agrémentés d'étangs, de pavillons et de bosquets de cèdres. On avait solidement lié les branches des pins à l'aide de cordes en prévision de l'hiver.

Plus tard, ils passèrent une imposante muraille faite de blocs de granit plus hauts qu'un homme. Les sentinelles de chaque côté de la porte s'inclinèrent pour les saluer. Ils franchirent ensuite un large fossé dont les eaux vertes, où nageaient quelques canards, miroitaient sous les premiers rayons du soleil. Sachi se retourna vers le château, espérant l'apercevoir une dernière fois, mais il était caché derrière les pins et les remparts. Une langue de feu lécha le ciel dans la direction du palais des femmes.

Ils longeaient à présent une avenue flanquée de hauts murs derrière lesquels apparaissaient des pans de toits. La rue grouillait d'hommes à pied ou en chaises à porteurs. Certains avaient la démarche arrogante des samouraïs, d'autres l'allure furtive des gens du peuple. Tous sentaient affreusement mauvais. Ces êtres étranges paraissaient à peine humains. Et pourquoi ne se prosternaient-ils pas ? Quelques-uns considéraient le convoi avec insolence, d'autres tentaient de l'apercevoir derrière les stores en bambou. Le cœur de Sachi se mit à battre plus vite. L'hostilité qu'elle lisait sur les visages des passants était-elle le fruit de son imagination ? Même les porteurs semblaient ne prendre aucun soin d'elle, comme s'ils savaient qu'elle n'était qu'une usurpatrice.

Secouée en tous sens, elle songea aux prisonniers qui traversaient parfois son village dans des cages en osier. Le balancement incessant du palanquin lui donnait la nausée. Elle se retint de fermer les yeux. Si les mercenaires du Sud avaient réussi à pénétrer dans le château pour y mettre le feu, ils ne pouvaient être loin. Elle devait rester sur ses gardes. Elle se redressa et tenta de mettre de l'ordre dans ses pensées.

Les kimonos précieux, les beaux objets laqués, tous ces trésors étaient-ils perdus ? Et ses compagnes – la Retirée et ses deux cent quatre-vingts dames d'honneur, chacune avec sa cohorte de domestiques, dame Honjuin et sa cour de vieilles femmes chenues ? Sachi avait toujours considéré le village comme son foyer, mais elle avait tort. Le palais était sa véritable demeure et toutes les femmes qui y vivaient constituaient sa famille.

Depuis la mort du shogun, son existence avait perdu tout sens. Mais à présent elle avait une mission à accomplir. Le destin d'une femme était d'obéir aux ordres sans poser de questions ni réfléchir. Pour se réconforter, elle se récita un poème de Narihira :

> *Tsui ni yuku*
> *Michi to wa kanete*
> *Kikishikado*
> *Kino kyo to wa*
> *Omowazarishi o*
>
> « Qu'il y ait une route
> Que nous emprunterons tous un jour,
> Cela, je l'ai entendu.
> Mais que ce lointain lendemain survienne
> [aujourd'hui,
> Cela, je ne l'aurais jamais cru. »

Elle glissa une main dans sa ceinture et caressa le manche de son poignard. On lui avait appris à se servir de son arme pour protéger son seigneur et, s'il le fallait, à se tuer plutôt que d'être capturée par l'ennemi. Mais, pour l'heure, le privilège du suicide lui était interdit. Si elle se supprimait, elle échouerait dans sa mission

L'esprit calme mais le corps noué par l'appréhension, elle fut traversée par une douleur si vive qu'il lui sembla qu'on enfonçait un couteau dans son ventre. Mais la peur n'apportait que la honte. En la voyant gravir aussi vite les échelons de la hiérarchie du palais, les aristocrates dédaigneuses avaient chuchoté qu'elle resterait à jamais une petite paysanne. Le moment était venu de leur montrer de quoi était capable la concubine du seigneur Iemochi.

La fin de l'histoire n'était pas encore écrite.

Comme toujours, ses pensées la ramenèrent vers Sa Majesté. Elle se rappela les trente jours de deuil qui avaient suivi sa disparition, les restrictions rituelles, les prosternations devant sa plaque commémorative. Devenue veuve à dix-sept ans, elle avait prié jour et nuit pour son repos dans les jardins du paradis de l'Ouest.

Ballottée par le palanquin qui l'emmenait vers l'inconnu, privée de guide et de soutien, elle n'avait d'autre choix désormais que de prendre son destin en main.

IV

Sachi n'avait aucune idée du temps qui s'était écoulé quand elle entendit des pas précipités, des appels, des hurlements. Elle écarta les stores et risqua un regard au dehors.

Le palanquin s'était arrêté dans une ruelle bordée de hauts murs. Soudain une silhouette surgit de l'ombre, suivie de plusieurs autres. Les deux sabres – un court et un long – qui se balançaient à leur côté signalaient des samouraïs, même s'ils n'en avaient pas la tenue. Des foulards dissimulaient leurs visages, ne laissant voir que leurs yeux.

Des rônins…

L'un d'eux bondit en avant. Une plainte gutturale s'éleva, suivie d'un éclair bleuté et du bruit affreux d'une lame tranchant dans la chair.

Sachi retint un cri d'effroi. Le bruit du combat se rapprochait du palanquin. La main sur son poignard, la jeune femme enrageait de se sentir aussi impuissante.

Soudain la voiture pencha en avant jusqu'à s'écraser par terre. Sachi roula sur le plancher. Des pas résonnèrent dans la ruelle, puis des voix bourrues s'élevèrent. Sachi reconnut l'accent des dames d'honneur de la Retirée. Ainsi, elle avait bien affaire à des mercenaires du Sud.

Elle se redressa et rabattit sa capuche sur son visage, les doigts crispés sur le manche de son arme. Plutôt que de subir l'humiliation de la capture, elle combattrait jusqu'à la mort.

Elle resta un moment aux aguets, évitant de bouger et de respirer. Tout à coup, un bruit de cavalcade retentit. D'autres mercenaires approchaient.

Une déflagration déchira l'air, si violente que Sachi en fut presque assourdie. Elle avait déjà entendu des tirs de mousquet à l'extérieur du château, mais jamais aussi proches. Il y eut une nouvelle salve, suivie de hurlements mêlés au bruit sourd des corps tombant à terre. Un silence mortel succéda au vacarme. Un oiseau solitaire se risqua à chanter tandis que le vent s'engouffrait dans la ruelle en gémissant.

Sachi retint son souffle. Son cœur battait si fort qu'elle craignait que l'ennemi ne l'entende. Puis elle se redressa bravement, la main sur son poignard, déterminée à prouver qu'une fille de la campagne pouvait montrer autant de courage, sinon plus, qu'un samouraï.

Une voix masculine se fit entendre derrière la mince cloison de bois. Malgré un fort accent rural, l'homme s'exprimait avec une certaine distinction. Il annonça son nom – Toranosuké, de la famille de Matsunobé – et celui de son clan – Kano.

Kano était proche de Kyoto et du village de Sachi. Mais comment savoir si ces hommes avaient juré allégeance au Nord ou au Sud ? Qu'aurait fait Son Altesse dans pareille situation ? Aurait-elle ouvert la portière du palanquin ? Sûrement pas ! Jamais elle ne se serait exposée au regard d'un inconnu.

Le silence se prolongea, puis une voix de femme ordonna :

— Éloignez-vous !

Sachi étouffa un cri de surprise. Taki ! Que diable faisait-elle ici ?

— Je suis dame Takiko, de la maison impériale, servante du shogun et escorte de l'honorable dame voyageant dans ce palanquin, reprit la petite suivante. Si vous souhaitez vous adresser à elle, faites-le par mon intermédiaire.

Sachi aperçut les yeux de Taki entre les lamelles des stores.

— Est-ce que tu vas bien ?

— Taki ! Je suis si heureuse de te revoir ! Comment es-tu parvenue à me rejoindre ?

— Je te l'expliquerai plus tard. Des rebelles nous ont attaqués, mais des hommes ralliés à notre cause les ont repoussés. Ils ont dû aller chercher des renforts.

— Mais qui sont ces hommes ?

— Je l'ignore. Attends-moi, je vais leur parler.

Taki fut bientôt de retour.

— Ils disent qu'ils viennent de Kano et qu'ils sont avec nous. Ils nous conseillent de les suivre, pour notre sécurité.

— Dis plutôt qu'ils nous enlèvent !

— Ils ne veulent pas voir la princesse tomber entre des mains ennemies. Selon eux, c'est ce qui se produira s'ils nous laissent ici. En tout cas, il n'est pas question de retourner au palais.

— Je le sais. Mais comment savoir s'ils sont dignes de confiance ?

— Nous n'avons pas le choix. Nos gardes ont été tués, nos porteurs et nos domestiques se sont enfuis.

— Enfuis !

— Nous avons été trahies. Néanmoins, tu dois poursuivre ta mission. Si les mercenaires pensent que la princesse a fui dans les montagnes, ils nous suivront au lieu de marcher sur le palais. Nos sauveurs ont un train de bagages et des porteurs.

— Mais qui sont-ils ? insista Sachi.

— Des rônins.

Des rônins ! Il n'était guère rassurant de confier son sort à de tels hommes. Mais Taki disait vrai : elles n'avaient pas le choix.

— Ils veulent s'assurer que ce n'est pas un homme qui voyage dans le palanquin, reprit Taki. Ne bouge pas et ne dis rien. Je vais ouvrir la portière. Contente-toi de saluer de la tête.

Sachi rajusta sa capuche. Éblouie par le flot de lumière qui s'engouffra dans la voiture, elle se redressa avec toute la dignité dont elle était capable et hocha brièvement la tête comme elle avait vu la princesse le faire des centaines de fois. Trois silhouettes se dessinèrent dans la nuit – deux à cheval, l'une à pied.

Elle aperçut alors plusieurs palanquins renversés. Des blessés se tordaient de douleur sur le sol aussi détrempé que s'il avait plu. Cependant, les flaques présentaient une hideuse teinte rougeâtre. Une infecte puanteur de sang et d'excréments alourdissait l'air. Réprimant un haut-le-cœur, Sachi se renfonça dans la pénombre du palanquin.

Malgré ses efforts, elle ne parvint pas à chasser ce spectacle atroce de son esprit. Elle frissonna. Ces hommes avaient péri en samouraïs, certains en cherchant à s'emparer d'elle, d'autres en la protégeant. Quelques-uns des gardes et des porteurs qui l'avaient escortée devaient se trouver parmi les victimes, mais rien ne distinguait un mort d'un autre.

Au moins, elle avait retrouvé Taki. Avec son amie à ses côtés, elle ne se sentait plus aussi disposée à mourir.

Peut-être réchapperaient-elles de cette aventure, après tout. Mais où iraient-elles ? Le palais des femmes était réduit en cendres. Pendant quelques secondes, Sachi se revit dans la petite maison de ses parents, elle entendit le torrent gronder au fond du ravin et vit les montagnes se profiler contre le ciel. Ce souvenir était la seule chose à laquelle elle pouvait se raccrocher au milieu de cette folie. Si elle sortait vivante de cette épreuve, elle trouverait le moyen de retourner là-bas.

Un tintamarre parvint à ses oreilles. Des carillons, des gongs et des sifflets se mêlaient à la pulsation fiévreuse des tambours. Elle écarta les stores et constata qu'ils avaient quitté les larges avenues bordées de riches demeures pour un dédale de ruelles misérables. Une foule de gens se hâtaient dans la même direction, portant d'énormes paquets sur leur dos.

Une étrange litanie se détachait du brouhaha : *Ee ja naika ? Ee ja naika ?* – « Pourquoi pas ? Pourquoi pas ? »

Sachi perçut ensuite des bribes de chanson où il était question de « papillons s'envolant des régions de l'Ouest ». L'air était si entraînant qu'elle se surprit à le fredonner malgré toutes les horreurs dont elle venait d'être témoin.

Le convoi fut bientôt forcé de ralentir. Sachi vit des passants vêtus de rouge et coiffés de lanternes, des hommes en kimono de femme et des femmes en habits d'homme. D'autres gesticulaient follement, à demi nus, la peau luisante de sueur. Tous se pressaient contre le palanquin, essayant d'apercevoir l'intérieur.

— Hé, braillaient-ils, venez danser ! Pourquoi pas ? Pourquoi pas ?

Sachi recula, plissant le nez à cause des relents de sueur, de nourriture et d'alcool, affolée par ces centaines de regards fixés sur elle. Enfant, elle avait assisté à des fêtes villageoises. De même, la vie du palais était rythmée par de nombreuses cérémonies. Mais elle n'avait jamais rien vu de comparable à ces gesticulations frénétiques.

— Dépêchez-vous de passer ! cria un des rônins de leur escorte.

— Dégagez le chemin ! aboyèrent les gardes en se frayant laborieusement un passage à travers la foule qui chantait à tue-tête, ivre de danses.

Quand ils atteignirent enfin les portes de la ville, les gardes les laissèrent sortir sans même les saluer. Le monde entier semblait avoir sombré dans le chaos.

Peu à peu, les odeurs et le tumulte s'évanouirent derrière eux. Le ciel bleu azur déroulait sa toile au-dessus de leurs têtes, les ombres des arbres s'étiraient sur la route, les champs jaunis s'étendaient jusqu'aux montagnes qui miroitaient à l'horizon. Sachi commença à se détendre. Le paysage n'offrait aucune cachette aux rebelles. Si ceux-ci les attaquaient, ils les verraient venir de loin.

Elle prit une profonde inspiration, savourant la pureté de l'air.

« Pourquoi pas ? Pourquoi pas ? » se répéta-t-elle. Curieusement, cette litanie absurde la réconfortait.

Au bout d'un moment, le palanquin s'immobilisa. Taki s'approcha pour aider sa maîtresse à en descendre. En contemplant son petit visage pointu, ses grands yeux au regard farouche, Sachi eut l'impression que Taki s'était brusquement éveillée à la vie. Elle jeta ses bras autour du cou de son amie, les larmes aux yeux.

— Si tu savais comme je suis heureuse de te voir ! Tu as risqué ta vie pour moi.

Taki lui rendit son étreinte.

— Ne suis-je pas ta suivante ? Je n'ai fait que mon devoir.

Ils étaient arrêtés devant une petite auberge de campagne, pas du tout le genre d'endroit que fréquentaient les princesses. Apparemment, les rônins et les gardes s'étaient éloignés pour respecter l'intimité de leur illustre protégée.

Une petite femme voûtée au visage rond et souriant les fit entrer. Cela faisait des années que Sachi ne s'était pas trouvée dans un endroit aussi misérable. Elle balaya du regard les murs nus, les nattes usées recouvrant un plancher rudimentaire. Les odeurs de feu de bois, de tabac et de cuisine lui rappelèrent son enfance.

Taki et elle prirent place devant deux bols fumants de nouilles de sarrasin.

— Comment as-tu fait pour supporter toutes ces horreurs ? demanda-t-elle à sa suivante. Tu étais au cœur des combats. N'as-tu pas eu peur ?

Taki sourit avec fierté.

— Ces hommes étaient nos ennemis. Je me réjouis qu'ils soient morts. J'aimerais voir leurs têtes clouées aux portes du château.

Sachi avala les dernières cuillerées de son potage, surprise par la véhémence de son amie. Mais Taki était une samouraï… Comme elle, Sachi devait apprendre à garder son sang-froid, même au cœur des plus terribles batailles.

— Au moins, nous sommes en sécurité, remarqua-t-elle.

— Pas tout à fait, la corrigea Taki.

— Tu as raison. Nous avons distancé nos ennemis, mais nous ignorons ce qui nous attend au bout de la route. Et ces hommes… qui sont-ils réellement ? Ils n'ont ni seigneur ni maître devant qui répondre de leurs actes.

— Attention à ce que tu dis, souffla Taki. Les oreilles indiscrètes traînent partout. Pour l'instant, il n'y a rien que nous puissions faire à part obéir.

— Obéir à qui ? Nous étions censées détourner les rebelles du château. Plutôt, c'était ma mission. Tu avais ordre de rester au palais.

Elle sourit en voyant Taki trier ses nouilles, l'air méfiant. Elle n'avait probablement jamais mangé un plat aussi fruste.

— Je suis heureuse que tu aies désobéi, se dépêcha-t-elle d'ajouter.

— Dame Tsuguko a compris que tu avais besoin d'un chaperon, expliqua Taki. Même le plus ignorant des rebelles ne croirait jamais qu'une princesse puisse se déplacer sans ses serviteurs.

— Kano est encore loin, murmura Sachi.

— Aussi est-ce folie de voyager de cette manière, maugréa Taki. Je me demande ce que ces cavaliers ont dans la tête.

Elles échangèrent un regard inquiet.

— Malheureusement, soupira Sachi, je ne peux leur avouer ma véritable identité avant d'avoir la preuve que la princesse est en sécurité. Je ne peux pas non plus retourner au château. Peut-être les soldats ennemis ont-ils vu le palanquin impérial quitter la ville et sont-ils déjà à nos trousses…

Soudain la porte s'ouvrit. Sachi rajusta sa capuche tandis qu'un de leurs compagnons de voyage s'agenouillait sur le seuil.

Les yeux baissés, il poussa vers elles deux sacs de soie brodés.

— Pour vous, dit-il d'une voix rauque.

Leurs hallebardes… Sachi toucha la lame de la sienne à travers le fourreau et sourit. Avec son arme, elle se sentait de taille à affronter n'importe quel ennemi. Puis elle leva les yeux et vit un adolescent coiffé d'un toupet de cheveux, au visage aussi rond et lisse que celui d'une fille.

— Vous avez pris convenablement soin de nous, dit-elle.

Le jeune homme devint cramoisi.

— Mon nom est Tatsuémon, domaine de Kano, du clan de Sato, récita-t-il. À votre service, Illustre Éminence.

Une planche craqua dans la pièce voisine.

— Mes maîtres… balbutia l'adolescent. Si vos honneurs… si vos honorables seigneuries… Enfin, si vous m'autorisiez à…

Sachi s'avisa que cet enfant qui, quelques heures plus tôt, maniait férocement le sabre au combat la craignait encore plus qu'elle ne le craignait. Avec le teint pâle de Sachi, son magnifique kimono de brocart et le parfum coûteux qui l'enveloppait, il devait la considérer comme une créature surnaturelle. Même les robes de Taki, sa suivante, devaient lui paraître incroyablement somptueuses.

Taki congédia le garçon d'un simple signe de tête, ainsi qu'il convenait à une dame de la cour. Puis la porte s'ouvrit à nouveau, livrant passage aux deux cavaliers que Sachi avait aperçus plus tôt. L'un d'eux s'avança au milieu de la pièce et se prosterna tandis que l'autre restait agenouillé sur le seuil.

Sachi connut un instant de panique. Cela faisait des années qu'elle ne s'était pas trouvée en présence de créatures aussi étranges et dangereuses. Il émanait d'eux une odeur légèrement salée, mêlée à des relents de tabac.

Elle coula un regard vers sa suivante, se demandant si elle avait déjà adressé la parole à un représentant du sexe opposé autre que son père ou ses frères.

Ce fut précisément Taki qui brisa le silence.

— Comment osez-vous imposer votre présence sans autorisation ? demanda-t-elle. Nous pourrions vous faire exécuter comme de vulgaires criminels, sans vous accorder le privilège du suicide.

— Nous sommes impardonnables d'avoir osé importuner Vos Seigneuries de la sorte, murmura l'homme prosterné.

C'était lui qui avait parlé à Sachi à travers la portière du palanquin.

— Je suis Toranosuké de Matsunobé, à votre service, ajouta-t-il.

— Et moi Shinzaémon de Nakayama, domaine de Kano, lança son compagnon depuis le seuil.

— Où nous emmenez-vous ? reprit Taki d'un ton cassant.

— La sécurité de Son Altesse compte plus que tout à nos yeux. On raconte que les soldats du Sud la recherchent et qu'ils sont déterminés à la capturer. Nous ne pouvons permettre une telle ignominie. Des affaires pressantes exigent notre présence à Kano, aussi vous conduirons-nous là-bas en attendant que tout danger soit écarté. Nous faisons le serment de vous protéger, même au prix de nos vies.

— Et si nous refusons de vous suivre ? répliqua Taki. Kano est proche de Kyoto, n'est-ce pas ? À ce qu'on dit, c'est le chaos qui règne là-bas.

— Vous êtes sous notre responsabilité, répondit l'homme. Nos destins sont désormais liés. Ne craignez rien.

Sachi l'observait par-dessous sa capuche. Il était coiffé d'une longue queue de cheval attachée par un cordon violet. Ses mains posées à plat sur la natte rugueuse semblaient presque trop délicates pour un guerrier. Sachi avait du mal à croire qu'il ait pu prendre part au carnage qu'elle avait entrevu par la portière du palanquin.

Le deuxième homme releva brusquement la tête et leurs regards se croisèrent. Il avait un visage mince aux pommettes saillantes, des yeux de chat, des cheveux drus, des mains robustes, habituées à manier le sabre. Une cicatrice barrait sa joue hâlée.

— Nous sommes en guerre, dit-il. Le temps est compté. Si ces dames ne souhaitent pas venir avec nous, nous les abandonnerons ici.

— Ne sois pas aussi impulsif, Shin, murmura son compagnon. Nous ne pouvons les abandonner, tu le sais bien. Notre devoir est de protéger la princesse.

— Nous avons d'autres devoirs. Ces bavardages nous font perdre notre temps. Dis-leur de se dépêcher.

Le premier homme se retourna vers les femmes.

— Je crains que Vos Seigneuries ne doivent souffrir un plus grand dérangement, dit-il. Vos palanquins attirent trop l'attention. Il va falloir les laisser ici. Les aubergistes veilleront dessus, vous pouvez leur faire confiance.

— Comment voyagerons-nous ? Vous ne voudriez pas que…

Laissant sa phrase en suspens, Taki coula un regard vers sa maîtresse qui secoua la tête. L'homme avait raison.

— Autre chose, reprit le rônin d'un air contrit. Vos vêtements… Pardonnez notre audace, mais nous avons chargé l'aubergiste de vous en procurer de nouveaux, plus adaptés aux circonstances. Naturellement, nous prendrons grand soin de vos effets personnels.

Un refrain désormais familier leur parvint depuis la route. *Ee ja naika ? Ee ja naika ?* – « Pourquoi pas ? Pourquoi pas ? »

V

Les cheveux de Sachi furent faciles à coiffer, mais ceux de Taki tombaient jusqu'à terre. Tout en s'exclamant devant leur beauté, l'aubergiste les peigna avec soin, les huila et les enroula en un chignon comme en portaient les femmes de la ville. En ces temps agités, il suffisait de changer de costume pour devenir quelqu'un d'autre, songea Sachi tandis que Taki pliait soigneusement leurs précieux kimonos de soie afin de les ranger.

Taki avait fait preuve d'un immense courage en tenant tête aux barbares qui menaçaient de les enlever. Pourtant, la consternation se dessina sur ses traits à la vue des habits de coton que leur avait apportés l'aubergiste.

— Les soldats du Sud ne nous remarqueront jamais ainsi habillées, lui dit Sachi pour la consoler. Pense aux vers de Zeami, ton poète préféré : « Cachée, c'est une fleur. Sinon, ce n'est pas une fleur. » Dis-toi que tu es pareille à une fleur. Ou à un pavillon de thé, d'autant plus raffiné qu'il ignore le luxe.

— Mais un tel pavillon est destiné au jardin d'un seigneur, pas à servir d'abri à des roturiers, soupira Taki. En plus, cet horrible tissu me gratte !

Sachi esquissa un sourire. L'expression hautaine de son amie s'accordait mal à son chignon à la mode des femmes de la ville. De même, son kimono étriqué accentuait sa maigreur.

Sachi virevolta, faisant tournoyer son kimono empesé. Le noir de ses dents s'était estompé et ses sourcils commençaient à repousser. L'absence de maquillage faisait ressortir sa beauté. Sans les robes superposées qui la ralentissaient et la faisaient ressembler à une grosse fleur, elle se sentait libre de sauter, de courir, et l'encolure plongeante de son vêtement mettait en valeur son cou gracile dont elle était si fière.

Au moment du départ, Toranosuké, le plus raffiné des deux rônins, prit la tête de leur petit groupe. Le jeune Tatsuémon tenait les rênes de son cheval. Les deux femmes marchaient derrière lui, encadrées par des domestiques armés de sabres et de bâtons. Venaient ensuite les porteurs et les chevaux de bât qu'ils avaient loués. Le deuxième rônin fermait la marche.

La route serpentait au milieu des rizières. Des collines coiffées de maigres sapins s'égrenaient à travers la plaine comme autant de repères marquant la distance jusqu'à Edo.

Sachi réfléchissait. Tandis que le pays sombrait dans le chaos, elles se dirigeaient vers une ville dont elles ignoraient tout, sans aucune possibilité de fuite. Personne ne savait où elles se trouvaient ni ne volerait à leur secours. Leur seule consolation résidait dans le fait que les mercenaires que la providence avait placés sur leur route ne semblaient pas animés de mauvaises intentions.

Pour l'instant, la route était plate mais, déjà, des montagnes se dessinaient dans le lointain. Les femmes commençaient à sentir la fatigue. De toute sa vie, Taki n'avait jamais fait de tels efforts et Sachi avait perdu l'habitude de marcher durant de longues heures.

Le vent âpre qui balayait la plaine les obligeait à se courber en deux. Des vols d'oies sauvages sillonnaient le ciel. De loin en loin, des marchands ambulants leur proposaient du thé et de quoi se restaurer, les suppliant de faire halte devant leur comptoir en plein air.

Le convoi maintenait une allure soutenue. De temps en temps, un village venait briser la monotonie du paysage, telle une île émergeant d'une morne mer brune. La fumée tourbillonnait au-dessus des toits de chaume, à demi cachés par un rideau d'arbres ou de bambous. Le vent agitait les tiges de riz desséchées. Ils dépassèrent des fermiers tirant des charrettes, des vieilles aux jambes arquées, si voûtées que leur nez touchait presque le sol. Malgré les bouleversements que connaissait le pays, l'existence des paysans obéissait à des règles immuables. Ils rencontrèrent également des réfugiés qui avaient fui Edo, traînant des carrioles lourdement chargées. De temps à autre, le refrain « Pourquoi pas ? Pourquoi pas ? » flottait au-dessus des champs.

— C'est impensable, gémit Taki. Être ainsi exposées aux regards, sans même un domestique… Si ma mère voyait cela, elle fondrait en larmes.

— Personne ne s'intéresse à nous, s'étonna Sachi. On dirait que nous sommes devenues invisibles.

Soudain, le visage de Taki s'éclaira.

— Ces mercenaires ont tout de même quelque éducation, lâcha-t-elle négligemment. Celui qui marche en tête semble même plutôt cultivé. Et cette aubergiste, cette paysanne… Elle était presque humaine !

— Chut ! fit Sachi.

Pour sa part, elle éprouvait une fascination singulière pour les créatures étranges qui les escortaient.

Ces hommes leur étaient tellement inférieurs que leur différence de sexe n'importait guère.

Le frottement du coton contre sa peau lui rappelait l'époque où elle gambadait dans les bois avec Genzaburo. Elle avait la sensation d'assister à la fin d'un monde. Comme les délicates fleurs du cerisier rose qui fleurissent et tombent le même jour, son existence pouvait s'achever à tout moment. Elle n'en avait que plus d'intensité et de beauté.

Par ailleurs, sa mission lui paraissait de plus en plus compromise. À l'abri des regards dans le palanquin, elle n'avait eu aucun mal à jouer son rôle. Mais sur la route, à la vue de tous…

À tout le moins, elles avaient trouvé des compagnons. On aurait dit que le simple fait de cheminer ensemble nivelait les barrières sociales, même temporairement. « La vie humaine est voyage », murmura-t-elle, citant Basho. Le poète avait passé son existence à aller d'un lieu à l'autre. Elle pensa au shogun et aux lettres qu'il lui avait adressées, décrivant ses nombreuses haltes sur le chemin d'Osaka.

Sachi n'avait jamais connu que son village ou le palais. Si ce dernier était un monde en soi, elle commençait à savourer sa liberté nouvelle. À la différence de Taki, elle se sentait plus chez elle au milieu des champs et des montagnes que dans une luxueuse maison de poupée bruissante d'intrigues.

Le jeune Tatsuémon vint la saluer.

— Mon maître prie Son Excellence de prendre son cheval, dit-il.

— Impossible. Les dames ne montent pas à cheval.

— Il savait que vous répondriez cela, mais il m'a dit d'insister.

Sachi ne put s'empêcher de sourire.

— Vous servez Maître Toranosuké ? demanda-t-elle.

— Oui, Votre Excellence, répondit l'adolescent en rougissant jusqu'à la racine des cheveux.

— Depuis quand ?

— Nous avons passé ensemble trois étés sur les routes.

Il marchait à une distance respectueuse, prenant soin de ne pas la dépasser.

— Veuillez informer votre maître que nous voudrions lui parler, lui dit-elle.

Taki fronça les sourcils, mais Sachi n'y prêta guère attention. Toranosuké vint les rejoindre, en veillant à laisser une distance de deux pas entre eux.

— Maître Toranosuké, dit Sachi après quelques secondes de silence. Cette chanson que nous avons entendue à Edo, ne parlait-elle pas de papillons de l'Ouest ?

Comme elle prononçait le mot « papillon » – *cho cho* –, elle saisit brusquement l'allusion à Choshu, le domaine des rebelles du Sud.

— Cho veut dire Choshu, Votre Excellence, lui confirma Toranosuké. Ce couplet signifie que les rebelles marchent déjà sur nous. Mais n'ayez crainte : nous les mettrons en déroute. Nous les avons déjà affrontés dans les rues de Kyoto. Ce sont de bons guerriers, même s'ils possèdent des armes étrangères.

— Vous étiez à Kyoto ? intervint Taki.

— Oui, madame.

— Il semble qu'un incendie ait ravagé la ville, reprit Taki, la petite suivante, inquiète pour les siens, et que les gens de Choshu aient attaqué le palais impérial.

Le deuxième rônin laissa échapper un grognement. Comme Sachi jetait un coup d'œil dans sa direction, il détourna le regard. Néanmoins, il lui sembla qu'il la considérait avec une insistance déplacée.

VI

Ce soir-là, ils firent halte dans une auberge. Épuisées, les deux femmes prirent un bain et se couchèrent aussitôt après avoir dîné. Des voix leur parvinrent de la salle voisine où les hommes faisaient un concours de poésies. Puis une flûte joua une mélodie d'une infinie mélancolie et ils entonnèrent un chant où il était question du mal du pays.

Plus ils s'éloignaient d'Edo, plus le paysage devenait austère. La ligne des montagnes évoquait à présent l'échine d'un dragon qui se serait profilée derrière les arbres.

En route, ils louèrent une chaise à porteurs pour transporter Sachi et Taki jusqu'au prochain village. Les deux femmes s'y trouvaient à l'étroit et exposées au froid, mais cela valait mieux que des ampoules aux pieds. Le sourire de Sachi avait retrouvé sa blancheur éclatante. Ses sourcils repoussaient lentement, et elle avait renoncé depuis longtemps à se cacher sous sa capuche.

Taki était de jour en jour plus taciturne. Sachi la sentait préoccupée par les événements qui secouaient la capitale. Toujours soucieuse du protocole, elle répugnait pourtant à s'adresser aux inférieurs qui composaient leur escorte, mais la curiosité finit par l'emporter. Après avoir échangé quelques considérations sur le temps avec Toranosuké, elle aborda la question qui la hantait.

— Mon bon, que dit-on de Sa Grâce à Kyoto ?

Cinq mois à peine après la mort du shogun, des rumeurs étaient parvenues au palais. Un des valets de l'empereur, le frère de la princesse Kazu, avait eu la variole. Par un curieux hasard, seul son maître avait attrapé son mal. À trente-cinq ans, il était pourtant encore jeune et en excellente santé. Les meilleurs médecins s'étaient succédé à son chevet. Il semblait en bonne voie de guérison quand son état avait brusquement empiré. Le lendemain, on apprenait sa mort. Son fils, le prince Mutsuhito, avait été proclamé Fils du Ciel. En public, la princesse avait toujours affiché un calme stoïque, mais Sachi l'avait plus d'une fois entendue sangloter derrière ses paravents.

— Madame, répondit Toranosuké après un long silence, il est de notoriété publique que Sa Grâce a été assassinée par des courtisans ralliés aux clans du Sud. Lui disparu, ils peuvent agir à leur guise. Le jeune Fils du Ciel est facile à manipuler.

— Je me rappelle Sa Grâce, chuchota Taki en s'essuyant les yeux. Je lui ai été présentée.

Une voix s'éleva à l'arrière du convoi.

— Nous sommes les serviteurs fidèles des Tokugawa. Nous avons abandonné nos familles encore enfants pour rejoindre leurs armées. Nous avons défendu le palais impérial quand les troupes du Sud l'ont attaqué pour capturer le Fils du Ciel. Notre sang a coulé et la plupart de nos camarades sont morts. Et tout cela pour voir le shogun abdiquer… Pourquoi ?

L'homme qui venait de s'exprimer avec tant de véhémence était Shinzaémon, le compagnon de Toranosuké.

Après cela, chacun se tut, craignant d'en avoir trop dit. À un moment, les hommes se mirent à chanter et réciter des poésies. Mais plus personne ne parla de l'empereur, du shogun ni de la guerre.

Le chemin devenait de plus en plus escarpé. Chaque fois qu'ils arrivaient au sommet d'une colline, ils en découvraient une nouvelle, encore plus haute, enfouie dans une forêt apparemment impénétrable. L'air vif faisait oublier la fatigue à Sachi. Le vent sifflait à travers les hautes herbes tandis qu'ils pressaient l'allure, soufflant sur leurs doigts pour les réchauffer.

Dans leur hâte d'atteindre Kano, ils n'osaient ralentir. Mais que trouveraient-ils sur place ?

Au bout de dix longues journées de marche, ils aperçurent à l'horizon les toits gris et le dessin sinueux des murs de Kano. Bientôt, le château se profila au-dessus des remparts. Avec ses toits ornés de dauphins dorés, il scintillait au soleil tel un jouet miniature. Les hommes pressèrent le pas, évoquant avec enthousiasme le fleuve Nagara qui traversait la ville et dans lequel on pêchait de délicieuses truites.

Mais quand ils abordèrent le lacis de ruelles, ils ne virent que des portes closes et des maisons délabrées, tellement sinistres qu'elles paraissaient hantées.

Les hommes devinrent silencieux. Des événements terribles étaient survenus en leur absence.

Ils s'arrêtèrent devant un grand manoir presque en ruines. Une femme en sortit et accourut vers eux, essuyant ses mains sur son tablier. Le visage rayonnant, elle s'inclina en signe de bienvenue.

— Vous devez être affreusement lasses… Entrez, je vous prie. Ma demeure est modeste mais vous pourrez vous y reposer.

Sachi et Taki se déchaussaient sur le seuil quand un messager survint, apportant une boîte noire laquée. Toranosuké l'ouvrit, lut la missive qu'elle contenait et la tendit à Shinzaémon.

— De la part de nos compagnons d'Edo.

Les femmes mouraient d'envie de connaître les nouvelles, mais elles n'osèrent le questionner.

— Un incendie a ravagé le palais des femmes, reprit Toranosuké. Le châtiment ne s'est pas fait attendre et, le lendemain, le manoir des Satsuma a brûlé à son tour. Les incendiaires du palais ont été arrêtés. Interrogés, ils ont avoué avoir agi dans l'intention de capturer la princesse Kazu. Heureusement, Son Altesse et la Retirée leur ont toutes deux échappé.

— Que les dieux en soient remerciés, chuchota Sachi.

Les hommes se tournèrent vers elle et un long silence s'installa. Enfin, Shinzaémon prit la parole.

— Madame, dit-il avec une douceur inhabituelle, vous avez été très courageuse de remplacer la princesse. Désormais, il n'est plus nécessaire de cacher votre visage. Voulez-vous nous dire votre nom ?

Sachi hésita. Était-elle la Retirée Shoko-in, dame Yuriko ou bien… ?

— Sachi, finit-elle par répondre.

Elle répéta d'une voix plus ferme :

— Je m'appelle Sachi.

Shinzaémon ne la quittait pas des yeux. Jusque-là, elle avait surtout remarqué sa chevelure fournie et l'expression farouche de son regard. Il avait aussi un front noble, une bouche bien dessinée, et il lui souriait.

TROISIÈME PARTIE

Sur la route

5

La ville fantôme

I

La princesse était saine et sauve !

Sachi eut à peine le temps d'assimiler cette nouvelle que les habitants de la maison sortirent pour saluer les voyageurs. Dans la joie des retrouvailles, les deux femmes furent oubliées.

— C'est bien toi, Shin, avec tous ces cheveux ? s'exclama la femme qui les avait accueillis.

Riant et pleurant en même temps, elle donna une bourrade à Shinzaémon qui rougit comme un petit garçon.

Malgré les effusions, Sachi perçut comme un malaise chez les gens qui se pressaient autour des rônins. De temps en temps, l'un d'eux jetait un coup d'œil inquiet à la ronde. Soudain un éclair de peur traversa le regard de la femme.

— Entrez vite, les adjura-t-elle avec une note de panique dans la voix.

Une bougie à la main, une servante guida Sachi et Taki jusqu'à une pièce haute de plafond à l'arrière de la maison et se retira en refermant la porte derrière elle. Ses pas s'éloignèrent dans le couloir, puis le silence retomba.

Désemparées, les deux femmes se serrèrent l'une contre l'autre près des braises mourantes du foyer. Les nattes étaient élimées, les cloisons de papier portaient la marque de nombreuses réparations. Une unique lanterne éclairait faiblement la chambre.

— N'as-tu rien remarqué d'étrange ? demanda Sachi à sa suivante.

— Si. Ils avaient tous l'air nerveux. Mais ces hommes sont des rônins. C'est un crime d'abandonner son clan. Ils risquent de gros ennuis s'ils attirent l'attention sur eux.

— En tout cas, nous voici à nouveau seules, remarqua Sachi. Dommage, je commençais à m'habituer à leur présence.

Elle sentait encore le regard brûlant de Shinzaémon sur elle. Il lui avait même semblé le voir se retourner vers elle juste avant que sa famille l'entraîne à l'écart.

— Qu'avait cet homme à te fixer ainsi ? s'exclama Taki comme si elle avait lu dans ses pensées. Croit-il que tu es à vendre ? Rônin ou pas, on n'a pas le droit de se comporter de la sorte envers une dame de la cour. L'insolent ! C'est une bonne chose qu'il soit parti. Je sais qu'il s'est montré dévoué mais c'est bien sa seule qualité.

Sachi sourit devant l'indignation de Taki. Avec ses cheveux en broussaille, Shinzaémon lui évoquait un animal sauvage. Quel contraste avec le doux et noble Kiku-sama, tellement cultivé, délicat et sensible ! Si le shogun avait vécu, elle aurait coulé des jours sereins à ses côtés. Cette pensée l'attrista si violemment que ses yeux s'emplirent de larmes.

— Nous sommes des exilées, soupira-t-elle.

Elle songea au Genji radieux, le prince de légende qui jouait tristement de la flûte sur le rivage de Suma, à des centaines de *ri* de la cour. Comme lui, elle avait déjà presque oublié sa vie d'avant – la vie d'une concubine choyée, qui passait ses journées à lire de la poésie, à chanter et à danser, entourée d'une nuée de suivantes et de domestiques attentives à ses moindres désirs.

Le froid et l'humidité la pénétraient jusqu'aux os. Même leur chambre dégageait une odeur de moisi. Elle avait beau se blottir près du feu, elle ne parvenait pas à se réchauffer. Ses dents claquaient et, dans ses minces chaussettes de coton, ses pieds étaient glacés.

— Au moins, Son Altesse est en sécurité, affirma Taki en tendant les mains vers le brasero. Tu n'as plus à te faire passer pour elle. Peut-être devrions-nous retourner à Edo. On doit nous attendre, là-bas.

Taki avait raison. Rien ne les obligeait à demeurer dans cet endroit sinistre. Mais Edo grouillait de mercenaires ennemis, et il était exclu qu'elles se risquent seules sur les routes.

— Son Altesse ne sait même pas que je suis vivante, objecta-t-elle. En me renvoyant, elle a rompu les liens qui m'unissaient à elle. Mon destin se trouve entre mes mains.

Elle s'interrompit, effrayée par sa propre audace, tandis que Taki la dévisageait avec stupeur.

— Tu oublies ton devoir !

— Toi aussi, tu as désobéi aux ordres pour me suivre.

— Nous ne pouvons rester ici, insista Taki. Notre apparence, notre langage, nos manières, tout attire l'attention sur nous. Mais il n'est pas question de prendre la route seules. Nous sommes des femmes et, avec l'hiver, toutes les auberges fermeront bientôt. Et même si nous atteignons Edo, où irons-nous ?

Jamais encore Sachi n'avait vu sa petite suivante aussi désemparée.

— Il faut attendre, dit-elle fermement. Ne rien entreprendre avant de savoir ce qui se passe là-bas.

Quelqu'un avait rentré leurs bagages et les avait alignés contre un mur. Tout ce qu'elles possédaient tenait dans ces quelques paquets enveloppés de soie grossière.

— Il faudra vendre une de nos robes pour assurer notre subsistance, lâcha Taki, l'air lugubre.

En fouillant dans le tas, Sachi trouva le balluchon rapporté de son village. Il était froid et humide. Elle le pressa contre son visage, les yeux fermés, respirant les traces d'odeurs de feu de bois, de soupe miso et de fumier qui lui rappelaient son village et la maison de son enfance. Elle se souvint de l'arrivée de la princesse, revit sa mère essuyer les larmes qui ruisselaient sur ses joues. Puis elle perçut un autre parfum mêlé aux odeurs familières, une fragrance mystérieuse, semblable aux essences précieuses dont se paraient les dames de la cour.

Quand elle défit le nœud, le tissu se déchira, laissant choir sur le sol un épais rouleau de brocart. Sachi le considéra, décontenancée. C'était la première fois qu'elle le voyait. Elle le secoua délicatement, pensant trouver quelque chose à l'intérieur.

Lentement, le brocart se déroula sur le tatami dans un embrasement de couleurs.

Brodé de minuscules feuilles, de fleurs de prunier pourpres, de rameaux de bambou et d'aiguilles de pin, le tissu présentait la même nuance indéfinissable que le ciel par un clair matin d'hiver. Il semblait illuminer la pièce.

— Pin, bambou, prunier… C'est un surkimono pour les cérémonies du nouvel an ! s'exclama Taki.

Une poupée de chiffon cachée dans les plis du tissu tomba sur le sol.

— Petit Haricot ! s'écria Sachi en la serrant contre elle, les larmes aux yeux.

La poupée était faite de deux sacs de crêpe rouge cousus ensemble – le plus petit formant la tête, le plus gros le corps – et rembourrés de haricots. Sachi l'avait tant cajolée qu'elle était tout usée. Comme aux jours de son enfance, elle la berça tendrement sur son cœur. Le manteau contenait également quelques pièces de cuivre attachées par un lien de chanvre – une somme dérisoire pour une dame du palais, mais qui avait dû représenter d'immenses sacrifices pour la mère de Sachi.

— De la soie lustrée, remarqua Taki en laissant courir ses doigts sur le tissu. Ce kimono appartenait à une noble dame !

Étalé sur le tatami, le manteau semblait animé d'une vie propre. Sur une épaule, un pavillon se profilait à travers les feuillages. Sur la hanche, on apercevait un bosquet cerné d'une barrière et, au-dessous, un rideau de cordes ondulait sous une brise imaginaire. Un torrent argenté cascadait joyeusement sur le dos tandis que, près de l'ourlet, on distinguait un char tiré par des bœufs dont les rênes s'enroulaient en boucles élégantes, comme s'ils vagabondaient en l'absence de leur propriétaire, sans doute parti rendre visite à la dame qui habitait le jardin.

— Quel trésor ! s'exclama Sachi. Dire qu'il se trouvait dans ce paquet depuis le début de notre voyage et que nous n'en savions rien !

Elle prit le kimono avec précaution, craignant qu'il tombe en poussière, le drapa autour de ses épaules et noua la ceinture autour de sa taille. Puis, écartant délicatement les pans du vêtement pour en exposer la doublure, elle évolua à pas glissants à travers la salle.

— On dirait la cape de plumes d'un ange, s'extasia Taki.

— « Un manteau qu'aucun mortel ne peut porter », déclama Sachi, citant une célèbre pièce de théâtre nô : un ange, revêtu de son long manteau de plumes, ne trouve plus le chemin du ciel. Il supplie tant un pêcheur de l'aider que celui-ci finit par céder. Mais, d'abord, il lui demande de danser pour lui…

Sachi se revit au palais, par une chaude soirée d'été. Le chant des cigales faisait vibrer l'air lourd du parfum capiteux des fleurs, des sillons de fumée montaient des bâtons d'encens. Les torches crépitaient, éclairant les jardins de leurs grandes flammes jaunes. Sous les yeux des dames d'honneur, Sachi avait dansé jusqu'au milieu de la nuit, avec des mouvements si lents qu'ils en devenaient presque imperceptibles. Les chanteurs scandaient des mélopées, les joueurs de tambour faisaient résonner leurs caisses. Des larmes lui vinrent aux yeux à cette évocation.

D'où provenait ce kimono ? Il lui semblait trop beau, trop attirant, comme s'il avait appartenu à un de ces personnages de contes qui se transforment en renards ou finissent par révéler leur nature de spectre.

— Essaye-le, dit Sachi, se débarrassant du vêtement pour l'offrir à sa suivante.

— Je ne peux pas. C'est un kimono de concubine. C'est à toi de le porter.

— Mais il ne m'appartient pas. J'ignore comment il est arrivé dans ce balluchon.

En examinant le vêtement, elle trouva, brodé sous le col, un blason à six côtés orné de trois feuilles. Le même motif se répétait sur chaque épaule.

— N'as-tu pas déjà vu ces armoiries quelque part ?

— Possible. Mais je ne me rappelle pas où.

— Ce kimono n'est pas à moi, répéta Sachi, catégorique. Il nous faut découvrir d'où il vient et le rendre.

Comment faire, livrées à elles-mêmes dans une ville étrangère ? Elles se regardèrent, désemparées.

Elles venaient de replier et de ranger le kimono quand un trottinement se fit entendre dans le couloir. La porte coulissa et le visage souriant de leur hôtesse apparut.

— Comme il est grossier de notre part de vous avoir si longtemps laissées seules ! dit-elle en tombant à genoux. Vous devez être frigorifiées. Je vous en prie, acceptez un peu de thé et goûtez ces légumes en saumure. Je les ai préparés moi-même.

Elle se présenta comme la tante de Shinzaémon, du clan des Sato. Sachi éprouva aussitôt une vive sympathie à son endroit. Cela faisait longtemps qu'elle n'avait pas rencontré une personne aussi rassurante. Elle respirait l'assurance, comme si rien ne pouvait l'étonner et qu'elle avait l'habitude de recevoir des fugitives voyageant sous un déguisement.

— Bienvenue, nobles dames. Restez aussi longtemps que vous le souhaitez, déclara tante Sato en s'inclinant. Mon neveu Shinzaémon m'a demandé de prendre soin de vous. Je ferai de mon mieux pour vous assurer un séjour sûr et confortable, mais la situation est incertaine. Il serait préférable que vous ne quittiez pas la maison.

Sachi jeta un coup d'œil entendu à Taki. Tante Sato avait raison. Mieux valait se tenir sur ses gardes.

II

Toute la journée, la plus grande agitation régna dans la maison. Les femmes balayèrent, époussetèrent et récurèrent fiévreusement, comme pour enlever toute la malchance de l'année écoulée. Il flottait dans l'air une myriade de grains de poussière échappés des tatamis qu'on avait alignés contre les murs pour les secouer et les aérer. La troisième année de l'ère Keio s'achevait, une nouvelle commençait. Mais nul n'osait se risquer à prédire ce qu'elle leur réserverait.

Retirées dans leur chambre, Sachi et Taki écoutaient les bruits de la maisonnée. Sachi avait relevé les stores pour laisser entrer le soleil. Elle sortit sur la terrasse.

— Viens voir ! cria-t-elle à Taki, désignant un petit jardin de thé.

Le tracé sinueux des allées, l'étang, les rochers et la petite colline artificielle avaient presque disparu sous un manteau de mauvaises herbes et de mousse. La lanterne de pierre s'était écroulée. Tout le jardin était recouvert d'une fine couche de neige.

— Un bel exemple de *wabi,* tu ne trouves pas ? demanda Sachi.

— Je n'en ai jamais vu d'aussi parfait, acquiesça Taki.

Quand ses professeurs lui avaient expliqué les concepts de *wabi* – la grâce de la pauvreté – et de *sabi* – la grâce de l'âge, comme la patine d'un vieux bol ou d'une respectable bouilloire de fer – Sachi était restée perplexe. Dans son village, tout était vieux et pauvre. Pourtant, personne n'aurait imaginé y voir de la beauté. Mais après avoir connu le luxe du palais, elle avait compris combien la simplicité pouvait être apaisante. La beauté de ce jardin était l'œuvre de la nature et du temps, non de l'homme, et il n'en avait que plus de charme.

Les deux femmes s'assirent côte à côte, enveloppées dans des couvertures, et se laissèrent envahir par la mélancolie du décor, qui semblait faire écho à toutes les souffrances qu'elles avaient endurées depuis leur départ du palais.

Le lendemain, toujours aucun signe de leur escorte. Sachi et Taki se résignèrent à l'idée de séjourner dans cette grande maison sombre et sévère. Elles commençaient à s'habituer aux grincements des charpentes, aux rafales de vent qui secouaient les persiennes et les cadres des portes de papier. Quand elles se promenaient dans le parc, elles n'étaient plus choquées de voir pousser de l'herbe entre les pierres d'un portique et ne sursautaient plus quand un renard ou un blaireau faisaient craquer une branche dans le sous-bois.

Taki trouvait Kano terriblement provincial. Les deux jeunes femmes avaient l'impression d'être coupées de la civilisation et le château leur manquait. Avec ses vastes salles toujours remplies de dames d'honneur et de suivantes, ses couloirs bruissants de murmures, ses murs rehaussés d'or, ses plafonds à caissons, ses jardins d'agrément, le palais des femmes était un monde à lui seul.

En fin de journée, tante Sato vint les trouver dans leur chambre, accompagnée d'une servante aux bras chargés de kimonos.

— Veuillez accepter ces misérables offrandes, dit-elle en s'inclinant. Voici des vêtements de rechange pour la nouvelle année.

Taki tâta le coton brut aux nuances de brun, d'indigo, de gris et de bleu ardoise. Même les robes que leur avait procurées l'aubergiste avaient plus d'élégance.

— Ce soir nous sortons prier, annonça tante Sato avec une lueur farouche dans le regard. Il faut bien continuer à vivre. Habillez-vous comme nous pour ne pas vous faire remarquer.

Sachi essaya un kimono gris guère différent de ceux qu'elle portait autrefois au village, sinon que celui-ci était propre et neuf. Elle fit un tour sur elle-même, appréciant la liberté de ses mouvements, avant de se regarder dans le miroir. Avec sa coiffure toute simple, son visage pas maquillé et ses dents blanches, elle paraissait aussi fraîche qu'une enfant. Personne ne la prendrait pour l'épouse d'un samouraï.

— Je ne connais pas vos habitudes à Edo, dit tante Sato après l'avoir bien considérée, mais ici vous ne pouvez vous montrer avec des dents blanches à votre âge. Célibataire ou pas, cela paraîtrait curieux. Je vous envoie immédiatement une servante pour y remédier.

Un peu plus tard, Sachi et Taki gagnèrent la salle commune de la maison. Une épaisse fumée flottait comme une brume basse, leur piquant les yeux.

Des samouraïs s'affairaient autour du foyer, se frottant les mains et soufflant sur leurs doigts. Aucune trace d'un rônin à la chevelure broussailleuse. Les kimonos brun, gris et indigo de Sachi et Taki s'accordaient parfaitement à ceux des autres femmes présentes. Tout le monde conversait paisiblement. Pourtant, de temps en temps, des regards s'échangeaient et un brusque silence tombait sur la petite assemblée. Seuls les enfants, dans leurs pimpants kimonos de fête, couraient en tous sens et faisaient résonner la vaste salle de leurs cris.

Au palais, chaque femme laissait derrière elle un sillage parfumé. Ici, les seules odeurs qu'on respirait étaient celles du coton fraîchement lavé, de l'huile de camélia qui enduisait les cheveux des hommes et de l'âcre fumée de bois.

À la dernière cérémonie du nouvel an, Taki avait présenté à Sachi un kimono de soie blanche brodé de fleurs de prunier, de bambous, de pins, ainsi que de grues et de tortues, symboles de longue vie. La matinée avait été consacrée à des visites protocolaires et l'après-midi à des poésies et des jeux de cartes. Un an plus tard, elles se trouvaient dans une ville sinistre, exposées à une menace inconnue. Où était la princesse ? Que faisait-elle à présent ?

À l'heure du rat, la cloche d'un temple voisin se mit à sonner. Les enfants commencèrent à compter les coups à voix haute. Ils en étaient à cent huit quand les cloches se turent brusquement. Les adultes s'entreregardèrent et quittèrent un à un la maison par une sortie latérale. Sachi et Taki enfilèrent des vestes matelassées, enroulèrent leurs écharpes autour de leurs têtes, ne laissant entrevoir que leurs yeux, et suivirent tante Sato.

Leur groupe s'engagea dans une ruelle qui serpentait entre des murs de terre. La fumée de leurs lanternes se mêlait à leur haleine dans le froid de la nuit.

De temps à autre, brisant la monotonie du mur, une flaque de lumière jaune signalait l'entrée d'une demeure de samouraïs. Des lampions éclairaient les portes, des cordes sacrées décorées de fougères et d'oranges pendaient aux avant-toits.

Ils dépassèrent une grille fermée. Ici, point de lumières ni de guirlandes, mais un parterre de feuilles mortes dans une cour laissée à l'abandon. La maison, aussi silencieuse qu'un tombeau, semblait inoccupée depuis des mois. La petite procession pressa l'allure, comme pour échapper à un mauvais sort.

Une petite fille au visage rond et aux grands yeux candides trottinait aux côtés de Sachi. Deux couettes dansaient sur le sommet de sa tête telles des ailes de papillon. Une femme mince marchait derrière elle, la tête basse, les épaules voûtées. Sachi l'avait aperçue dans la maison de tante Sato, si discrète qu'on aurait dit un fantôme. Elle avait pensé qu'il s'agissait de la préceptrice des enfants.

La voix claire de la fillette rompit le silence.

— *Hahaue* ! Maman ! Quand est-ce qu'on rentre à la maison ?

Elle tira Sachi par la manche, expliquant :

— C'est notre maison. Regardez, il y a écrit « Miyabé » sur la porte. C'est notre nom.

— Petite Yu-chan, dit la femme. Cesse d'ennuyer notre honorable invitée.

Elle releva la tête, révélant un visage aux traits délicats et de grands yeux tristes.

— Elle dit vrai, reprit-elle avec une note de défi dans la voix. C'est là notre maison. Ou, plutôt, ça l'était.

— Ne dis pas de sottises, cousine, intervint tante Sato en lui prenant le bras et en promenant un regard inquiet autour d'elle.

Ils dépassèrent une autre maison fermée. Des tuiles jonchaient la route et on remarquait des brèches dans les murs de paille et d'argile. La grille laissait apercevoir la silhouette d'une haute et sombre demeure. La moitié des maisons de la rue présentaient le même aspect désolé. Quel terrible cataclysme avait bien pu s'abattre sur la ville ?

On se bousculait au tombeau de Hachiman, le dieu de la guerre. Des hommes robustes, les épaules tatouées, la tête ceinte d'une écharpe, faisaient cuire des nouilles, des boules de riz, du poulpe et du calamar sur des braseros. Les fidèles se bousculaient pour célébrer la nouvelle année en vidant des tasses de saké fumant tandis que des chiens squelettiques rôdaient alentour, attirés par les odeurs de nourriture.

— Ça ne me plaît pas, grogna Taki en plissant le nez de dégoût devant un groupe d'ivrognes. Je sais que ce sont des gens de la campagne, mais tout de même… N'ont-ils donc aucun sens des convenances ?

Sachi cherchait les rônins du regard – elle aurait tant voulu savoir ce qui se passait à Edo – mais aucun des trois hommes n'était là. Rien d'étonnant à cela : pour des hors-la-loi, c'eût été pure folie de se montrer au grand jour.

Les enfants faisaient cercle autour de tante Sato et la tiraient par le bras en suppliant :

– Grand-mère, grand-mère, donne-nous de l'argent. Nous voulons prier pour la victoire.

Ils grimpèrent quatre à quatre les marches du temple et s'engouffrèrent à l'intérieur. Ils en ressortirent quelques minutes plus tard, une flèche décorée de plumes blanches à la main

— Pour la bonne fortune, cria un garçon aux joues rondes, brandissant joyeusement sa flèche au-dessus de sa tête.

— Et pour la victoire, ajouta Yuki en agitant ses couettes.

— Ce n'est pas de victoire que nous avons besoin, mais de paix, murmura tante Sato.

La mine grave, elle promena son regard sur la foule tandis que la mère de Yuki acquiesçait d'un imperceptible signe de tête.

III

Le lendemain matin, toute la maisonnée – hommes, femmes, adultes et enfants – se rassembla dans la salle commune de la maison. En période de fête, toutes les règles du protocole étaient abolies.

Les hommes fumaient pipe sur pipe, leurs jambes velues dépassant de sous leurs kimonos indigo. Ils avaient laissé leurs longues épées à la porte pour ne garder que leurs sabres courts à la ceinture. Cependant, même dans la détente, ils demeuraient sur leurs gardes.

Quelqu'un apporta un paquet de cartes poèmes, mais tante Sato les repoussa.

— Cousine, ne m'as-tu pas dit que tu avais de jolies cartes ?

Agenouillée dans un angle de la salle, la mère de Yuki sursauta comme un lapin effrayé et apporta précipitamment deux jeux de cartes. Tante Sato étala celles-ci sur le tatami, face visible, tandis que la servante approchait deux hautes chandelles. Découpées dans un magnifique papier au grain épais, les cartes arboraient chacune deux lignes d'un poème au tracé ferme et gracieux.

— C'est l'œuvre d'un maître calligraphe ! s'extasia Sachi.

— Mon papa, précisa fièrement la petite Yuki.

Avec son kimono aux couleurs vives et ses longues manches flottantes, elle ressemblait plus que jamais à un papillon.

— Le père de Yu-chan est un calligraphe très célèbre, expliqua tante Sato.

Tout le monde se rembrunit subitement. Quoique étonnée de l'absence du maître, Sachi s'abstint de poser des questions.

— Vous connaissez « Cent poésies par cent poètes » ? chuchota Yuki en se serrant contre elle. C'est mon jeu préféré.

Assis jambes croisées, son gros ventre débordant de sa ceinture, le mari de tante Sato les considérait avec attention sous ses paupières mi-closes. Souriant à la petite Yuki, il prit le deuxième paquet, le mélangea et choisit une carte. De sa voix grave, il déclama alors les deux premiers vers d'un poème :

Si ce n'était le rêve d'une nuit de printemps,
Je ferais de ton bras mon oreiller…

Chacun se pencha, étudiant les cartes alignées sur le tatami. Yuki tendit sa petite main vers l'une d'elles.

— Dame Suo ! couina-t-elle. C'est dame Suo !

Elle lut d'une voix flûtée les deux lignes au bas de la carte :

Grande serait ma désolation si mon nom
Se voyait injustement couvert de honte.

Un silence pesant s'abattit sur l'assemblée. Tous gardaient les yeux obstinément baissés. Puis les conversations reprirent, avec un entrain un peu forcé. Comme pour évacuer le malaise, oncle Sato glissa sa carte dans la main de la petite, qui la tendit à Sachi.

Sous les deux vers habilement dessinés au pinceau figurait un portrait miniature de dame Suo. Pareille à une poupée, la poétesse était représentée allongée, sa petite tête émergeant du bouillonnement multicolore de sa robe à douze jupons. Son visage avait la forme d'une goutte blanche percée de minuscules points pour les yeux et la bouche. Ses sourcils très arqués lui donnaient un air vaguement dédaigneux. Ses robes somptueuses et son expression à la fois résignée et mélancolique rappelèrent à Sachi la princesse Kazu.

Yuki leva les yeux vers elle.

— Est-ce ainsi que les dames s'habillent à Edo ?

La gorge nouée par l'émotion, Sachi se força à sourire.

— Non, mentit-elle. C'est plus ou moins la même chose qu'ici.

Personne ne devait rien savoir de la vie que Taki et elle avaient menée au palais. C'était leur secret.

Oncle Sato choisit une autre carte. Il n'avait pas encore fini de la lire que Yuki poussa un cri perçant et brandit d'un air triomphant la carte comportant la fin du poème. Taki semblait prendre le jeu avec autant de sérieux que la petite fille. Bientôt, Yuki et elle eurent un joli tas de cartes devant elles.

La partie touchait à sa fin quand la porte de la salle s'ouvrit en grand, laissant entrer un vent glacé qui fit vaciller les bougies. Les domestiques se précipitèrent pour débarrasser les nouveaux arrivants de leurs manteaux et de leurs sabres.

Tante Sato fit les présentations.

— Voici mon frère et sa famille, annonça-t-elle, tout sourire. Vous connaissez Shinzaémon, naturellement.

Sachi risqua un regard par-dessus le bord de son éventail. Le jeune rônin avait soigné son apparence. Sa longue chevelure était attachée et ses joues rasées de près. Il paraissait emprunté sans son cheval et son long sabre, et son air renfrogné disait assez qu'il rêvait d'être ailleurs.

Sachi et Taki saluèrent le père de Shinzaémon, un homme trapu, solidement charpenté, sa mère, une petite femme menue à la voix douce, et son frère aîné, un jeune homme à lunettes accompagné de son épouse. Sachi n'aurait jamais imaginé que le farouche Shinzaémon puisse être issu d'une famille aussi respectable.

Agenouillée aux côtés de Taki, les paupières humblement baissées, Sachi brûlait de croiser à nouveau le regard de celui qui l'avait fixée avec tant d'insolence. « Vous avez dit que vous nous protégeriez, lui aurait-elle dit alors. Mais on ne vous voit jamais. »

Naturellement elle n'en fit rien.

— Merci d'avoir bien voulu prendre soin de nous, murmura-t-elle à la place.

— Je suis désolé, répondit Shinzaémon avec une solennité inhabituelle. J'aurais souhaité faire plus.

Dans un joyeux tumulte, les fils de tante Sato se pressèrent autour de lui.

— Cousin Shin ! appela bruyamment Gennosuké, l'aîné de la tribu. Voilà longtemps qu'on ne t'a vu !

— Où as-tu été ? demanda un autre. Et qu'est-il arrivé à tes cheveux ? Est-ce ainsi qu'on les porte à Edo ?

— Il est grand temps de les couper, reprit Genno-suké. Nous avons besoin de toi ici. Nous aussi, nous nous battons, tu sais. Au fait, et ce duel que tu m'as promis ?

— Quand tu veux, dit Shinzaémon d'un ton bourru. Tu n'as aucune chance.

Des rires tonitruants accueillirent cette affirmation.

— Allons, par ici, lança oncle Sato, entraînant le petit groupe vers une autre pièce.

Tandis que les servantes préparaient du saké pour les invités, les femmes rassemblèrent les cartes et entamèrent une nouvelle partie. Bientôt, tous les enfants furent absorbés par le jeu.

La mère de Shinzaémon posa quelques questions polies aux deux jeunes femmes. Son visage à la beauté fanée n'offrait aucune ressemblance avec celui de son fils. Mais, comme chez tous les habitants de cette ville étrange, son regard hanté trahissait une profonde angoisse.

Tante Sato s'agenouilla auprès d'elle.

— Comme ton garçon a grandi ! s'exclama-t-elle.

Penchée au-dessus des cartes, Sachi ne pouvait s'empêcher d'écouter, dévorée par la curiosité.

— Ce n'est plus un adolescent, soupira la mère de Shinzaémon. Il a ensanglanté son épée.

Sa voix triste, presque résignée, avait des inflexions chantantes.

— Combien de temps cela fait-il ? Trois, quatre ans ?

— C'était avant le début des troubles. Nous avons cru qu'il ne reviendrait jamais. Au moins, il n'a pas déshonoré la famille. Son père l'a réprimandé mais il ne l'écoute pas, et moi encore moins.

— Il n'y a nul endroit dans ce monde pour ceux qui ne savent pas s'adapter, proféra sentencieusement tante Sato. Rappelle-toi : « Le marteau terrasse le clou qui dépasse. »

Sachi avait souvent entendu ce proverbe mais, cette fois, il éveilla en elle un sombre pressentiment.

— Il a toujours aimé se battre et s'exercer au sabre au lieu de lire des livres, reprit la mère de Shinzaémon.

— C'est une fine lame, affirma tante Sato. Une des meilleures.

— Et nous en aurons besoin, si jamais nous survivons. Comment savoir ce qui va arriver maintenant que Sa Seigneurie…

Tante Sato posa une main sur son genou pour l'inciter à la prudence. Les deux femmes observèrent du coin de l'œil la mère de Yuki, apparemment absorbée dans la contemplation des cartes.

— Je dois m'entretenir avec Shinzaémon avant son départ, glissa Sachi à Taki. Puisque lui et ses compagnons nous ont amenées ici, ils doivent nous aider à en repartir.

Taki lui jeta un regard désapprobateur. Sachi savait qu'une dame de son rang n'était pas supposée parler directement à un homme, mais elle ne se souciait plus guère des convenances.

Les servantes fermèrent les stores et allumèrent les lampes. Les femmes s'apprêtaient à ranger les cartes quand des cris de colère parvinrent à leurs oreilles.

— Insolent ! s'exclama oncle Sato. N'as-tu aucun sens du devoir ? Si tu n'étais le fils de mon frère, tu tâterais de ma lame !

— Je monterai vers le nord le moment venu, répliqua Shinzaémon. En attendant, j'ai à faire ici.

Sachi sauta sur ses pieds et courut vers l'entrée de la maison. Shinzaémon avait remis son manteau et glissait son sabre dans sa ceinture d'un geste rageur.

— Maître Shinzaémon, dit-elle doucement. Pardon, mais je vous serais reconnaissante de venir nous trouver quand vous aurez reçu des nouvelles d'Edo.

Le regard de Shinzaémon glissa lentement sur son visage, sur ses cheveux, comme s'il voulait s'imprégner de son image. Sachi baissa les yeux à contrecœur.

— Bien entendu, dit-il. Comptez sur moi.

Après un bref salut, il s'enfonça dans la nuit.

IV

Les jours suivants, Sachi et Taki levaient les yeux, pleines d'espoir, chaque fois que la porte de leur chambre s'ouvrait. Mais au lieu de Shinzaémon ou de Toranosuké, il s'agissait immanquablement d'une servante venue leur apporter leur repas, changer leur literie ou les inviter à rejoindre leurs hôtes dans la salle commune.

Petit à petit, elles s'habituèrent à leur nouvelle vie. Les paquets contenant leurs vêtements de cour prenaient la poussière dans un coin de la chambre. Sachi évitait de penser au surkimono qu'elle avait rapporté du village, mais chaque fois que son regard effleurait le foulard de soie qui l'enveloppait, il lui semblait qu'il rougeoyait à travers l'étoffe, comme un manteau enchanté.

Pour occuper ses journées, elle enseignait à Yuki des extraits du *Nouveau Recueil de poésies anciennes et modernes*. L'enfant apprenait avec une rapidité stupéfiante. Elle appréciait tout particulièrement les vers du moine Saigyo.

— Ils sont si tristes, soupirait-elle.

Sachi s'appliquait à transcrire les poèmes en style cursif pour que l'enfant puisse les recopier. En plus des hiraganas, elle avait étudié au palais les caractères chinois qu'on retrouvait dans la littérature classique. Elle commença à les enseigner à Yuki, malgré les protestations de tante Sato, qui craignait que la fillette ne trouve pas de mari si elle devenait trop instruite.

Avec la franchise qui la caractérisait, Yuki demanda un jour à Sachi :

— Où est ton mari ? Il est parti, comme papa ?

— Je n'ai pas de mari, répondit Sachi.

— C'est pour ça tu n'as pas d'enfants ?

Il était en effet inhabituel de voir une jeune femme de dix-huit ans sans enfants, et plus encore sans époux.

— Je ne peux pas me marier, expliqua Sachi avec douceur. Je suis trop loin de chez moi. Quand je retrouverai ma famille, mon père fera appel à un entremetteur.

— Mais tu seras trop vieille alors, lâcha Yuki.

Sachi baissa la tête, envahie par un malaise indéfinissable. Presque tout le monde possédait des racines. Mais Taki et elle ressemblaient à des herbes vagabondes flottant à la surface d'un étang, ou à des fantômes suspendus entre ce monde et l'au-delà. Il leur faudrait bien retourner un jour au palais d'Edo, ou rejoindre leurs familles. Elles ne pourraient pas éternellement se cacher.

Chaque jour, Sachi s'enveloppait dans une couverture et allait s'asseoir sur la véranda, seule ou avec sa suivante. Elle y restait des heures à contempler le jardin, songeant à l'étrange destin qui les avait conduites là, et tentant d'imaginer ce que l'avenir leur réservait.

V

Peu après la fin des cérémonies du nouvel an, alors qu'on venait de décrocher et brûler les guirlandes, le ciel s'assombrit et de gros flocons commencèrent à tomber, d'abord lentement, puis de plus en plus vite. Quand Sachi sortit sur la véranda, cet après-midi-là, elle découvrit un paysage fantomatique et étrangement silencieux.

Soudain un bruit la fit sursauter. Personne ne venait jamais dans cette partie de la maison. C'était leur domaine réservé, à elle et à Taki.

— N'ayez pas peur, madame, chuchota une voix.

Un homme apparut au coin de la maison, si chaudement vêtu qu'on n'apercevait que ses yeux. Il longea la palissade en osier, laissant de profondes empreintes dans la neige, et s'approcha de Sachi jusqu'à ce que celle-ci puisse voir son haleine monter en vapeur blanche vers le ciel. Ce regard noir perçant, cette voix grave et rauque… Shinzaémon !

— Monsieur, souffla-t-elle en jetant un coup d'œil par-dessus son épaule, voilà qui est tout à fait inconvenant.

— Je voulais vous voir seule, murmura Shinzaémon d'un ton pressant.

Il se balançait d'un pied sur l'autre, la main crispée sur la poignée de son sabre. Sans ses compagnons, il semblait moins assuré. Un homme et une femme seul à seul… Cela ne s'était encore jamais vu. Même quand

Sachi avait passé la nuit avec le shogun, il y avait des dames d'honneur dans la chambre.

— Nous serons éternellement reconnaissantes à votre famille de son hospitalité, dit Sachi, choisissant ses mots avec soin.

— Je suis désolé. C'était une erreur de vous conduire ici. J'ai promis de vous protéger, mais j'ai échoué. Cet endroit n'est pas sûr pour vous, ni pour aucun d'entre nous. Nous sommes les serviteurs fidèles des Tokugawa. Mais Sa Seigneurie le daimyo…

Il baissa encore la voix et jeta un coup d'œil à la ronde, comme s'il craignait que le jardin enneigé abrite des espions. Sachi se pencha vers lui pour entendre la suite. Ils étaient à présent si proches qu'elle voyait son souffle agiter imperceptiblement l'écharpe devant son visage. Il sentait la sueur, le tabac et la poussière, des odeurs authentiques qui lui arrachèrent un frisson.

— Sa Seigneurie est un homme sans honneur. Il a refusé d'envoyer des troupes quand le shogun le lui a demandé, préférant attendre de voir de quel côté soufflait le vent de la victoire. Mon cousin a tenté de le persuader de soutenir le shogun, mais d'autres conseillers plus puissants l'ont pressé de se rallier aux rebelles.

— C'est pour cela que vous êtes revenu ? Pour soutenir votre cousin ?

Shinzaémon acquiesça.

— Quand nous vous avons vue en difficulté, nous avons compris qu'il était de notre devoir de vous protéger. Ne sommes-nous pas des serviteurs de Sa Majesté ? Après, nous sommes revenus aussi vite que possible, mais…

Il regardait le sol d'un air sombre. Sachi sentit le froid l'envahir.

— Votre cousin… C'est le père de Yuki ?

— Nous avons grandi ensemble, reprit Shinzaémon. Je le considérais comme un frère. C'est un homme bon, un homme d'honneur. Quand Sa Seigneurie l'a condamné à mort, j'ai tenté par tous les moyens de le faire sortir. Depuis, j'attends chaque jour devant les portes de la prison.

— C'est à cause de nous ! s'exclama Sachi, horrifiée. Nous vous avons ralentis et vous n'avez pu arriver à temps pour sauver cet homme.

— Il aurait été trop tard, de toute façon. Sa Seigneurie a laissé les rênes à l'ennemi. Les rônins à sa solde ont exécuté tous ceux qu'ils soupçonnaient de sympathies pour le Nord. Beaucoup en ont profité pour liquider de vieilles rancœurs. Des familles entières ont été éliminées, leurs noms effacés du registre. Jusqu'à présent, ils n'ont pas touché à ma famille, mais nul ne sait quand son tour viendra.

Il marqua une pause.

— Comme toutes les dames de la cour, vous courez de graves dangers. Puisque nous vous avons amenée ici, nous devons garantir votre sécurité. Ne sortez en aucun cas de la maison. Nous partirons dès que possible.

Sachi plongea son regard dans les yeux de Shinzaémon. Une fine couche de neige recouvrait ses épaules. Derrière lui, le jardin était d'une blancheur spectrale. Les branches des arbres et les bambous ployaient sous le poids de la neige.

— J'ignore tout de vous, reprit l'homme après un long silence. Mais il ne m'appartient pas de vous questionner. Je sais seulement que vous venez de la cour du shogun. Quand nous avons eu le privilège de vous venir en aide, vous voyagiez dans le palanquin impérial. En tant que fidèles serviteurs de Sa Majesté, c'est notre devoir de vous protéger.

— Quand nous aurons quitté cet endroit, notre destin reposera entre nos seules mains. Vous n'êtes pas tenus de nous aider. Nous apprécierions néanmoins que vous nous donniez quelques conseils pour réussir notre voyage.

— Il n'est pas question de vous laisser partir seules. C'est trop dangereux. Nous vous escorterons partout où vous irez.

Sachi eut l'impression qu'il souriait sous son écharpe. Mais au lieu de s'indigner de sa témérité, elle se sentit fondre sous son regard pénétrant.

— Vos yeux, murmura-t-il. Ils sont si verts… Pardonnez-moi, je ne suis qu'un misérable rônin, et jamais je n'aurais imaginé contempler une personne telle que vous. Je ne devrais pas parler ainsi mais… Si nous sommes ici tous les deux, c'est parce que le destin nous a réunis. Nos karmas nous lient.

Conscient d'être allé trop loin, il se rembrunit tout à coup.

— Je dois partir, dit-il en tournant les talons. Mais je reviendrai vous voir, je vous le promets.

VI

Un matin, peu avant le début du printemps, tante Sato fit irruption dans la chambre de Sachi et Taki. Occupées à lire, les deux jeunes femmes sursautèrent de surprise.

— Shinzaémon et maître Toranosuké sont ici, annonça leur hôtesse, tout essoufflée. Ils veulent vous voir. Il paraît que c'est urgent. Je peux prendre un message si vous le souhaitez.

— Nous les recevrons, déclara Sachi. Je vous en prie, accompagnez-nous.

Les deux hommes et le jeune Tatsuémon les attendaient dans l'entrée avec oncle Sato. Avec son *hakama* fraîchement lavé, sa tête impeccablement rasée et son chignon de samouraï, ce dernier formait un contraste frappant avec l'allure sauvage des trois rônins.

Toranosuké fit un pas en avant et salua. Sachi avait oublié combien ses manières étaient raffinées et son visage séduisant sous la barbe naissante.

— Que se passe-t-il à Edo ? demanda-t-elle, abrégeant les formalités.

— Excusez, je vous prie, notre grossièreté, répondit Toranosuké. Les nouvelles sont confuses. À ce qu'on dit, la bataille a fait rage au sud de Kyoto.

— Kyoto ? répéta Sachi, incrédule.

— Non loin de Toba et de Fushimi. Il paraît que les combats ont duré trois jours. Les morts et les blessés se compteraient par centaines. Les régiments du Nord ont résisté vaillamment, mais il y a eu des mutineries.

— Vous savez ce qu'on raconte ? intervint Shinzaémon, employant le rude dialecte des hommes de Kano.

C'était étrange, extraordinaire même, de pénétrer ainsi dans le monde des hommes, de les écouter parler de guerre ou de politique – des sujets traditionnellement proscrits devant les femmes. Sachi se sentait comme une petite fille qui écoute aux portes les conversations des adultes.

— Le troisième jour, reprit Shinzaémon, nos hommes se sont retirés au château d'Osaka pour reformer les rangs. Ils ont invité le seigneur Yoshinobu à conduire la bataille.

Sachi savait que le shogun Yoshinobu avait abdiqué. Cependant, il demeurait chef des Tokugawa, homme lige des seigneurs du Nord luttant pour repousser l'avance des rebelles du Sud.

— Avec lui à leur tête, nos hommes se savaient invincibles. La moitié d'entre eux avaient été blessés, certains gravement. Mais tous étaient consumés par le désir d'en découdre à nouveau avec les traîtres.

— Assez, Shin ! lança Toranosuké. Rappelle-toi où nous sommes !

— Laisse-moi finir. Le seigneur Yoshinobu a juré qu'il conduirait ses armées le lendemain. Mais il s'est enfui pendant la nuit avec ses soi-disant conseillers, sans doute par un passage secret menant au port. N'ayant pu trouver leur bateau, ils se sont embarqués sur un navire de guerre étranger.

— Un bateau barbare ? demanda Sachi d'une voix tremblante.

— Un navire américain. Il a accosté à Edo le lendemain.

— Yoshinobu s'est enfui ! s'exclama la jeune femme, atterrée.

Ce lâche n'avait pas hésité à empoisonner Iemochi, son bien-aimé maître et seigneur, pour lui voler le pouvoir. Sa fuite était-elle également préméditée ?

— Honte sur lui ! gronda Shinzaémon.

— Assez ! ordonna oncle Sato. Ne vous reste-t-il aucune loyauté ? Ce ne sont que des rumeurs.

— Il y a peut-être une explication, concéda Toranosuké d'un ton apaisant. On dit que le seigneur Yoshinobu prévoit une dernière étape à Edo.

— Précisément, c'est à Edo qu'il se trouve en ce moment, ricana Shinzaémon. Tu le sais, tu as lu les rapports. Et toi aussi, oncle Sato. Tout le monde se moque de lui.

Oncle Sato parut sur le point d'exploser.

— Et tu crois ces racontars inventés par la populace ? Tu oses deviner les intentions du seigneur Yoshinobu ?

— Tu sais que le seigneur Yoshinobu n'est pas notre allié, oncle Sato, répliqua Shinzaémon. Mais je lutterai jusqu'à la mort pour sa cause. Je connais mes devoirs.

— Ainsi, le Nord a perdu, murmura Sachi.

Shinzaémon acquiesça.

— Cela signifie que l'ennemi tient Kyoto. Et la totalité des provinces du Sud-Ouest.

Un long silence suivit ces paroles.

— Et Edo… ? interrogea Sachi.

— C'est le chaos, soupira Toranosuké. Les traîtres et les bandits rôdent partout.

— Les soldats du seigneur Yoshinobu arrivent par bateau d'Osaka et commettent toutes sortes d'atrocités parce qu'ils n'ont pas été payés, renchérit Shinzaémon.

— Les alliés du Sud ont distribué des feuilles enjoignant tout le monde à quitter la ville. La population fuit en masse.

— Et le château ? s'enquirent Sachi et Taki d'une même voix.

— D'après ce que nous savons, ses habitants sont encore en sûreté.

— Les rebelles projettent de nouvelles attaques, dit Shinzaémon. Ils ont de bons généraux et l'appui des barbares anglais. S'ils prennent Edo, ils tiendront le pays à la gorge.

— Et personne à Kano ne va les en empêcher, grogna l'oncle Sato. La seule issue est de monter au nord pour repousser l'avance ennemie.

Il posa les yeux sur les femmes, comme s'il venait de s'apercevoir de leur présence.

— Je sais que nous ne sommes que des femmes stupides, intervint tante Sato, mais nous savons aussi nous battre. Ne l'oubliez pas.

— Ce seigneur Yoshinobu est aussi trompeur et imprévisible qu'un serpent, reprit Shinzaémon. Personne ne sait qui il soutient en réalité ni ce qu'il fera demain.

Après le départ des hommes, Taki s'entretint un moment avec tante Sato. Des courriers étaient arrivés et la salle commune résonnait de discussions animées.

Sachi regagna ensuite ses appartements et sortit sur la véranda. La neige fondue laissait voir des plaques de mousse et on commençait à deviner le tracé des allées. Le manteau blanc recouvrant la lanterne écroulée portait les traces de minuscules pattes d'oiseaux. Une corneille croassa avant de se poser sur un pin. Sachi resta un long moment à contempler les arbres qui se découpaient contre le ciel de plus en plus sombre.

Soudain une silhouette enveloppée d'un long manteau surgit à l'angle du jardin et contourna la maison d'un pas vif. La neige crissait sous ses pas tandis qu'elle se déplaçait avec la légèreté d'un chat.

Sachi sentit son cœur s'accélérer.

— Maître Shinzaémon, murmura-t-elle, troublée par sa propre émotion.

— Excusez cette intrusion, répondit le rônin. Madame, il faut vous préparer à partir immédiatement.

Ses yeux noirs luisaient au-dessus du tissu qui dissimulait le bas de son visage.

— C'est la guerre. La vraie. L'ennemi rassemble ses troupes et Edo se prépare à un siège. Le seigneur Yoshinobu… vous connaissez ses agissements, madame, et dans quel désarroi il nous jette. Pardonnez ma franchise, mais il vous faut comprendre que son seul but, désormais, est de nous détruire. Il fera tout pour nous empêcher de repousser les rebelles. Personne ne comprend à quoi il joue. Mais nous restons liés par l'honneur à la cause des Tokugawa.

Sachi acquiesça distraitement. Captivée par la voix de Shinzaémon, c'est à peine si elle avait entendu ses paroles. En l'écoutant, elle se sentait habitée par une énergie nouvelle. Shinzaémon agissait à sa guise, sans se soucier de ce qu'on pensait de lui.

— Dites-moi la vérité, dit-elle en se penchant vers lui. Qu'avez-vous entendu ?

— On raconte que les troupes du Sud commandent le jeune Fils du Ciel et publient des lois en son nom. Et que, au dernier jour de la bataille, l'ennemi marchait sous ses couleurs, s'octroyant le titre d'armée impériale. Ils ont déclaré le seigneur Yoshinobu traître à l'empereur. C'est pourquoi il a refusé de se battre.

— Les rebelles du Sud sont de plus grands bandits que je ne l'aurais imaginé, chuchota Sachi.

— Dès mon plus jeune âge, j'ai promis de servir mes seigneurs jusqu'à la mort. Et voilà qu'aujourd'hui j'ignore même le nom de nos chefs !

— Que proposez-vous, monsieur ?

Le cœur battant, Sachi avait le plus grand mal à contrôler sa voix.

— Pour l'instant les routes sont tranquilles. Edo n'est pas pire qu'ailleurs en ces temps de troubles. Les protections du château ont été renforcées après l'incendie. On le dit aujourd'hui imprenable. S'il existe encore un endroit sûr, c'est bien celui-là. Mes compagnons et moi en avons assez d'attendre. Nous brûlons de reprendre le combat. Nous rejoindrons la résistance à Edo et, si vous souhaitez retourner là-bas, nous vous escorterons.

Puis, comme se parlant à lui-même, il poursuivit, l'air songeur :

— J'ai vécu ici enfant. Souvent, je venais m'exercer au sabre avec mes cousins dans ce jardin. C'est étrange de m'y retrouver aujourd'hui.

Elle sentit qu'il la regardait avec insistance, comme s'il cherchait à imprimer chaque détail de son visage dans sa mémoire. Elle s'imagina sur la route à ses côtés, vivant comme frère et sœur. Mais elle se trompait… Ils n'avaient rien d'un frère et d'une sœur…

Elle le vit baisser les yeux et se pencher pour ramasser quelque chose qu'il lui offrit. Elle tendit la main et leurs doigts se frôlèrent. Elle frémit au contact de sa peau rugueuse – la peau d'un guerrier.

Puis, brusquement, il tourna les talons et s'éloigna à grands pas. Sachi regarda alors ce qui se nichait au creux de sa paume.

Une minuscule fleur blanche.

Une orchidée sauvage.

6

Aux portes de la prison

I

La neige commençait à fondre, laissant entrevoir des pans de mousse et des pousses de bambou. Par endroits, l'éclat précieux d'une orchidée sauvage brillait comme une petite étoile blanche. Des bourgeons égayaient les branches noueuses des pruniers ainsi que de rares fleurs à cinq pétales.

Sitôt après le départ de Shinzaémon, Sachi avait préparé ses bagages. Taki avait prié tante Sato de vendre ou de mettre en gage une partie de leurs robes de cour, mais la brave femme s'y était refusée, préférant leur prêter elle-même de l'argent.

Pourtant, depuis ce jour, elles n'avaient plus eu aucune nouvelle de Shinzaémon. À la maison, l'ambiance était de plus en plus pesante. Chacun marchait un peu plus vite, parlait plus doucement, ou sursautait chaque fois que la grande porte s'ouvrait. Tous semblaient se tenir sur leurs gardes, comme si un terrible danger était sur le point de fondre sur eux.

Mais Sachi avait d'autres préoccupations. Elle ne se lassait pas de tenir dans sa main l'orchidée sauvage offerte par Shinzaémon, même si celle-ci avait fané depuis. Elle aurait dû se sentir offensée, pourtant, il n'en était rien. Les paroles du rônin résonnaient dans son esprit comme une cloche égrenant les heures. Quand elle fermait les yeux, c'était toujours son visage qui flottait derrière ses paupières.

À la mort du seigneur Iemochi, elle avait fait vœu de se retirer du monde. Il lui paraissait alors impensable d'emprunter un autre chemin que celui que des traditions séculaires avaient tracé pour elle. Mais la guerre avait tout changé. Plus personne ne se souciait de ce qu'elle était ni de ce qu'elle représentait. En ces temps incertains, nul ne savait s'il allait vivre ou mourir. Sachi soupira. Si seulement elle pouvait se retrouver seule avec Shinzaémon, ne serait-ce qu'une fois…

Cela faisait un moment que les servantes avaient remporté les plateaux du déjeuner, pourtant Yuki n'était toujours pas arrivée pour sa leçon quotidienne. Dès son réveil, ce matin-là, Sachi avait eu le sentiment qu'il se préparait quelque chose de grave. La maison bruissait de conversations et derrière la routine matinale elle avait cru déceler une agitation inhabituelle.

Une plainte mélancolique s'éleva dans un des bosquets de cèdres qui surplombaient la maison. On aurait dit une conque appelant les troupes au combat. Un court instant, Sachi se crut revenue à Edo. Mais ce n'était sûrement que le hululement d'un hibou.

La porte coulissa et la petite Yuki se faufila à l'intérieur de la chambre.

— Pardonne mon retard, souffla-t-elle.

Sachi s'inquiéta de sa pâleur et de son expression hagarde.

— Que se passe-t-il, Yu-chan ?

— Maman a disparu. Elle est retournée à la maison, j'en suis certaine. Mais ils ne veulent pas que j'aille la rejoindre. Il faut que tu m'aides !

En vraie samouraï, elle s'efforçait de montrer un visage impassible, mais sa lèvre tremblait et sa voix était pleine de sanglots.

Sachi serra la main de la petite.

— Pourquoi crois-tu que ta mère est retournée chez vous, Yu-chan ?

— J'en suis certaine. Ce matin…

À ce moment, tante Sato entra, le visage aussi figé qu'un masque de pierre.

— Assez ! dit-elle d'un ton sévère. Un peu de patience, Yu-chan. Ta mère ne va pas tarder.

— Il faut que je la retrouve, insista l'enfant. Cela m'est bien égal d'y aller seule.

— J'irai avec toi, déclara Sachi.

Sans un mot, elles se chaussèrent et s'enveloppèrent de manteaux. C'était la première sortie de Sachi depuis le nouvel an. Le dégel avait détrempé la terre du chemin et on avait repoussé la neige le long des murs. La petite tirait impatiemment Sachi par la main. Elles dépassèrent une maison dont l'entrée était gardée par des serviteurs, puis une deuxième, avant d'atteindre une porte sur laquelle une plaque de bois indiquait le nom de « Miyabé ».

Au nouvel an, la porte était fermée. À présent, elle béait lugubrement. Lâchant la main de Sachi, la fillette franchit le seuil sans attendre sa compagne.

Sachi s'élança à sa suite. Si le jardin des Sato était parfaitement entretenu, celui-ci était envahi par une végétation luxuriante. Sachi dut se frayer un chemin à travers les broussailles et les rochers pour ne pas perdre l'enfant de vue. Les branches s'agrippaient à son manteau comme pour la retenir tandis que des paquets de neige tombaient des arbres, trempant ses vêtements.

— Yu-chan ! appela-t-elle, haletante. Attends !

Mais Yuki s'était déjà engouffrée à l'intérieur de la maison. La porte était à moitié pourrie et ses gonds pendaient misérablement. Serrant les poings, Sachi la franchit à son tour.

Dans l'obscurité, elle entendit la petite trottiner puis pousser des cris perçants.

— *Hahaue ! Hahaue* ! Maman ! Maman !

Sachi courut dans sa direction, soulevant des nuages de poussière à chaque pas. Des feuilles mortes se collaient à ses semelles de bois, des toiles d'araignée s'accrochaient à ses cheveux. Une âcre odeur de moisissure la prenait à la gorge.

Elle fit halte, tendit l'oreille. Il lui sembla apercevoir une lueur vacillante loin devant. Elle jeta un regard inquiet autour d'elle, craignant de voir un spectre flotter dans les airs, gémissant et s'arrachant les cheveux par poignées. Elle tenta de se ressaisir : un samouraï ne redoutait aucun ennemi mortel… Mais cet endroit n'était pas peuplé de mortels.

— Yu-chan ?

Sa voix résonna dans le silence. Sur la pointe des pieds, elle s'approcha d'une porte en papier à travers laquelle elle distinguait la lumière du jour. Une vaste pièce de soie, aussi légère et immaculée que de la neige fraîche, déroulait ses plis jusqu'au seuil.

Sachi se figea. Une large tache rouge s'étalait autour d'une forme vêtue de blanc. La mère de Yuki gisait au milieu de la salle, le visage tourné vers le sol, ses longs cheveux noirs déployés en éventail, un poignard rougi à ses pieds.

Yuki s'agrippait à elle comme si elle avait l'intention de ne jamais la lâcher. Sachi reconnut l'odeur douceâtre du sang qui flottait dans l'air.

Épouvantée, elle ferma les yeux. Une image se forma dans son esprit : la mère de Yuki balayant soigneusement la pièce, rangeant l'autel et recouvrant le tatami de soie blanche avant de s'agenouiller pour une dernière prière. Ensuite, apaisée, elle s'attachait les chevilles pour s'assurer une mort digne, refermait les doigts autour du manche du poignard et enfonçait la lame dans sa gorge d'un geste à la fois précis et retenu. Un suicide exemplaire, elle pouvait être fière.

Sachi fut remplie d'admiration, presque d'envie. Une samouraï devait être prête à se donner la mort à tout instant. Elle-même avait appris comment procéder. Le moment venu, elle espérait faire preuve de la même élégance.

Pourtant, quand ses yeux se posèrent à nouveau sur le corps sans vie étendu à ses pieds, une horreur sans borne l'envahit, chassant toute pensée rationnelle. La femme douce et charmante qu'elle avait brièvement connue n'était plus maintenant qu'une dépouille inerte.

Son regard fut attiré par un daguerréotype posé sur l'autel. Si elle en avait déjà vu au palais, elle ne s'attendait pas à trouver un objet aussi rare et précieux dans un tel lieu. Un homme et une femme posaient côte à côte dans une attitude pleine de raideur. Elle reconnut la mère de Yuki. Quant à son compagnon, on aurait dit… ce ne pouvait être… Shinzaémon ? Sous un chignon de samouraï, elle reconnut les pommettes saillantes, les yeux farouches, la mâchoire ferme du jeune rônin. Stupéfaite, elle s'approcha. L'homme du portrait n'était pas Shinzaémon, mais il lui ressemblait de façon troublante.

Elle découvrit deux rouleaux de papier liés par un ruban au pied du daguerréotype, l'un adressé à oncle Sato, l'autre à Yuki. Ce dernier ne comportait que quelques lignes :

Mon enfant, sois courageuse. Quand tu seras plus âgée, tu comprendras. Je ne peux endurer plus longtemps la mort ignominieuse de ton père. Ma place est à ses côtés. Conduis-toi toujours en vraie samouraï et porte le nom de Miyabé avec fierté.

La petite Yuki était toujours prostrée. Effrayée par son immobilité, Sachi se demandait si elle n'était pas morte quand elle éclata en sanglots déchirants.

Elles regagnèrent la maison des Sato d'un pas lent, couvertes de poussière, de toiles d'araignée et de sang. Shinzaémon les attendait dans l'entrée, la mine sombre.

À leur vue, il parut s'animer et posa sur l'enfant un regard grave.

— Je suis triste pour toi, Yuki-chan.

La petite leva les yeux vers lui. Si son menton tremblait, son visage ruisselant ne trahissait pas la moindre émotion.

Sachi n'avait jamais vu une telle douceur chez Shinzaémon. Elle aurait voulu lui prendre la main pour le réconforter. « Ce n'est pas votre faute, aurait-elle dit. Vous avez fait de votre mieux. »

— Tout est perdu, annonça-t-il. Les troupes du Sud sont en marche et Sa Seigneurie le daimyo de Kano est déterminé à leur prouver qu'il s'est rallié à leur cause.

En tant que dames de la cour du shogun, vous êtes en grand danger. Il faut partir immédiatement.

Yuki parla alors. C'était les premiers mots qu'elle prononçait depuis sa macabre découverte.

— Je dois préparer les funérailles de ma mère, dit-elle. Prendre soin de ses cendres et prier pour le repos de son esprit. Je suis la seule survivante de la maison de Miyabé.

Le chagrin qui creusait son petit visage aux paupières rouges céda brusquement la place à une froide détermination.

— Je dois venger mon père, ajouta-t-elle d'une voix ferme.

— Ils te tueront si tu restes, objecta Shinzaémon. Il n'y a plus de maison Miyabé. Tout s'est arrêté quand ton père a été jeté en prison. Si tu veux venger ton nom, essaie de rester en vie. J'ai promis à ton père de prendre soin de toi. Alors viens avec nous.

II

Ils prirent la route comme les premières lueurs du jour striaient le ciel, dissipant les ombres massées au pied des murailles. La nuit précédente, ils avaient fait leurs adieux et exprimé leur gratitude à leurs hôtes. Tous savaient qu'ils avaient peu de chances de se revoir en ce monde.

Une sourde tristesse envahit Sachi quand elle referma la porte de sa chambre pour la dernière fois. Malgré son inconfort, cette pièce leur avait fourni un abri sûr.

Les deux femmes frissonnaient dans leurs kimonos aux couleurs discrètes. Elles s'étaient coiffées de chapeaux de paille qui cachaient la pâleur aristocratique de leur teint. Pour tout bagage, elles n'emportaient qu'un ou deux vêtements de rechange et une robe de cour qu'elles comptaient vendre en cas de besoin. Sachi avait emballé le mystérieux manteau de brocart et rangé leurs hallebardes dans une malle. Les hommes voyageaient à cheval, leurs deux sabres glissés dans la ceinture. Ils n'arboraient aucun signe d'appartenance à un quelconque clan ou parti.

Craignant d'y rencontrer des soldats ennemis, ils avaient renoncé à suivre la Route de la mer Orientale pour emprunter des chemins moins fréquentés. Une fois loin de Kano, ils pensaient rejoindre la Route intérieure. Cet itinéraire, beaucoup moins direct, traversait des territoires amis et d'autres qu'ils supposaient hostiles. Toutefois, les renversements d'alliances étaient si fréquents que nul n'aurait su dire qui était de quel bord.

En quittant la maison, ils avaient pris la direction du nord-est, vers la prison de la ville et la place où avaient lieu les exécutions capitales. Shinzaémon et Toranosuké avaient loué des domestiques, des porteurs, des chevaux de bât et, pour les femmes, deux litières qui ne méritaient pas le titre de palanquins. Leurs fragiles cloisons de paille tressée étaient percées d'ouvertures carrées, protégées par des stores en osier.

Serrées l'une contre l'autre, Sachi et la petite Yuki se laissaient balloter sans un mot. Le brancard de la litière faisait entendre un grincement lancinant et les sandales de paille des porteurs rendaient un son mat dans la boue du chemin. Le vent s'insinuait par les interstices des cloisons, transperçant les pauvres vêtements de coton des voyageuses.

Yuki écarta un store. Le soleil n'était pas encore levé mais les rues bourdonnaient déjà d'activité. Le convoi avait d'abord emprunté les rues ombragées et bordées de hauts murs où vivaient les samouraïs. Plus loin, dans le quartier des artisans, des coqs chantaient, des chiens aboyaient et, de tous côtés, montait l'écho de multiples activités : on tapait, rabotait, coupait, ciselait tandis que d'âcres relents de nourriture et de fumée envahissaient l'intérieur de la litière.

Puis une nouvelle odeur chassa les précédentes, rampante, insoutenable, aussi envahissante qu'un brouillard maléfique. En la respirant, Sachi se revit enfant, en train de jouer avec ses camarades du village, certains à la constitution chétive, la peau noircie par la saleté et le soleil. Les mêmes effluves nauséabonds s'accrochaient à leurs vêtements loqueteux. « Tu as encore joué avec les parias ? la grondait sa mère quand elle rentrait à la maison. Je sens leur odeur sur toi. Combien de fois devrai-je te le répéter ? Ils sont impurs, leurs parents s'occupent des morts. Ce n'est pas une compagnie pour des personnes décentes. »

Elle avait ainsi appris à éviter ceux qui exécutaient des tâches aussi viles que le tannage des peaux, l'abattage des animaux, l'élimination des carcasses…

Yuki risqua un œil au dehors et poussa un cri perçant.

— Arrêtez ! Arrêtez !

— Arrêtez ! fit Shinzaémon comme en écho.

Les porteurs avaient à peine déposé la litière que Yuki se rua à l'extérieur. Sachi se pencha par la portière et recula aussitôt, pressant son écharpe contre son visage. La puanteur était insupportable. Elle aperçut alors des poteaux de bois sur lesquels étaient plantées d'étranges formes rondes. Certaines, surmontées d'une chevelure emmêlée, évoquaient des fantômes quand d'autres avaient conservé leur chignon de samouraï. Les têtes tranchées avaient les yeux fermés et la mâchoire pendante. Un liquide sombre et poisseux s'égouttait de leur cou.

Les visages gris et inertes, comme modelés dans l'argile, conservaient une certaine noblesse dans la mort. Sous chaque tête, une planchette indiquait les nom, âge, lieu de naissance et prétendu crime du supplicié. Réprimant une nausée, Sachi tenter d'identifier l'homme du daguerréotype. Quelle mort ignominieuse pour un samouraï !

La petite Yuki, ses couettes volant au vent, et le robuste Shinzaémon contemplaient côte à côte ce spectacle d'épouvante.

— Il ne ressemble pas du tout à papa, lâcha finalement Yuki.

Il y eut un long silence.

— Un jour je le vengerai, ajouta l'enfant.

Sa petite voix aiguë avait des accents sauvages.

— Ton père serait fier de toi, approuva Shinzaémon.

III

Ils se remirent aussitôt en route. Dans la litière, Yuki regardait fixement devant elle, le visage de marbre. Sachi passa un bras autour de ses épaules, craignant qu'elle sombre dans un mutisme définitif.

Shinzaémon et Toranosuké chevauchaient côte à côte, discutant à voix basse. Sachi surprit une partie de leur conversation.

— Nous approchons du poste de contrôle. Méfiance !

Sachi jeta un coup d'œil dehors et vit une rue étroite, bordée de murs de terre et fermée à une extrémité par une porte massive. Elle laissa retomber le store. Oncle Sato leur avait préparé des laissez-passer portant le sceau des autorités de Kano. Auraient-ils affaire à des gardes fidèles à la cause du shogun, ou à des soldats du Sud ? Dans ce cas, ils seraient probablement arrêtés et ramenés à Kano, peut-être pour y finir comme le père de Yuki, la tête plantée sur un piquet devant la prison.

Des pas crissèrent sur le gravier comme les soldats s'approchaient des litières. Shinzaémon et Toranosuké descendirent de cheval. On entendait un bruit de galop dans le lointain.

— Aoyama, c'est toi ? Tout va bien ?

Shinzaémon connaissait les gardes. Ceux-ci étaient donc de leur côté. Sachi poussa un soupir de soulagement.

— Ma parole, c'est Shin et Tora ! s'exclama un des gardes. Où allez-vous comme ça ?

— Dans l'arrière-pays, répondit prudemment Toranosuké.

— Vous voyagez avec des femmes ? Malin. Ainsi, personne ne soupçonnera que vous êtes des rônins.

— Il va falloir attendre un peu, grommela un autre garde. Voilà la milice…

Une troupe de cavaliers franchit les grandes portes. Plusieurs portaient une armure sous leurs vestes de soie aux couleurs éclatantes. La pâle lumière hivernale faisait briller leurs fourreaux, leurs bannières et leurs lances. Certains étaient coiffés de casques à cornes, le visage dissimulé derrière un masque de fer, soufflant de petits nuages blancs qui les faisaient ressembler à des dragons crachant le feu. On aurait dit des démons de cauchemar.

De quel bord étaient-ils ? Sachi pensa qu'ils escortaient quelque notable ou personnalité éminente, mais il n'y avait aucun palanquin en vue, rien que des cavaliers chevauchant en rangs serrés au milieu de cette impressionnante escorte. À l'arrière, un train de chevaux de bât transportait d'énormes ballots, suivi par une troupe de jeunes paysans bronzés et musclés, armés de fusils qui rappelèrent à Sachi le vieux mousquet que son père conservait afin de protéger le village contre les bandits.

— Eh ! Shin ! Tora ! appela un soldat.

Au-dessus du plastron étincelant de son armure, son visage aux joues lisses, au regard ardent, avait encore la fraîcheur de l'adolescence.

— Où allez-vous ainsi ? reprit le cavalier. Venez-vous à Aizu ? Un bataillon ennemi vient de quitter Kyoto. Si vous prenez la Route intérieure, pressez l'allure ou bien ils vous rattraperont. Pourquoi ne pas vous joindre à nous ? Nous allons nous cacher à Aizu jusqu'à ce que le combat s'engage. Nous allons terrasser ces traîtres du Sud. Ce sera un grand jour, croyez-moi !

Shinzaémon et Toranosuké attendirent que le cortège dans son entier – guerriers, serviteurs, porte-bannières, palefreniers, valets, porteurs et chevaux de bât – eût franchi les portes pour tendre leurs laissez-passer. Sachi remit au jeune Tatsuémon, le serviteur de Toranosuké, un peu d'argent en guise de pourboire pour les gardes.

Ils s'apprêtaient à repartir quand un garde plus perspicace que les autres aboya :

— Vous dites que ce sont des femmes du peuple dans ces litières ? Avec une peau pareille ?

Sans doute avait-il aperçu la main blanche de Sachi quand celle-ci avait relevé le store. La jeune femme serra le manche de son poignard.

— La ville grouille d'espions venus d'Edo, reprit le garde. Il paraît que des femmes du shogun ont disparu…

— Jamais entendu parler, lâcha Toranosuké. Ce sont nos cousines du domaine de Kano.

— Nos documents sont en règle, ajouta Shinzaémon. Mêle-toi de tes affaires. Rendez-vous à Aizu, sur le champ de bataille !

IV

Yuki demeura longtemps silencieuse. Son petit visage blême et crispé, elle scrutait inlassablement le paysage qui défilait. Quand Kano eut disparu derrière eux, Sachi éprouva un vif soulagement à l'idée de quitter à jamais cette ville fantôme.

Les routes étaient beaucoup plus abîmées qu'à leur arrivée, quelques semaines plus tôt. On ne comptait plus les ornières, les sandales perdues ni les tas de crottin que personne ne prenait plus la peine de balayer. Des branches cassées pendaient des arbres. Plusieurs villages s'étaient entourés de palissades de fortune gardées par des groupes de paysans armés de lances de bambou, de fusils et de bâtons.

Ils traversèrent des rizières ponctuées de monticules de terre brune congelée. Des tiges desséchées perçaient la neige sale, des meules de foin affaissées bordaient les champs. Les montagnes fermaient l'horizon comme une rangée de dents ébréchées.

À midi, ils firent halte dans une auberge dont le patron les examina d'un air soupçonneux.

— Vous ressemblez à une bande de bons à rien mais puisque vous voyagez avec des femmes… lâcha-t-il avant de les laisser entrer.

Apparemment, la présence des femmes facilitait la tâche de leur escorte. Peut-être était-ce pour cela que Shinzaémon leur avait proposé ses services. Curieusement, cette pensée désola Sachi.

Quand ils furent suffisamment éloignés de la ville, Toranosuké rejoignit Shin à l'arrière. Sachi tendait l'oreille pour saisir des bribes de leur conversation : elle tenait à s'informer de l'évolution de la situation et, même si elle n'osait pas l'admettre, la voix grave de Shinzaémon lui procurait un plaisir certain.

— Le gouverneur de la prison est un imbécile, disait Shinzaémon. J'aurais dû lui trancher la tête. Impossible de lui faire entendre raison ou de le soudoyer. J'aurais dû entrer de force et le tirer de là…

Elle devina qu'il parlait du père de Yuki.

— Tu as fait tout ce que tu pouvais, Shin, répondit Toranosuké. Crois-moi, tu auras d'autres occasions de tuer. Faisons de notre mieux et assurons-nous une mort glorieuse au combat.

Shinzaémon ne répondit pas.

— Tu as entendu les gardes au poste de contrôle ? demanda soudain Toranosuké.

— Bien sûr. Ainsi, notre maître a fui Edo.

Engourdie par le froid et les mouvements cadencés de la litière, Sachi s'anima brusquement en entendant mentionner le nom d'Edo.

— Il paraît qu'il s'est réfugié au temple de Kanei-ji. Il aurait l'intention d'entrer dans les ordres.

Au mépris qui transpirait dans sa voix, Sachi devina que Toranosuké parlait du seigneur Yoshinobu.

— Les ordres, rien que ça ? cracha Shinzaémon. Dis plutôt qu'il se cache des armées qui marchent sur Edo. Il préfère se rendre que de combattre ! Et nous verserions notre sang pour un tel lâche ?

— Nous n'avons pas le choix, rétorqua Toranosuké. Nous avons servi les Tokugawa pendant des générations. Ce n'est pas pour lui que nous nous battons, mais pour le clan et le parti du Nord. Combattre jusqu'à la mort, voilà notre mission. Peu importe ce que fait le shogun ou même ce qu'il est. Il nous faut serrer les rangs devant l'ennemi. Ces sauvages détruisent tout sur leur passage pour briser sa résistance. Ils prétendent vouloir repousser les barbares étrangers, et pourtant ils possèdent des armes anglaises.

— Il paraît que les rebelles se sont donné le titre d'armée impériale, fit la voix grave de Shinzaémon. Ils veulent nous persuader que l'empereur est notre seul seigneur, et que tous ceux qui s'opposent à lui sont des traîtres.

— De nombreux daimyo attendent de voir de quel côté souffle le vent, reprit Toranosuké. Ils se rallient aux rebelles les uns après les autres, de peur d'être considérés comme des traîtres.

— Nous ne pouvons pas gagner. Si, comme l'exige notre devoir, nous restons aux côtés du shogun, nous passerons nous aussi pour des ennemis de la nation !

— Seulement si les Tokugawa sont vaincus. Assurons-nous que cela n'arrivera pas. S'ils tombent, ils entraîneront le gouvernement et le pays entier dans leur chute. Alors, ces maudits étrangers nous envahiront. Ils sont comme des mouches autour d'un cadavre.

Si le seigneur Yoshinobu avait laissé le château aux rebelles, qu'était-il advenu de la princesse et de la Retirée ? Plutôt que de supporter l'humiliation de la fuite ou de la captivité, elles préféreraient mettre fin à leurs jours. Quant aux espions mentionnés par le garde, ils recherchaient probablement la concubine de Sa Défunte Majesté. Sachi trembla en songeant au seigneur Iemochi. Puis elle se rappela ses heures d'entraînement aux armes et retrouva au plus profond d'elle-même la froide détermination qu'on lui avait enseignée. Elle était avant tout un soldat, une femme de glace et de feu, l'épouse d'un Tokugawa. Cela, elle ne devait jamais l'oublier.

— Et cette folle expédition, reprit Toranosuké un ton plus bas. Certes, c'est un bon subterfuge de voyager avec des femmes. Mais nous fonçons droit dans la gueule du loup, et nous ne sommes que trois… Tout cela pour les caprices d'une dame de cour ? Pourquoi cet intérêt subit pour les femmes ? À trop les fréquenter, tu y perdras ta virilité. Il faudra nous débarrasser d'elles avant d'avoir perdu toute ardeur au combat !

Ce soir-là ils firent halte dans une auberge misérable à l'entrée d'un village. Les femmes n'étaient pas encore descendues de leurs litières que les hommes disparurent avec les porteurs.

Brisée par cet interminable périple, Sachi étira son dos endolori et défroissa son kimono. Puis elle se regarda dans un miroir. Son visage était encrassé, ses cheveux en désordre et gris de poussière.

Taki se massa le cou en grimaçant.

— Je suis tout ankylosée, gémit-elle.

Sachi sourit, prit son peigne dans sa manche et entreprit de démêler les cheveux de sa suivante. Aussi loin que leur route les mènerait, elle savait que Taki ne l'abandonnerait jamais. Quel réconfort d'avoir à ses côtés une amie aussi fidèle !

La salle commune de l'auberge était sombre, humide et beaucoup plus petite que leur chambre de Kano. La propriétaire, une femme toute ratatinée, leur servit des brochettes de grives, des légumes en saumure et de la viande de sanglier, mais les trois voyageuses n'avaient guère d'appétit. Après que la vieille femme se fut éloignée, elles restèrent silencieuses à jouer avec leur nourriture. La même pensée hantait leur esprit.

— Je me demande ce qui se passe à Kano, soupira subitement Yuki.

Son visage enfantin exprimait une gravité inhabituelle, comme si elle avait vieilli de plusieurs années en une journée.

Pour lui changer les idées, Sachi se mit à évoquer son village. Elle lui décrivit le torrent bondissant, les levers de soleil qui rosissaient les cimes, les toits de tuiles, les forêts où elle jouait enfant. Elle lui parla de sa mère, si douce, des grandes mains de son père, toujours à la tâche, de la grande et vieille demeure aux planchers de bois poli. Comme ils lui avaient manqué !

Il lui revint alors que le village était situé sur la Route intérieure. Il y avait donc de fortes chances pour qu'ils le traversent.

Soudain elle eut comme une révélation. Elle ne voulait pas aller à Edo, du moins pas tout de suite. Personne ne viendrait les chercher dans un petit village perdu dans les montagnes. Elles y seraient toutes trois en sécurité en attendant que la situation s'apaise.

C'était aussi la dernière occasion qu'elle aurait de revoir sa famille. Le calme revenu, elle retournerait au palais pour y vivre en recluse. La concubine du défunt shogun ne pouvait échapper à son destin.

Bien sûr, le village avait pu changer depuis son départ. Peut-être même qu'il n'existait plus. Sachi ne se rappelait pas son emplacement exact. Elle savait seulement qu'elle devait s'y rendre.

V

Ils rejoignirent la Route intérieure à Mitaké. Devant eux se dessinait la ligne tourmentée des montagnes.

— À partir d'ici, nous irons à pied, décida Toranosuké. La pente sera bientôt trop raide pour les litières. Et puis, nous attirerions trop l'attention.

Le chemin escarpé serpentait entre des éboulis de roches et des pics volcaniques qui déchiraient les nuages. Ils atteignirent le poste de contrôle de Hosokuté dans l'après-midi. Des gardes vérifiaient l'identité des voyageurs aux portes de la ville. Vingt soldats armés de fusils s'approchèrent d'eux. Les femmes, qui se cachaient derrière leurs écharpes, ne furent pas inquiétées. En revanche, les hommes durent subir un long interrogatoire.

— On vous connaît, les gens de Kano, rugit un des gardes. Vous nous avez causé assez de problèmes… Ces laissez-passer, ils ont été signés par les autorités compétentes ?

— Je me moque bien de votre politique, marmonna Shinzaémon avec un fort accent rural. On m'a demandé d'escorter ces femmes auprès de leur famille, dans l'arrière-pays. Je me contente de suivre les ordres.

— Vraiment ? Je l'espère pour toi. L'armée impériale est en route. Si elle te rattrape, tu auras intérêt à les convaincre que tu te trouves du bon côté.

— Ces hommes sont comme les mauvaises herbes qui se couchent sous le vent, gronda Shinzaémon dès qu'ils furent hors de portée. Je parie qu'il y a quelques jours encore ils appartenaient au shogun. Et voilà qu'aujourd'hui ils obéissent à l'empereur ! Essayons de poursuivre notre route sans nous faire repérer. Et, si on nous pose trop de questions, attaquons les premiers.

Au-delà d'un alignement d'auberges branlantes, des à-pics vertigineux se dressaient vers le ciel. Si Taki et Yuki restaient bouche bée devant ce spectacle, Sachi n'y prêtait guère attention. Les sommets qui dominaient son village n'étaient pas moins impressionnants. Pourtant, enfant, elle les escaladait avec l'agilité d'un petit singe.

La piste traversait une succession de forêts. Les pierres plates qui délimitaient la chaussée étaient couvertes de glace et de neige. Taki et Yuki trébuchaient et glissaient à chaque pas. Elles avaient acheté en ville des bottes de paille ainsi que des bâtons de marche, mais leur progression n'en demeurait pas moins laborieuse et ardue.

Au début, Sachi peinait autant que ses compagnes dans la montée. Mais, quand elle s'arrêta pour reprendre son souffle, elle les vit assises loin en dessous d'elle. Debout à leurs côtés, Toranosuké et

Tatsuémon attendaient patiemment qu'elles trouvent le courage de se remettre en route.

Après toutes ces années, elle se sentait à nouveau des jambes de sauvageonne. Elle avançait à une allure régulière, savourant l'air vif qui emplissait ses poumons.

Loin devant, Shinzaémon se mouvait avec l'aisance d'un renard. Sorti de l'atmosphère étouffante de Kano, il semblait heureux et débordant d'énergie.

En quelques foulées rapides, elle réussit à le rattraper. Il eut l'air surpris de la voir surgir à ses côtés. Le soleil d'hiver avait hâlé son beau visage. Une barbe naissante ombrait son menton et la sueur qui luisait sur son large front sentait le sel. Contrairement aux courtisans, il n'avait pas l'habitude de se parfumer. C'était une des choses que Sachi aimait en lui.

Essoufflée par l'effort qu'elle venait de fournir, elle coula un regard vers lui et sentit le sang affluer à ses joues.

— C'est une longue montée, dit-il en fronçant les sourcils, comme s'il réprimandait une enfant désobéissante. Encore quatre *ri* jusqu'au prochain relais. Prenez votre temps.

Sachi détourna les yeux. Son cœur battait à grands coups, et pas simplement à cause de l'altitude.

Elle se trouvait seule avec lui, mais il était trop tard pour se soucier des convenances. Il y avait tant de choses qu'elle aurait voulu lui demander. Cette fleur, cette orchidée… La lui avait-il offerte pour lui faire comprendre qu'elle était hors de sa portée, ou pour quelque autre raison mystérieuse ?

Comme elle risquait un coup d'œil dans sa direction, elle vit qu'il la regardait également. Ils étaient là, immobiles, sous le ciel balayé de nuages.

Il lui tendit la main.

— Marchons ensemble, dit-il enfin.

La montée était difficile, mais Sachi voyait à peine la piste, enivrée par la présence de l'homme à ses côtés, par son souffle régulier, par la chaleur de son corps si proche. Le silence était tel qu'elle pouvait presque entendre battre son cœur.

Plus ils montaient, plus la neige gagnait en épaisseur. Un vent âpre giflait leurs joues et les pénétrait jusqu'aux os. Les pieds de Sachi étaient deux blocs de glace, mais elle s'en apercevait à peine. Elle s'arrêta pour contempler la morne plaine à leurs pieds, tachetée de neige comme un tissu rapiécé, et, au loin, la ligne déchiquetée des cimes qui se perdaient dans les nuages.

— Le mont Hakusan, dit Shinzaémon en tendant un bras robuste. Et là, le mont Ibuki. Ah ! regardez de ce côté. Vous la voyez ? La mer… Et là-bas, à l'horizon, c'est Kyoto.

À quelques dizaines de mètres du sommet, ils firent halte dans un petit pavillon de thé. Une fumée âcre leur piquait les narines tandis qu'ils tendaient les mains vers le foyer. La salle était remplie de voyageurs, mais Sachi avait à peine conscience du crépitement du feu, du bruit des bols, du brouhaha des conversations. Durant quelques précieux instants, Shinzaémon et elle s'étaient libérés de leurs familles, de leurs devoirs et même de leur statut social. Il n'y avait qu'eux, la montagne et les nuages qui se bousculaient au-dessus de leurs têtes.

— Où avez-vous appris à marcher ainsi ? l'interrogea Shinzaémon. Pas au château d'Edo, c'est évident.

— Je me sens revivre dans ces montagnes, répondit-elle doucement.

Il serra sa petite main dans sa grande paume rugueuse, avec délicatesse, comme un trésor rare. Sachi se tut, savourant le contact rassurant de sa peau contre la sienne. Comme elle, il aspirait à changer leurs destins. Comme elle, il savait que c'était impossible.

Quel avenir avait-il ? Une mort glorieuse au combat ou, s'il survivait, un mariage arrangé de longue date par ses parents. Il n'était qu'une petite fourmi dans une fourmilière, une abeille bourdonnant autour d'une ruche. Même s'il avait endossé le manteau d'un rônin, d'un hors-la-loi, pour finir, il appartenait à sa famille, son clan, sa ville.

Quant à elle… Où étaient sa famille, son clan, sa ville ? Elle pouvait imaginer la vie future de Shinzaémon, mais la sienne… ?

— Qui êtes-vous, dame Sachi ? demanda-t-il soudain avec une lueur de malice dans le regard.

— Pourquoi vous le dirais-je ? répliqua-t-elle sur le ton de la taquinerie.

L'altitude lui donnait une sensation d'ivresse. Quelle importance si elle lui dévoilait son secret ? De toute façon, il le découvrirait bientôt.

— J'ai grandi dans la région de Kiso, dit-elle. Mes parents vivent encore là-bas. Notre village se trouve sur la Route intérieure, au cœur des montagnes, précisément sur notre itinéraire. Je souhaite m'y arrêter avec Taki et Yuki. Nous y serons en sécurité.

Elle regretta aussitôt ses paroles : lui, un samouraï, comment réagirait-il en apprenant qu'elle n'était qu'une modeste paysanne ?

— Un village ? murmura-t-il, incrédule.

— Mes parents – ou plutôt, mes parents adoptifs – sont des samouraïs de province. Mais j'ai servi plusieurs années au château d'Edo.

Elle aurait voulu préciser qu'elle avait été adoptée par la maison de Sugi, porte-bannières du daimyo d'Ogaki. Mais elle était beaucoup plus que cela : elle était la Retirée Shoko-in, concubine bien-aimée de Sa Défunte Majesté – un secret bien trop dangereux pour être jamais révélé.

Il la regarda comme s'il la voyait pour la première fois, puis il retourna lentement sa main et caressa sa paume blanche de ses rudes doigts de guerrier.

— J'ai cru que vous viviez au-dessus des nuages, dit-il doucement. J'ai pensé que je pourrais seulement vous admirer à distance. Et voilà que… vous êtes un être humain, comme moi.

Il se pencha vers elle.

— Vous me faites penser à Momotaro, murmura-t-il.

Sachi esquissa un sourire timide. Momotaro, le petit garçon né d'une pêche… Sa grand-mère lui avait raconté l'histoire de ce vieux bûcheron et de son épouse qui suppliaient les dieux de leur accorder un enfant. Un jour que la vieille femme faisait sa lessive au bord du fleuve, une pêche géante était apparue devant elle. Quand elle avait coupé le fruit en deux, un beau bébé en était sorti et avait sauté dans ses bras.

Comme Sachi, Momotaro ne restait pas dans son village. Devenu homme, il débarrassait le royaume de ses ogres. À la fin de l'histoire, il revenait chez lui pour retrouver le vieux bûcheron et son épouse qui l'attendaient – tout comme les parents de Sachi devaient rêver de la serrer à nouveau dans leurs bras.

Durant toutes ces années, elle avait langui de son village. La veille encore, elle croyait savoir ce qu'elle voulait, mais à présent elle n'était plus sûre de rien. Une fois qu'ils seraient arrivés, Shinzaémon poursuivrait son chemin jusqu'à Edo et elle ne le reverrait jamais. Juste au moment où ils commençaient à se découvrir, il leur faudrait se séparer.

Un nuage cacha brusquement le soleil. Sachi frissonna.

— Comme une pêche, murmura-t-il, posant un doigt sur sa joue.

Ils échangèrent un long regard. Puis Shinzaémon sursauta, comme s'il s'éveillait d'un rêve, et il écarta sa main.

— Quel sortilège exercez-vous sur moi ? gronda-t-il d'un air sévère. Vous me rendez la vie trop précieuse. Je dois être prêt à mourir. Sinon, comment aurai-je le courage de combattre ?

Par la porte ouverte, Sachi vit leurs compagnons venir vers eux, suivis d'une file de porteurs courbés sous de volumineux paquets.

— Je suis censé être un homme et un soldat, reprit Shinzaémon. Peut-être Toranosuké a-t-il raison. À trop fréquenter les femmes, on finit par devenir comme elles. Si mon père me voyait, il aurait tellement honte qu'il se tuerait.

Les yeux de Sachi s'emplirent de larmes. Elle ne méritait pas des paroles aussi cruelles. Elle prit une profonde inspiration pour calmer les battements de son cœur. Elle devait se montrer forte, ne serait-ce que pour Taki et la petite Yuki.

Elle avait été stupide de croire qu'ils pourraient changer le cours de leurs vies. Shinzaémon avait raison de lui parler aussi durement. De cette façon, il lui serait plus facile d'oublier ce qui avait failli les réunir…

La descente fut ardue. Sachi tenait la main de Yuki et Taki dans les parties les plus escarpées. Elle avait honte d'avoir abandonné ses compagnes, d'avoir laissé ses sentiments l'emporter sur ses devoirs. Elle n'était plus une enfant. Elle aurait dû savoir qu'elle n'était pas libre.

Elle s'attendait à ce que Taki la gronde pour s'être retrouvée seule avec un homme, mais la petite suivante ne dit mot. Elle semblait à peine avoir remarqué son absence.

Sachi l'étudia du coin de l'œil. Absorbée par ses tourments, elle en avait négligé sa suivante. Celle-ci paraissait dans un état second, les joues rosies, ses grands yeux étincelants. Sachi ne l'avait encore jamais vue aussi jolie. Son visage était devenu plus doux, plus féminin.

C'est alors qu'elle la vit jeter un regard timide en direction de Toranosuké et rougir.

Ils marchèrent en silence le reste du jour, évitant autant que possible la route principale. Sachi ne cherchait plus à rattraper Shinzaémon. Elle espérait encore le voir se retourner pour la regarder, mais il n'en fit rien.

Elle repensa à Taki, à son émoi en présence de Toranosuké. C'était vraiment un beau garçon, aux traits fins et délicats. Bien qu'il ait passé presque toute sa vie à la guerre, sa peau n'était pas brûlée par le soleil comme celle de Shinzaémon. Malgré ses manières courtoises, son corps mince et musclé rappelait qu'il n'en était pas moins un guerrier. Il y avait autre chose, encore, qui faisait de lui l'incarnation de la philosophie des samouraïs : cette distance qu'il conservait toujours envers les femmes. Tatsuémon était constamment à ses côtés.

Jusqu'à ce jour, Sachi ne leur avait pas prêté beaucoup d'attention, mais elle ne put s'empêcher de remarquer l'adoration qui se lisait dans le regard de Tatsuémon chaque fois qu'il posait les yeux sur son maître.

Quoi d'étonnant ? La relation entre Toranosuké et Tatsuémon était évidente pour quiconque voulait prendre la peine de s'y intéresser. En tant que samouraï formé selon la plus pure tradition, Toranosuké avait passé sa vie parmi les hommes, persuadé que la fréquentation des femmes ne pouvait que l'amollir. Taki l'avait-elle compris, ou ses sentiments l'avaient-ils aveuglée ? Toranosuké et Tatsuémon étaient unis par cette sorte de lien que la société réprouvait sans pour autant l'empêcher, parce qu'il n'en menaçait pas le fonctionnement et n'interférait en rien dans les projets de mariage que leurs familles avaient conçus pour eux.

Il n'en allait pas de même pour Sachi et Shinzaémon. Leur attirance transgressait des interdits bien plus puissants.

VI

Le lendemain, à l'aube, le chant rauque des coqs interrompit les rêves de Sachi. Comme ils traversaient un village de montagne, elle respira des effluves de feu de bois apportés par la brise, entendit le murmure d'un torrent en contrebas de la route. Le vent faisait voler ses cheveux, le soleil éclaboussait d'or les éboulis de roches.

Elle comprit qu'elle était presque à la maison.

Mais pourquoi les gens avaient-ils l'air si pauvres ? À l'entrée d'un autre village, ils virent les habitants accourir pour tendre vers eux leurs chapeaux de paille renversés, les suppliant d'y verser quelque aumône. Le visage creusé et sale, ils fixaient sur les voyageurs des yeux agrandis par les privations. Parfois, on entendait l'écho de flûtes et de tambours accompagnant un lancinant refrain : *Pourquoi pas ? Pourquoi pas ?*

Partout où ils passaient, on leur rapportait de sombres rumeurs. L'ennemi était sur leurs traces. S'étant déguisés en domestiques, Shinzaémon, Toranosuké et Tatsuémon dissimulèrent dans des malles l'un de leurs sabres – le plus long – ainsi que les hallebardes des femmes.

Ce soir-là, alors qu'ils se chauffaient les mains au-dessus du feu dans une taverne, ils surprirent une conversation entre deux clients.

— Chaque fois que je vois les armoiries du shogun, j'ai les larmes aux yeux, dit l'un.

Avec son visage rond, ses yeux globuleux et sa mine sérieuse, l'homme qui venait de parler ressemblait un peu à un poisson-lune. Vêtu comme un paysan, il n'en avait cependant pas le langage. Par les temps qui couraient, on ne savait plus qui était qui. Dans toutes les auberges, des affiches menaçaient de représailles quiconque tiendrait des propos à caractère politique, que ce soit autour d'un saké ou lors d'innocents bavardages entre femmes ou enfants. Mais qui pouvait imposer de telles règles ?

— Il est un peu tard pour ce genre de discours, grommela son compagnon, un homme plus âgé aux traits épais, aux petits yeux perçants.

Lui aussi portait des vêtements de paysan, mais ses mains étaient bien trop propres et manucurées pour duper quiconque.

— Tu crois que le nouveau gouvernement va réussir ? reprit le premier. Au moins, avec les shoguns, nous savions où nous allions. Le pays était paisible. Chacun pouvait assurer son existence. Mais ces soldats du Sud nous poussent à bout. Qui leur donne le droit de nous commander ainsi ? S'ils n'avaient pas les armes des…

Il s'interrompit et balaya la pièce d'un regard inquiet. Un silence de mort était tombé sur la petite assistance.

— De quel côté es-tu ? lança l'homme plus âgé sur un ton de menace à peine voilée.

Sachi l'étudia du coin de l'œil. C'était peut-être un espion rallié à la cause du Sud.

— Du côté de l'empereur, naturellement, répondit hâtivement son compagnon. Mais je soutiens aussi le shogun…

— Les seigneurs du Sud veulent la tête du seigneur Yoshinobu, coupa l'autre. Ils disent que c'est un traître et qu'il faudrait l'écharper vivant. Tu ferais bien de surveiller tes paroles ou, mieux, de n'avoir aucune opinion.

L'effroi glaça le cœur de Sachi. Si le seigneur Yoshinobu était exécuté, toute sa famille, proche ou éloignée, le suivrait dans la mort. Qu'adviendrait-il de la princesse et des trois mille femmes du château ? Et d'elle-même ? En tant que concubine du précédent shogun, elle devenait officiellement la belle-mère du seigneur Yoshinobu, sans l'avoir jamais rencontré.

Heureusement, seule Taki connaissait sa véritable identité. Pour leurs compagnons rônins, elle n'était qu'une simple dame de cour ayant servi de sosie à la princesse. Plus que jamais, il était vital qu'elle préserve son secret.

Vers le soir, après avoir franchi un nouveau col, ils s'arrêtèrent, fourbus, pour admirer le spectacle qui s'offrait à leurs yeux. Des sommets s'alignaient à l'infini contre l'horizon, de plus en plus pâles contre le ciel.

Sachi vit quelque chose briller en contrebas. En clignant les yeux, elle distingua un cours d'eau qui serpentait au fond de la vallée entre des falaises grises. Pouvait-il s'agir du fleuve Kiso ?

— Taki, Yu-chan, appela-t-elle. Regardez !

Elle tendit l'oreille, cherchant à entendre le torrent qui courait au pied des montagnes, gonflé de neige fondue. Elle se revit batifoler dans l'eau froide avec Mitsu et Genzaburo. Depuis, Genzaburo avait rejoint les rangs des combattants et Mitsu avait eu des enfants. Ils ne seraient pas au village pour l'accueillir.

Montant de la vallée derrière eux leur parvint l'écho d'un grondement de tonnerre. Le bruit grandit, devint de plus en plus assourdissant. Puis d'autres sons, plus discordants, se mêlèrent au tumulte. Sachi tressaillit violemment en reconnaissant des voix d'hommes braillant une étrange mélopée.

La plaine, à leurs pieds, grouillait de soldats avançant en files interminables entre la rive du fleuve et la forêt. Tel un raz-de-marée, ils se répandaient à travers la vallée.

Des soldats du Sud… Sachi aperçut même des chevaux tirant des canons.

— Vite, abritons-nous dans les bois, ordonna Toranosuké. Mieux vaut les laisser passer. Ces brutes n'épargnent ni femme ni enfant.

En un rien de temps, la route fut déserte. Sachi, Taki, Yuki et les trois rônins s'enfoncèrent dans les broussailles, trébuchant sur les pierres, glissant sur les plaques de neige qui tapissaient encore le sol par endroits, puis ils s'accroupirent et attendirent.

Le défilé se poursuivit pendant des heures. À travers les arbres, ils apercevaient de temps à autre l'éclat coloré d'une bannière claquant dans le vent. Un tambour marquait un rythme barbare et les voix des soldats avaient des intonations féroces.

Sachi parvint à saisir des bribes du refrain lugubre qu'ils scandaient :

Miya-sama, miya-sama…
Toko ton'yare, ton'yare na !
Majesté, Majesté, devant ton auguste cheval
Que vois-tu flotter si fièrement ?
Ne vois-tu pas les bannières de brocart
Jeter l'anathème sur tous les ennemis de la cour ?
Toko ton'yare, ton'yare na !

« Jeter l'anathème sur les ennemis de la cour… » Comment osaient-ils proférer de telles vilenies ? Dire que Taki et elle étaient obligées de se cacher dans les buissons pendant que ces truands du Sud avançaient avec l'arrogance joyeuse des conquérants, se proclamant les maîtres du pays… L'humiliation était trop lourde à supporter.

Shinzaémon tremblait de fureur.

— Assez ! gronda-t-il. Nous fuyons comme des lâches devant ces barbares. Laissez-moi me battre avec eux.

— Ne fais pas l'imbécile, lui rétorqua Toranosuké. Tu veux mourir sur la route comme un chien ? De plus grandes batailles nous attendent. Garde ta mort pour Edo.

Le soleil plongeait vers l'horizon, teintant les nuages de sang, quand la route redevint silencieuse. Les voyageurs commencèrent à émerger du bois. Ils avaient faim et se sentaient engourdis après ces heures d'immobilité. L'armée qu'ils venaient de voir n'était qu'une avant-garde. Il viendrait bientôt de nouvelles légions, encore plus nombreuses.

Au point de contrôle de Shinchaya, ils apprirent que le prochain détachement était attendu le jour suivant. Affamés, ils frappèrent aux portes de plusieurs tavernes, mais il n'y avait plus rien à manger. Les soldats avaient tout pris. Beaucoup plus tard, dans une auberge éloignée, ils réussirent à se faire servir un peu de thé.

Ils repartirent bien avant l'aube, soucieux de parcourir autant de *ri* que possible avant qu'un nouveau régiment ne les rattrape. Les femmes marchaient en tête, suivies par les porteurs, tandis que les hommes, toujours déguisés en domestiques, fermaient le cortège.

Ils cheminaient à travers la forêt quand ils virent un bataillon leur barrer la route. D'autres soldats émergèrent des fourrés. Ils étaient une trentaine en tout, vêtus d'uniformes crasseux, les cheveux hirsutes, la mine maussade. Certains portaient des épées, d'autres des fusils. D'autres encore brandissaient des bâtons.

Le cœur battant à se rompre, Sachi chercha à tâtons le poignard glissé dans sa ceinture. Pour les avoir vus à l'œuvre à Edo, elle savait que leurs compagnons étaient des guerriers accomplis. Mais, cette fois, le nombre des assaillants était trop inégal, et pour ne rien arranger, les trois hommes ne disposaient que de leurs sabres courts.

Le bataillon ennemi resserra les rangs pour bloquer toute la route. L'un des soldats s'approcha de Sachi, le visage tordu en un rictus qui découvrait ses dents gâtées. La jeune femme recula, saisie de dégoût devant son odeur. Il était si près qu'elle pouvait voir ses petits yeux inquisiteurs, les poils qui poussaient sur sa lèvre supérieure et les pores encrassés de son nez épaté. Quand il parla, son accent était si marqué qu'elle ne put comprendre un seul mot.

Il se rapprocha encore, le souffle court. Cinq ou six autres soldats se rassemblèrent autour de Sachi, l'air menaçant. Elle serra le manche de son poignard, prête à bondir. Hormis les séances d'entraînement, elle ne s'était encore jamais véritablement battue. Elle tenta de se rappeler les conseils de ses professeurs, mais son sang battait si fort à ses tempes qu'elle s'entendait à peine penser.

Les doigts de l'homme se refermèrent sur son bras. Tirant le poignard de sa ceinture, elle le plongea de toutes ses forces dans sa poitrine. À sa grande surprise, la lame s'enfonça dans les chairs aussi aisément que dans du tofu. Quand elle la retira d'un geste sec, un flot de sang chaud gicla sur son kimono. L'homme ouvrit les doigts et la considéra d'un air ahuri. Une écume rose moussait aux coins de ses lèvres. Les yeux vitreux, il poussa une sorte de soupir et s'affaissa comme une poupée de chiffon.

Sachi balaya la scène du regard, tous ses muscles tendus. Sa peur avait cédé la place à une calme détermination. Les autres soldats s'avancèrent pour l'encercler.

Soudain, Shinzaémon apparut à ses côtés. D'un seul coup de son sabre, il terrassa deux hommes et se tourna brièvement vers Sachi, comme pour s'assurer qu'elle était indemne. Ses yeux flamboyaient.

La manche retroussée de son kimono laissait voir sur son épaule droite un curieux tatouage en forme de fleur de cerisier. Les porteurs et les bandits portaient des tatouages. Mais un samouraï… ?

Le torse nu, le sabre levé, Toranosuké et Tatsuémon avaient pris place devant les femmes pour les protéger. Serrant son poignard dans sa petite main, Yuki avait les yeux brillants d'excitation.

Hurlant comme des bêtes sauvages, les soldats se jetèrent sur eux. Shinzaémon s'élança. Sa lame tournoyait si vite que les autres, gênés par le poids de leurs armes, ne parvenaient pas à parer ses coups. Un sabre fendit la mêlée pour le frapper dans le dos. Il fit volte-face, repoussa la lame et coupa la tête de son adversaire d'un seul mouvement. Les trois rônins frappaient, mutilaient, éventraient dans un fracas assourdissant. Un soldat chancela, la mâchoire disloquée, crachant le sang. Un autre hurla, le bras tranché net. Des corps désarticulés jonchaient le chemin. Les mourants râlaient tandis que les blessés s'enfuyaient.

Comme un des assaillants levait son fusil, Sachi ôta à la hâte une de ses épingles à cheveux et la lança vers lui. Un éclair de joie la traversa en voyant l'homme lâcher son fusil et plaquer les mains sur son visage ensanglanté.

Un souffle d'air sur sa joue lui signala qu'un soldat courait vers elle, le sabre levé. Elle pivota, para le coup à l'aide de son poignard et plongea la lame dans le cou de son agresseur.

Épouvanté, ce qui restait du bataillon ennemi tourna les talons et s'enfuit. Toranosuké leva son sabre et la lame fendit l'air pour se planter dans le dos d'un fuyard. L'homme s'immobilisa avant de s'écrouler, tué net. Quand Toranosuké récupéra son arme, le sang noir jaillit à gros bouillons. Le troisième rônin se lança aux trousses de l'ennemi, poussant des cris sauvages, et sauta sur le plus lent d'entre eux pour le terrasser et s'emparer de son épée et de son fusil. Frappant sans relâche, les trois hommes avançaient méthodiquement, décapitant les corps encore agités de soubresauts.

— Le gros de la troupe sera bientôt là, murmura Shinzaémon. Mieux vaut ne pas traîner.

Des têtes avaient roulé sur le sol. Des relents écœurants de sang, de sueur et d'excréments emplissaient l'air : l'odeur du massacre.

Les voyageurs qui avaient assisté à la scène se pressaient sous les arbres, n'osant bouger.

— Idiots ! cria l'un d'eux. Nous aurons des ennuis à cause de vous maintenant.

— Tu préfères te soumettre à ces bâtards ? répliqua un autre. Nous sommes avec vous, lança-t-il aux rônins.

Sachi essuya la lame de son poignard sur son kimono taché de sang. Ses mains tremblaient. Taki alla lui chercher un manteau propre et l'aida à l'enfiler. Après avoir nettoyé leurs sabres, les trois rônins se rhabillèrent. Sachi tentait de remettre de l'ordre dans sa coiffure quand elle sentit les yeux de Shinzaémon posés sur elle.

— J'en ai eu un, oncle Shin ! cria Yuki. Droit dans l'estomac !

Shinzaémon acquiesça d'un hochement de tête.

— Tu as bien agi. Ton père est vengé.

— Ce n'est pas encore fini, lâcha Yuki.

— Ainsi, c'était des rebelles, lâcha Sachi. Quelle racaille…

Shinzaémon eut un rictus méprisant.

— Bah, ce ne sont que des paysans. Violents, mais maladroits. Attendez que le reste de la troupe soit là. Alors, nous aurons de quoi nous distraire.

D'une voix radoucie, il enchaîna :

— On peut dire que vous savez vous battre.

— Je n'avais jamais tué personne avant. Et je ne pensais pas devoir le faire un jour…

Sachi se sentit remplie de fierté. Elle avait prouvé qu'elle pouvait utiliser une arme avec autant d'adresse et de sang-froid qu'un samouraï. Elle balaya du regard la scène du carnage. La première fois qu'elle avait vu autant de cadavres, c'était le jour de leur rencontre avec les trois rônins. À ce moment-là, elle avait été horrifiée. À présent, elle ne ressentait que de la lassitude et le sentiment gratifiant du travail bien fait. Après tout, ces hommes étaient des ennemis.

Elle jeta un coup d'œil à Taki, qui lissait ses cheveux comme s'il ne s'était rien passé.

— Il va falloir quitter rapidement les lieux, insista Toranosuké. Nous vous déposerons au village et partirons sans attendre. Le travail nous attend.

Dès lors, ils évitèrent soigneusement la route principale, coupant à travers bois ou longeant le bord des falaises, franchissant les précipices sur de vieilles passerelles branlantes. S'ils ne revirent pas les troupes du Sud, ils entendirent le tonnerre de milliers de pieds montant de la vallée et les accents lugubres de refrains victorieux.

Épuisées, les mains écorchées, Taki et Yuki souffraient en silence. Même les hommes en avaient assez de ces chemins étroits et difficiles. Sachi, elle, était aussi à l'aise dans cet environnement qu'aux jours de son enfance. C'était toujours elle qui repérait de minuscules sentes dans le rideau apparemment impénétrable de la forêt et faisait du bruit pour effrayer les sangliers et les ours. Des craquements et des cris de bêtes montaient des sous-bois obscurs, mais elle n'avait pas peur. Les porteurs suivaient, aussi agiles que des singes malgré leurs lourdes charges.

À la tombée de la nuit, ils trouvèrent une cabane d'ermite. Malgré son état de délabrement, elle offrait un abri sec et sûr. Ils balayèrent les feuilles mortes, construisirent un foyer de fortune et allumèrent un feu. Puis ils s'endormirent à même le plancher, enveloppés dans leurs vêtements de voyage. Sachi se réveilla ankylosée, les muscles encore endoloris par les efforts de la veille.

Ils suivaient le lit d'une rivière quand le paysage commença à lui paraître familier.

— Je sais où nous sommes, s'écria-t-elle. J'avais l'habitude de jouer ici enfant.

Son cœur se serra. Leur petite communauté était devenue sa famille. Une fois séparés, jamais plus ils ne se reverraient.

Leur sanglante confrontation avec les rebelles avait resserré leurs liens. Shinzaémon et Sachi marchaient désormais ensemble à la tête de leur groupe, même s'ils ne parlaient presque pas.

Devant un torrent qui bondissait au-dessus d'un éboulis de roches moussues, Sachi hésita, feignant d'avoir peur. Shinzaémon lui prit la main pour l'aider à traverser et ne la lâcha plus par la suite.

Ils s'assirent quelques instants au flanc d'un coteau. Au-dessous d'eux, la route serpentait dans l'ombre de la montagne. Des tas de neige ponctuaient le paysage. Des chiens aboyaient. Sachi aperçut à quelque distance des toits de bardeaux gris maintenus par des pierres. Une bonne odeur de feu de bois monta jusqu'à elle.

Son village.

D'un geste à la fois léger et précis, Shinzaémon caressa la joue et les cheveux de la jeune femme.

— Je ne connais que les combats, dit-il doucement. Dès l'enfance, chaque jour, je m'entraînais pour devenir un grand guerrier, ne faire plus qu'un avec mon sabre. Mais, aujourd'hui, le monde me semble différent. Plus vaste. J'étais décidé à mourir pour servir mon seigneur. Depuis que je vous connais, j'ai envie de vivre.

Il l'enveloppa d'un regard pénétrant.

— Ce visage. Jamais je ne pourrai l'oublier. Quand je combattrai, vous serez là, à mes côtés, comme vous l'étiez hier. Comme vous le serez encore à l'heure de ma mort.

— Je prierai de toutes mes forces pour que vous surviviez, souffla Sachi. Quand la guerre sera terminée, je serais heureuse de vous revoir.

Il lui prit les mains.

— Que ferez-vous ? demanda-t-il. Vous resterez ici avec votre famille ?

Troublée, Sachi ne sut quoi répondre.

— Nous avons été trop longtemps séparés, murmura-t-elle. Il me faut retourner au palais. C'est là-bas qu'est ma vie, désormais.

— Nous pouvons encore essayer d'atteindre Edo, dit Shinzaémon. Pourquoi ne venez-vous pas avec nous ? Les troupes ennemies seront ici d'un jour à l'autre.

Elle secoua la tête.

— Je souhaite voir mes parents. Je n'en aurai peut-être plus jamais l'occasion.

Il lui en coûtait de le laisser partir, sachant qu'elle ne le reverrait sans doute pas. Mais c'était son devoir. Elle leva sa manche devant ses yeux. Une vraie guerrière ne s'abaissait pas à pleurer.

Comme le reste du groupe approchait, Shinzaémon lui serra les mains.

— Vous venez d'un autre monde. C'est grâce à la guerre que j'ai pu rencontrer une femme telle que vous. J'ai promis de vous protéger. Je ne vous abandonnerai pas ici. Torakichi et Takeshi feront ce qui leur plaira, je les retrouverai à Edo dans quelques jours. En attendant, je reste avec vous, du moins jusqu'à ce que les troupes du Sud soient définitivement parties.

Elle le dévisagea avec stupéfaction, craignant d'avoir mal entendu. Des larmes roulèrent sur ses joues mais, cette fois, elle ne chercha pas à les cacher.

Sachi observa Taki tandis que Shinzaémon expliquait sa décision à Toranosuké. Si son visage était impassible, ses grands yeux demeuraient fixés sur Toranosuké, comme si elle espérait le voir rester aussi.

— C'est la guerre ! protesta Toranosuké. L'aurais-tu oublié, Shin ? Tu es la dernière personne que je m'attendais à voir mollir ainsi.

— Accorde-moi deux jours. Peut-être trois. Je vous retrouverai à Edo.

En riant, Toranosuké donna une tape sur l'épaule de Shinzaémon.

— Surtout, ne joue pas les héros. Pas de coup d'éclat solitaire, compris ?

Avec une pointe de tristesse, Sachi constata qu'il était parfaitement indifférent aux sentiments que Taki éprouvait pour lui. Mais les malheurs de sa suivante ne pouvaient ternir sa joie.

On se souhaita bonne chance et on se sépara avec les saluts et les remerciements de rigueur, puis Toranosuké et Tatsuémon montèrent à cheval et tournèrent bride avant de s'éloigner au galop en direction d'Edo.

En se tenant par la main, Sachi, Taki et Yuki s'engagèrent sur le chemin qui menait au village.

7

Un ruban de fumée

I

Sachi se retourna brièvement et vit la longue route frangée de pins serpenter vers la forêt, les montagnes qui cernaient la vallée tels les murs d'une forteresse : c'était dans ce décor majestueux qu'avec la petite Mitsu, Genzaburo et son petit frère Chobei elle avait regardé passer le cortège de la princesse. Elle se rappelait encore les bannières pointant entre les arbres, les appels flottant au-dessus de la vallée, à peine plus distincts que le murmure du vent : *Shita ni iyo, shita ni iyo !* – « À genoux ! À genoux ! »

Taki leva un doigt pour attirer son attention. De très loin montait un bruit sourd, semblable à celui qu'elle avait entendu des années plus tôt. On aurait dit le Kiso en crue, mais elle savait que ce n'était pas cela. Puis le bruit se rapprocha – fracas des tambours, refrains aux accents sauvages, grondement des sabots foulant la route.

La redoutable armée de pacification du Sud… Toujours plus nombreuse, elle se dirigeait droit vers le village.

Il n'y avait plus de temps à perdre. Shinzaémon et ses trois protégées se hâtèrent, glissant sur les pierres glacées du chemin. À l'entrée du village, ils s'arrêtèrent devant un grand panneau de bois indiquant les noms de toutes les familles, chacun gravé sur sa propre plaquette. À côté, une citerne d'eau et des seaux empilés en cas d'incendie. La neige recouvrait tout, purifiant le paysage.

Durant toutes ces années, Sachi avait chéri le souvenir des maisons de bois avec leurs toits de bardeaux gris, si propres et bien entretenues. Quand la vie lui semblait insupportable, elle se réfugiait dans l'espoir d'y retourner un jour. Et voilà que ce jour était enfin arrivé.

Mais quelque chose n'allait pas. Elle avait toujours vu le village plein de voyageurs, de femmes occupées à balayer la route et d'enfants qui ramassaient le crottin et les sandales de paille jetées sur le bas-côté. Les cliquetis des métiers à tisser, les grincements des roues se mêlaient au brouhaha des conversations. La dernière fois qu'elle s'était trouvée sur cette route, tout le monde attendait le passage de la princesse dans un climat d'excitation générale.

Mais ce jour-là, le village était vide et silencieux. Les coqs ne chantaient plus et les maisons avaient leurs stores baissés.

Sachi, Taki et Yuki remontèrent le bas de leurs kimonos pour avancer plus vite, les porteurs courant derrière elles. Ses deux sabres glissés dans sa ceinture, Shinzaémon avait la démarche chaloupée et quelque peu arrogante d'un samouraï. Ils dépassèrent l'auberge où vivait autrefois la petite Mitsu, s'arrêtèrent devant la taverne des parents de Genzaburo. De l'autre côté de la chaussée, un long mur signalait l'établissement tenu par les parents de Sachi.

Hors d'haleine, les voyageurs firent halte devant la grille flanquée d'un cerisier noueux que Sachi aimait escalader enfant. Un mur blanchi à la chaux dissimulait aux regards du commun les riches clients qui s'arrêtaient à l'auberge pour la nuit. Derrière la grille, la grande maison semblait triste et pas très entretenue, mais tout y était exactement comme dans ses souvenirs : la vigne rampante, le puits, les écuries… Mais qu'était-il arrivé à la rampe d'accès des palanquins ? Autrefois, Sachi était chargée de la garder en parfait état. À présent la chaussée était envahie de cailloux et les mauvaises herbes perçaient à travers la neige.

Sachi contourna le bâtiment et poussa la lourde porte en bois du logis familial. Elle hésita sur le seuil, redoutant ce qu'elle allait trouver, puis elle s'avança sur le sol en terre battue.

— Entrez vite ! lança-t-elle à ses compagnons.

— Mais c'est une maison de paysans ! s'écria Taki, horrifiée.

Si le spectacle d'un carnage ne la dérangeait guère, le fait de se mélanger avec des paysans représentait pour Taki la pire des déchéances.

Sachi sourit devant son air révulsé.

— Voici ma maison, dit-elle doucement. Ceux qui habitent là ne sont pas des paysans, mais des samouraïs de province.

À l'intérieur, un mince ruban de fumée montait vers le plafond. Des aiguilles de pin crépitaient dans le foyer. Accrochée au-dessus de l'âtre, une bouilloire de fer au couvercle noirci de suie se balançait.

— Il y a quelqu'un ? appela Sachi.

Sa voix résonna dans la pièce vide. Elle appela encore et encore jusqu'à ce qu'apparaisse enfin une femme courbée en deux dont le visage blême se détachait de la pénombre.

— Qui est-ce ? demanda-t-elle d'une voix chevrotante.

Malgré ses cheveux striés de gris, ses traits affaissés, son front creusé de rides, c'était bien le visage dont Sachi avait chéri le souvenir durant toutes ces années.

— Mère, dit-elle. C'est moi, Sachi. Je suis de retour.

Une main sur les reins, Otama lui jeta un regard pénétrant et ses yeux se mouillèrent de larmes.

— Sa… murmura-t-elle.

Péniblement, elle se laissa tomber à genoux, le front contre la natte de paille usée.

— Mère ! Je t'en prie, relève-toi ! s'exclama Sachi.

— Mon Dieu, comme tu as grandi ! Et comment tu parles ! Tu es une grande dame, à présent. Entrez vite. Les soldats peuvent arriver d'un instant à l'autre.

Son accent mélodieux, ses paroles simples et rassurantes émurent Sachi à l'égal du chant de l'eau sur les cailloux. Avant d'entrer, les quatre voyageurs délièrent leurs sandales de paille, secouèrent la poussière de leurs vêtements et essuyèrent leurs pieds pendant que les porteurs déposaient les bagages dans le couloir desservant les chambres.

Otama ne sembla pas particulièrement étonnée de voir sa fille accompagnée. Sachi avait oublié à quel point les choses étaient faciles à la campagne. La vie quotidienne n'était pas réglée selon les stricts principes de la cour. S'il était impensable qu'une femme de l'élite se retrouve seule avec un homme, ici, personne ne se souciait de ces choses-là. Hommes et femmes se mélangeaient sans gêne et il n'y avait rien d'inconvenant à voyager avec quelqu'un du sexe opposé.

Deux enfants entrèrent dans la pièce en trottinant et saluèrent. L'aîné releva la tête et fixa son regard grave sur Sachi qui reconnut ses cheveux en épi, son visage rond et intelligent.

— Chobei, tu te souviens de ta grande sœur ?

Chobei n'était encore qu'un petit garçon quand elle était partie pour Edo. À présent, il avait le même âge qu'elle à l'époque de leur séparation. Elle le revoyait encore dans son kimono brun, jouant avec un lézard sur la route en attendant le passage du cortège… Quant à la petite Omasa, le bébé qu'elle avait l'habitude de porter sur son dos, elle était morte. La fillette qui levait vers elle ses yeux immenses devait être Ofuki, née après son départ.

Sachi serra les enfants contre elle, respirant dans leurs cheveux des odeurs familières de terre et de feu de bois.

— Où es-tu allée ? demanda Chobei.

— Loin d'ici.

— Tu vas rester ?

— Je l'espère, dit Sachi, en souriant à sa mère.

— Reste, je t'en prie, insista la petite.

Yuki considérait Chobei avec étonnement. Les deux enfants avaient presque le même âge.

— Moi, en tout cas, je reste, lança-t-elle d'un ton décidé.

Et, pour mieux souligner sa détermination, elle hocha vigoureusement la tête, faisant voler ses couettes. Pour la première fois depuis qu'elle avait quitté Kano, un sourire éclairait son visage.

Otama décrocha la bouilloire, remplit la théière et disposa des bols autour de l'âtre. Tout en s'affairant, elle couvait Sachi d'un regard attendri, comme si elle avait l'intention de la garder à jamais près d'elle.

On entendit alors, venant de la route, un lointain grondement qui se rapprochait. Otama pâlit.

— Partez vite, dit-elle aux enfants.

Elle se tourna vers Shinzaémon qui fumait sa pipe en silence, les yeux fixés sur les braises.

— Vous ne pouvez pas rester ici, reprit Otama. Les soldats arrivent. Je sais que ce n'est pas très propre, mais il va falloir vous cacher au grenier.

— Je ne vous servirai à rien là-haut, rétorqua Shinzaémon.

Dehors, le tumulte se rapprochait.

— Elle a raison, intervint Sachi. Vous ne pouvez pas combattre une armée entière. S'ils ne voient que des femmes, ils nous laisseront tranquilles.

— En traversant le bois, ils ont dû trouver les corps de leurs compagnons, renchérit Taki. S'ils vous découvrent ici, ils se vengeront sur le reste de la maison.

— Faites ce qu'on vous dit, le supplia Sachi. Sinon, ils massacreront tout le village.

— Pas question de vous laisser seule.

— Vous ne pourrez pas nous protéger si vous êtes mort.

— Les soldats interrogent tous les hommes en âge de se battre, insista Otama. Ils s'en prennent à tous ceux qu'ils soupçonnent de sympathies pour le Nord.

Shinzaémon soupira.

— Ma foi, si vous y tenez…

— Restez caché tant que les soldats seront ici. Quoi que vous entendiez, ne sortez pas.

Sachi prit une chandelle et conduisit le rônin à une échelle au fond du couloir. Elle lui donna une lanterne et une mèche d'amadou puis souleva la trappe menant aux combles. Dans l'obscurité, elle vit luire ses yeux de chat tandis qu'il l'enveloppait d'un long regard avant de disparaître dans l'ouverture. Sachi laissa retomber la trappe et repoussa l'échelle. Comme elle rebroussait chemin, elle entendit grincer le plancher au-dessus de sa tête.

II

Otama se hâta de préparer à dîner pour les soldats pendant que Sachi, Taki et Yuki restaient auprès des enfants. Sachi ne cessait de repenser aux événements de la journée et à la décision de Shinzaémon de rester au village. Les mots qu'il avait prononcés sur la colline la hantaient : « Vous êtes une créature d'un autre monde. »

Elle contempla son reflet dans le miroir de sa mère et laissa courir un doigt rêveur sur sa joue blanche et lisse, sur l'arête de son petit nez droit. C'était ce visage que Shinzaémon voyait – et qu'il aimait.

Elle secoua la tête. Si elle se laissait emporter par la passion, Shinzaémon et elle pourraient finir décapités. Tant qu'ils étaient sur les routes, ils pouvaient encore se moquer des lois de la société. Mais au village il leur faudrait redoubler de prudence. Puis ils retourneraient à Edo et se diraient adieu, probablement à jamais. Pourquoi s'inquiéter de l'avenir, puisqu'ils n'en avaient aucun ensemble ? Seul comptait le présent.

— Eh bien, soupira Taki. Nous voilà seules à nouveau…

Devant sa maîtresse, la petite suivante tombait le masque et une tristesse infinie voilait ses grands yeux. Sachi entreprit de lui masser les épaules.

— Ne t'inquiète pas, lui souffla-t-elle en choisissant ses mots avec soin étant donné que Taki ne lui avait encore fait aucune confidence. Nous les reverrons à Edo. Quel caractère impulsif, ce Shinzaémon ! ajouta-t-elle aussitôt. Toranosuké est beaucoup plus calme. J'ai cru qu'il resterait aussi, mais il était trop impatient de rejoindre les alliés du Nord.

— Je ne sais pas ce qui va advenir, lâcha Taki. Je ne suis plus moi-même. Il faut que ces sentiments stupides disparaissent. Après tout, il est d'un rang inférieur au mien. Qu'espérais-je donc ? Devenir sa maîtresse ? Je suis une dame de cour, je passerai le reste de ma vie au palais des femmes. Il n'y a rien d'autre à attendre de la vie. Il y a tant de fumée ici, ajouta-t-elle en se tamponnant les yeux.

Sachi passa un bras autour de ses épaules et les deux femmes se blottirent l'une contre l'autre.

Plus tard, alors qu'elles venaient de s'endormir, un coup violent ébranla la porte. Un soldat fit irruption dans la pièce, suivi de plusieurs autres, puis d'autres encore. Bientôt, vingt ou trente hommes se bousculèrent dans la petite chambre, brandissant leur sabre, empestant le saké, la sueur et le tabac. Ils n'avaient même pas pris la peine d'enlever leurs sandales de paille. Sachi et Taki poussèrent les enfants dans un coin et s'agenouillèrent devant eux, le visage caché derrière leur manche de kimono.

— Ces hors-la-loi… Ils sont ici, j'en suis sûr, gronda l'un des hommes. Remettez-les-nous et nous vous laisserons tranquilles.

Sa voix rauque évoquait les jappements d'un chien. Tous ces soldats, d'ailleurs, ressemblaient à des chiens. Petits et trapus, la peau brunie par le soleil, les yeux aussi étroits que des fentes, ils portaient d'étranges vestes noires aux manches ajustées et des pantalons étroits. Certains avaient la tête entourée d'une large écharpe et le front protégé par une plaque de fer. Plusieurs portaient des peaux de bêtes sur les épaules.

Ils s'approchèrent des femmes d'un air menaçant. Sachi n'osait même pas échanger un regard avec Taki. Leurs hallebardes étaient hors de portée et les soldats bien trop nombreux pour qu'elles se défendent avec de simples épingles à cheveux ou des poignards. Et puis, il y avait les enfants… Tout le monde savait que les soldats du Sud étaient des brutes dépourvues de la moindre étincelle d'humanité. Mieux valait ne pas les provoquer.

— Ces fauteurs de troubles ont été aperçus dans les parages, aboya un solide guerrier au nez épaté, les joues mangées par une barbe hirsute. Il paraît que leur chef a un tatouage à l'épaule.

Il les enveloppa d'un regard soupçonneux.

— Plusieurs de nos hommes ont été massacrés par ces rebelles – au moins vingt, d'après les survivants.

Sachi ne put s'empêcher de se réjouir. Vingt ennemis morts ? Ils s'étaient bien battus !

— Si vous cachez ici des fugitifs, remettez-les-nous et nous ne vous ferons aucun mal.

Sachi était sur le point de répondre lorsqu'un soldat leva son fusil et défonça la porte d'un placard. Ses compagnons l'imitèrent aussitôt, déchirant impitoyablement les cloisons de papier, perçant le plafond de la pointe de leurs lances et de leurs baïonnettes en criant : « Nous t'aurons, bâtard ! On sait que tu es là ! Tu ne pourras pas te cacher éternellement ! » Un nuage de poussière tomba sur les hommes qui se mirent à tousser, à demi asphyxiés. Étourdis par le vacarme, les femmes et les enfants se pressaient les uns contre les autres.

Terrifiée, Sachi risqua un regard vers les combles, craignant de voir du sang sur une des lances. Pourvu que Shinzaémon ait eu la présence d'esprit de monter sur une poutre de la charpente !

Le plafond de bambou tissé pendait en lambeaux. Sachi se couvrit la tête de son écharpe et se leva. Pour se donner du courage, elle s'imagina dans la salle d'entraînement du palais, face à son adversaire.

— Qu'est-ce qui vous a pris d'entrer chez nous de cette manière ? demanda-t-elle.

Sa voix était aussi ferme que si elle s'était trouvée au palais, en train de donner des ordres aux domestiques.

— Il n'y a personne ici, poursuivit-elle avec autorité. Vous devriez avoir honte. Vous êtes dans la maison de Jiroémon, chef de ce village. Cessez de nous bousculer comme de simples paysannes. Pour qui vous prenez-vous ? Comment osez-vous ainsi détruire notre maison ?

La pièce devint silencieuse. Tous la regardaient sans mot dire.

— Il n'y a que des femmes ici, reprit Sachi. Nous n'avons rien à cacher. Si vous ne me croyez pas, je vais vous en donner la preuve. Suivez-moi.

Elle les conduisit de pièce en pièce, ouvrant chaque porte, chaque placard, prenant garde à les tenir éloignés du recoin sombre où était cachée l'échelle du grenier.

— Vous voyez ? Il n'y a personne ici à part nous.
— Ces femmes ont du cran, murmura un soldat à contrecœur.
— Tu l'as dit, approuva un de ses compagnons. C'est peut-être une fille de la campagne, mais elle a le cœur d'un samouraï. Laissons-les.

La petite troupe se dirigeait vers la porte quand le barbu se retourna et lança :
— On devrait quand même jeter un dernier coup d'œil.

Devant son regard soupçonneux, Sachi se réjouit d'avoir dissimulé son visage. Accompagné de quelques hommes, il regagna le couloir, levant sa lanterne pour en explorer le moindre recoin.

Sachi perçut alors un faible grincement au-dessus de sa tête. Priant pour que personne d'autre ne l'ait entendu, elle laissa tomber son écharpe et feignit de la chercher à tâtons avant d'en couvrir à nouveau son visage.

Un soldat s'approcha.
— Hé, regardez ça ! cria-t-il en lui arrachant son écharpe. Quelle beauté !

Il la prit par les épaules et la plaqua contre le mur. Sachi détourna la tête pour échapper à la vision de son visage grêlé dans lequel brillaient de petits yeux mauvais.

Les autres accoururent et se mirent à reluquer sans vergogne. Sachi se rappela qu'elle n'était qu'une paysanne à leurs yeux. Ils pouvaient s'amuser avec elle en toute impunité.
— Celle-là m'appartient, éructa l'homme au visage grêlé. Butin de guerre. Viens avec moi, ma fille.

Horrifiée, Sachi tenta de le repousser tout en cherchant son épingle à cheveux. Elle lui crèverait les yeux, même si ce geste devait lui coûter la vie.

Elle se rappela alors qu'une armée entière attendait dehors. Jamais elle ne pourrait se défendre, à moins d'entraîner la destruction totale du village.

L'homme commençait à lui arracher ses vêtements quand Taki s'avança, les yeux flamboyant de colère. Sans prendre la peine de dissimuler son accent de Kyoto, elle leur jeta d'un ton cinglant :

— Qu'êtes-vous donc ? Des animaux ou des hommes ? Vous devriez avoir honte. Nous sommes de fidèles sujets de l'empereur, et nous ne méritons pas d'être maltraitées par une bande d'animaux tels que vous ! Je ne sais qui vous cherchez, mais vous ne le trouverez pas ici !

Les hommes se turent, brusquement embarrassés. Étant revenu sur ses pas, leur chef se fraya un chemin entre leurs rangs serrés et tira violemment en arrière l'agresseur de Sachi.

— Veux-tu avoir la tête coupée ? rugit-il. Tu as entendu les ordres. Laisse cette femme ! Nous sommes censés gagner les gens du pays à notre cause, pas les terroriser. Il n'y a personne ici. Partons.

— Je reviendrai, menaça l'autre en jetant un regard haineux à Sachi. Je te le promets !

La petite troupe se retira en maugréant. Une fois la porte refermée, un silence accablé s'abattit sur la pièce. Encore tremblantes, Sachi et Taki s'entreregardèrent.

— Nous devrions nous assurer que Shin reste là-haut, souffla Taki. Ils reviendront sûrement. Ne disais-tu pas que nous serions en sécurité dans ce village ? Eh bien, ce n'est pas le cas.

Beaucoup plus tard, Otama vint les rejoindre.

— Ces officiers, soupira-t-elle. Ils veulent toujours plus de saké, toujours plus de nourriture. Et croyez-vous qu'ils paieront ? Bien sûr que non. Mais que faire ? Quoi qu'il en soit, ils ronflent maintenant.

Elle tressaillit en regardant autour d'elle. Malgré les efforts des deux jeunes femmes, des trous béaient dans les cloisons et les portes, le plafond déchiqueté pendait misérablement. Otama secoua la tête d'un air las.

— Et votre ami ?

Pour toute réponse, Sachi leva les yeux vers le plafond. Otama courut à la cuisine, souleva une lame du plancher et en sortit un récipient rempli de farine de sarrasin.

— C'est tout ce qui me reste, soupira-t-elle.

Elle jeta des bûches sous une grande marmite suspendue au-dessus du foyer et y versa la farine pour préparer de la bouillie. Après avoir rempli deux bols, elle plaça au-dessus quelques tranches de radis au vinaigre et les déposa sur un plateau avec deux paires de baguettes.

Sachi lui lança un regard étonné. Deux bols, elle pouvait le comprendre – Shinzaémon devait avoir faim – mais deux paires de baguettes ? Otama sourit sans rien dire.

— Donne-moi le plateau, dit Sachi.

Elle traversa la maison et remit l'échelle en place sous la trappe, puis elle frappa quelques coups discrets contre celle-ci avant de la soulever.

— Shin-kun ! appela-t-elle.

Levant haut sa lanterne, elle gravit plusieurs échelons et risqua un coup d'œil dans le grenier. Enfant, elle aimait y jouer à cache-cache parmi les outils cassés, les rouleaux de corde et les caisses dont les contours tremblotaient dans la lumière de la lanterne.

Sachi leva encore plus celle-ci et aperçut Shinzaémon. Enveloppé dans un édredon, il était assis sur le plancher poussiéreux, son sabre posé à ses pieds

— Vous êtes sauf… Que les dieux en soient remerciés, lâcha-t-elle, refoulant ses larmes. J'ai eu si peur…

— Je les ai entendus, dit-il. Vous avez bien agi. Si vous aviez hurlé, j'aurais jailli de ce trou pour les tailler en pièces.

— C'est une bonne chose que vous n'en ayez rien fait. S'ils vous avaient su ici, ils nous auraient tous tués. Au fait, j'ignorais que vous étiez aussi célèbre, vous et votre tatouage.

Alertée par un bruit soudain, elle tourna la tête et vit une rangée de dents blanches luire dans l'obscurité. Quelqu'un d'autre était accroupi à côté de Shinzaémon. Sachi retint son souffle. Malgré le passage du temps, elle aurait reconnu entre tous ce jeune homme dégingandé, aux cheveux hirsutes et à la mine espiègle.

— Genzaburo ! s'écria-t-elle. Que fais-tu ici ?

— Je me disais bien que j'avais déjà vu ce beau visage quelque part…

Malgré la fine moustache qui ombrait sa lèvre, il avait gardé une voix d'adolescent.

— Que fais-tu donc dans ce grenier ? répéta Sachi.

— Tu le vois, je m'emploie à rester en vie. Et ça n'a pas été facile, crois-moi, avec toutes ces lances et ces baïonnettes qui surgissaient de tous côtés. Shin et moi, on a dansé comme des beaux diables jusqu'à trouver une poutre sur laquelle se percher. Shin voulait descendre et les massacrer tous. J'ai eu du mal à le retenir.

Shinzaémon gardait les yeux fixés sur Sachi.

— Tu t'attendais à ce que je reste ici et la laisse seule avec ces brutes ? grogna-t-il.

Dans la clarté mouvante de la lampe, on aurait dit deux frères. Deux hommes apparemment trop jeunes pour mobiliser les efforts de tout un bataillon…

Plus tard, après qu'elles eurent tenté de réparer les dégâts causés par les soldats, Otama chuchota à l'oreille de Sachi :

— J'ai entendu cette racaille parler d'un bandit. S'agit-il de ton ami ?

— Ils exagèrent. Il est là pour nous protéger.

— Ne te fatigue pas à m'expliquer. Tu es notre petite, c'est tout ce qui compte. Et Genzaburo, ajouta-t-elle, avec un bon sourire. Si tu savais l'agitation qu'il crée dans la vallée ! Nul ne peut dire combien d'ennemis il a tués à lui seul… Quoi qu'il en soit, nous devons nous tenir sur nos gardes.

Sachi lui jeta un regard attendri. Malgré ses cheveux gris et clairsemés, ses articulations enflées, son visage ridé, Otama irradiait le calme et la bonté. Sachi enrageait de la voir, après tant d'années de rude labeur, subir les brutalités de ces soldats qui se pavanaient en détruisant ce qu'elle avait construit avec tant de patience.

— Ainsi, les officiers ennemis ont pris leurs quartiers dans notre auberge ?

— Nous n'avions pas le choix. Ton père a reçu l'ordre de leur fournir des lits et de la nourriture. Les affaires périclitaient depuis que la route était devenue déserte. Plus aucun daimyo ne s'arrêtait chez nous, et l'auberge était trop chère pour les voyageurs ordinaires. Pas de clients et vingt chambres à entretenir…

Je n'arrête pas de faire le ménage, mais c'est devenu trop dur pour moi.

« Tu te rappelles quand nous préparions les chambres ensemble ? Tu as toujours été si douée pour faire les bouquets… Tu adorais ça. Et père s'asseyait là, causant avec Leurs Seigneuries – si nobles, si dignes. Les maîtres arrivaient chaque année à la même date. Nous savions exactement combien d'hommes voyageaient avec eux, quelles quantités de nourriture et de lits leur fournir. Et nous étions bien payés en retour, assez pour entretenir toute la maisonnée…

Il y eut un long silence.

— Puis il y a eu la famine, reprit Otama. Les récoltes ont été bien mauvaises depuis ton départ.

Encore une longue plage de silence. Sachi avait le sentiment que sa mère voulait lui dire quelque chose, mais rien ne vint.

Tard dans la nuit, la porte s'ouvrit et quelqu'un se glissa dans la pièce. Sachi savait que c'était son père, mais il était trop tard pour parler.

Il s'étendit sur le tatami auprès du reste de la famille. Quand Sachi s'éveilla le lendemain, il avait disparu, tout comme Shinzaémon et Genzaburo.

Le lendemain, à la lumière du jour, Sachi put mesurer l'importance des dégâts causés par les soldats du Sud. Des torches noircies jonchaient la route, les bas-côtés s'étaient effondrés sous le poids des hommes et des chevaux, les roues des canons avaient creusé de profonds sillons dans le magma de boue et de neige qui recouvrait la chaussée. Les enfants couraient en tous sens, ramassant le crottin, les sandales usées et les fers à cheval.

Sachi était sortie pour aider sa mère à arranger les abords de l'auberge. Elle jetait de fréquents coups d'œil à la ronde, craignant le retour de l'homme au visage grêlé. Sous le soleil du matin, le village semblait pauvre et plus petit que dans ses souvenirs. La totalité des maisons aurait pu tenir sur les terres du clan des Sato. Quant à la ville de Kano, elle serait entrée tout aussi facilement dans l'enceinte du château d'Edo.

Le château d'Edo... Sachi éprouva un brusque élan de nostalgie. Elle n'était plus la fillette insouciante pour qui le village représentait l'univers entier. En soupirant, elle alla rejoindre les autres villageois occupés à réparer la route.

En écoutant les conversations, elle apprit que la fille d'un garde avait été violée par un soldat du Sud alors qu'elle lavait son linge à la rivière. Le coupable avait été tué et sa tête, rapportée dans un seau par les villageois, allait être clouée sur un pieu de bambou et exposée aux yeux de tous pendant trois jours. Une punition d'une gravité extraordinaire pour un acte habituellement toléré. La victime n'était-elle pas qu'une simple paysanne ? Apparemment, l'armée de pacification entendait prouver aux villageois que le nouveau régime leur apporterait protection et sécurité.

La nouvelle du retour de Sachi avait déjà fait le tour de la communauté. Tous accoururent pour saluer celle qu'on n'avait pas vue depuis plus de six ans et admirer son allure de grande dame.

— Sachi, comment vas-tu ? Tu te souviens de moi ?

Une femme à la bouche trop grande s'approcha de Sachi. Elle avait un bébé attaché sur le dos et deux enfants en bas âge pendus à sa robe rapiécée.

— C'est moi, Shigé !

Shigé, la jeune épouse du frère de Genzaburo ! Sachi se rappela combien elle l'enviait autrefois, quand Shigé était encore la reine du village. À présent, elle avait un visage tanné par le soleil, le front creusé de rides, et elle commençait déjà à se voûter. Comment avait-elle pu vieillir aussi vite ?

Kumé – l'épouse du fils du fabricant de *geta* – les rejoignit en boitillant. Elle aussi avait terriblement changé et vieilli. Seule Oman gardait encore un peu de sa fraîcheur, malgré ses mains crevassées et ses joues striées de veinules rouges.

Sachi regardait ses anciennes compagnes lui sourire et s'esclaffer. Elle n'avait pas besoin de les questionner pour savoir ce qu'avait été leur existence depuis son départ : un nouvel enfant chaque année, dont beaucoup étaient déjà morts. Elles avaient élevé les survivants, cuisiné, nettoyé, puisé l'eau, lavé le linge dans le torrent, cultivé leur maigre lopin de terre. Comment pouvaient-elles seulement imaginer la vie qu'elle avait menée au palais ?

— Regarde-toi ! s'exclama Shigé. Aussi jeune et belle qu'une princesse !

— Quand des gens de la ville passaient sur la route, nous leur demandions toujours des nouvelles d'Edo, intervint Oman. Nous nous inquiétions de ton sort, surtout depuis les troubles survenus là-bas. Mais, tu sais, nous aussi, nous avons eu nos ennuis…

Elles ne lui demandèrent pas où elle avait été ni ce qu'elle avait fait, peut-être pour ne pas s'effrayer de l'abîme qui les séparait à présent. Sachi pensa à Urashima, le jeune et séduisant pêcheur du conte. Courtisé par la fille du roi dragon, il passait trois années dans son palais sous la mer, à danser, festoyer et s'ébattre avec sa belle. Quand il regagnait son village, tout avait changé. Il finissait par rencontrer une femme très âgée qui se rappelait avoir entendu parler, enfant, d'un pêcheur disparu en mer. Le jeune homme n'était pas resté trois ans, mais trois siècles, loin de chez lui.

Trop de choses s'étaient produites en l'absence de Sachi pour qu'elle puisse combler le vide qui la séparait de ses anciennes amies. Comme Urashima, elle aurait voulu remonter le temps, mais il était trop tard.

Le conte se terminait mal. La fille du roi dragon avait confié à Urashima une boîte en lui recommandant de ne jamais l'ouvrir. Comme le jeune homme, inconsolable, était assis sur la plage déserte, il lui venait à l'esprit que cette boîte était le seul bien qui lui restait. À peine l'avait-il ouverte qu'un ruban de fumée s'en échappait : les trois cents années qu'il n'avait pas vécues. En quelques secondes, les cheveux d'Urashima blanchissaient, son corps se ratatinait et il ne demeurait de lui qu'un petit tas de poussière sur le sable.

III

Assis près de l'âtre, Jiroémon, le père de Sachi, discutait avec Shinzaémon et Genzaburo. De minces fils de fumée s'échappaient de leurs pipes à longs tuyaux. Les visages étaient graves.

— Alors comme ça, ils le considèrent comme un traître ? disait Jiroémon. Ils finiront par demander sa tête.

— Ils l'ont déjà fait, grommela Shinzaémon.

Sachi s'attarda sur le seuil pour les écouter. Elle devina qu'ils parlaient du seigneur Yoshinobu.

Elle se laissait pénétrer par les accents profonds de Shinzaémon, savourant le son de sa voix. Elle aimait l'entendre parler librement, employant le rude langage des hommes entre eux.

— Les armées ennemies ont envahi les trois axes principaux menant à Edo, reprit Shinzaémon. Les seigneurs locaux ont bien trop peur d'être arrêtés comme traîtres s'ils ne se rallient pas à leur cause.

Les trois hommes s'interrompirent en la voyant entrer.

— Je suis de retour, dit-elle simplement.

Taki cousait en silence dans un coin. Au matin, après le départ du dernier bataillon de soldats, la petite suivante était venue s'installer dans la salle de l'auberge, prétextant qu'elle se sentait mieux dans une vaste pièce au plancher recouvert de nattes frangées d'or, même vieilles et usées. Elle était aussi allée se promener dans le jardin d'agrément, mais elle refusait de se mêler aux gens du village. Sachi comprenait ses réticences : Taki avait toujours connu le secret des appartements du palais.

À l'entrée de Sachi, Taki se leva pour préparer du thé. Après avoir rempli les bols, elle se rassit sans plus de manières.

Jiroémon la remercia d'un bref salut, étonné d'être servi par une dame de si haut rang, puis il se tourna vers Sachi.

— C'est si bon de te revoir, ma fille, dit-il. Ma petite princesse… Tu as toujours été notre rayon de soleil…

Il remua les tisons puis versa une pincée de tabac dans le fourneau de sa pipe. Lui au moins n'avait pas changé, même s'il avait l'air plus âgé, plus raide, plus lent. Malgré ses cheveux striés de gris, il paraissait toujours aussi solide et rassurant. Sachi regarda ses mains puissantes, ses ongles noircis, et se rappela combien elle se sentait en sécurité quand, toute petite, elle se blottissait dans ses bras.

— Les temps sont difficiles, reprit-il. Les ténèbres s'étendent sur notre monde. Le prix du riz s'est envolé, tout comme nos impôts. La moitié de nos jeunes gens sont partis à la guerre, beaucoup ne sont pas revenus. Je fais de mon mieux pour maintenir l'ordre au village, mais c'est dur.

Il leva les yeux vers Shinzaémon et Genzaburo.

— Lorsque nos fils reviennent de la guerre, ils ne nous créent que des ennuis, ajouta-t-il avec un rire entendu. Prenez Genzaburo… Seuls les dieux savent ce qu'il a fait durant son absence.

— J'ai voyagé, répondit Genzaburo. J'ai rejoint la milice. Je n'aurais pas aimé tenir une auberge le reste de mes jours, ni couper des arbres pour payer notre dîme à tel ou tel seigneur. Autrefois, il fallait être un samouraï pour porter les armes, mais aujourd'hui on enrôle tout le monde, même les paysans. Je sais me battre mieux qu'un samouraï maintenant.

— Ah, tu crois cela ? grogna Shinzaémon. Seul le temps nous le dira.

— Je sais monter à cheval et j'ai combattu à Kyoto. J'ai vu le monde.

— Quant à toi, Shin, tu es devenu une légende chez nous, remarqua Jiroémon. Jamais nous n'aurions pensé te rencontrer.

— Nous avons plusieurs fois combattu ensemble à Kyoto, Gen et moi, expliqua Shinzaémon. Alors imaginez ma surprise quand je l'ai trouvé dans le grenier !

— Et toi, Sachi ? lança Genzaburo. Le village était bien vide sans toi. Regarde-toi… si belle, si délicate. Qui aurait pensé une telle chose ?

Genzaburo avait prononcé ces derniers mots d'un air pensif, comme s'il se rendait compte qu'elle n'était plus celle qu'il avait connue.

Sachi baissa les yeux, consciente du regard de Shinzaémon sur elle.

— Tu vois, répondit-elle. Je suis rentrée à la maison…

Jiroémon la considéra gravement.

— Tu es une grande dame maintenant, tu n'es plus de notre monde. Nous sommes des gens humbles, nous ne pouvons t'apporter le luxe auquel tu es habituée. Reste ici autant que tu le souhaites mais, quand cette guerre sera terminée, tu devras aller retrouver ton père.

Occupée à verser le thé, Sachi suspendit son geste, croyant avoir mal entendu.

— Mon père ?

Jiroémon reposa son bol sur le bord du foyer.

— Mère ne t'a rien dit ?

C'est le moment que choisit Otama pour entrer dans la pièce. Péniblement, elle plia les jambes et s'agenouilla sur la natte. Sachi sentit les larmes lui monter aux yeux en voyant combien elle était devenue fragile.

— Ton père est venu ici, il y a quelques jours, murmura-t-elle. J'aurais dû te le dire, mais je n'en ai pas eu le courage. Nous venions à peine de te retrouver…

Les murs se mirent à danser autour de Sachi. Assis devant l'âtre, Shinzaémon gardait le silence tandis que Genzaburo, de son doigt mince et brun, traçait d'invisibles cercles sur le tatami. La jeune femme prit soudain conscience du froid qui régnait dans la pièce.

La fumée des pipes se mêlait aux effluves boisés des pommes de pin qui crépitaient dans le foyer. La vieille maison grinçait de toutes parts.

— Mon père ? Mais… c'est toi mon père, bégaya Sachi.

— Je parle de ton vrai père, affirma Jiroémon.

Sachi détourna les yeux. Durant toutes ces années, dans les moments de désespoir et de solitude, elle avait chéri le souvenir des jours heureux qu'elle avait coulés au village, se raccrochant à ce passé comme à un talisman.

— De quoi parles-tu ? s'exclama-t-elle. Tu es mon père ! Je n'ai besoin d'aucun autre !

Ce n'était pas une grande surprise d'apprendre qu'elle avait été adoptée. La moitié du village l'était aussi. Mais Sachi était la seule à ne rien connaître de ses véritables origines. Elle avait supposé que ses parents étaient morts à sa naissance, ce qui l'avait encore plus rapprochée de Jiroémon et d'Otama.

Elle se boucha les oreilles pour ne pas en entendre davantage. Pourtant, au plus profond d'elle-même, le doute qui l'avait si longtemps tourmentée remonta à la surface. Au village, tout le monde s'extasiait sur la pâleur de sa peau. Et le manteau de brocart qui l'avait accompagnée tout au long de son périple depuis Edo… peut-être était-il lié au secret de sa naissance.

— Le manteau, souffla-t-elle. Celui que tu m'as donné quand je suis partie…

— Il est à toi, murmura Otama. Tu étais enveloppée dedans quand on t'a apportée ici bébé. N'est-ce pas, père ?

Jiroémon tapota le fourneau de sa pipe sur le bord du foyer, envoyant des myriades d'étincelles rejoindre la fumée.

— Il s'appelle Daisuké, dit-il. Un vague cousin, issu d'une branche de notre famille installée depuis deux générations à Edo. Depuis, nous n'avions jamais entendu parler d'eux.

— Tu étais la plus minuscule, la plus ravissante des créatures, murmura Otama, souriant d'un air rêveur. Et quelle peau ! Aussi blanche et douce que de la soie. Un jour, Daisuké est arrivé au village en te portant dans ses bras, enveloppée dans le manteau de brocart. Peux-tu imaginer cela ? Traverser les montagnes avec un bébé ! En chemin, il s'était arrangé pour te trouver des nourrices…

Elle s'interrompit pour remuer les braises du foyer.

— Mais… ma vraie mère, balbutia Sachi. Où est-elle ?

— Il nous a dit : « Ce bébé est un être sans valeur et sans avenir. La dernière chose dont vous ayez besoin est une bouche de plus à nourrir – une fille, en plus ! Je devrais l'avoir tuée, je sais. Mais je n'ai pas pu. Elle est tout ce qui me reste. Je vous en prie, prenez soin d'elle. Faites-le pour moi. » Tels étaient ses mots, je me les rappelle exactement.

— Il était pressé, n'est-ce pas, mère ? dit Jiroémon. Habillé à la mode de la ville, vraiment bel homme. On n'en avait jamais vu comme ça au village.

— Il nous a dit qu'il allait à Osaka chercher du travail et qu'il repasserait te prendre plus tard. Mais les semaines ont passé, les mois, les années… et il n'est jamais revenu.

— Nous avons cru qu'il était mort, murmura Otama. C'est une chose terrible à dire, mais nous avons fini par espérer qu'il ne reviendrait pas. Tu étais notre petite princesse. Nous voulions te garder. Nous le voulons toujours.

Sachi fut émue d'apprendre combien ses parents tenaient à elle. Mais une question continuait de la tourmenter.

— Et ma mère ?

Otama et Jiroémon s'entreregardèrent.

— Ce peigne que tu aimes tant, dit doucement Otama. Ton père nous l'a laissé afin que nous te le remettions. Il a dit que si tu voulais savoir un jour qui était ta mère tu n'aurais qu'à montrer le blason gravé dessus.

Sachi glissa la main dans sa manche, trouva le peigne et sentit sous ses doigts le dessin en relief du mystérieux blason. Elle le serra si fort que ses dents s'enfoncèrent dans la chair de sa paume.

— Et puis, il y a quelques jours, il est revenu…

Une larme roula sur la joue flétrie d'Otama, comme si elle savait qu'en parlant ainsi elle risquait de perdre Sachi à jamais.

— Après toutes ces années, voilà qu'il réapparaît. N'est-ce pas, père ?

— Il est descendu à l'auberge, acquiesça Jiroémon. Autrefois, les plus nobles seigneurs s'arrêtaient chez nous. Maintenant, c'est le cousin Daisuké, ton père.

— Si tu l'avais vu, dit Otama d'un air émerveillé. Il était vêtu comme un étranger, et ses cheveux… comme ils étaient courts ! Toujours aussi séduisant, même s'il avait pris un peu de poids avec l'âge.

— Il te cherchait, reprit Jiroémon. Je lui ai dit que la princesse t'avait emmenée, et que nous ne t'avions pas revue depuis des années. Alors il a dit qu'il irait à Edo et essaierait de retrouver ta trace là-bas.

Shinzaémon s'assit sur ses talons, les sourcils froncés. Sachi le regarda, perplexe. Il semblait avoir compris une chose qui lui échappait encore.

— Comment a-t-il pu séjourner ici, dans votre auberge ? demanda-t-elle. Autrefois, seul le daimyo pouvait s'y arrêter.

— Tu sais comment va le monde de nos jours, soupira Jiroémon en évitant son regard. Et puis… ton père est maintenant un homme important.

Il y eut un long silence.

— Il voyageait avec les troupes du Sud, murmura finalement Jiroémon, les yeux fixés sur les braises du foyer. Avec un des généraux.

Un allié du Sud… Son père aurait été un criminel, un escroc, un joueur qu'elle aurait pu vivre avec cette idée. Mais un ennemi en route pour conquérir Edo…

— S'il est avec le Sud, ce n'est pas mon père, affirma-t-elle.

— Ne parle pas ainsi ! s'exclama Otama. C'est vraiment ton père. Et, s'il veut te reprendre, nous devons nous incliner. Il n'a aucun enfant, aucun à part toi. Ton devoir est de le rejoindre et de lui obéir.

— Les troupes du Sud défilent sous la bannière impériale, lâcha Jiroémon d'une voix sourde. Elles ont conquis les territoires du Sud et elles prendront probablement Edo. On raconte que le shogun s'est enfui. Ses alliés combattent toujours, mais ils ne peuvent gagner sans chef. Que nous le voulions ou pas, la guerre est presque terminée. En tout cas, voilà ce que nous croyons, nous, gens de la campagne. Sans doute vaut-il mieux pour toi que ton père soit du côté des vainqueurs.

— La guerre n'est pas encore finie, murmura Shinzaémon. Pas si je peux l'empêcher…

Genzaburo le poussa du coude pour lui intimer le silence.

— Les gens de notre sorte ne peuvent se préoccuper de politique, reprit Otama en se tournant vers Sachi. Ton père te trouvera un bon mari. Crois-moi, ma fille, tu ferais bien d'aller le retrouver.

Sachi acquiesça en silence. Ce que sa famille ne savait pas, c'est que son sort dépendait d'autres liens, bien plus puissants que ceux qui l'unissaient à un père dont elle ignorait tout et qui l'avait abandonnée à sa naissance. En tant que seconde épouse de Sa Majesté le défunt shogun, elle appartenait à jamais aux siens. Le destin de cette famille était aussi le sien.

IV

Sachi contemplait le feu, perdue dans ses pensées. Genzaburo et Shinzaémon étaient sortis patrouiller sur la route, et s'assurer qu'il n'y traînait plus de troupes ennemies. Genzaburo voulait faire découvrir son village à son frère d'armes. Seule Taki était restée à ses côtés pour coudre.

Elle avait cru retrouver sa maison, ses racines, et tout cela était tombé en poussière, comme dans l'histoire d'Urashima. Il lui semblait avoir perdu ses parents une seconde fois. Qu'avait-elle gagné en échange ? Un allié au Sud pour père et une mère inconnue.

Aveuglée par les larmes, elle alla chercher le balluchon contenant le manteau et entreprit d'en dénouer le lien. Peut-être le brocart finirait-il aussi en poussière. Le vent l'emporterait et elle aussi…

Mais plus elle bataillait contre le nœud, plus il se resserrait. Soudain, le tissu usé se déchira et le manteau se répandit sur ses genoux, remplissant la pièce de son parfum soyeux. Aussi doux qu'un pétale de rose, il paraissait plus beau que jamais avec ses motifs de fleurs de prunier, de tiges de bambou et de pins, symboles de l'année nouvelle. Incapable d'apprécier sa beauté, Sachi le secoua et le retourna en tous sens, jusqu'à ce qu'elle eût trouvé ce qu'elle cherchait : les armoiries brodées sous le col.

Elle tira ensuite son peigne d'écaille de sa manche. Le blason gravé sur le bord était le même que sur le manteau. Ainsi, les deux objets avaient appartenu à sa mère.

Taki s'approcha et l'entoura de ses bras.

— J'ai entendu ta conversation avec tes parents, dit-elle. Il est évident que tu n'as rien de commun avec ces villageois, même si ce sont de braves gens.

— Ce blason… Si je savais ce qu'il représente, je pourrais retrouver ma famille.

Taki palpa le tissu et fit tourner le peigne entre ses doigts, perplexe.

— Je l'ai déjà vu, mais je ne me rappelle plus où, dit-elle.

Elles restèrent silencieuses un long moment, absorbées dans leurs réflexions, puis Taki reprit :

— Ce dont je suis sûre, en revanche, c'est que ce manteau appartenait à une concubine du shogun. Voyons… Tu as dix-huit ans, comme moi. Nous sommes nées l'année du chien de fer, durant le règne du seigneur Ieyoshi.

— Ne comprends-tu pas ce que cela signifie, Taki ? Ma mère devait être une des concubines de Sa Majesté !

Les deux femmes échangèrent un regard. Une concubine du shogun ne pouvait en aucun cas avoir une liaison. C'était inconcevable.

— Peut-être l'homme qui t'a amenée ici n'était-il pas ton père, suggéra Taki, mais un domestique…

— Et peut-être ma mère n'était-elle pas concubine, murmura Sachi. Quelqu'un pourrait lui avoir donné ce manteau.

Elle prit le précieux vêtement et enfouit son visage dans ses plis soyeux pour en respirer le parfum – un subtil mélange de musc, d'aloès, d'absinthe et d'encens, avec une très légère note de fumée, souvenir des feux allumés par son père sur la route.

En supposant que sa mère ait été une concubine, cela expliquait pourquoi elle n'avait pu garder son enfant près d'elle, pourquoi on avait conduit le bébé au village dans le plus grand secret. Quel genre de femme pouvait se laisser dévorer par la passion jusqu'à en oublier ses devoirs les plus élémentaires ?

Sachi rougit, pensant à Shinzaémon. N'était-elle pas sur le point de commettre le même crime que sa mère ? Certes, elle n'avait pas livré son corps à cet homme, mais elle l'avait laissé posséder son cœur. Avait-elle hérité de la nature de sa mère ? Le même sang sauvage coulait-il dans ses veines ?

— Crois-tu que ma mère se trouve encore au palais des femmes ? demanda-t-elle à Taki.

— Après la mort de Sa Majesté, elle aurait dû partir pour Ninomaru, la seconde citadelle. C'est là que vivent les veuves comme dame Honju-in.

Sachi revit le visage pointu de la vieille douairière, aussi desséchée qu'une feuille d'automne, et entendit l'écho de sa voix aigre : « Rappelle-toi… Tu n'es qu'un ventre. »

Elle n'avait jamais rencontré les autres concubines du seigneur Ieyoshi. Seule dame Honju-in avait eu le privilège de porter un fils, ce qui lui avait permis d'exercer son emprise sur le palais.

— Taki, tout cela me dépasse, gémit-elle.

— Il faut retourner immédiatement à Edo, déclara Taki. L'armée ennemie est déterminée à s'emparer du château. Si les femmes se sont enfuies, nous n'aurons plus aucune chance de retrouver ta mère.

— Je dois essayer malgré tout, soupira Sachi.

Malheureusement, son départ pour Edo l'obligerait à se séparer de Shinzaémon. Plus longtemps elle resterait au village, plus longtemps elle jouirait de sa présence, même s'ils devaient taire ce qu'ils éprouvaient l'un pour l'autre. Une fois à Edo, il rejoindrait la milice et se ferait probablement tuer.

Mais elle ne pourrait pas le retenir indéfiniment au village. Il avait une nature trop ardente pour demeurer dans un endroit aussi isolé et pour laisser ses sentiments lui dicter sa conduite.

Les deux femmes venaient de ranger le manteau de brocart quand la porte extérieure s'ouvrit, livrant passage à Shinzaémon et à Genzaburo. Leurs visages animés montraient qu'ils venaient de s'exercer au sabre. Ils quittèrent leurs bottes et s'essuyèrent les pieds avant de fouler le tatami.

— Ma foi, la chance était de son côté aujourd'hui, lança Genzaburo d'un air faussement résigné.

Sachi lui sourit. Il était comme un frère pour elle. Tandis qu'elle était accablée de soucis, il avançait dans la vie avec confiance et légèreté.

— Toi aussi, tu t'es bien battu, dit-elle.

Il acquiesça d'un signe de tête et déclara tout à trac :

— Ne t'inquiète pas de cette histoire d'adoption. J'ai eu quatre pères, et il se pourrait que ma vraie mère soit la vieille truie qui dirige la Maison des Orchidées. Nos destins se jouent sur un coup de dés. La vérité, c'est que tu seras toujours accueillie ici comme dans une vraie famille. Tes parents t'aiment, tu sais…

— Je sais. Mais je ne me sens plus chez moi ici. Je suis partie depuis trop longtemps.

Elle chercha Shinzaémon du regard et le vit rengainer son sabre.

— Un autre détachement ennemi vient de quitter Kyoto, annonça-t-il, la mine sombre. Je dois m'en aller avant qu'il n'atteigne ce village. La route devrait être sûre pour l'instant. Ce sera probablement ma dernière chance avant longtemps.

Le moment que Sachi avait tant redouté était arrivé. Mais à présent elle était également décidée à regagner Edo pour retrouver la princesse, et peut-être sa mère.

— J'ai passé assez de temps à polir la lame de mon sabre, reprit Shinzaémon. Je dois reprendre la route pour aller combattre aux côtés de mes compagnons. Si vous voulez rester encore un peu ici, vous pourrez voyager avec Gen. Il ne part que dans quelques jours. Cependant, je pense que vous feriez mieux de venir avec moi.

Il avait prononcé ces mots d'un air détaché, comme si la réponse de Sachi ne lui importait guère.

— Ainsi, vous allez à Edo, répondit-elle sur le même ton. Droit dans le nid du frelon. Qu'en penses-tu, Taki ? Nous emporterons nos hallebardes. Yuki restera au village, où elle sera en sécurité. Voyager avec un enfant nous ralentirait trop.

— Voilà une excellente décision, s'exclama Taki, rayonnante. Mais nous devrons nous tenir sur nos gardes. L'ennemi a envahi les routes. Gare aux mauvaises rencontres… Je n'ai aucune envie de revoir cet horrible soldat au visage grêlé…

Sachi sourit à Shinzaémon.

— Nous venons avec vous.

8

Dans le nid du frelon

I

Lorsque Sachi vint l'informer de son départ, Jiroémon poussa un soupir résigné.

— Edo, n'est-ce pas ? dit-il. Si je n'avais pas une auberge et un village à surveiller, je partirais avec vous. C'est un long chemin, ajouta-t-il, en tirant pensivement sur sa pipe. Quatre-vingt-un *ri* ! Il vous faudra de sept à dix jours, peut-être plus, pour vous y rendre. Tout dépendra de la neige. Laisse-moi te donner un bon conseil, mon enfant. La plupart des marcheurs pressent le pas au début. Ne tombe pas dans ce piège. Et le soir, veillez à vous arrêter dans une auberge bien avant la tombée de la nuit.

« Ce Shin… C'est un homme bon et courageux. Il prendra soin de toi. Traite ton père avec respect quand tu le retrouveras à Edo.

— Je ne connais qu'un père, gémit Sachi, les yeux pleins de larmes. Et il est ici.

Ils partirent le jour suivant. Levée bien avant l'aube, Otama était allée cueillir dans les sous-bois des fougères et des pousses de prêle pour eux. Tout en tamponnant ses paupières humides, elle disposa la nourriture dans des boîtes de bois laqué – le dernier cadeau qu'elle faisait à son enfant. Sachi pleura aussi. Comme il était cruel de repartir déjà, en quête d'une mère dont elle ignorait tout et qui n'était peut-être qu'un fantôme.

Toutefois, Sachi était persuadée d'avoir pris la bonne décision. Taki se sentait déplacée au village et brûlait du désir de retourner à Edo. Même si elle n'avait guère de chance d'y voir Torakichi, elle se rapprocherait quand même de lui. Quant à Shinzaémon, il avait hâte de reprendre la route. Si déchirants soient-ils, les adieux étaient inévitables.

Yuki acquiesça simplement quand Sachi lui apprit qu'elle resterait au village. Chobei et elle étaient devenus amis et elle avait trouvé une nouvelle famille ici. Otama et Jiroémon ne demandaient pas mieux que de remplacer ses parents tragiquement disparus. Mais Yuki n'en demeurait pas moins une fille de samouraï. Sachi savait qu'elle ne serait pas heureuse longtemps au village. Quand les choses se seraient arrangées, elle reviendrait la chercher si tel était son souhait.

Sachi n'emporta que le surkimono en brocart et recommanda à ses parents de mettre ses robes en gage s'ils avaient besoin d'argent.

Les trois voyageurs s'équipèrent de manteaux, de guêtres et de chapeaux de paille à bords plats. Ils avaient si peu de bagages qu'ils louèrent seulement deux ou trois chevaux de bât. Jiroémon, Otama, Yuki et les enfants les accompagnèrent jusqu'à l'extrémité du village et agitèrent les mains jusqu'à ce qu'ils soient hors de vue. « Rendez-vous à Edo ! » leur lança Genzaburo d'un air malicieux. Bientôt, les odeurs de feu de bois et de soupe miso, les aboiements des chiens et les chants des coqs se confondirent dans le lointain. Comme le village rapetissait derrière eux, Sachi murmura un haïku de Basho, les larmes aux yeux :

Okuraretsu
Okuritsu hate wa
Kiso no aki

« À présent je m'éloigne.
À présent vous vous éloignez.
Et puis… voici l'automne à Kiso. »

La vie n'était rien d'autre qu'une interminable série d'adieux, de retrouvailles et de séparations déchirantes. À la fin du voyage, il y aurait de nouveaux adieux quand Shinzaémon partirait rejoindre la milice. Avec un soupir, Sachi s'efforça de repousser cette pensée.

Même dans les montagnes, où la neige commençait à peine à fondre, quelques cerisiers bourgeonnaient. Le printemps précédent, Sachi séjournait encore au château. Elle se rappela ses promenades dans les jardins avec les autres femmes, s'extasiant sur l'éphémère beauté des fleurs en boutons. Se pouvait-il qu'un an à peine se soit écoulé ?

Tandis qu'ils s'éloignaient du village, ils entendirent un grondement sourd et virent briller le fleuve Kiso loin au-dessous d'eux. La route s'enfonçait dans des forêts de cyprès et de pins, traversait des clairières plantées de bambous dont les tiges bruissaient. Le chemin pavé de pierres était particulièrement escarpé par endroits. Ainsi que Jiroémon l'avait conseillé, ils marchaient à une cadence régulière, ayant pris soin d'attacher des clochettes à leurs chevilles pour faire fuir les ours noirs qui peuplaient ces montagnes. Parfois, ils devaient franchir des torrents en sautant de roche en roche. Ils entendaient tinter au loin les clochettes des chevaux de bât qui cheminaient au fond de la vallée ou mugir des bœufs traînant des chariots chargés de riz, de paille et de sel.

C'était bon de retrouver la route. Shinzaémon avançait la plupart du temps en tête, offrant à Sachi la vision de son large dos et de sa chevelure indisciplinée. Elle aurait voulu ralentir le temps, transformer chaque minute en heure.

Ils marchaient au cœur d'une forêt touffue quand Sachi entendit des voix. À peine eut-elle le temps de saisir sa hallebarde que des hommes surgirent de derrière les arbres, brandissant des bâtons et des faucilles.

L'un d'eux se précipita vers Sachi, tendant vers elle une main crasseuse.

— Péage, grogna-t-il dans le dialecte de Kiso. Mille *mon* de cuivre.

Vêtu de haillons, il avait des bras vigoureux et un visage aussi pointu qu'un museau de rat. Une lueur vorace brillait dans ses petits yeux et son sourire torve dévoilait quelques dents jaunes. Sachi avait entendu parler de ces coupe-jarrets qui hantaient les repaires de jeu des quartiers pauvres de la ville. En temps normal, leurs chemins ne se seraient jamais croisés. Qu'était-il arrivé aux fonctionnaires censés maintenir l'ordre sur la route ? En ces temps de désordre, plus personne ne semblait accomplir ses devoirs.

Elle recula avec dégoût, mais l'homme s'approcha encore.

— Tu sais quoi ? dit-il en désignant les chevaux. Ils feront notre affaire.

Sachi frémit. Si ces bandits volaient leurs chevaux, ils voleraient également le manteau !

Ils étaient dix, peut-être vingt… Elle allait dégainer sa hallebarde quand l'homme lui prit les poignets et les serra à les broyer. Il était très fort malgré sa maigreur. Des larmes de douleur montèrent aux yeux de la jeune femme.

Soudain des exclamations fusèrent. Les yeux écarquillés, la bouche grande ouverte, les bandits semblaient pétrifiés. Sachi fit volte-face.

Shinzaémon arrivait en renfort. Il avait relevé la manche droite de son kimono afin de se battre, exhibant son tatouage en forme de fleur de cerisier. Les hors-la-loi et les palefreniers arboraient souvent des tatouages qui leur faisaient comme une seconde peau : scènes de combat, geishas, acteurs de kabuki, aussi magnifiques que des fresques sur bois. Mais celui de Shinzaémon était différent.

Son sabre à la main, il toisa les brigands avec une grimace féroce.

Aussitôt, les hommes tombèrent à genoux, balbutiant :

— Grâce, maître, grâce ! Pardonne-nous !

— Pitié…

Avec une lenteur délibérée, Shinzaémon rengaina alors son sabre, puis il rabattit la manche de son kimono sur son épaule et fit signe aux importuns de partir. Les bandits s'égaillèrent dans la forêt sans demander leur reste.

Sachi avait assisté à la scène, stupéfaite. Le tatouage n'avait pas eu le même effet sur les soldats du Sud. Il y avait tant de choses qu'elle ignorait de Shinzaémon

– les lieux qu'il avait visités, ce qu'il avait fait au cours de sa vie.

— Eh bien, lui souffla Taki quand ils eurent repris la route, nous avons eu de la chance. Avec Shin dans les parages, je crois que nous n'avons plus à nous inquiéter des bandits.

Ce soir-là, ils descendirent dans une modeste auberge fréquentée par les gens du peuple. Hommes et femmes dormaient dans la même salle et devaient apporter leur literie.

Sachi et Shinzaémon s'assirent sur un banc devant l'auberge, l'un à côté de l'autre mais sans se toucher. Les étoiles clignotaient dans un ciel si noir qu'ils ne distinguaient même pas les montagnes.

Sachi tira une bouffée de sa pipe – comme toutes les femmes du palais, elle avait appris à fumer. Le fourneau rougeoya, crachant de minuscules étincelles dans l'obscurité.

— Je n'ai jamais vu d'étoiles aussi scintillantes, dit Shinzaémon. Tout comme je n'avais jamais imaginé me trouver un jour dans un endroit tel que celui-ci avec quelqu'un comme vous.

Ils conversèrent un long moment. Sachi lui parla de son enfance au village – les baignades dans la rivière, le combat de Genzaburo contre le sanglier, la montagne au fil des saisons, et les convois incessants des daimyo qui s'arrêtaient à l'auberge. Elle raconta comment le cortège de la princesse avait mis quatre jours à traverser le village et comment on l'avait arrachée aux siens pour l'emmener à Edo. Mais elle ne lui dit rien de la vie au palais ni du shogun, et il se garda bien de l'interroger.

— Moi aussi, j'ai passé beaucoup de temps dans les montagnes, dit-il. Enfant, j'aimais accompagner les chasseurs d'ours. Je me battais sans cesse et mes parents étaient toujours fâchés contre moi. Et puis, un jour, j'ai compris comment me servir plus utilement de mon sabre.

— Et votre tatouage ? risqua Sachi. Voulez-vous m'en parler ?

— J'ai toujours voulu améliorer ma technique de combat, surtout quand le pays a commencé à sombrer dans la crise. J'ai passé alors une année à l'école militaire d'Edo. C'est là que j'ai entendu parler d'un maître de sabre, le dernier à enseigner la technique dite de la « main de Bouddha ». J'ai séjourné plusieurs mois avec lui dans les montagnes où il s'était retiré. Une fois initié à cet art, son élève avait le droit d'arborer une fleur de cerisier tatouée sur l'épaule, comme lui. Tous les brigands et les bons à rien du Japon central le connaissent. Depuis ce jour, je n'ai plus eu d'ennuis avec eux. Ce n'est pas moi qu'ils redoutent, mais mon maître. À moins qu'ils ne craignent la main de Bouddha…

Elle crut l'entendre rire dans la pénombre.

Ils ne parlèrent pas d'avenir. Chaque jour qui passait les rapprochait d'Edo et du moment de leur séparation.

Jour après jour ils avançaient, trois minuscules silhouettes perdues dans un décor grandiose, digne d'un tableau. Parfois la route était pleine de voyageurs, parfois leur petit groupe cheminait seul. Ils progressaient péniblement le long d'étroits défilés enneigés, se recueillant devant les sanctuaires dressés sur le bord du sentier et demandant la protection des dieux. Parfois ils marchaient au milieu d'arbres si gigantesques qu'ils semblaient toucher le ciel, coiffés d'un feuillage si dense que la route, en dessous, ne voyait jamais la lumière du jour. Ils escaladèrent des éboulis de roches, franchirent de fragiles passerelles qui se balançaient au-dessus de ravins vertigineux, traversèrent des torrents et des champs de glace. Là où la neige avait fondu, ils durent patauger dans la boue jusqu'aux genoux.

Désormais, ils avaient rejoint l'interminable cortège qui s'égrenait le long de la route. De temps à autre, des voyageurs épuisés s'arrêtaient pour resserrer les liens de leurs sandales de paille ou masser leurs pieds endoloris. Des sandales de rechange se balançaient à leurs ceintures. Dès qu'une paire était usée, elle finissait sur le bas-côté. Quand il pleuvait ou que le temps se rafraîchissait, ils enfilaient des manteaux de paille qui leur donnaient l'allure de meules de foin. Quand le soleil brillait, ils s'abritaient sous leurs chapeaux. À les voir ainsi, personne n'aurait deviné que Sachi et Taki étaient des dames de cour.

Chaque matin, Sachi chaussait une nouvelle paire de sandales, relevait le bas de ses kimonos et se remettait en marche, sa hallebarde solidement en main. Elle se sentait plus forte de jour en jour, malgré ses pieds écorchés.

Taki commençait à ressembler à une fille de la campagne. Ses joues avaient pris des couleurs et ses grands yeux brillaient. Elle ne se plaignait plus du froid ni des difficultés, tout excitée à l'idée de revoir Edo.

Sachi aurait dû se réjouir également de retrouver bientôt la princesse et peut-être sa mère. Mais chaque jour qui passait la rapprochait des adieux à Shinzaémon.

Chaque soir, tous deux s'asseyaient côte à côte, parfois pour parler, parfois pour partager simplement le silence. Ils s'entretenaient des événements du jour, évoquaient leur enfance, les livres qu'ils avaient lus, la musique et la poésie qu'ils appréciaient. Parfois leurs mains s'effleuraient. Ils avaient conscience de transgresser un terrible interdit, mais sur la route ils n'étaient que des voyageurs anonymes. Et puis, il y avait la guerre… Shinzaémon s'attendait à mourir et Sachi n'avait aucune idée de ce que l'avenir lui réservait.

Une semaine après avoir quitté le village, ils franchirent péniblement le col d'Usui, le dernier des quatre défilés qui se succédaient le long de la Route intérieure. La montée fut longue et rude. Arrivés au sommet, ils respirèrent l'air vif à pleins poumons en embrassant du regard la plaine de Kanto qui s'étirait à leurs pieds. Des pics sombres fermaient l'horizon, cernant la vallée comme les remparts d'une forteresse. Shinzaémon montra à Sachi les monts Miyogi, Haruna et Akagi. Plus loin vers le sud, étincelant contre l'horizon, se dressait le cône parfait du mont Fuji. Après avoir prié dans le sanctuaire de Kumano, ils se remirent en route, glissant sur les plaques de schiste. Plus ils descendaient, plus la température s'élevait. Laissant derrière eux les rigueurs de l'hiver, ils marchaient d'un pas plus vif vers le printemps.

Le soir suivant, ils atteignirent la ville fortifiée de Takasaki et repartirent avant l'aube, détournant la tête devant les cadavres attachés à des croix aux portes de la ville – un avertissement adressé aux voleurs et autres hors-la-loi qui auraient voulu profiter du chaos.

Les montagnes se dressaient dans la nuit, formes monstrueuses remplissant le ciel.

Vers l'heure du cheval, alors que le soleil brillait à son plein, ils atteignirent la rive d'un cours d'eau gonflé par la fonte des neiges, trop large pour être franchi à gué.

— Le fleuve Toné, indiqua Shinzaémon. Notre voyage touche presque à sa fin.

Sur la rive, une foule de voyageurs observaient avec impatience l'approche hésitante d'un vieux bac piloté par un homme chauve et malingre, agrippé à une longue perche en bambou. Accroupi à la poupe, un autre batelier maniait le gouvernail. Le vent faisait bruisser les roseaux.

Un vieil homme s'approcha, une sacoche remplie de monnaie à la ceinture, et s'adressa à eux dans un dialecte si grossier que Sachi n'en saisit pas la moitié.

— Quoi ? Mais c'est dix fois le prix ! s'écria Shinzaémon. Scélérat ! Le pays est en flammes et tu ne songes qu'à te remplir les poches ?

— Désolé, Votre Seigneurie, grogna le passeur. C'est le tarif. À prendre ou à laisser.

Le bac finit par accoster. Il était tellement chargé qu'il semblait sur le point de chavirer. Le passeur se courba sur sa longue perche, risquant de tomber à l'eau à chaque poussée. À l'avant de l'embarcation, des porteurs vêtus de pagnes se serraient misérablement autour d'une pile de malles. À l'arrière, trois voyageurs d'apparence aisée – sans doute les maîtres des porteurs – jetaient des regards furtifs par-dessus leur épaule, comme s'ils se croyaient suivis.

On aurait dit des marchands d'Edo, comme ceux qui livraient des rouleaux de soie au palais. Les traits dissimulés par des chapeaux à larges bords, ils portaient des vêtements doublés d'un tissu précieux, aux coloris éclatants, qui dépassait de leurs manches et de leur col. Curieusement, ils étaient entourés d'un cercle de gardes du corps avec deux sabres pointant sous leurs manteaux.

La proue du bac se souleva au-dessus de la rive dans une grande gerbe d'eau et les passagers mirent pied à terre. Ils passèrent si près de Sachi que celle-ci aurait pu les toucher. Quand le premier homme s'avança, le vent qui faisait voler ses manches apporta à ses narines une suave odeur de fleurs de prunier avec une touche de camélia. Aucun marchand ne pouvait se permettre de porter un parfum aussi raffiné. Cette fragrance délicate éveilla en Sachi un vague souvenir.

En fermant les yeux, elle se revit glisser à petits pas à travers les vastes salles du palais aux murs rehaussés d'or. Les femmes qu'elle croisait bavardaient gaiement, chacune auréolée de son parfum propre. Taki et elle suivaient dame Tsuguko qui avançait en hâte, balayant le sol de ses longs cheveux striés de gris. Mais où donc allaient-elles ? Et pourquoi si vite ? Elle creusa en vain sa mémoire, pressentant quelque terrible menace.

Elle rouvrit les yeux et aperçut la main de l'homme, aussi potelée et soignée que celle d'une femme. Cette main… elle la revit appuyée sur le tatami de la salle d'audience de la princesse. Une voix feutrée résonna dans sa tête, annonçant dans le langage alambiqué de la cour que Sa Majesté le shogun était au plus mal.

Sa Majesté le shogun… Elle avait cru que la douleur s'apaiserait avec le temps, mais, au souvenir de son sourire adolescent, des larmes jaillirent de ses yeux. Elle se représenta la princesse en pleurs, l'entendit demander : « Oguri, Oguri, la maladie de Sa Majesté… est-elle normale ? »

Oguri !

Elle releva vivement la tête. Ce visage blême et empâté, ce regard fuyant ne pouvaient appartenir qu'à un courtisan. Leurs regards se croisèrent, mais l'homme ne parut pas la reconnaître. Evidemment : elle avait assisté à l'entretien derrière un paravent.

Un homme plus jeune à peine plus âgé que Tatsuémon suivait Oguri. Dans son trouble, Sachi avait oublié de se couvrir le visage de son écharpe, au risque d'attirer l'attention sur elle. Comme le troisième homme passait devant elle, elle reconnut son profil d'oiseau de proie, son visage marqué par la variole. Un chignon de samouraï coiffait sa tête comme un caillou noir et brillant. C'était le seigneur Mizuno, qui accompagnait Oguri le jour où le palais avait appris l'infortune du shogun.

Lorsque Mizuno posa à son tour les yeux sur Sachi, sa bouche s'ouvrit sur un cri silencieux et il fit un bond en arrière, comme s'il avait vu un fantôme.

— Va-t'en ! rugit-il. Laisse-moi !

Son bras droit se contracta bizarrement et Sachi se rappela avoir déjà remarqué ce tic chez lui.

Les gardes s'étaient immobilisés en l'entendant crier, la main sur la poignée de leur sabre. Oguri se retourna et lança d'une voix sourde :

— Silence, espèce de fou, tu veux notre perte ?

Bousculant les autres voyageurs, les trois hommes s'éloignèrent de la rive pour monter dans des palanquins. Mizuno, toujours hors de lui, se retournait sans cesse vers Sachi, les yeux écarquillés. Celle-ci vit leurs litières prendre la direction des montagnes, suivies par un long train de porteurs chancelant sous le poids des malles – quatre hommes par charge.

Taki s'approcha de Sachi.

— Tu as vu ces hommes ? murmura-t-elle. N'était-ce pas…

Sachi acquiesça, effarée par l'attitude de Mizuno. L'avait-il reconnue ? Impossible. Jamais, au palais, il n'avait eu l'occasion de poser les yeux sur elle. Alors, comment expliquer la violence de sa réaction ?

— La situation doit être grave pour qu'ils fuient Edo avec tous leurs biens, reprit Taki. Et pourquoi le dernier te regardait-il ainsi ?

Sachi secoua la tête.

— J'imagine qu'ils n'ont pas l'habitude de voir des femmes voyager librement, souffla-t-elle.

Elle rougit, honteuse d'avoir découvert son visage. À l'avenir, elle devrait se montrer plus prudente.

Le bac pour Edo était presque vide. Hormis Sachi, Taki, Shinzaémon et leurs porteurs, il transportait seulement deux fermiers. Le fleuve était en crue, si bien que le passeur devait s'arc-bouter sur sa perche pour contrer la force du courant. Dans le vent froid qui transperçait leurs vêtements de coton, les passagers étaient ballottés, fouettés par des paquets d'écume tandis que le ciel résonnait des cris des mouettes et des oies sauvages.

Sur la rive opposée s'entassaient des femmes et des hommes effrayés, traînant derrière eux une profusion de bagages. Tous se bousculaient, jouaient des coudes, hurlant : « Ma vieille mère est malade, elle a priorité ! » ou « Nous sommes pressés, nous étions ici les premiers ! ». Les bateliers les repoussaient, incapables de maîtriser la marée humaine qui assiégeait l'embarcation. Une fois chargé, le bac s'enfonça si profondément dans l'eau qu'on aurait dit qu'il allait couler.

Les trois voyageurs reprirent leur route, traversant des forêts, des champs de bruyère et des rizières qui attendaient les prochains semis. Des temples et des villages surgissaient au loin comme des îles sur la mer. Les nuages glissaient dans le ciel. Ils n'avaient plus que vingt *ri* à parcourir avant d'atteindre Edo, soit encore deux jours de marche.

Plus ils approchaient d'Edo et plus ils rencontraient de voyageurs accablés traînant des chariots surchargés. La route était encombrée de charrettes tirées par des bœufs somnolents, de palanquins précédés par des domestiques à l'air épuisé et suivis de chevaux et de porteurs ployant sous des paniers et des malles. Les plus pauvres avançaient d'un pas lourd, courbés sous leurs balluchons de linge et de vêtements. On y croisait aussi des moines au crâne rasé, des nonnes marmonnant des prières et des mendiants loqueteux, n'ayant que la peau sur les os. Des groupes de pèlerins cheminaient en bavardant, comme si rien n'avait changé.

Quelques-uns fredonnaient le refrain lancinant qui les avait accompagnés tout au long de leur périple : *Ee ja nai ka ? Ee ja nai ka ?* – « Pourquoi pas ? Pourquoi pas ? » Plus ils répétaient ces paroles absurdes, plus leurs regards devenaient hallucinés. Certains sautillaient en rythme, comme pour dire : puisque notre monde s'écroule de toutes parts, pourquoi ne pas simplement lever nos mains et danser ?

Sachi et Taki scrutaient les visages fatigués, cherchant des femmes du palais parmi les fuyards. De temps à autre, un cri d'avertissement retentissait. Tous s'écartaient alors en hâte pour céder la place à un convoi pressé. Les palanquins volaient presque sur la route, les pieds des porteurs soulevant des nuages de poussière dans leur sillage.

Sachi et ses compagnons étaient les seuls à se diriger vers Edo.

À Honjo, ils franchirent le fleuve Kanna et firent halte dans un pavillon de thé sur l'autre rive. Un petit groupe d'hommes s'y reposait, fumant la pipe. Ils étaient vêtus comme des gens du peuple mais s'exprimaient comme des samouraïs.

— Où allez-vous ? demanda l'un d'eux, un petit homme à l'air effacé.

Son chignon postiche avait glissé et il semblait avoir passé toute sa vie penché sur des livres de comptes, dans les misérables appartements réservés aux samouraïs de rang inférieur. Sans doute aurait-il paniqué s'il s'était trouvé un jour au milieu d'une bataille.

Shinzaémon tira sur sa pipe et, pour toute réponse, tourna la tête vers Edo.

— À votre place, je n'irais pas, murmura l'homme en clignant des yeux derrière ses lunettes. Tout le monde s'enfuit. L'ennemi est aux portes de la ville. Il contrôle déjà Itabashi et aussi Shinagawa, à ce qu'on prétend. Il surveille la Route intérieure et la Route de la mer Orientale.

— Nous ne sommes que des femmes, dit Sachi dans le dialecte de Kiso. Ils nous laisseront tranquilles.

— Vous ne pourrez pas circuler dans les rues, insista l'homme en avalant nerveusement quelques gorgées de thé. C'est bien trop dangereux. Presque tous les samouraïs sont partis et plus personne n'assure l'ordre. Les bandits de tous poils ont envahi la ville.

— La plupart viennent en réalité du Sud, intervint un autre samouraï.

Lui aussi avait l'air déguisé.

Sachi aurait souhaité les questionner sur le château, mais il était peu probable qu'ils sachent ce qui s'y passait. Il ne lui restait qu'à tendre l'oreille dans l'espoir de saisir quelque nouvelle intéressante.

Ils repartirent rapidement. La route serpentait au milieu des rizières et des champs de carthame tout juste fleuris qui s'étiraient jusqu'aux premières collines. Entre deux bosquets de cerisiers, des pavillons de thé et des marchands ambulants offraient de quoi se restaurer aux voyageurs fatigués.

Ils se frayaient péniblement un chemin parmi le flot des voyageurs qui venaient de la ville quand une petite troupe de soldats se matérialisa devant eux. Avec leurs corps musclés, leurs visages sombres et leurs uniformes noirs, ils étaient faciles à reconnaître. Certains portaient des casques à pointe, d'autres des bandeaux blancs autour du front. Ils bloquaient toute la route, manifestement décidés à terroriser les pauvres hères qui fuyaient Edo.

Comprenant qu'elle n'avait pas d'autre choix que de traverser leurs rangs, Sachi continua d'avancer, le regard rivé au sol, se répétant qu'elle finirait par devenir invisible si elle le croyait vraiment. Elle se trouvait au milieu des soldats quand elle risqua un coup d'œil à travers le voile de son chapeau et sursauta violemment à la vue d'une figure basanée et grêlée qui ne lui était que trop familière.

L'homme l'avait également repérée. Tendant une main crasseuse vers elle, il lui arracha brusquement son chapeau.

— Je veux bien être pendu ! s'exclama-t-il. La petite paysanne !

Elle se débattit comme il l'attirait vers lui.

— Tu te souviens de moi ? ricana-t-il en collant son visage suant tout contre le sien.

Sachi tourna la tête avec dégoût. Une paysanne était peu de chose. Un samouraï pouvait en toute impunité trancher la tête d'un pauvre fermier – même si elle doutait que celui-là fût un samouraï.

Des badauds ralentissaient pour observer la scène, mais Sachi savait qu'elle ne pouvait compter sur leur aide.

— Laissez-moi, protesta-t-elle.

Inquiète, elle chercha Shinzaémon du regard. Ces mêmes soldats étaient à sa recherche la nuit où ils avaient fait irruption dans l'auberge de ses parents.

Le cœur battant, elle repoussa l'homme de toutes ses forces. Surpris, il lâcha prise.

— Partons, murmura un de ses compagnons. On va avoir des ennuis…

Mais l'homme au visage grêlé ne l'entendait pas de cette oreille. Sa main se crispa sur la poignée de son sabre.

— Excusez-nous, dit alors Sachi en employant le dialecte de Kiso. Nous sommes confus de vous causer ce dérangement. Veuillez nous laisser passer, je vous prie.

Les soldats hésitèrent. Sachi en profita pour s'éloigner de quelques pas, suivie de Taki et de Shinzaémon. Un attroupement commençait à se former Des rubans de fumée s'échappaient des petites échoppes alignées le long de la route. Les cerisiers étaient couverts de bourgeons roses. Tout était si lumineux, si clair… Sachi eut soudain l'impression de contempler ce décor pour la dernière fois. Mais son esprit était clair, lui aussi. Et elle se sentait prête à affronter tous les dangers.

Un soldat lui barra la route.

— Eh ! Que fait une paysanne comme toi avec une telle arme ? C'est contraire à la loi. Remets-la-nous et tu pourras passer ton chemin.

— Attendez ! aboya l'homme au visage grêlé, les yeux fixés sur Shinzaémon. Cet homme… N'est-ce pas lui qui a tué nos camarades à Kiso ? Allons, montre-nous ton épaule, camarade !

Shinzaémon toisa les soldats avec un rictus méprisant. Sachi devina qu'il évaluait ses chances de l'emporter. Mais avec deux femmes à protéger il ne pouvait se permettre de prendre des risques.

Elle sentit le contact rassurant de la hallebarde au creux de sa main. En un instant, l'arme fut libérée de son fourreau et la lame étincela au soleil.

Taki avait elle aussi dégainé sa hallebarde. Ses yeux luisaient comme des braises. Le moment était venu de mettre en pratique leurs longues années d'entraînement.

S'ils devaient mourir, pensa Sachi, ils mourraient tous les trois ensemble.

Elle se raidit, prête à combattre.

Deux soldats dégainèrent leurs sabres et se ruèrent sur Shinzaémon. Plus rapide, celui-ci para les coups avec un cri sauvage. Une main vola dans les airs. Les hommes reculèrent. L'un d'eux hurlait en se tenant le bras.

Shinzaémon essuya sa lame sans quitter ses adversaires des yeux. D'autres soldats accoururent vers eux. Le sang gicla à nouveau et les hommes en uniforme noir reculèrent en titubant, l'un avec le bras tranché, l'autre la mâchoire disloquée, un autre, encore, cherchant à retenir ses entrailles.

Shinzaémon était en garde, le sabre levé. À ses côtés, Taki fouettait l'air de sa hallebarde.

L'homme au visage grêlé vint se planter devant Sachi, son sabre au poing.

— Allons, ne fais pas de bêtise, cracha-t-il, en se fendant d'une vilaine grimace. Tu risques de te faire du mal.

Impassible, Sachi le regarda tourner autour d'elle, confiante dans son arme. Son cœur battait à se rompre, mais elle était concentrée et respirait calmement.

— Tu vas abîmer ton joli visage, cria l'homme. Dépose ton arme et il ne t'arrivera rien.

Pour toute réponse, Sachi raffermit sa prise sur le manche de la hallebarde, attentive au moindre mouvement de l'adversaire. S'il s'approchait, elle en ferait son affaire.

Ils entamèrent un curieux ballet, avançant et reculant, leurs armes étincelant au soleil. Avec un sourire mauvais, l'homme fit un pas vers elle. Poussant un hurlement sauvage, elle se rua sur lui et réussit à lui entailler le mollet. Le soldat bondit en arrière, le visage tordu de douleur, tandis qu'une tache sombre grandissait sur la jambe de son pantalon.

— Maintenant tu as gagné, gronda-t-il. Je suis fâché ! Tu vas voir comme je suis fâché…

Il tenta une nouvelle approche, les deux mains crispées sur la poignée de son sabre, mais la hallebarde était plus longue que celui-ci.

Sachi l'attendait de pied ferme. Quand il s'élança, les deux lames s'entrechoquèrent dans un terrible fracas. Étourdie par le choc, Sachi vacilla. Comme elle tentait de se rétablir, elle aperçut la lame qui fondait à nouveau sur elle. Sans même reprendre son souffle, elle leva sa hallebarde, para le coup et repoussa le sabre d'une violente torsion du poignet.

Ses cheveux déliés volaient autour de son visage. Dressée sur la pointe des orteils, elle fit volte-face et pointa la hallebarde vers la poitrine de son adversaire. Elle ne ressentait aucune crainte, rien qu'une exaltation sauvage.

Du coin de l'œil, elle vit Shinzaémon se démener comme un diable, frappant, assommant, parant les coups, transperçant les poitrines. À ses côtés, Taki se défendait vaillamment. Des corps sanglants s'entassaient autour d'eux. Mais, trop faibles en nombre, ils reculaient inexorablement. Sachi devait en finir pour voler à leur secours.

Le grêlé se releva, hurlant comme une bête blessée, et chargea. Elle lut une haine farouche dans ses petits yeux noirs. Puis tout se passa comme au ralenti. Le fracas de la bataille s'évanouit pour faire place à un silence oppressant. Il semblait à Sachi que la hallebarde était devenue le prolongement de son bras.

Se concentrant sur le regard de son adversaire, elle sauta en arrière et la lame du sabre vint s'écraser sur celle de la hallebarde. Sans lui laisser le temps de se ressaisir, elle se fendit et mit un genou en terre.

D'un geste calculé, elle balança la hallebarde, visant la gorge de l'homme. La lame fendit l'air en sifflant.

Une seconde plus tard, stupéfaite, elle vit voler la tête de son ennemi. Un geyser de sang jaillit du corps mutilé qui s'écroula tandis que la tête finissait sa course dans le caniveau.

Sans perdre de temps, Sachi se retourna vers ses compagnons. Shinzaémon, blessé, luttait de la main gauche et, malgré le nombre impressionnant de ses victimes, les soldats ennemis accouraient, de plus en plus nombreux.

Soudain une terrible déflagration retentit. Sachi promena un regard affolé autour d'elle. Elle connaissait ce bruit, même si elle ne l'avait jamais entendu aussi proche.

Il y eut une deuxième détonation. La moitié des soldats se retrouvèrent à terre, certains gémissant ou criant en douleur, d'autres immobiles et silencieux. Taki et Shinzaémon essuyaient le sang et la sueur qui ruisselaient sur leurs visages.

Leurs vêtements étaient en lambeaux mais, à part la blessure de Shinzaémon, ils paraissaient indemnes.

Sachi se précipita vers eux.

— Je vais bien, assura Shinzaémon en déchirant son kimono pour bander son bras. Juste une cicatrice de plus.

En entendant les coups de feu, les curieux s'étaient immobilisés, muets de stupeur. Puis, avec des cris perçants, ils détalèrent comme des lapins dans toutes les directions.

Dans le tumulte général, personne n'avait remarqué un convoi de palanquins escorté de samouraïs. Deux créatures en jaillirent et se jetèrent au milieu de la mêlée en brandissant des fusils au canon encore fumant.

Étaient-ce des hommes ou des ogres ? Certes, ils possédaient deux yeux, deux oreilles et deux mains, mais leurs têtes et leurs épaules dépassaient largement au-dessus de la foule. S'agissait-il de *tengu*, les lutins au long nez qui vivaient dans les montagnes ? Mais les *tengu* avaient un visage rouge, alors que ces créatures étaient aussi pâles que des fantômes. L'un avait les cheveux aussi clairs que le riz d'automne, l'autre couleur de terre. Ils portaient des vêtements tels que Sachi n'en avait encore jamais vu.

Les badauds reculèrent, apeurés, pendant que les créatures couraient sur la route. Certains tombèrent à genoux, le front dans la poussière. Des femmes s'enfuirent en hurlant.

Sans leur prêter attention, l'homme aux cheveux de paille continua à avancer, enjambant sans émotion les blessés qui se tordaient de douleur sur le sol. Une odeur fétide émanait de lui – l'odeur des parias, de la viande, de la chair morte.

Ce n'étaient pas des *tengu,* mais quelque chose d'encore plus effrayant : des *tojin*, des étrangers. Sachi savait qu'on en comptait une poignée en quelques lieux précis du pays : un village non loin d'Edo appelé Yokohama, le port d'Osaka ainsi que quelques autres villes côtières. Elle avait également entendu dire que, si les seigneurs du Sud s'étaient soulevés, c'était parce que aucun shogun n'avait su repousser ces barbares. Du moins s'étaient-ils saisis de ce prétexte pour renier leur allégeance.

L'étranger ouvrit la bouche et proféra des paroles incompréhensibles. Sachi le toisa du regard. La Retirée Shoko-in, concubine de Sa Défunte Majesté, n'allait pas s'enfuir ni se mettre à crier. Elle fit un geste en direction du fusil, comme pour dire : « Que comptez-vous faire maintenant ? Nous tuer tous ? »

L'étranger posa sur elle des yeux si pâles qu'elle en éprouva un vague malaise. Ayant perdu son chapeau et son voile dans la bataille, elle ne pouvait plus dissimuler son visage. Puis il parla d'une voix si forte qu'elle sursauta. À sa grande surprise, elle constata qu'il parlait sa langue, mais avec un accent bizarre qui déformait chaque mot.

— N'ayez crainte, madame. Je me suis contenté de tirer en l'air. Est-ce que tout va bien ?

Il se tourna vers les soldats et aboya :

— Vous osez attaquer des dames ? Facile, n'est-ce pas, quand on est nombreux. Honte sur vous !

Les soldats encore sur pied baissèrent la tête, l'air renfrogné. Echevelés, meurtris et couverts de sang, ils avaient du mal à reprendre leur souffle.

— Cet homme est un hors-la-loi, gronda l'un d'eux en désignant Shinzaémon.

— Ce n'est pas vrai, protesta Sachi. Il s'agit de… mon garde du corps. Il nous protège, ma servante – mon amie – et moi…

Les soldats du Sud chuchotaient entre eux.

— Barbares ! cracha l'un d'eux. On vous aura ! Ce n'est qu'une question de temps !

— Il semble que vous ayez oublié la proclamation de l'empereur, répliqua l'étranger en brandissant toujours son fusil. Il a pourtant été clair : plus de massacre d'étrangers. Vous n'avez donc aucun respect pour le décret de Sa Grâce ?

Il se tourna vers Sachi.

— Vous allez à Edo, madame ? Nous aussi. Nous vous escorterons ainsi que votre amie et votre garde du corps. Faites donc la route avec nous.

Voyager avec des créatures aussi sauvages et imprévisibles ? C'était l'idée la plus folle que Sachi avait jamais entendue. Malgré les multiples contraintes liées à l'étiquette, elle pouvait lire les sentiments des gens normaux – les gens de son pays – sur leurs visages. Mais comment savoir ce que ces étrangers avaient en tête ?

Pourtant… La route était dangereuse et Edo encore plus. Les barbares possédaient des fusils et une escorte de samouraïs armés, à supposer qu'il s'agisse de véritables samouraïs… De quel bord étaient-ils ? À moins qu'il ne s'agisse d'espions chargés de surveiller les étrangers ? Dans tous les cas, s'ils décidaient de faire route avec eux, ils seraient bien inspirés de tenir leur langue.

Elle jeta un coup d'œil à Taki qui essuyait la lame de sa hallebarde sur ses jupes. Ses joues étaient éclaboussées de sang et une lueur triomphante brillait dans ses grands yeux. Elle regarda Sachi et inclina la tête comme pour dire : fais ce que tu veux. Les choses ne peuvent pas aller plus mal, de toute façon.

Shinzaémon, le bras en écharpe, haussa les épaules et murmura :

— Avons-nous le choix ?

Avec un soupir, Sachi se retourna vers l'étranger et dit simplement :

— Merci.

Le barbare souleva son chapeau et salua avec raideur.

— Mon nom est Edwards, dit-il. *Edowadzu.*

Edo-wadzu… Comme la ville d'Edo. C'était le nom le plus étrange qu'elle avait jamais entendu.

L'homme aux cheveux couleur de terre s'avança et se présenta à son tour :

— Satow. À votre service, madame. Acceptez, je vous prie, de vous joindre à nous.

II

Les deux géants montèrent dans des palanquins spécialement adaptés à leurs longues jambes et portés chacun par six hommes. Les domestiques suivaient dans deux litières normales, puis venaient les porteurs. Sachi, Taki et Shinzaémon fermaient la marche tandis que les samouraïs encadraient le convoi.

Comme ils traversaient une ville, une foule excitée se mit à courir autour d'eux en criant : « *Tojin ! Tojin !* Des étrangers ! Des étrangers ! » À quoi d'autres cris répondirent : « Barbares stupides ! Allez-vous-en ! Jetons-les dehors ! » Les curieux jouaient des coudes pour se rapprocher des palanquins et jeter un coup d'œil à l'intérieur. Les samouraïs les repoussaient avec leurs bâtons. Tous étaient trop absorbés par le spectacle des *tojin* pour prêter attention à Sachi, Taki et Shinzaémon.

Après cela, la route longea un fleuve, traversa des rizières bordées de cerisiers dont les fleurs à peine écloses mettaient des touches de rose aux flancs des collines voilées de brume. Ils attendirent d'être assez éloignés de la ville pour s'arrêter. Les étrangers s'extirpèrent des palanquins en soupirant et étirant leurs longues jambes. Leurs domestiques leur apportèrent de grandes bottes brillantes qu'ils enfilèrent avec une satisfaction évidente.

Les deux femmes et le rônin gardaient leurs distances. Taki, pourtant si courageuse quand il s'agissait de se battre, semblait pétrifiée devant ces monstres. Quant à Shinzaémon, il les détestait visiblement. Mais il savait aussi qu'un décret impérial, repris par le shogun démissionnaire, interdisait de les attaquer. Son air plus farouche que jamais disait assez combien il lui en coûtait d'obéir. Pire encore, il lui fallait subir l'humiliation d'être pris pour un garde du corps.

L'homme aux cheveux de paille s'approcha de Sachi.

— Puis-je faire quelques pas en votre compagnie ? demanda-t-il.

La jeune femme faillit éclater de rire. Cet étranger était vraiment affreux avec tous les poils qui lui poussaient sur le visage, aussi repoussants que les moustaches qui hérissaient les casques des samouraïs. Et son odeur… De plus, une femme samouraï ne devait pas marcher à côté d'un homme qui n'était pas de sa famille – cette restriction ne s'appliquait pas à Shinzaémon, qu'elle considérait désormais comme un des siens. Mais après tout ce n'était qu'un barbare… Ce ne serait pas pire que de marcher auprès d'un ours ou d'un singe.

Par-dessus son épaule, elle vit Shinzaémon avancer d'un bon pas, apparemment indifférent à ce qui se passait devant lui.

— Où allez-vous, à Edo ? demanda le barbare hardiment en lui lançant un regard pénétrant.

Sachi fut choquée. On n'avait pas idée de poser des questions aussi directes, surtout quand on ignorait de quel bord était son interlocuteur.

— Êtes-vous allé à Edo auparavant ? s'enquit-elle.

— C'est là que nous habitons, répondit-il. Sur une colline, dans une petite maison près d'un temple.

À cause des poils sur son visage et de sa peau rugueuse, Sachi avait conclu un peu vite qu'il était vieux. Mais sa voix était celle d'un jeune homme. Que faisait-il si loin de chez lui, dans un pays étranger en proie à la guerre civile ?

— Tout le monde fuit Edo, et c'est pourtant là que nous allons ! reprit-il avec un drôle de sourire. On annonce une terrible bataille, mais vous ne paraissez pas inquiète. Je n'ai jamais vu une femme se battre comme vous !

Tout en parlant, il agitait ses mains – des mains puissantes, plus grandes que celles de Shinzaémon et aussi blanches que de la craie… Des poils blonds pareils à des fils d'or brillaient sur ses doigts. Peut-être n'était-ce pas vraiment un monstre. Certes, il n'était pas de la même race qu'elle, mais tout bien considéré il paraissait humain.

Sachi avait entendu dire que les barbares étaient des rustres dépourvus d'éducation. Quand ils buvaient, ils se querellaient pour un rien et violaient les femmes. Vus de près, ils n'avaient pas l'air si redoutables. Si le pays n'avait pas été en guerre, si elle n'avait pas été aussi angoissée à l'idée de ce qui les attendait à Edo, l'expérience lui aurait paru amusante et elle aurait pris plaisir à la raconter un jour à ses enfants.

Elle sentit le regard accusateur de Shinzaémon sur elle – barbare ou pas, l'étranger n'en restait pas moins un homme – et lut une désapprobation muette dans les yeux de Taki. Mais Taki n'était que sa suivante. Et puis, elle trouvait plutôt distrayant de converser avec une créature de la taille d'un ours.

Il lui expliqua qu'il travaillait pour la légation anglaise, sans donner de détails sur l'objet ou la destination de son voyage. Sachi y vit la confirmation qu'il était un espion en mission secrète.

— Nous avons vécu nombre d'aventures, dit-il. Et les merveilles que nous avons vues ! Êtes-vous déjà passée par le col de Shiojiri ? Par temps clair, on voit le mont Fuji se découper à l'horizon.

— Votre pays… murmura-t-elle d'une voix hésitante. Il doit être beau aussi.

Il lui expliqua qu'il était né dans une petite île très lointaine. Il lui avait fallu deux mois pour atteindre le Japon. Son pays, l'Angleterre, était régi par une impératrice qui habitait un palais presque aussi splendide – mais pas aussi grand – que le château d'Edo.

— Votre pays est gouverné par une femme ? répéta Sachi, incrédule.

Jusque-là, elle avait cru tout ce qu'il lui avait dit. Mais un pays régi par une femme… Cela ne pouvait être vrai ! Peut-être ne connaissait-il pas sa langue aussi bien qu'elle le pensait. À moins, plus simplement, qu'il ne lui ait menti.

Si ces étrangers étaient anglais, ils se trouvaient du côté du Sud. Cet Edwards l'avait-il prise pour une simple civile attaquée par un rônin ? Ou peut-être soupçonnait-il qu'elle était une dame de la cour, une personnalité suffisamment éminente pour que l'ennemi veuille la capturer. Décidément, elle devrait redoubler de prudence.

Ce soir-là, ils virent des lumières scintiller à l'horizon, si nombreuses qu'on aurait cru une pluie d'étoiles. Un halo de brume montant des collines obscurcissait presque tout le ciel.

— Nous approchons d'Edo, remarqua simplement Shinzaémon. Ce singe qui se croit humain parce qu'il marche sur ses jambes derrière, comment pouvez-vous lui parler ? C'est un Anglais. Vous savez de quel côté sont ces barbares ? À votre avis, pourquoi se déplace-t-il ainsi à travers le pays ? C'est sûrement un espion, comme tous ses semblables.

— Ne soyez pas fâché alors que nous allons bientôt nous séparer, plaida Sachi.

— Nous aurions aussi bien voyagé de notre côté, maugréa Shinzaémon. Je suis parfaitement capable de veiller sur vous.

— Nous n'avons pas encore franchi le poste de garde d'Itabashi et Edo fourmille de soldats. Ils penseront que nous appartenons à l'escorte des étrangers. Cela vous permettra d'en apprendre davantage sur les forces du Sud – combien sont-ils, de quelles armes disposent-ils, ce genre de choses.

— Je crois que vous avez raison, concéda-t-il à contrecœur. Peut-être sortira-t-il quelque chose de bon de tout ça…

Quand ils atteignirent le poste de garde d'Urawa, le lendemain, des bannières flottaient au-dessus des portes. Le cœur de Sachi se serra lorsqu'elle reconnut les armoiries de Shimazu, le plus implacable des chefs de guerre du Sud… L'ennemi était déjà aux portes d'Edo ! D'autres bannières pavoisaient les remparts – rouges avec un chrysanthème d'or. Ainsi, les rebelles s'étaient bel et bien donné le titre d'armée impériale…

La route grouillait de soldats. Sachi espérait que, dans la cohue, les soldats prendraient sa hallebarde pour un simple bâton. Elle marchait d'un pas régulier aux côtés de l'étranger, en s'efforçant de réfréner sa peur. Des milliers de soldats se rassemblaient, attendant l'ordre de marcher sur la ville, et ce n'était qu'un début. Elle pria les dieux pour qu'une armée aussi formidable les attende derrière les remparts, prête à les repousser.

Dans la soirée, ils atteignirent Itabashi – le « pont de bois » –, le dernier poste de contrôle avant la capitale. Une fois qu'ils auraient franchi les portes d'Edo, ils ne se trouveraient plus qu'à deux *ri* du château. Des torches éclairaient la route et de grands feux brûlaient sur les collines environnantes.

Bien avant Itabashi, ils entendirent des cris et des rires mêlés aux accords des shamisens. Les auberges étaient bondées et des lanternes éclairaient les façades de toutes les maisons. Dans toutes les rues, des soldats ennemis engloutissaient des rasades de saké, parlaient fort avec l'accent du Sud et riaient à gorge déployée. Les geishas et les prostituées s'agrippaient à eux pour les convaincre de les suivre dans les nombreux bordels de la ville. Domestiques, porteurs et palefreniers offraient leurs services et même les mendiants affichaient des mines réjouies. À deux pas d'Edo, la ville du shogun, on pactisait déjà avec l'ennemi ! Ces gens ignoraient-ils d'où venaient ces soldats et ce qu'ils s'apprêtaient à faire au pays ? Ne s'intéressaient-ils donc qu'à leurs bourses ? Mais peut-être ne cherchaient-ils qu'à oublier leur fin imminente : puisque plus rien n'avait d'importance, autant prendre du bon temps…

Quand les gardes du dernier point de contrôle aperçurent les palanquins des étrangers, ils se prosternèrent en signe de respect. Sachi mesura brusquement à quel point elle était épuisée. Ses pieds étaient enflés, ses jambes si lourdes qu'elle avait l'impression qu'elle ne remarcherait plus jamais normalement. Le petit orteil de son pied droit frottait douloureusement contre la paille qui le comprimait. Il faudrait bientôt trouver une nouvelle paire de sandales.

Elle leva les yeux et aperçut, au-delà des maisons qui bordaient la route, des rizières semées de fermes et, plus loin encore, un océan de toits de tuiles miroitant dans la lumière du crépuscule.

Edo !

La ville lui parut aussi belle que le paradis de l'Ouest, comme si Amida Bouddha lui-même les y attendait pour leur faire bon accueil. Des myriades de petites lumières scintillaient au milieu des minces volutes de fumée qui montaient vers le ciel. Entre les toits, des touches de rose – des cerisiers ? – et des carrés plus sombres signalant des arbres et les toits des domaines du daimyo. Était-ce un effet de son imagination ou parvenait-elle à distinguer, au milieu de ce paysage, les jardins et les murailles du château ?

Shinzaémon contemplait lui aussi les toits de la grande cité. Sachi vit son visage s'éclairer à l'idée de rejoindre ses camarades. Il se tourna vers elle et ils échangèrent un long regard. Leur périple commun arrivait à son terme.

Mais, quand ils se remirent en marche, ils ne tardèrent pas à remarquer des échoppes en ruine et des entrepôts béants. Portes et fenêtres avaient été fracassées. Le sol était jonché de paravents éventrés, d'éclats de bois, de rouleaux de soie déchirés traînant dans la poussière au milieu des barils de riz renversés. Les commerces qui avaient échappé au pillage avaient baissé leurs stores et verrouillé leurs portes.

Ils poursuivirent leur route en silence. Si les faubourgs avaient autant souffert, dans quel état trouveraient-ils le centre de la ville ? Shinzaémon, qui fermait la marche, pressa l'allure pour rattraper Sachi. Après avoir jeté un regard aux samouraïs de leur escorte, il lui désigna discrètement une rue qui s'ouvrait entre deux façades délabrées.

— C'est par là que je m'en irai, murmura-t-il. Les nôtres campent sur la colline de Ueno, près du temple de Kanei-ji. Mais avant, je vous accompagne au château.

Sachi ne souffla mot mais ses yeux se remplirent de larmes. L'idée de le perdre était insupportable.

Un peu plus tard, ils franchirent le premier fossé extérieur de la ville. Sur leur droite s'étendait le quartier des samouraïs dont les murs masquaient les riches palais des daimyo. Sur leur gauche, un dédale de ruelles abritait le petit peuple. Sachi remarqua que les canaux autrefois encombrés de bateaux étaient vides et les rues désertes. Un silence pesant flottait au-dessus de la cité, comme frappée par la peste. Plus aucun signe de vie, plus d'éclats de rire ni d'odeurs, hormis celle de la poussière. Quelques daimyo avaient même emporté leur palais en fuyant ! Comment la ville avait-elle pu changer aussi vite ? Quand elle l'avait quittée, les rues bruissaient encore d'une agitation trépidante. À présent, c'était un cimetière peuplé de fantômes.

Ils traversèrent un autre fossé, puis un autre encore. La nuit était tombée quand ils atteignirent le pont de Hirakawa. Au-delà se dressait la porte Tsuboné, la « porte des Dames du Shogun », menant aux quartiers réservés aux femmes. Un dernier rayon de soleil faisait miroiter les eaux paisibles du fossé. Main dans la main, Taki et elle contemplèrent le château qui leur paraissait aussi irréel que le palais de la fille du roi dragon aux yeux du pauvre Urashima.

Des pans entiers de son passé remontèrent brusquement à la mémoire de Sachi : les chambres aux murs rehaussés d'or, les fresques, les plafonds à caissons, les somptueux kimonos… Elle avait vu les flammes dévorer une aile de l'immense bâtisse. Sans doute les femmes s'étaient-elles déplacées vers d'autres bâtiments où la vie poursuivait son cours immuable.

Le moment tant redouté était arrivé.

Sachi et Shinzaémon s'approchèrent du pont, ignorant la présence des étrangers. Des canards glissaient sans bruit à la surface du fossé. La lune trouait le noir du ciel d'un halo laiteux.

La large main du rônin enveloppa celle, toute menue, de la jeune femme. Elle aurait voulu le prier de rester, mais c'était impossible. Elle leva les yeux vers lui, s'imprégnant de son image.

— Vous serez là où vous m'avez dit, souffla-t-elle, sur la colline de Ueno ?

Il acquiesça.

— L'ennemi n'a pas encore conquis Edo. Si nous soutenons les Tokugawa, nous parviendrons peut-être à le repousser.

Ils se regardèrent.

— Tant que je vivrai, je ne vous oublierai jamais, dit-il doucement. Je n'avais jamais imaginé que la vie puisse être aussi riche ni aussi belle. Et pourtant, je dois mourir.

— Je prierai de toutes mes forces pour que la mort vous épargne, dit-elle. Quand la guerre sera terminée, venez me retrouver.

Glissant sa main dans sa manche, elle en sortit son peigne et le lui tendit.

— C'est l'objet le plus précieux que je possède, reprit-elle. Il vous protégera. Quand vous le regarderez, vous penserez à moi.

— Je ne peux accepter, protesta-t-il. Je sais ce que ce peigne représente pour vous.

— Vous me le rendrez quand nous nous reverrons.

Elle glissa le peigne dans sa main, laissant un instant ses doigts sur les siens. Il porta le peigne à son front en signe de gratitude avant de le cacher dans sa manche. Un long silence les enveloppa.

— Retrouvez-moi ici même demain, au crépuscule, murmura Sachi.

Au moment même où elle prononçait ces paroles, elle sut que c'était pure folie. Sitôt qu'elle aurait franchi les portes du château avec Taki, elle redeviendrait la dame de la chambre attenante. Quant à Shinzaémon, son devoir était de se battre aux côtés de ses compagnons.

— Je vous attendrai, souffla-t-elle pourtant.

Il détourna les yeux.

— Je ferai ce que je peux.

Sachi s'attendait à ce que Taki l'accable de reproches, mais la petite suivante regardait Shinzaémon avec des yeux pleins de larmes. Sachi comprit qu'elle désespérait de revoir un jour Toranosuké, et après ces longues semaines d'aventures et de liberté la perspective de regagner une cage dorée la plongeait dans le plus grand désarroi.

— Moi aussi, j'ai une faveur à demander, dit-elle d'une toute petite voix. Je sais que c'est stupide mais…

Elle sortit de sa manche un objet que Sachi reconnut aussitôt – une amulette de longue vie rapportée de Kyoto – et le déposa dans la main de Shinzaémon.

— Remettez ceci, je vous prie, à maître Toranosuké. Dites-lui que je prierai pour lui. Et aussi pour Tatsuémon.

— Je lui dirai, promit Shinzaémon.

Le soleil avait sombré derrière les grandes murailles du château.

— Il faut y aller, insista doucement Taki.

Rassemblant son courage, Sachi parvint à sourire.

— Je vous souhaite de gagner, dit-elle d'une voix ferme.

Après quoi, tournant les talons, elle s'éloigna en direction du château. Une fois qu'elle aurait passé le pont, elle pénétrerait dans un monde où il n'y avait pas de place pour Shinzaémon. À cette seule pensée, elle sentit quelque chose mourir au fond de son cœur. Elle avait éprouvé le même sentiment en apprenant la fin tragique du jeune shogun.

La brise se leva, agitant la surface du fossé.

— Et si nous ne pouvions pas entrer ? demanda Taki à voix basse. Comment allons-nous convaincre les gardes que nous sommes bien celles que nous prétendons ?

Elle avait raison. Avec leurs vêtements misérables, leurs visages marqués par les fatigues du voyage, elles ressemblaient davantage à des paysannes ou à des mendiantes qu'à des dames de cour.

— Regarde ! s'exclama tout à coup Sachi. C'est l'heure du dîner et on ne voit de fumée nulle part.

Les portes massives étaient closes. Sachi s'attendait à trouver au moins quelques sentinelles, mais le poste de garde paraissait désert.

Elle avisa une porte de moindre taille un peu plus loin et frappa. N'obtenant pas de réponse, elle poussa doucement le battant qui s'ouvrit en grinçant.

Les étrangers et Shinzaémon attendaient toujours de l'autre côté du pont. La gorge serrée, Sachi se retourna et leur adressa un signe de la main. De loin, ils ne pouvaient voir les larmes qui brouillaient son regard. Puis elle s'avança bravement, suivie de Taki. La porte se referma derrière les deux femmes avec un bruit sourd.

QUATRIÈME PARTIE

Sous les décombres

9

Le secret du brocart

I

Les ténèbres étaient si épaisses qu'elles eurent l'impression d'être tombées au fonds d'un puits. Seul un minuscule carré de ciel semé d'étoiles scintillantes se découpait au-dessus de leurs têtes. Un hibou hulula. Son cri résonnait encore quand un grand corbeau s'envola en croassant dans un bruissement d'ailes. Sachi frissonna. Oiseaux de malheur, oiseaux de mort.

Elle était de retour au palais, et pourtant, toutes ses pensées étaient dirigées vers Shinzaémon. En le quittant, elle avait eu l'impression qu'on lui arrachait une partie d'elle-même, ne laissant qu'une coquille vide, aussi immatérielle qu'un fantôme.

Les grandes portes s'ouvrirent en grinçant, des lumières trouèrent la nuit, surgissant de partout comme autant de lucioles. Bientôt, elles se virent entourées de gardes qui balançaient des lanternes.

— Eh ! Qui va là ?

— Halte ! Où comptez-vous aller ?

— Des intrus ! Des espions, essayant d'entrer au château !

Une forêt de piques et de lances se dressa autour des deux femmes, pointées vers leurs gorges.

Sachi s'efforça au calme. Taki et elle devraient convaincre ces soldats qu'elles étaient bien des dames de cour en dépit de leur costume. Le mieux était de se comporter selon leur rang, avec un dédain glacial. Comme les chiens, les gardes flairaient la peur.

— Taki, souffla-t-elle. Dis quelque chose.

La suivante s'avança.

— Je suis dame Takiko, dame d'honneur de la Retirée Shoko-in, déclara-t-elle d'un ton hautain. Nous sommes de retour au palais et exigeons d'être escortées jusqu'à Son Altesse.

Les soldats entamèrent un conciliabule et un vieil homme émergea de leurs rangs en boitillant.

— Pardonnez-moi, coassa-t-il.

Il leva sa lanterne pour éclairer le visage de Sachi. Aveuglée, celle-ci détourna les yeux. L'homme la considéra longuement et se laissa tomber à genoux, le front pressé contre le sol.

— Votre Seigneurie, bredouilla-t-il. Que nos têtes soient coupées pour tant d'impertinence…

Sans doute l'avait-il aperçue de loin le jour où elle avait fui le palais. Sinon, comment aurait-il pu la reconnaître ?

Les uns après les autres, les soldats se prosternèrent. Sachi contempla avec soulagement leurs dos voûtés et leurs crânes rasés.

Le vieil homme reniflait en s'essuyant les yeux.

— Madame, est-ce vous ? Comme vous nous avez manqué…

Sachi aurait dû se sentir outragée par tant de franchise, mais durant son absence elle avait parlé à toutes sortes de gens sans tenir compte de leur rang. Elle-même avait été tant de personnes différentes… Elle aurait dû être heureuse de se retrouver au château, mais elle n'éprouvait qu'une sorte de vertige.

— Que Sa Seigneurie me pardonne, reprit le vieux, mais depuis son départ… depuis l'incendie… Il n'y a plus rien ici.

— Plus rien ? Et les dames d'honneur ? Et Son Altesse ?

Un soldat s'avança.

— Madame, nous vous escorterons aux appartements de Son Altesse.

— Comment osez-vous souiller de vos paroles les oreilles de ma maîtresse ? lança sèchement Taki. Conduisez-nous là-bas immédiatement.

Tenant haut leurs lanternes pour éclairer le chemin, les soldats les guidèrent à travers le palais. Les jardins autrefois parfaitement entretenus étaient à présent envahis de mauvaises herbes. Les murs disparaissaient sous le lierre.

Après avoir suivi un chemin qui serpentait au milieu des rhododendrons, ils parvinrent devant d'énormes blocs de pierre noircis et craquelés. Au-delà, des pans de charpente calcinée se dressaient vers le ciel telles les lances d'une armée de fantômes. Même les plus grosses poutres s'étaient effondrées. Le sol était jonché de tuiles fondues. Des morceaux de plafond et de paravents qui avaient échappé miraculeusement au désastre miroitaient dans le clair de lune. Une puanteur âcre flottait au-dessus des décombres. L'odeur du bois brûlé. L'odeur de la mort.

— Ne regardez pas, madame, ne regardez pas ! lança le vieil homme en pressant le pas.

Mais comment ne pas regarder ? Ils franchirent ce qui restait du grand hall où Sachi s'était réfugiée avec dame Tsuguko et Taki cette nuit terrible, avant de fuir dans la neige. Le plafond s'était écroulé et un amas de poutres encombrait l'entrée. Sachi revit les langues de feu sauter de toit en toit, l'épais manteau de fumée qui recouvrait tout… Elle entendit à nouveau l'horrible ronflement des flammes avalant tout sur leur passage.

— Nous avons cherché, cherché, balbutia le vieux. Nous avons enterré les morts. Et depuis…

Les morts… Sachi s'essuya les yeux tandis que des visages du passé surgissaient du fond de sa mémoire : Son Altesse – toujours en vie, heureusement, à en croire ces hommes –, dame Tsuguko, Haru – son professeur, son amie chère –, la redoutable Retirée et son cortège de dames d'honneur, la vieille dame Honju-in, Vieille Corneille, dame Nakaoka et les Aînées… Qu'étaient-elles devenues ?

Et les trois mille femmes qui habitaient le palais, dames d'honneur de haut rang ou modestes servantes, sans oublier les administratrices, les négociatrices, les employées aux écritures, les gardiennes du temps, du feu, les couturières, les femmes de course, les cuisinières, les chanteuses, les danseuses, les musiciennes, les préposées aux sanctuaires ou aux bains, les filles de cuisine, les scribes, les responsables du tabac, des pipes et de l'eau, les servantes en charge du nettoyage, les gardes…

Une brise glaciale fit voler les cendres. Sachi frissonna, croyant entendre les plaintes de toutes les femmes qui avaient péri dans l'incendie, mortes pour avoir servi un homme que la plupart d'entre elles n'avaient jamais vu. Tant de sacrifices pour une fin aussi atroce…

Ils poursuivirent leur laborieuse progression au milieu des ruines, franchirent plusieurs ruisseaux, longèrent des étangs sur les berges desquels gisaient des barques abandonnées, dépassèrent des pavillons moussus. Plus loin, au-delà d'un deuxième fossé, on apercevait les toits en pente et les murs de Ninomaru, la seconde citadelle, où vivaient les veuves des shoguns.

Est-ce que ma vraie mère habite là ? se demanda Sachi. Après avoir fait tant de chemin pour la retrouver, cette seule idée l'emplissait de crainte.

À l'entrée de la citadelle, ils furent accueillis par des femmes gardes qui les escortèrent le long d'un dédale de pièces et de couloirs. Par endroits, des chandelles éclairaient leurs pas d'une lumière hésitante. À d'autres moments, ils avançaient à tâtons, en se guidant sur le halo des lanternes des gardes qui les précédaient.

Chaque fois qu'ils franchissaient une porte, Sachi espérait découvrir une foule de dames d'honneur occupées à coudre et bavarder, leurs jupes étalées autour d'elles tels des lys d'eau. Mais nulle part on n'entendait rire, chanter ou jouer du koto… Seulement l'écho feutré de leurs pas sur les planchers et les tatamis.

L'odeur de moisi prenait à la gorge, des toiles d'araignée scintillaient au plafond. Même les petites domestiques chargées des tâches les plus viles semblaient avoir disparu.

Ils s'arrêtèrent enfin devant des portes garnies de gros glands rouges. Les gardes se mirent à genoux et annoncèrent : « Sa Seigneurie la Retirée Shoko-in. »

Une porte coulissa, laissant apparaître une femme prosternée. Sachi reconnut aussitôt cette silhouette enrobée. Soudain le palais lui parut beaucoup plus familier.

La femme releva la tête et sourit. Des larmes ruisselaient sur ses joues rebondies.

— Ah, ça, si on m'avait dit… J'ai cru ne jamais te revoir.

— Haru ! Grande sœur !

— Bienvenue à la maison !

Bouleversée, Sachi se mit à genoux et serra les mains de Haru dans les siennes, comme pour s'assurer qu'elle n'était pas un fantôme. Elle contempla son visage, les lignes qui creusaient son front, les mèches grises de son chignon. Malgré son sourire, il y avait un voile de tristesse dans son regard.

— Que les dieux soient remerciés, balbutia Sachi. Tu as survécu à l'incendie.

— Oui, les dieux étaient avec moi… Avec toi aussi, on dirait.

— Grande sœur, où sont les autres ? Son Altesse, comment va-t-elle ?

Au lieu de répondre, Haru considéra Sachi avec une expression étrange.

— Ça alors, lâcha-t-elle dans un souffle. Jamais je n'aurais cru… Tu lui ressembles tellement…

Je sais à quoi je ressemble, pensa Sachi. Je dois avoir l'air d'une sauvage ou d'une folle, avec ces cheveux en désordre et ces vêtements de paysanne.

Haru parut s'éveiller d'un rêve et soupira.

— Je dois vieillir… Allons, venez, vous deux. Vous devez mourir d'envie de vous baigner et de vous changer. J'informerai Son Altesse de votre retour. Mais comment avez-vous fait pour arriver jusqu'ici ? J'ai entendu dire que les rues grouillaient de brigands et de soldats ennemis. Toute la population a fui. Vous auriez dû rester au loin. Il n'y a rien ici, excepté la mort.

Heureusement, il y avait encore des servantes pour assurer le service des bains. Restées seules, Taki et Sachi se frottèrent mutuellement le dos, assises côte à côte sur de petits tabourets, avant de s'enfoncer jusqu'au cou dans une baignoire fumante. L'eau brûlante effaça peu à peu les fatigues du voyage. Sachi se réjouit que la vapeur qui les enveloppait cache ses larmes. Ce palais sinistre n'était pas celui qu'elle se rappelait. Durant ses longs mois d'errance, elle s'était persuadée qu'elle trouverait un asile entre ses murs à son retour. Quelle erreur !

Si seulement Shinzaémon avait été là ! Sans lui, le monde entier respirait la désolation.

Elle se remémora tous les moments qu'elle avait partagés avec lui, l'instant magique où il lui avait donné l'orchidée sauvage, celui où il avait décidé de l'accompagner au village. Elle chercha à retrouver le contact de sa main, son odeur de cuir et de sel. Comme ces sensations l'avaient enivrée ! Mais elle ne regrettait rien. Le seul fait de les évoquer lui redonnait du courage.

Le visage de Taki avait tourné au rouge pivoine à la chaleur du bain. Sachi vit qu'elle pleurait également.

— En retrouvant le palais, je croyais redevenir ce que j'étais avant, soupira la petite suivante. Jamais je n'aurais cru éprouver des sentiments aussi forts pour quelqu'un. Si nous n'étions pas parties, rien de tout cela ne serait arrivé. Toute cette liberté nous a tourné la tête, voilà ce que je ne cesse de me répéter. Et alors que je pensais me réveiller d'un rêve en revenant ici, c'est ce décor qui me semble irréel à présent…

— Rappelle-toi l'histoire d'Urashima et de la fille du roi dragon, dit doucement Sachi. Où commençait la réalité, où finissait le rêve ? Au village du pauvre Urashima, ou dans le palais sous la mer ?

Taki murmura la première strophe d'une poésie :

Kakikurasu
Kokoro no yami ni
Madoiniki

« Au plus noir des plus noires
Ténèbres de mon cœur,
J'erre dans la confusion… »

Sachi connaissait bien ces vers écrits des siècles plus tôt par le grand chantre de l'amour, Ariwara no Narihira. Ils évoquaient parfaitement ses propres tourments. Oubliant un instant leur mélancolie, les deux jeunes filles poursuivirent d'une même voix :

Yume utsutsu to wa
Yohito sadame yo

« Vous qui connaissez le monde de l'amour, dites-moi :

Mon amour est-il rêve ou réalité ? »

Taki soupira.

— Nous nous réveillerons bien assez tôt. Nous ne sommes ni des paysannes ni des enfants pour nous laisser emporter aveuglément par nos passions. Plus vite nous nous libérerons d'elles, mieux cela vaudra.

Le problème, pensa Sachi, c'est que, demain soir, Shinzaémon m'attendra peut-être sur le pont comme je le lui ai demandé. Il sera toujours temps, après cela, de mettre un terme à ces sentiments puérils.

Une fois séchée, Sachi demeura assise en silence, laissant Taki lui noircir les dents et raser ses sourcils. Quelques jours plus tôt, le miroir lui renvoyait l'image d'un visage hâlé par le vent et le soleil. C'était ce visage que Shinzaémon avait aimé. À présent, grâce aux bons soins de Taki, elle avait retrouvé son teint de porcelaine.

Taki lui farda les joues de rouge, lui dessina une bouche pareille à un bouton de rose et, en deux coups de pinceau, traça sur son front des sourcils en ailes de papillon. Puis elle la peigna, huila ses cheveux et les parfuma mèche à mèche à l'aide d'un encensoir. Elle lui présenta ensuite plusieurs kimonos accordés à son statut de veuve. Peu à peu, la voyageuse anonyme de la Route intérieure s'effaçait pour faire place à la Retirée Shoko-in, concubine de Sa Défunte Majesté, le seigneur Iemochi.

Pourtant, tout au fond de son cœur, elle n'était plus cette femme-là. Elle avait vu trop de choses, visité trop d'endroits inconnus… Bien sûr, elle connaissait ses devoirs et n'y faillirait pas. Mais à présent qu'elle avait goûté la liberté, elle ne serait plus jamais la même.

Une fois prête, Sachi se hâta vers les appartements de la princesse et s'agenouilla devant la porte, redoutant ce qu'elle allait trouver à l'intérieur. Après une longue inspiration, elle s'enhardit à faire coulisser le battant.

La salle était presque vide. À peine aperçut-elle quelques kimonos sur des présentoirs, un coffre et une boîte de cosmétiques.

La princesse ne se cachait plus derrière des paravents. Agenouillée devant une petite table au milieu de la pièce, elle tenait un pinceau entre ses doigts minces. Elle prit le temps d'achever le tracé d'une ligne avant de le poser. Puis elle inclina gracieusement la tête et murmura :

— Je t'ai causé bien des ennuis. Tu dois être fatiguée, après ce long voyage. Viens près de moi.

Les yeux de Sachi s'emplirent de larmes. La solitude de cette femme exquise, autrefois entourée d'une foule de dames d'honneur et qui, tout au long de sa vie, n'avait jamais rien fait par elle-même, lui brisait le cœur.

En silence, elle s'agenouilla près de la princesse et leva discrètement les yeux vers elle au mépris du protocole.

Sous la blancheur du maquillage, la peau de la princesse était toujours aussi transparente. Elle avait toujours le même nez délicatement arqué, les mêmes grands yeux tristes, la même bouche minuscule. Quelques mèches rebelles semblaient suggérer qu'elle s'était coiffée toute seule – une éventualité pourtant inconcevable. Entre ses sourcils rasés, Sachi remarqua un pli presque imperceptible.

Quelque chose en elle avait changé. Elle se tenait plus droite et une ardeur nouvelle brillait dans son regard, comme si elle avait trouvé une raison de lutter après toutes ces années de passivité.

— Viens, dit-elle en entraînant Sachi dans un coin de la pièce.

Sur un petit autel, on avait disposé une tablette funéraire et un daguerréotype représentant un tout jeune garçon à l'air terriblement vulnérable : Sa Défunte Majesté… Sachi prit le portrait dans ses mains et le porta respectueusement à son front. Les larmes lui brouillaient la vue et sillonnaient ses joues fardées. Agenouillées côte à côte, les deux femmes murmurèrent des prières et égrenèrent un chapelet entre leurs doigts.

— Je suis heureuse que Votre Altesse ait pu sauver ces souvenirs, chuchota Sachi.

— Ta présence me rappelle des jours heureux, dit la princesse. Mais l'étaient-ils vraiment ? Si seulement j'avais été une meilleure épouse…

— Je suis sûre qu'il…

Sachi se tut. Elle n'avait pas à parler ainsi.

— Comme je suis heureuse de te savoir de retour, soupira à nouveau la princesse. Nous avons tant à nous raconter. Bien des événements se sont produits en ton absence…

Sachi attendit respectueusement qu'elle poursuive.

— Tu t'es bien acquittée de ta mission.

Une mission ? Sachi avait oublié qu'elle avait reçu une mission…

— On nous a raconté que le palanquin impérial avait été attaqué par des rebelles, et que la Retirée et moi-même avions été capturées et conduites à Satsuma, bastion des troupes ennemies. La population était en colère. Personne n'a douté un seul instant que les soldats du Sud aient pu mettre le feu au château. Alors nos hommes ont incendié les résidences des Satsuma et les ont chassés de la ville. Plus tard, on a retrouvé le palanquin impérial abandonné, loin de la ville.

Elle baissa les yeux vers ses mains fines croisées sur ses genoux.

— Nous t'avons crue perdue. Comme nous t'avons pleurée ! Notre monde s'achève. Je n'aurais jamais cru vivre cela un jour… Jamais !

Sachi fut étonnée de sa véhémence.

— Tu m'as manqué, mon enfant, reprit la princesse. J'étais triste de t'avoir confié une tâche aussi périlleuse, de t'avoir laissée sans escorte, sans même une domestique. Comment as-tu survécu ? Ça a dû être terrible… Je suis heureuse de savoir que tu as fait ton devoir. Mais c'était cruel de ma part – impardonnable, même – de te jeter en pâture à l'ennemi.

Des larmes brillèrent dans ses yeux. Qu'elle se soit inquiétée du sort de Sachi montrait à quel point les épreuves l'avaient transformée…

— Votre Altesse, pardonnez ma franchise mais… Que sont devenues les autres dames ? Dame Tsuguko… ?

La première dame d'honneur de la princesse avait toujours été son alliée. Sachi n'osait imaginer ce qui avait pu lui arriver.

Une ombre passa sur le visage de la princesse. Au même moment, on entendit des pas rapides dans le couloir puis la porte s'ouvrit sur une silhouette agenouillée.

— Votre Altesse Impériale. Veuillez pardonner ma brutalité, mais il paraît qu'elle est de retour. Dame Shoko-in ! Ma belle-fille !

Sachi reconnut immédiatement cette aura puissante, cette voix impérieuse. Elle s'inclina front contre terre.

La Retirée portait un élégant kimono d'une délicate nuance de gris. Ses cheveux flottaient sur ses épaules. Ses yeux aussi lumineux que des pierres précieuses éclairaient un visage à la beauté intacte. En vérité, la Retirée était aussi parfaite que la reine des neiges, qui passait pour séduire les voyageurs avant de les entraîner vers une mort certaine dans les solitudes glacées des montagnes. Elle considéra Sachi avec un sourire mielleux. Le cœur de la jeune fille s'affola. Avait-elle traversé tout le palais dans le seul but de l'abreuver de sarcasmes ? Elle se raidit, prête au pire.

— Sois la bienvenue, reprit la Retirée. D'après ce qu'on dit, tu reviens de loin. Ton courage et ta fidélité au clan des Tokugawa sont dignes de louanges. Nous t'accueillons à nouveau parmi nous.

La princesse lui retourna son salut, en veillant à ne pas s'incliner plus bas que la Retirée ne serait-ce que de quelques centimètres. Les deux femmes étaient toujours aussi jalouses de leurs prérogatives, quand bien même il ne restait plus qu'elles au palais.

La Retirée se tourna de nouveau vers Sachi :

— Nous pensions que tu étais retournée parmi les gens de ton espèce. Nous ne comptions pas te revoir. Pourquoi es-tu revenue ?

Cette fois, la Retirée n'avançait plus à couvert. Mais sa franchise brutale n'impressionnait plus autant Sachi.

— Fini le luxe et le confort. Il n'y a plus rien ici que la mort. Nul besoin pour toi de rester. Tout le monde est parti. Tout le monde sauf nous.

Tout le monde est parti… Si sa mère avait vécu au palais, où était-elle à présent ? Sachi garda le silence.

— Tu n'es pas des nôtres, reprit la Retirée avec une condescendance appuyée. Nous te rendons ta liberté. Quitte les lieux pendant que tu le peux encore.

— C'est une excellente chose que tu sois de nouveau parmi nous, ma chère enfant, enchaîna précipitamment la princesse. Nous sommes si heureuses de te retrouver, de mesurer ton immense fidélité. Heureuses, aussi, de pouvoir te dire au revoir. Mais il te faut partir, et vite. En tant qu'épouses officielles, la Retirée et moi appartenons à la famille des Tokugawa. Toi, tu es jeune, tu as la vie devant toi. C'est moi qui t'ai amenée ici, tu n'as pas choisi ton destin. Le moment est venu pour moi de te libérer.

Mais la princesse n'avait pas davantage choisi son destin… Dans le monde dont elle était issue, personne ne pouvait se permettre d'agir à sa guise.

— Et vous, que ferez-vous ? murmura Sachi.

— Nous redoutons à tout moment une attaque, répondit la princesse d'un ton neutre. La ville est assiégée. Nous avons entendu dire qu'à Shinagawa et Itabashi cinquante mille soldats attendaient l'ordre d'attaquer. D'ici peu, nos hommes combattront jusqu'à la mort et la ville s'embrasera. Dame Tensho-in et moi-même allons rester. Si l'ennemi prend le château, nous y mettrons le feu avant de nous tuer.

La princesse faisait preuve d'une sérénité étonnante, comme si elle discutait des détails d'un mariage.

Pendant quelques minutes, Sachi faillit céder également à la fièvre du sacrifice. Puis elle songea à Shinzaémon et son désir de mort s'évanouit. La princesse et la Retirée n'avaient plus aucune raison de vivre, ni de vieillir. Elle, si. Elle se vit courir à la porte Tsuboné avec Taki pour y attendre Shinzaémon. Elle le prierait alors de s'enfuir avec elles. Naturellement il refuserait au nom de l'honneur, mais elle saurait le persuader de rester en vie pour la protéger. Puis ils quitteraient la ville, échappant aux troupes ennemies, et disparaîtraient dans les collines.

Mais comment partir avant d'avoir découvert ce qui était arrivé à sa mère ? Sachi n'avait pas le choix. Peu importait ses sentiments ou ses désirs : en tant que concubine de Sa Défunte Majesté, elle avait le devoir d'accompagner la princesse et la Retirée dans la mort.

— Partir ? Jamais ! déclara-t-elle, pleine d'assurance. Quoique d'un rang inférieur aux vôtres, je suis aussi une Tokugawa, puisque Sa Majesté a daigné me choisir comme concubine. Je partagerai votre destin, quel qu'il soit.

– Tu oses te considérer comme une Tokugawa ? cracha la Retirée avec mépris. Tu oublies que tu n'es qu'une petite paysanne. Tu n'es pas concernée par notre code d'honneur.

— Madame, lui rétorqua calmement Sachi, je suis autant une Tokugawa que vous. Si je n'ai pas choisi le lieu de ma naissance, je peux choisir celui de ma mort.

— Mon enfant, insista la princesse, je t'ordonne de partir. Le temps nous est compté.

— Si vous mourez, je mourrai aussi.

La Retirée lâcha un soupir et, curieusement, ses traits parurent s'adoucir. Sachi crut même apercevoir une larme dans ses yeux noirs.

— Tu as une grande force d'esprit, dit-elle.

— Sa Seigneurie a donné l'ordre à nos dames d'honneur de quitter les lieux, soupira la princesse. Mais elle ne pensait pas qu'elles le feraient.

— Elles se croient des samouraïs, ricana la Retirée, et elles ont peur de mourir ! Je pensais qu'elles auraient été fières de partager notre sort. Mais elles ont préféré détaler comme des lièvres et se réfugier dans leurs familles. En d'autres temps, toutes seraient restées.

La princesse et la Retirée échangèrent un bref sourire. Sachi ne les avait jamais vues aussi heureuses ni aussi solidaires. L'heure était venue pour elles d'accomplir leur destin. Elles n'étaient plus des victimes, mariées contre leur gré. On aurait dit deux jeunes filles au regard brillant attendant leur amoureux. Pourtant, ce n'était pas la vie, mais la mort qu'elles désiraient si ardemment.

— Les temps ont changé, acquiesça la princesse. Nous ne sommes plus à l'époque où chacun aspirait au bonheur d'une mort partagée.

La Retirée sourit à Sachi.

— Quant à toi, si tu es née paysanne, tu as le cœur d'une samouraï.

II

— Après l'incendie, la princesse a demandé à tout le monde de partir, expliqua Haru. La Retirée nous en a même donné l'ordre. Nous sommes en grand péril. Les armées du Sud ont pris la ville. Si elles s'emparent du château, elles tiendront le pays entier.

Tout en parlant, Haru retournait son éventail entre ses mains potelées. Les bougies qui crépitaient dans de grands chandeliers jetaient une clarté dorée sur ses joues rondes, les rides fines de son front, sa chevelure lustrée. Les ombres des portants chargés de kimonos s'étiraient sur le sol. Sachi imagina l'imposante silhouette du château se découpant sur le ciel noir, à peine éclairé par quelques rayons de lune.

— Mais toi, grande sœur, tu es restée, remarqua Sachi.

— Pourquoi serais-je partie ? Pour aller où ? Retrouver une famille, un pays qui ne signifient plus rien pour moi ? J'ai vécu toute ma vie dans ce château. C'est ici que sont ma famille, ma maison.

Sachi repensa aux histoires terribles que lui avait racontées Haru sur le palais. Elle l'avait souvent entendue se plaindre des autres femmes, répétant que l'endroit était invivable. Pourtant, quand l'occasion de partir s'était présentée, elle l'avait repoussée.

— Et dame Tsuguko ? demanda-t-elle.

Haru parut s'éveiller d'un songe.

— Personne ne sait ce qu'elle est devenue. Tu as été la dernière à la voir.

Sachi revit la haute silhouette de la dame d'honneur s'enfoncer dans la fumée tandis que les flammes crépitaient de plus en plus fort. Sans doute n'avait-elle pas survécu à cet enfer. Elle était morte dignement, en accomplissant son devoir. Pourtant, les yeux de Sachi se remplirent de larmes. Dame Tsuguko lui avait enseigné tant de choses… Pourquoi la vie devait-elle être si triste ?

Haru, d'ordinaire si enjouée, paraissait agitée et soucieuse. Elle regardait Sachi avec insistance, comme si elle voulait lui dire quelque chose, mais, chaque fois qu'elle semblait sur le point de parler, elle se ravisait et prenait un ouvrage de couture qu'elle reposait aussitôt après.

Le balluchon contenant le manteau de brocart gisait dans un coin de la pièce. Sachi se rappela que Haru avait reconnu le blason sur son peigne… Le blason que l'on retrouvait brodé sur le vêtement.

Elle posa le paquet devant elle et joua distraitement avec le ruban qui l'entourait. Haru s'approcha et entreprit d'en défaire le nœud sous les yeux intrigués de Sachi.

Le balluchon s'ouvrit, livrant aux regards le précieux tissu, aussi radieux qu'un ciel d'été. À lui seul, il paraissait illuminer la chambre.

Haru pâlit comme si elle avait vu un fantôme, puis elle tendit une main tremblante vers le manteau, craignant peut-être qu'il tombe en poussière à son contact. Quand elle le souleva, un parfum éventé de musc et d'aloès, d'absinthe et d'encens, s'échappa de ses plis. Haru pressa le tissu contre son visage et se mit à verser des larmes si abondantes que Sachi craignit qu'elle ne s'arrête jamais de pleurer.

Haru n'avait même pas regardé les armoiries. C'était le kimono lui-même qui avait suscité cette émotion chez elle.

— Tu… tu l'as déjà vu, grande sœur ? demanda Sachi, pleine d'appréhension.

Haru s'essuya les yeux et étala soigneusement le kimono sur ses genoux.

— Cela faisait si longtemps, murmura-t-elle d'une voix rauque. Tu lui ressembles tant, petite sœur. J'ai cru que c'était une coïncidence, que ma mémoire m'abusait…

Sachi se sentit chanceler. À présent qu'elle était sur le point d'apprendre la vérité sur sa mère, elle n'était plus du tout sûre de vouloir l'entendre.

— À qui est-ce que je ressemble, grande sœur ?

— À ton arrivée, tu n'étais qu'une gamine gauche et craintive. Puis tu as grandi. À présent, quand je te regarde, je la vois *elle*… C'est comme si elle n'avait jamais quitté le palais.

— Tu parles de ma mère, n'est-ce pas ?

Haru pleurait tant qu'elle ne put répondre. Le parfum du kimono emplissait la chambre. Un rayon de lune filtrait à travers les écrans de papier des fenêtres. Autrefois, le château résonnait de voix, de pas et de rires. À présent, il n'y avait plus que le silence, le soupir du vent dans les arbres, le cri perçant d'un hibou et les sanglots de Haru.

— Elle était si belle, si belle... Personne ne pouvait poser les yeux sur elle sans l'aimer. Et toi... tu es à son image.

— Est-elle toujours ici, grande sœur ?

Haru tourna son visage vers elle. Dans la lumière tremblotante des bougies, elle semblait avoir vieilli de trente ans.

— J'ignore où elle est, chuchota-t-elle. Je ne l'ai pas vue depuis... le jour de ta naissance.

Sachi s'éveilla avant l'aube et attendit impatiemment que les premières lueurs du jour filtrent à travers les volets de bois.

Un doux parfum printanier montait de la terre. Les cloches des temples se mirent à sonner, des tambours retentirent. La ville s'éveillait lentement à la vie, mais les bruits semblaient dispersés, comme s'il manquait la moitié des habitants.

La jeune fille se leva et s'arrêta devant le miroir. Le visage qui se reflétait dedans n'était pas seulement le sien, mais aussi celui de sa mère, cette étrangère qui semblait lui retourner son regard par-delà le temps.

Taki entreprit de la coiffer.

— Haru semble avoir bien connu ta mère, remarqua-t-elle. Pourtant, elle ne t'en a jamais parlé. Il a dû se passer quelque chose de grave pour qu'elle soit tellement bouleversée. Ça ne lui ressemble pas de pleurer ainsi.

Haru attendait dans l'antichambre. Avec le jour, le brocart avait perdu un peu de son mystérieux éclat.

Sachi fit courir ses doigts sur le tissu, craignant qu'il disparaisse, emportant ses secrets, si elle le rangeait.

— Comment s'appelait-elle ? demanda-t-elle à Haru.

— Je vais te le dire. Mais d'abord, raconte-moi tout ce que tu sais de ce vêtement. Où l'as-tu trouvé ?

— Sans que je le sache, il m'a accompagnée tout au long de mes déplacements. Quand nous nous sommes arrêtées dans mon village, mes… parents m'ont dit que mon père m'avait confiée à eux, bébé, enveloppée dans ce kimono.

Haru blêmit.

— Ton père ! Il est allé si loin ?

Sachi eut du mal à cacher sa surprise. Se pouvait-il que Haru connaisse aussi son père ?

— C'est un cousin éloigné de mes parents. Il est retourné au village il y a peu de temps.

— Es-tu en train de me dire qu'il est toujours en vie ? Tu l'as vu ?

— Non. Mais mes parents lui ont parlé.

— Et comment allait-il ?

— Bien. Il…

Sachi se tut, incapable d'expliquer à Haru que son père collaborait avec l'ennemi. Son ancienne préceptrice se balançait d'avant en arrière, les yeux brillants de larmes.

— Daisuké-sama… Tout aurait été tellement mieux si ta mère et moi ne l'avions jamais vu. Mais tu ne serais pas là aujourd'hui…

Une servante apporta plusieurs plateaux chargés de mets tels que Sachi n'en avait pas mangé depuis son départ du palais.

— Parle-moi de ma mère, grande sœur. Comment l'as-tu connue ?

— Nous avons grandi ensemble, car mon père était au service de sa famille. Je suis entrée au palais avec elle en tant que suivante. Nous étions inséparables – comme Taki et toi aujourd'hui. Elle me manque toujours, je ne peux te dire à quel point.

Au bout d'un long silence, Sachi murmura :

— Comment s'appelait-elle ?

— *Okoto-no-kata*. Dame Okoto.

Dame Okoto… Un kimono suspendu à un portant s'agita sous un souffle d'air.

— Elle appartenait au clan des Mizuno, reprit Haru. Son père était le seigneur Tadahira, chambellan à la cour des seigneurs de Kisshu.

Mizuno… N'était-ce pas le nom de l'homme qui leur avait annoncé la maladie de Sa Majesté et qu'elle avait vu depuis descendre du bac ? Sachi se rappela son profil d'oiseau de proie, et l'effroi qu'il avait manifesté en la voyant. Il avait cru se retrouver face à sa mère !

Fascinée, Sachi regarda Haru déplier le kimono, découvrant le blason brodé sur l'épaule. Les armoiries des Mizuno… Elle aurait pourtant dû les reconnaître !

Elle était sur le point de se confier à Haru quand Taki posa une main sur son bras pour lui rappeler le serment qu'elles avaient fait à la princesse de garder le secret sur la visite du seigneur Mizuno.

— Ma mère était la nourrice de ta mère, dit Haru, si absorbée par son récit qu'elle n'avait pas remarqué la réaction de Sachi. Petite fille, on l'appelait Ohiro. Elle était déjà si jolie… Et pas timide pour deux sous, comme si elle avait su qu'un grand destin l'attendait. Nous vivions au château de Tankaku, à Shingu, dans le pays de Kii. Lorsque la tempête soufflait, on pouvait entendre rugir l'océan tout proche. Couchée dans mon lit, j'écoutais les vagues se briser contre les rochers au pied du château. Parfois je les entends encore.

« Ta mère et moi jouions ensemble depuis notre plus jeune âge. Plus tard, nous avons étudié de concert. Elle excellait en tout : lecture, calligraphie, poésie, cérémonie du thé, divination par l'encens, sans oublier l'art de jouer du koto ou le maniement de la hallebarde. Elle était très intelligente, beaucoup plus que moi. Mais d'un tempérament si sauvage ! Elle aimait grimper aux arbres, escalader les falaises. Imagines-tu cela ? Mon père répétait toujours qu'elle aurait dû naître garçon, et qu'elle pensait trop pour une fille. Personne ne résistait à son charme. Elle obtenait toujours tout ce qu'elle voulait.

« Comme elle se montrait bonne envers moi ! Elle me traitait comme une sœur. Nous étions encore enfants quand la famille Mizuno vint s'installer à Edo. Dame Ohiro avait exigé que je l'accompagne. Deux ans plus tard, elle entra au palais et m'emmena avec elle.

« Je n'étais pas beaucoup plus âgée que toi à l'époque. Le palais me paraissait un immense labyrinthe, plein de dames magnifiques aux visages peints. Si belles et hautaines… Elles me terrifiaient !

Haru soupira et essuya une larme sur sa joue.

Sachi ne la quittait pas des yeux, buvant chacune de ses paroles. Elle savait à présent qu'un sang noble coulait dans ses veines. Cela expliquait la pâleur aristocratique de son visage, et peut-être aussi que le destin l'ait conduite au palais sur les traces de sa mère. Mais le sang du seigneur Mizuno était aussi le sien. La même ardeur bouillonnait en elle.

— La vieille Honju-in était la première concubine en ce temps-là, enchaîna Haru. Sa Majesté la *midaido-*

koro, épouse de Sa Grâce, était morte depuis longtemps, laissant dame Honju-in diriger le palais des femmes. Si tu juges la Retirée trop dure, dis-toi qu'elle était pire encore ! Avec elle, les coups pleuvaient. J'en ai tant reçu que j'avais les bras tout bleus ! Elle était devenue première concubine en titre parce qu'elle avait eu la chance de donner un fils au seigneur Ieyoshi, un pauvre garçon sans force et sans cervelle, qui devait avoir vingt et un ans à l'époque. Mais je t'ai déjà parlé de lui. Aussi, tout le monde espérait que le shogun aurait un autre héritier.

« Dès que les yeux de Sa Majesté se posèrent sur dame Ohiro, il succomba à son charme. Cela ne m'étonna guère, tu penses bien. Elle était si belle, si douée, si rayonnante – comme toi, petite sœur. Le shogun était vieux et chauve, mais il avait un caractère aimable et bienveillant. Naturellement, il avait nombre de concubines mais, contrairement à son père, il ne les collectionnait pas comme de jolies porcelaines. Il avait le cœur tendre. Sa dernière favorite était morte en couches. Il en avait perdu le sommeil et pleurait toute la journée. Et puis ta mère est arrivée…

— Que s'est-il passé alors ?

— Il l'a regardée et a demandé : « Comment s'appelle-t-elle ? » Je n'ai pas compris tout de suite qu'il la voulait pour concubine. Elle était effrayée, comme toi lorsque notre jeune Majesté t'a remarquée. Mais son devoir lui commandait d'obéir. C'est ainsi qu'elle est devenue dame Okoto, la dame de la chambre attenante.

« Quelle vie nous avons menée ! Ta mère fit de moi sa première dame d'honneur. On nous installa dans des appartements magnifiques et les marchands faisaient la queue aux portes avec des malles pleines de kimonos, de ceintures, de peignes, de produits de beauté, tout cela rien que pour elle. Les seigneurs, les fonctionnaires, les courtisans et les négociants voulaient tous s'assurer de son soutien s'ils devaient un jour solliciter quelque faveur de Sa Majesté. Ils savaient que la seule manière d'avoir l'oreille du shogun était de passer par sa favorite. C'était mon travail de trier tous les présents qu'on lui offrait.

« Comme je te l'ai dit, il y avait nombre de concubines, mais Sa Majesté ne s'intéressait qu'à ma maîtresse. Nuit après nuit, il l'appelait auprès de lui. L'année suivante, elle eut un fils, le prince Tadzuruwaka. Sa naissance fut fêtée par de grandes célébrations et cérémonies mais, hélas, Son Altesse ne survécut pas. Après cela, ma maîtresse eut une fille, la princesse Shigé. Malheureusement, elle aussi disparut bien trop tôt…

Soudain Sachi perçut une présence derrière elle, si puissante qu'elle se retourna, les sens aux aguets. Elle crut alors voir sa mère, la belle Okoto, vêtue du glorieux manteau de brocart couleur de ciel. Une femme aussi belle et ardente devait se sentir à l'étroit entre ces murs. Peut-être passait-elle des heures à contempler les jardins en songeant au château de Tankaku et au bruit des vagues se brisant sur le rivage. Peut-être se sentait-elle affreusement seule au milieu de tous ces riches présents…

— Personne n'aurait imaginé qu'elle connaîtrait un tel destin, murmura Haru. Je ne saurais dire si nous étions heureuses ou non. Nous acceptions cette vie sans nous poser de questions. Mais ta mère était encore si jeune, elle n'avait même pas atteint sa vingtième année. J'ai essayé si fort d'oublier ! Je croyais y être parvenue. Et puis tu es apparue…

Sachi se pencha vers elle, consciente du peu de temps qu'il leur restait.

— Grande sœur, je t'en prie, dis-moi qui est mon père. Comment a-t-il… rencontré ma mère ?

Les ombres s'étiraient sur le sol. Des mouches bourdonnaient, une blatte trottait sur le mur. Taki fixait un point dans l'espace, essayant elle aussi d'assembler les pièces du puzzle.

Haru saisit respectueusement le kimono de brocart et l'appuya contre sa joue.

— Ton père, soupira-t-elle. Si tu l'avais vu, peut-être aurais-tu mieux compris. Tu lui ressembles aussi.

Son père… l'homme qui l'avait amenée au village quand elle était bébé, et qui, à présent, s'était rallié au camp ennemi.

— Mais Haru, comment peux-tu l'avoir connu ? interrogea Taki. Tu n'as jamais quitté le palais !

— Je comprends votre étonnement. Je vais tout vous expliquer. J'ai gardé mon secret trop longtemps. Tout va bientôt s'achever. Plus rien n'a d'importance, désormais.

« C'était l'année du Coq, la deuxième de l'ère Kaei. Quelques mois plus tôt, des architectes étaient venus inspecter le palais pour évaluer l'ampleur des réparations annuelles. C'était une telle agitation chaque fois que des hommes venaient au château ! Les femmes essayaient par tous les moyens de les apercevoir à travers les persiennes. Naturellement ma maîtresse ne participait jamais à ces jeux stupides. En tant que concubine de Sa Majesté, elle devait tenir son rang. Seulement, notre seigneur ne l'appelait plus jamais auprès de lui – c'était le shogun, après tout. Il lui fallait à tout prix un héritier. Ma maîtresse en souffrait beaucoup. Elle toujours si pleine de vie en devenait pâle et triste.

« Cet été-là, les dames du palais étaient aussi excitées qu'une volière pleine d'oiseaux. Et tout cela parce qu'elles s'échauffaient en épiant les ouvriers. La plupart étaient plutôt laids, pas du tout comme des samouraïs. Ils se déplaçaient comme des souris, l'air perpétuellement apeuré. S'ils avaient offensé une seule d'entre nous, ils auraient eu la tête tranchée. Normalement, nous n'aurions pas prêté attention à de telles créatures, mais quelle autre occasion avions-nous de voir des hommes ?

« Ma maîtresse se trouvait dans sa chambre avec ses dames d'honneur quand des architectes entrèrent pour examiner le plafond. Des lattes de bambou tombaient en morceaux. Personne ne nous avait averties de leur venue. Ma maîtresse s'est immédiatement levée et nous nous sommes toutes ruées dehors. Mais je ne pus m'empêcher de remarquer le regard qu'elle lança à un des charpentiers. Il lui a retourné son regard, vous pouvez m'en croire mais, jusque-là, il ne s'était rien passé d'inconvenant.

Haru ferma les yeux, emportée par ses souvenirs. Captivée, Sachi serrait fermement la main de Taki.

— Dieu qu'il était beau ! soupira Haru. Oh, pas comme un charpentier, non, mais plutôt comme ces acteurs de kabuki que nous admirions tant. Nous n'avions pas la permission d'aller au théâtre, mais certaines dames étaient parvenues à s'échapper du palais pour assister à une représentation. Il y avait un acteur célèbre que nous vénérions toutes : Sojuro Sawamura. Ton père, Daisuké-sama, lui ressemblait.

« Plus tard, comme nous parlions toutes de lui, je vis que ma maîtresse ne participait pas à la conversation. Elle semblait perdue dans ses pensées. Au fil des jours, elle devint de plus en plus pâle. Elle ne mangeait presque plus. Son corps était décharné, ses yeux tout cernés de noir, comme si elle avait pris de l'opium ou de l'absinthe. J'avais peur qu'elle soit atteinte de consomption. Ne dit-on pas que c'est la maladie des riches ? Puis j'ai commencé à me demander si quelqu'un n'avait pas versé de la poudre de lézard rôti dans sa nourriture. Car elle avait l'air possédée, avec un regard lointain, comme si elle n'habitait plus son corps…

« Un jour, elle m'a dit : "Haru, Haru, je pense que j'ai été ensorcelée. C'est comme si mon âme était affamée. Jour et nuit, je ne peux penser à autre chose. J'en mourrai, à moins que… Oh, Haru, il faut absolument que je le revoie !"

« Toutes nous aspirons à la compagnie des hommes, mais que faire, sinon supporter notre solitude ? Mais ma maîtresse avait toujours agi à sa guise. Elle ne craignait pas le jugement d'autrui. J'ai demandé à un prêtre de ma connaissance de nous aider. C'est ainsi que nous avons appris le nom de l'architecte. Le prêtre lui a envoyé un message, et rien qu'au regard qu'il avait échangé avec ma maîtresse, je savais déjà que Daisuké-sama viendrait sans se faire prier.

« Ma maîtresse a raconté qu'elle voulait se rendre au temple de Zojoji pour prier devant les tombeaux des ancêtres de Sa Majesté. Nous sommes parties avec une escorte de domestiques ainsi que deux dames que nous avions mises dans la confidence. Elles ont gardé nos palanquins pendant que nous nous esquivions. Le prêtre que je connaissais entretenait lui-même des relations coupables avec certaines dames du palais. Une pièce du temple abritait ces passions interdites. Votre père nous y attendait.

Sachi plaqua ses deux mains sur sa bouche. Ainsi, voilà ce qu'elle était, voilà d'où elle venait. Une faim de l'âme… Elle connaissait ce sentiment. La même folie courait dans ses veines. Au moins, elle n'était pas allée aussi loin que sa mère. Elle n'avait pas trahi son devoir.

— Au retour, ta mère ne prononça pas un mot, reprit Haru. Mais cette rencontre n'apaisa pas son désir. Au contraire, il se faisait de plus en plus impérieux à chacun de leurs rendez-vous, jusqu'à la consumer tout entière. Nous sommes retournées plusieurs fois au temple. Sa Majesté a dû penser que dame Ohiro devenait bien pieuse… Sauf qu'il ne pensait plus à elle. Comme tout cela est triste ! Bien sûr, je me tuais à dire à ta mère qu'elle devait arrêter. Mais elle ne pouvait se résigner à ne plus voir Daisuké.

« Ma maîtresse semblait avoir recouvré la santé. Elle s'épanouissait comme une fleur. Quand nous étions seules, elle parlait, parlait… Je craignais que les femmes du palais ne remarquent à quel point elle avait changé. D'ailleurs, très vite, j'ai commencé à entendre des rumeurs et des bavardages. Ta mère avait beaucoup d'ennemies. Les autres concubines la jalousaient parce qu'elle avait été la favorite du shogun.

« Et, un beau matin, nous avons découvert qu'elle attendait un enfant. Sa Majesté ne l'ayant pas appelée auprès de lui depuis des mois, il fallait se débarrasser du bébé. Mais cette idée était insupportable à ma maîtresse. Comme nous étions en hiver, elle cachait son ventre sous plusieurs couches de kimonos et gardait la chambre toute la journée, sauf quand elle allait retrouver ton père.

« Elle accoucha au temple. Bien sûr, j'étais à ses côtés. C'est moi qui t'ai mise au monde. Je m'en souviendrai toujours… Tu étais si ravissante, si fragile…

Haru enveloppa Sachi d'un sourire maternel et lui caressa doucement la joue, comme pour s'assurer qu'elle était bien réelle.

— Tes parents étaient fous de joie. Ils te tenaient dans leurs bras, ils te dévoraient des yeux… Et puis ma maîtresse a commencé à paniquer. Il faut retourner au château, disait-elle. On va venir tuer mon bébé ! Je lui répondais de se reposer, mais elle avait trop peur.

« Elle s'est mise à pleurer à l'idée de devoir t'abandonner. Elle t'a enveloppée dans ce kimono, en ayant soin de glisser son peigne à l'intérieur. “Là, mon petit, a-t-elle dit. Grâce à ce manteau, un jour, tu me retrouveras.” Et elle avait raison… Aussi incroyable que cela paraisse, tu as retrouvé sa trace.

« Elle t'a déposée dans les bras de ton père, puis nous l'avons portée au palanquin car elle ne pouvait pas marcher. Voilà comment nous avons regagné le château. À notre retour, nous avons trouvé de bien mauvaises nouvelles. Le frère de ma maîtresse était dans un état désespéré !

Sachi sursauta. Le frère de sa mère… N'était-ce pas, précisément, le seigneur Mizuno ? L'homme qu'elle avait aperçu sur la rive du fleuve ? Comme si elle avait deviné ses pensées, Taki fronça les sourcils, l'adjurant de garder le silence.

— Le message priait ma maîtresse de se rendre sans tarder à la résidence familiale. J'ai voulu l'accompagner mais elle m'a dit de rester. « Si je ne suis pas de retour demain, dis à Daisuké de ne pas m'attendre. Rien ne compte sauf mon bébé. » Elle m'a fait jurer de garder le secret : « Ne raconte jamais cette histoire à quiconque, sauf à mon enfant. » Elle n'est pas revenue le lendemain, ni le jour suivant. Je suis allée au temple en cachette. Daisuké était déjà parti avec toi. Le prêtre ignorait où il était allé.

« C'est la dernière fois que j'ai quitté le palais. Je ne pouvais même pas pleurer, ni me confier à qui que ce soit. Ma vie était terminée. Alors, je me suis concentrée sur mon travail de préceptrice.

« Et puis, tu es venue. Tu n'étais encore qu'une enfant, mais il y avait déjà chez toi quelque chose qui m'a fait repenser au bébé de ma maîtresse. Un jour, j'ai vu le peigne, un objet bien trop délicat pour une petite fille paysanne. Il ressemblait exactement à celui que j'utilisais pour coiffer ma maîtresse. J'ai pensé qu'un marchand l'avait oublié dans ton village, mais je me suis posé des questions. Et maintenant, c'est comme si elle était revenue.

Prenant brusquement conscience de l'heure, Sachi se releva avec difficulté. Elle se sentait étrangement désincarnée, comme privée du contrôle de ses membres.

— Ta mère est en toi, affirma Haru avec un sourire.

Sachi se demandait ce qu'elle entendait par là quand elle ajouta :

— Vas-y. Pars vite le retrouver.

III

Sachi traversa en hâte les jardins du palais, portant un simple manteau sur sa robe de cour, une écharpe enroulée autour de la tête. Ses longues jupes s'entortillaient autour de ses jambes, l'obligeant à faire de petits pas. Les joues rouges, le front moite, c'est à peine si elle remarquait la boue sur ses chaussures. Tout ce qu'elle savait, c'était qu'elle devait atteindre la porte Tsuboné avant le crépuscule.

Les pétales de cerisier tourbillonnaient comme des flocons de neige, semant ses vêtements et le chemin de petits confettis humides. Pressant l'allure, elle franchit plusieurs ponts avant d'atteindre les ruines du palais des femmes. Taki trottinait derrière elle.

Les jardins grouillaient de soldats. Équipés de fusils, ils multipliaient les rondes, prêts à assurer la protection du château au prix de leurs vies.

Elles trouvèrent la porte Tsuboné fermée. Le vieil homme qui les avait accueillies la veille surgit alors de nulle part et les escorta jusqu'à la petite porte latérale entre deux patrouilles. Taki attendit dans l'ombre des remparts tandis que Sachi s'engageait sur le pont. Elle savait qu'elle disposait de peu de temps avant que la petite porte ne soit fermée pour la nuit. Elle n'osait imaginer ce qui lui arriverait si elle se retrouvait dehors à la nuit tombée, à la merci des soldats du Sud…

Elle se sentait toute petite au pied de l'énorme masse du château. Au-delà du fossé se dressait le mur d'enceinte du palais d'un daimyo. De larges avenues s'échappaient dans toutes les directions. Des chauves-souris dessinaient des arabesques dans le ciel.

Tout près de là, une fusillade éclata soudain, suivie de cris et de pas précipités. La peur au ventre, Sachi serra fermement le manche de son poignard, osant à peine respirer.

Une lune énorme s'élevait derrière les arbres comme une grosse lanterne ronde. On y voyait distinctement l'image d'un lapin en train de piler le riz pour préparer des *moshi*.

Shinzaémon ne viendra pas, pensa Sachi. Un soldat tel que lui ne se laisserait jamais détourner de ses devoirs par des sentiments stupides. De toute façon, pour la rejoindre, il aurait dû traverser les lignes ennemies. Mieux valait repartir que de s'attarder à l'extérieur comme une courtisane de bas étage.

Mais, malgré les remontrances qu'elle s'adressait, Sachi ne pouvait s'empêcher de ressentir un vide immense. À présent, elle pouvait mettre un nom sur ce manque douloureux – une faim de l'âme, celle-là même qui avait dévoré sa mère.

Tant pis, pensa-t-elle. Je suis peut-être folle, mais je resterai encore un peu… Je patienterai jusqu'à ce que la nuit tombe.

Elle crut percevoir un mouvement furtif derrière les arbres de l'autre côté de la route. À la faveur du clair de lune, elle distingua alors le visage qui hantait ses pensées depuis son retour. Shinzaémon s'avançait vers elle de sa démarche féline, ses deux sabres solidement attachés à sa ceinture. Elle l'attendit, aussi immobile qu'une statue, les mains crispées sur la balustrade du pont.

Les yeux de Shinzaémon brillaient d'un éclat féroce, comme s'il défiait la mort qui lui tendait déjà les bras pour une dernière étreinte.

— Vous, souffla-t-il.

Le son de sa voix la fit frissonner.

Il l'attira à lui. Elle sentit son corps musclé s'écraser contre le sien, l'enveloppant de sa chaleur, et respira l'odeur salée de sa peau.

Il pressa son visage sur ses cheveux et fit courir ses lèvres le long de son cou. Au bord de l'évanouissement, elle s'abandonna, brûlant de se fondre en lui.

Soudain il s'écarta d'elle sans pour autant la quitter des yeux.

— Nous n'avons plus beaucoup de temps. J'ai évité de justesse des soldats qui marchaient vers le château. Vous devez rentrer. C'est trop dangereux ici.

— J'ai cru que vous ne viendriez pas, chuchota-t-elle.

— Pour rien au monde, je n'aurais manqué ce rendez-vous. Je pense sans cesse à vous. Comment un soldat tel que moi peut-il se laisser ainsi dominer par ses sentiments ?

— Vous m'avez manqué.

Ils demeurèrent silencieux un long moment.

— Vous et moi, nous nous ressemblons, dit-il enfin. Je suis un solitaire. Vous aussi, même si j'ignore toujours qui vous êtes vraiment.

Elle eut envie de tout lui avouer : qu'elle était la Retirée Shoko-in, concubine du défunt shogun, et la fille d'une autre concubine, dame Okoto. Mais il allait sans doute bientôt mourir et ils ne se reverraient jamais.

— Le monde entier est ivre de guerre et de carnage, reprit Shinzaémon. Il n'y a que moi qui aie d'autres préoccupations en tête. Mais je me battrai jusqu'au bout. Pour vous.

Il la prit dans ses bras et tout autour d'eux disparut comme par enchantement. Sous la lune qui se reflétait dans le fossé, leurs deux silhouettes enlacées paraissaient seules au monde.

Des pas approchaient. Des ombres se profilèrent en haut de la route, venant vers eux. Sachi songea que la porte pouvait se refermer à tout moment.

Shinzaémon recula à contrecœur, prit quelque chose dans sa ceinture et le lui tendit.

— Prenez. C'est le fermoir de ma blague à tabac. Vous le garderez en souvenir de moi.

Les doigts de Sachi se refermèrent sur le petit objet qui gardait encore la chaleur du corps de Shinzaémon.

— Il est temps pour moi de repartir.

— Au temple de Kanei-ji ?

Il acquiesça.

— Sur la colline de Ueno. C'est là que s'est retiré notre shogun, le seigneur Yoshinobu. Nous sommes des milliers. Nous avons aussi des hommes dans les collines pour retarder l'avancée de l'ennemi. Nous rétablirons l'autorité de Sa Majesté et le ramènerons en triomphe au château.

Il la couvait du regard.

— J'aspire à mourir dignement pour mon seigneur. Mais, si je survis, je viendrai vous retrouver.

— Je vous attendrai, dans ce monde ou dans le prochain.

Les yeux noyés de larmes, elle courut vers la porte du château. Juste avant de s'engouffrer à l'intérieur, elle se retourna une dernière fois et distingua la silhouette de Shinzaémon sur le pont. Il agita la main avant de s'éloigner d'un pas rapide.

De l'autre côté de la porte, elle desserra le poing. À la lumière de la lanterne de Taki, elle vit un netsuke, une figurine en bois sculpté. Celui-ci avait la forme d'un petit singe – le signe de son année de naissance.

Les larmes coulèrent de plus belle sur ses joues. S'il lui avait demandé de fuir avec lui, qu'aurait-elle fait ? Mais ils venaient de vivre leurs derniers instants ensemble. Il n'y avait plus rien à attendre désormais, que la mort.

V

Sachi plongea son pinceau dans l'encrier et traça d'une main sûre d'élégants caractères sur la feuille. Elle aurait dû composer une ode à la mort, mais ce furent les vers passionnés de la poétesse Ono no Komachi qui lui vinrent à l'esprit :

Yumeji ni wa
Ashi mo yasumezu
Kayoedo mo
Utsutsu ni hitome
Mishi goto wa arazu

« Bien que mes pieds
Ne cessent de courir vers toi sur le chemin des rêves
De telles nuits d'amour ne vaudront jamais
Une seule image de toi dans sa réalité. »

« Une seule image de toi dans sa réalité »… Un seul moment d'intimité.

Elle regarda Taki, si menue et pourtant si forte, si indomptable. Elles avaient partagé tant de choses ensemble qu'elle était devenue comme une sœur pour Sachi… Comme Haru l'avait été pour sa mère.

La petite suivante lui jeta un regard sévère.

— Tu n'es pas ta mère, lui rappela-t-elle, et tout cela est arrivé il y a très longtemps. Elle est l'enfant gâtée d'un samouraï, alors que tu as grandi à la campagne, auprès de gens pleins de bon sens. Ne te laisse pas abuser par l'histoire de Haru.

Puis elle sourit et baissa les yeux.

— Mais de quel droit te ferais-je la leçon ? Je suis aussi sotte que toi ! Est-ce que Shin… est-ce qu'il avait un message pour moi ?

Sachi choisit ses mots avec soin.

— Toranosuké t'envoie ses salutations et te fait savoir qu'il pense à toi.

Elle mentait, mais c'était ce que Taki voulait entendre. Soudain, la petite suivante tressaillit et pencha la tête de côté comme un petit oiseau.

— Écoute, souffla-t-elle.

Des pas approchaient, résonnant dans des pièces vides. Rien à voir avec les trottinements des femmes du palais ou les petits pas glissants des courtisans. Puis des voix masculines s'élevèrent, mêlées à des rires.

Des hommes au palais ? Impossible !

La porte s'ouvrit brusquement. Haru se tenait agenouillée sur le seuil, les lèvres tremblantes.

— Son Altesse exige votre présence immédiatement.

Des dizaines de femmes émergeaient des profondeurs du palais, les plus jeunes semblables à des fleurs dans leurs kimonos chatoyants, les plus âgées à des feuilles d'automne avec leurs robes ternes. Dame Honju-in apparut à son tour, plus ratatinée que jamais. De ses trois cents dames d'honneur, il n'en restait plus que deux. Vieille Corneille, pour sa part, était suivie d'une simple domestique. Sans leurs étincelantes parures, elles n'étaient plus que des vieilles femmes fatiguées, au visage jaune et ridé. Mais une joie féroce brillait dans leur regard, comme si elles jubilaient à l'idée d'une mort prochaine et héroïque. Sachi n'imaginait pas qu'il restait tant de femmes au palais.

Toutes se hâtaient vers le grand hall, le bas de leurs kimonos frôlant les tatamis avec un bruit qui rappelait celui des vagues mourant sur la grève.

La princesse et la Retirée se tenaient sur une estrade au fond de l'immense salle. Sur le mur derrière elles, un cerisier noueux étendait ses branches couvertes de fleurs comme autant de petits nuages roses. Il était si parfaitement représenté que, sans le fond d'or scintillant, on aurait dit un vrai. Il évoquait la vie mais, sur les visages des femmes rassemblées, on ne lisait que la hantise de la mort.

Un murmure parcourut l'assemblée quand la Retirée se leva. Ses yeux fiévreux avaient l'éclat de la braise. Une veine palpitait sur son cou.

— Mesdames. C'est la fin. Ce grand château, l'existence luxueuse que nous y avons menée, les traditions que nous avons préservées durant des générations depuis l'avènement du premier shogun, le seigneur Ieyasu, oui, tout cela vient à son terme…

« Le château d'Edo est tombé entre les mains de l'ennemi. Il devra être évacué dans un délai de sept jours. Les délégués impériaux se trouvent déjà ici pour nous donner lecture de notre acte de reddition.

On entendit des sanglots étouffés, puis la voix de crécelle de dame Honju-in s'éleva :

— Qui parle de reddition ? Vous, belle fille, lança-t-elle d'un ton accusateur, vous entre toutes, comment pouvez-vous accepter une telle ignominie ? Céder devant l'ennemi ? Jamais ! Nous avons été trahies. Mais il est encore temps. Mesdames, l'instant de mourir est venu !

La Retirée pâlit.

— Sa Majesté le shogun, le seigneur Yoshinobu, nous interdit le privilège du suicide, rétorqua-t-elle d'un ton heurté. Nous n'avons d'autre choix que d'obéir et de quitter les lieux sans résistance.

— Comme des chiens, la queue entre les jambes ! gronda dame Honju-in. Ainsi le maître aux deux visages nous joue encore un de ses mauvais tours !

Sachi leva les yeux et laissa son regard errer sur l'assistance. La princesse, aussi pâle qu'une morte, semblait au bord de l'évanouissement. Le destin glorieux auquel elle se préparait lui échappait. Le devoir commandait aux dames du palais d'obéir au shogun, leur seigneur et maître. Si elles avaient autrefois partagé sa puissance, sa richesse et sa gloire, il leur fallait à présent partager son déshonneur. Elles auraient de beaucoup préféré se donner la mort.

Sachi comprenait leur dépit. Mais, en son for intérieur, elle sentait croître un sentiment dont elle aurait dû avoir honte : le soulagement. À présent, elle était sûre de vivre.

Les portes s'ouvrirent brusquement.

Les femmes penchèrent la tête, redoutant de poser les yeux sur l'ennemi, ne serait-ce qu'une seconde. Elles semblaient changées en pierres. Aucun homme, hormis le shogun, n'avait jamais vu leurs visages. Il n'était pas question qu'elles laissent ces intrus détestables les violer du regard.

Pas un sanglot, pas une plainte ne s'élevait de leur groupe. Au moins gardaient-elles leur dignité. Malgré la peur, leurs échines courbées exprimaient moins la déférence que le défi.

Les voix puissantes des hommes résonnaient fortement dans le silence. Toutes sortes d'odeurs s'engouffrèrent avec eux dans la pièce. Sachi distingua de subtils effluves signalant la présence de délégués impériaux, vite balayés par des relents de sueur, de tabac, de cuir et de saleté. Elle plissa le nez, reconnaissant la fragrance aigre de l'huile de clou de girofle employée pour polir les sabres. Ces rustres avaient pénétré dans le palais des femmes avec leurs armes ! Comment pouvait-on ignorer à ce point les usages de la cour ?

Elle, au moins, avait côtoyé des hommes pendant sa longue fuite. Mais pour ses compagnes, qui vivaient recluses depuis vingt ans et plus, le contraste entre leur existence passée, toute de luxe et de raffinement, et la brutalité du présent devait paraître insupportable.

Une voix s'éleva, marquée par un accent du Sud si prononcé qu'elle en devenait presque incompréhensible.

— Bon, eh bien… euh… nous sommes là… euh… mesdames…

Les femmes se figèrent. Voilà à quoi ressemblaient leurs nouveaux maîtres… Il était inconcevable que de tels butors posent les yeux sur les femmes les plus nobles du pays, choisies par le shogun pour leur exceptionnelle beauté…

Une seconde voix, aux accents plus cultivés, reprit dans le langage en usage à la cour :

— Dès aujourd'hui, le château d'Edo devient propriété de l'empereur. Les dames ici présentes devront avoir quitté les lieux d'ici à sept jours.

— Vous devrez nous tuer d'abord ! s'exclama la Retirée. Nous appartenons à ce palais. Si vous voulez nous arracher à lui, il vous faudra nous emmener de force. Nous préférons mourir de nos propres mains.

— Excusez-moi…

C'était la princesse. Choisissant ses mots avec soin, elle enchaîna :

— Messieurs, je veillerai en personne à ce que vos ordres soient exécutés. Je m'incline devant les ordres de Sa Grâce le Fils du Ciel, mon neveu.

Un héron poussa un cri perçant. Un doux parfum printanier s'infiltra dans la pièce, évoquant la terre, les feuilles humides, les arbres et des myriades de plantes en bourgeons. C'était par un jour semblable à celui-ci que Sachi avait aperçu pour la première fois Sa Majesté le défunt shogun dans les jardins. À ce souvenir, sa gorge se noua.

Des voix d'hommes, âpres et dures, leur parvinrent du dehors.

— Juste à temps pour voir fleurir les cerisiers !

— On a de la chance, pas vrai ?

Les femmes agenouillées gardaient les yeux obstinément baissés, songeant qu'elles seraient toutes parties avant que la fleur du cerisier ait atteint sa pleine floraison.

Sachi entendit un sanglot étouffé. Étonnée, elle releva brièvement la tête et vit Haru pleurer. Haru, une samouraï !

La salle était à présent remplie de soldats, jusque sur le seuil. Deux délégués impériaux se placèrent devant la princesse et la Retirée, escortés par une poignée d'hommes – sans doute des officiers supérieurs ou des généraux. Ils portaient de splendides manteaux rouge et or et, en dessous, au lieu de la traditionnelle robe de cérémonie, des uniformes noirs – la couleur de l'ennemi. Certains arboraient des moustaches, des barbes et des crinières emmêlées ; d'autres avaient les cheveux pommadés et attachés en queue de cheval, ou le front ceint d'un large bandeau rouge et jaune.

Le reste de la troupe était composé de soldats ordinaires, des robustes vétérans à la peau tannée, au regard acéré. Quelques-uns portaient des bannières rouges où flottait une croix blanche entourée d'un cercle – le blason des Satsuma, le plus irréductible des clans du Sud.

Ils semblaient un peu confus, comme des enfants surpris en train de voler. Ne venaient-ils pas de pénétrer à l'intérieur du plus secret des sanctuaires, de voir des femmes qu'aucun autre homme n'avait été admis à contempler ? Et ce sans même poser leurs sabres !

Haru serrait les poings, aussi pâle que le tatami sur lequel elle était agenouillée. On aurait dit qu'elle venait de voir une apparition.

Sachi suivit la direction de son regard et aperçut tout au bout de la salle un homme entre deux âges, entièrement vêtu de noir, qui se tenait un peu à l'écart des autres. Malgré les deux sabres qui pendaient à sa ceinture, il ressemblait plus à un notable qu'à un samouraï. Ses cheveux épais et grisonnants aux tempes étaient coupés court, à la mode des étrangers. Visiblement moins intimidé que ses compagnons, il promenait un regard attentif sur les femmes, comme s'il essayait de distinguer leurs visages sous leurs chevelures sombres, rehaussées de peignes précieux et d'épingles scintillantes.

Sachi ne put s'empêcher de le trouver séduisant malgré son âge. Il avait un maintien fier, un visage harmonieux, de fines rides au coin des yeux, et un sourire flottait sur ses lèvres sensuelles. Pour un homme du Sud, il semblait presque humain.

Leurs regards se croisèrent, et il sursauta violemment. Sachi s'empressa de détourner la tête. Elle eut l'impression d'avoir ouvert un de ces coffrets casse-tête tant prisés par les femmes du palais. Seule la propriétaire savait dans quel ordre actionner les éléments en bois pour déclencher le mécanisme d'ouverture.

Quand les formalités furent terminées, l'homme s'avança vers elle. Il s'agenouilla, posa son éventail sur le tatami devant lui et s'inclina.

Le cœur serré par l'appréhension, Sachi l'entendit déclarer d'une voix claire et douce :

— Je suis ton père.

10

Un bouquet de fleurs fanées

I

Aucun son ne s'échappait des rangs des femmes prosternées, sinon d'infimes bruissements soyeux.

Sachi considéra les mains de l'homme agenouillé devant elle. Des mains puissantes, semées de fins poils noirs. Des mains de charpentier, pensa-t-elle. Mais aucun travailleur manuel n'avait des mains aussi soignées, avec des ongles aussi lisses.

Son père… Elle savait qu'il l'avait cherchée au village en faisant route vers Edo avec les troupes ennemies. C'était un allié des forces du Sud, vêtu à la mode des étrangers.

Sachi gardait les yeux fixés sur ses propres mains, si petites et pâles. Mais elle avait conscience du regard de l'homme, de son souffle rauque, de l'odeur âcre de sa sueur mélangée à des relents de tabac et à un léger parfum d'épices.

Comme si elle avait deviné les sentiments de Sachi, Taki prit la parole.

— Vous vous trompez, monsieur, dit-elle avec autorité.

— Il n'y a aucune confusion, répliqua-t-il. C'est ma fille. Mon enfant. Je l'ai su immédiatement car…

Sachi savait ce qu'il avait envie de dire : « … car tu ressembles tellement à ta mère… »

— J'ai attendu si longtemps, poursuivit-il doucement. Des années et des années. J'ai même cru ne jamais te revoir. Et voici que je te retrouve dans ce château…

Sachi respira profondément, tentant de rassembler ses pensées. Avant tout, elle ne devait pas oublier qu'elle était une samouraï.

— Qui s'adresse à moi ?

Malgré ses efforts, sa voix était tremblante, son souffle précipité.

— Quelle inconvenance de ma part, murmura l'homme. Permettez-moi de me présenter : je suis Daisuké, humble serviteur de Sa Grâce l'empereur, le Fils du Ciel. On m'a chargé d'assurer le transfert du château d'Edo à l'autorité impériale. À votre service, madame. Je ferai mon possible pour vous aider, vous et toutes les dames de ce palais.

Incapable de résister plus longtemps à la curiosité, Sachi leva la tête une fraction de seconde.

De près, le visage de l'homme paraissait buriné, avec des sourcils noirs et drus. Des poches soulignaient ses yeux et des poils ombraient sa lèvre supérieure. Il la regardait comme s'il voulait graver à jamais son image dans sa mémoire. Il n'avait pas l'expression haineuse d'un ennemi, ni la suffisance d'un vainqueur, mais fixait sur elle un regard à la fois fiévreux et désabusé, chargé d'espoir et de mélancolie.

Les pompeux émissaires et les généraux en manteau d'apparat s'étaient retirés, laissant la salle sous la surveillance de simples soldats. Ceux-ci affectaient l'indifférence, comme s'ils avaient une longue habitude de ce genre de situation, mais le rictus qui relevait les coins de leurs bouches et l'arrogance qu'on lisait dans leurs yeux étaient assez éloquents.

Les femmes pressaient leurs visages contre le sol pour se cacher des hommes, mais Sachi savait exactement ce qu'elles avaient en tête. Pour des dames de leur qualité, être expulsées par une foule de rustres ignorants représentait une insulte insoutenable. Certaines retourneraient dans leurs familles, mais beaucoup se donneraient la mort avant le terme des sept jours.

Haru s'approcha de Sachi sur ses genoux, les joues rouges, les lèvres tremblantes.

— Madame, dit-elle. Je connais cet homme. Je peux me porter garante pour lui.

— Haru, c'est bien toi ? souffla l'homme.

Haru acquiesça.

— Mon enfant, gémit-il. Ma petite Sachi…

La jeune femme tressaillit. Comment connaissait-il son nom ? Elle avait toujours cru que c'était ses parents adoptifs qui l'avaient baptisée ainsi. Elle regarda l'homme plus attentivement. On ne pouvait nier qu'il existait entre eux une ressemblance, un lien plus puissant que celui qui unissait les alliés du Nord… Un lien de sang.

Les derniers soldats finirent par sortir, foulant aux pieds les précieux tatamis tissés d'or.

— Je dois partir, dit l'homme. Mais je vous prie de m'autoriser à revenir. Je sais que vous me croyez votre ennemi. Donnez-moi une chance, une seule, de vous connaître mieux.

Sachi essaya de parler mais aucun son ne s'échappa de ses lèvres.

— Vous pouvez venir, Daisuké-sama, répondit Haru à sa place. Madame le souhaite aussi, j'en suis certaine.

Sachi s'inclina avec raideur et parvint à articuler :

— Vous serez le bienvenu.

Les yeux de l'homme étincelèrent.

— Rien ne m'arrêtera, assura-t-il.

Il salua et sortit d'un pas rapide.

À pas lents, les femmes parcoururent en sens inverse le dédale de couloirs du palais. On n'entendait que le frottement de leurs kimonos sur le tatami et le pépiement des oiseaux dans les jardins.

— Ne te l'avais-je pas dit ? soupira Haru en souriant à travers ses larmes. N'est-ce pas le plus bel homme qu'on ait jamais vu ?

— Fais attention, dit Taki à Sachi. Il n'est pas bon qu'une personne telle que toi fréquente ce genre d'hommes. Il a persuadé ta mère – une concubine du shogun ! – de négliger ses devoirs au point de commettre l'irréparable. N'oublie pas cela !

Sachi n'avait jamais entendu Taki parler avec une telle véhémence. Même si elle ne connaissait pas encore cet homme, l'attitude agressive de sa suivante l'incita à prendre sa défense.

— Tu oublies qu'il s'agit de mon père !

— C'est un traître, insista Taki. À quoi donc penses-tu, Haru-sama ? Reçois-le si cela te chante, mais ma maîtresse n'a nul besoin de le revoir.

— Le destin de ma maîtresse est lié au sien, objecta Haru. À présent qu'ils se sont retrouvés, leur histoire ne fait que commencer.

II

Sept jours pour rassembler leurs affaires et quitter les lieux, puis tout serait terminé.

Agenouillée sur une estrade, Sachi jouait du koto. La mélodie résonnait curieusement dans la salle vide. Ses doigts se mouvaient tout seuls sur les cordes alors que ses pensées l'entraînaient loin du château, sur la colline où la milice avait installé son camp.

Shinzaémon... Tous deux n'étaient que de pauvres feuilles d'automne tourbillonnant dans le vent, emportées par des événements qui les dépassaient. En le perdant, Sachi perdait une partie d'elle-même. Sans lui, le monde devenait une contrée sauvage et déserte. Mais, devant les autres, elle faisait de son mieux pour dissimuler sa souffrance, se forcer à rire et à sourire.

Elle portait le petit netsuke caché sous son obi. Chaque fois qu'elle était seule, elle le pressait contre son cœur ou le portait à ses narines pour en respirer l'odeur. L'odeur de Shinzaémon... Si seulement elle trouvait le moyen de lui faire parvenir un message, pour lui faire savoir que le château avait été occupé et qu'elle n'allait pas mourir. Mais comment lui dire où elle allait alors qu'elle l'ignorait elle-même ?

La voix de Taki interrompit le cours de ses pensées.

— Je t'en prie, joue autre chose !

Les notes qui naissaient sous ses doigts étaient celles d'une chanson que les dames du palais avaient coutume de fredonner quand elles allaient au jardin admirer les cerisiers en fleur. Sachi repoussa le koto, ne pouvant supporter le souvenir de ces jours heureux.

Le palais paraissait déjà abandonné. Haru et Taki couraient en tous sens, comme frappées de panique, pour emballer le plus possible d'affaires. Elles décrochèrent avec précaution un dernier kimono. Blanc, brodé de phénix, il exhalait un riche parfum composé de huit ou neuf fragrances différentes : bois de santal, myrrhe, une grisante touche de nard sur une base d'aloès, plus un ingrédient dont seule la princesse connaissait le secret. Son Altesse le portait le jour où Sa Majesté le shogun s'était rendu pour la dernière fois au palais des femmes. Avec force soupirs, elles plièrent le tissu soyeux et l'enveloppèrent de papier avant de le coucher dans une grande boîte qu'elles déposèrent dans une malle.

Des pas d'hommes approchaient. Sachi et ses compagnes baissèrent la tête, décidées à rester aussi dignes que possible devant les intrus.

Les portes coulissèrent. Daisuké, l'homme qui se prétendait – ou, plutôt, qui était – son père. Un petit groupe de soldats en uniforme l'accompagnaient.

Une idée affreuse germa tout à coup dans l'esprit de Sachi : et si c'était elle, enfant maudite née d'une union contre nature entre le ciel et la terre, entre une favorite du shogun et un inférieur, qui avait attiré le mauvais sort sur le palais ?

— Nous avons reçu l'ordre d'inspecter les chambres, annonça Daisuké.

Sachi détecta une note d'excuse dans sa voix. Avaient-ils l'intention de visiter aussi les appartements de la princesse ? Même ces rustres ne pouvaient s'imaginer qu'on les laisserait bousculer ainsi le protocole !

Daisuké frappa dans ses mains. Des marchands surgirent de nulle part, accompagnant chaque pas d'une révérence, et s'agenouillèrent sur le seuil, intimidés. En d'autres temps, ces hommes auraient été reçus par des domestiques. Jamais ils n'auraient posé le pied dans l'enceinte sacro-sainte du palais, sous peine d'être aussitôt décapités.

Les marchands entrèrent en tremblant, glissant sur les mains et les genoux, le nez au ras du tatami. De temps à autre, ils relevaient la tête et coulaient un regard vers les femmes. Sachi et ses compagnes détournèrent la tête, essayant de dissimuler leurs visages.

Des domestiques se bousculaient derrière les marchands, ployant sous des rouleaux de soie.

— De quoi rendre votre réclusion plus supportable, expliqua Daisuké en présentant les cadeaux à Haru et Taki.

Un domestique apporta une cage en bois de paulownia, dotée d'écrans de papier opaque. Un minuscule oiseau brun était tapi à l'intérieur. Il pencha la tête, ouvrit un œil noir et brillant et lança quelques notes plaintives qui se transformèrent en un gazouillis passionné. Dans le jardin, un rossignol sauvage reprit aussitôt sa chanson comme en écho.

— Un bon présage, dit Daisuké en souriant. Les rossignols ne chantent jamais quand on les regarde. Mais celui-ci a chanté pour toi.

Sachi s'inclina. Le petit oiseau captif lui rappelait par trop les menaces qui pesaient sur sa propre liberté. Elle murmura un poème :

Taguinaki
Ne nite nakazuba
Uguisu no
Ko ni sumu ukime
Mizu ya aramashi

« Si ce n'était pour
La douceur sans égale de son chant,
Le rossignol dans sa cage
Ne souffrirait jamais
Un aussi pénible sort. »

Elle leva brièvement les yeux vers son père. Malgré les cadeaux, elle ressentait toujours une gêne à son endroit, peut-être à cause de l'avidité qu'elle lisait dans son regard.

Il y eut encore d'autres présents : un pot du meilleur thé d'Uji, des gâteaux de riz fourrés à la confiture de haricot, des oranges d'Edo. Sachi avait redouté cette visite, craignant qu'il n'en profite pour exiger d'elle toutes sortes de choses. Mais il n'en fit rien. Ils restèrent assis en silence, à tirer sur leur pipe et à écouter le chant du rossignol. Peu à peu, Sachi s'habitua à sa présence.

Haru ne le quittait pas des yeux, comme si elle craignait de le voir disparaître, avalé par les ombres dont il avait si soudainement surgi. Taki lui lançait des regards irrités, mais Haru l'ignorait.

— Cela doit faire… dix-huit ans ! s'exclama Haru.

Elle devint aussitôt rouge de confusion.

— Tu étais encore bien jeune, dit Daisuké en souriant. Tu n'as pas beaucoup changé, tu sais…

Haru rougit de plus belle. Amusée, Sachi tenta d'imaginer à quoi ressemblait, enfant, cette femme aux traits un peu lourds, au front sillonné de rides.

— Je connais bien ce palais. J'y venais enfant avec mon père. Nous montions sur les toits pour vérifier l'état des charpentes et des toitures. Il y avait tant de choses à inspecter, tant de travail à faire ! Mon père était fier d'avoir été choisi. À l'entrée de l'atelier, il avait apposé une enseigne : « Par nomination du shogun. »

— Nous n'étions pas censées vous voir, intervint Haru. C'était la règle.

Un faible parfum flottait dans la chambre, aussi raffiné et mystérieux que celui d'une grande dame. Sachi reconnut les arômes du musc, de l'aloès, de l'armoise et de l'encens. Un courant d'air fit vaciller les bougies et un fin ruban de poussière s'éleva en tourbillonnant. On aurait dit que quelqu'un – une femme magnifique, enveloppée d'un exquis manteau de brocart – venait de pénétrer dans la pièce.

Sachi resta impassible, les mains croisées sur les genoux. Elle s'était attendue à ce que Daisuké tente de se justifier et de la rallier à sa cause. Elle s'était juré de ne pas lui répondre, mais en l'écoutant des milliers de questions lui montaient aux lèvres.

— Vous m'avez vraiment portée dans vos bras à travers les montagnes ? demanda-t-elle timidement.

Au son de sa voix, le visage du visiteur s'illumina, comme s'il était stupéfait et ravi qu'elle consente enfin à lui parler.

— Tu étais si jolie, répondit-il d'une voix rauque. Si minuscule, si lumineuse. Ta mère t'avait enveloppée dans son manteau. Je t'ai enroulée dans une écharpe et attachée sur mon dos. J'avais peur qu'on m'intercepte à un poste de garde, et qu'en voyant le brocart on imagine que tu étais une enfant volée, le bébé d'un daimyo. On m'aurait jeté en prison et nous aurions été définitivement séparés.

— Le manteau de brocart, souffla Haru. Ma maîtresse l'a gardé.

Elle le sortit de sa boîte et le déplia sur le sol, petit morceau d'azur chatoyant au délicat parfum.

Le front de Daisuké se creusa. Il caressa le fin tissu de sa grande main de charpentier avant de le presser sur sa joue pour en respirer l'odeur.

— Ton parfum… murmura-t-il. Tu es ici avec nous. Il ne s'est pas écoulé un seul jour sans que je pense à toi, sans que je prie pour toi.

Ses yeux se posèrent alors sur Sachi et il parut soudain se rappeler où il était. Il sourit. Elle n'avait pas remarqué auparavant combien son sourire était rassurant – le sourire d'un père, pensa-t-elle presque à contrecœur.

— Ta mère était une femme merveilleuse, dit-il doucement.

— Est-ce qu'elle me ressemblait ?

— Oh oui, elle était tout à fait comme toi. Pleine de vie, et si courageuse. Elle n'avait peur de rien. Ce palais d'intrigues et de médisances était une prison pour elle. Elle l'a détesté dès le premier jour. Je voulais l'emmener loin d'ici, comme je voudrais le faire aujourd'hui avec toi. Mais tout est terminé, de toute façon.

— Terminé pour qui ? répliqua Sachi. Pour les shoguns ? Pour les Tokugawa ? Vous vous trompez.

— Peut-être. Mais c'en est fini de ce système rigide où les hommes mouraient sur un mot de leur seigneur, où ils se suicidaient sans état d'âme parce que leur clan le leur ordonnait. C'est lui qui nous a séparés, ta mère et moi. Avant notre rencontre, je n'avais d'autres préoccupations que de me lever le matin, accomplir mon travail, et veiller à ne pas déplaire à la police du shogun.

« Nous n'étions pas du même monde, elle et moi. Bien sûr, nous n'ignorions pas que nous commettions un crime. Notre seule issue aurait été le suicide, mais je ne suis pas un samouraï. Je ne suis pas consumé par le désir de mourir.

Le silence retomba. Même le petit oiseau avait cessé de chanter. Sachi pensait à sa mère. Sa présence était presque palpable.

— Vous parlez d'elle comme si elle était morte, lâcha-t-elle.

Daisuké se tourna vers Haru. Celle-ci garda les yeux baissés, plus pâle que jamais dans la lueur tremblotante des bougies.

— Qu'avez-vous fait après avoir laissé ma maîtresse au village ?

Tous sursautèrent. C'était la première fois que Taki s'adressait à Daisuké. Celui-ci parut revenir lentement au présent.

— Eh bien, j'ai fini par m'établir à Osaka où j'ai ouvert un commerce. Je voulais revenir te chercher, ajouta-t-il à l'adresse de Sachi, mais d'abord je voulais devenir un père dont tu serais fière. En attendant, j'envoyais tout l'argent que je parvenais à économiser à tes parents. Les années passaient. Je travaillais toujours aussi dur. Et puis, un jour, des vaisseaux noirs sont venus, amenant des étrangers.

Enfant, Sachi avait entendu parler de grands vaisseaux noirs qui avaient jeté l'ancre au large de Shimoda, crachant des nuages de vapeur, et vomi une délégation de barbares aux cheveux rouges. Hormis un petit groupe de marchands hollandais résidant sur une île au large de Nagasaki, c'était la première fois que des étrangers foulaient le sol japonais. Personne n'avait pu les refouler, même si de nombreux samouraïs s'étaient promis d'en éliminer le plus possible, en le payant souvent de leurs vies. Mais depuis qu'elle avait elle-même rencontré des étrangers, Sachi avait compris qu'en définitive ils n'étaient pas aussi effrayants.

— Entre-temps, je m'étais fait de nouveaux amis, enchaîna Daisuké, des hommes bons et courageux qui ne se souciaient pas du rang pour juger de la valeur de chacun. Samouraïs supérieurs ou inférieurs, paysans, citadins, nous passions des nuits entières à discuter de politique. La plupart venaient de l'extrême Sud – des régions très éloignées d'Edo, où l'autorité du shogun était moins marquée.

— Nous connaissons ces seigneurs du Sud, intervint Sachi. Ce sont eux, les responsables de tous ces troubles.

— Ils avaient compris que le pays devait changer, qu'il ne fallait pas laisser des étrangers fouler notre terre sacrée. Nous partagions les mêmes opinions, lisions des livres et des journaux. C'est ainsi que nous avons appris que les gouvernements étrangers s'étaient implantés en Chine et en Inde, comme dans d'autres nations au-delà des mers. Si nous leur en laissions la moindre chance, ils n'hésiteraient pas un instant à s'emparer de notre pays. Mais le gouvernement – ce gouvernement…

Daisuké balaya la pièce d'un geste vague.

L'espace d'un instant, Sachi vit à travers ses yeux ce monde de femmes, avec ses privilèges et son luxe, ce jeune shogun si ignorant, si dépendant de ses conseillers… Avec colère, elle chassa cette pensée.

— Le gouvernement ne paraissait pas comprendre le péril, poursuivait Daisuké. Ou peut-être était-il trop faible pour intervenir. Aussi avons-nous décidé de rendre à l'empereur son autorité. Restaurer le Fils du Ciel sur le trône, expulser les barbares, tels étaient nos objectifs.

« Il nous est alors apparu que c'était nous, les gens du commun, qui ferions la différence. Au lieu de nous contenter de gagner de l'argent et de le dépenser, nous pouvions changer le monde, faire de ce pays un endroit meilleur.

Avec une pointe de tristesse, elle se rappela dame Tsuguko. C'était elle qui lui avait expliqué comment les seigneurs du Sud – ceux qui vivaient bien au-delà d'Edo, loin de l'autorité du shogun – avaient émis la théorie selon laquelle l'empereur, des siècles plus tôt, avait remis le pouvoir entre les mains du shogun, et avaient décidé qu'aujourd'hui ce pouvoir devait lui être restitué. Ils ne comptaient pas, bien sûr, voir l'empereur gouverner mais prévoyaient de se servir de son titre pour contrôler eux-mêmes le pays.

— Redonner le pouvoir à l'empereur ? lâcha Taki. Vous, les gens de la classe moyenne, vous vous attribuez seuls votre puissance. Vos amis du Sud ont assassiné Sa Grâce, l'ancien empereur. L'actuel n'est qu'un enfant. Vous le tueriez aussi s'il ne vous obéissait pas. C'est vous qui avez introduit la guerre dans ce pays.

Elle vrilla sur lui un regard accusateur.

— Vous étiez à Kyoto, cracha-t-elle. Vous !

Daisuké détourna les yeux.

— C'est vrai, j'ai combattu là-bas, murmura-t-il. Pour construire un monde nouveau.

On entendit des pas au loin : la relève de la garde. Daisuké parut soulagé.

— Qu'allons-nous devenir ? interrogea Sachi. Ne pouvez-vous nous aider ?

— Je n'ai pas ce pouvoir, hélas. Mais où que tu ailles, je veillerai à te protéger. Je ne t'ai pas retrouvée pour te perdre encore.

III

Debout près du palanquin, Sachi s'efforçait d'imprimer dans sa mémoire l'image du palais et de ses jardins. Elle avait la certitude écrasante qu'une fois la portière refermée elle ne les reverrait plus jamais.

Malgré le printemps, malgré le soleil, le château semblait plus solitaire et désolé que jamais. La mousse courait entre les tuiles des toits, des fougères et des prêles des champs pointaient la tête entre les blocs de pierre des remparts. Les jardiniers étaient partis depuis longtemps. Les herbes sauvages dansaient dans le vent. Les roseaux assombrissaient la surface argentée du lac, le lierre s'accrochait aux troncs et pendait aux branches des arbres. Cela sentait fort la terre, les feuilles et l'herbe humide.

Sachi crut voir un renard dresser la tête hors des buissons. Il disparut presque aussitôt. Peut-être était-ce un esprit, le fantôme d'une des innombrables femmes mortes entre ces murs.

Elle accorda un dernier regard à ce décor avant de se résigner à monter dans le palanquin. Tandis que la litière se soulevait, elle entendit les cris des porteurs et les grincements de leurs sandales de paille.

Cinq jours s'étaient écoulés depuis l'arrivée des délégués impériaux. Le destin de Sachi était désormais scellé, tout comme celui de la princesse, de Vieille Corneille et de leurs dames d'honneur. Elles devraient désormais résider au manoir des Shimizu. Aucune d'elles n'avait la moindre idée de ce qu'il adviendrait d'elles ensuite.

Elle n'avait reçu aucun message de Shinzaémon. Elle aurait encore préféré être morte : ainsi, au moins, elle l'aurait retrouvé dans l'autre monde, ainsi qu'elle le lui avait promis.

L'intérieur du palanquin s'obscurcit comme ils passaient sous un portique, puis les portes massives du château se refermèrent à grand bruit derrière eux.

Elle venait de quitter le palais des femmes pour la dernière fois.

IV

Le printemps s'achevait. Le petit rossignol restait désormais muet, blotti dans un coin de sa cage. Sachi prenait ses repas près de lui. Il lui semblait que son regard se voilait et que son plumage perdait de son éclat de jour en jour. Parfois, elle aurait voulu partager son destin. Elle n'avait même pas demandé aux domestiques de déballer ses bagages, pour le cas où elle aurait dû repartir. Mais en réalité elle se sentait si triste qu'elle n'arrivait plus à puiser la moindre énergie en elle.

Elle songeait à son village, à Otama et Jiroémon, le couple plein d'affection qui l'avait élevée, à ses autres parents – les vrais – qui avaient fait irruption dans sa vie : une mère qui n'était peut-être qu'un fantôme, un père bien trop réel.

Elle brûlait secrètement du désir de revoir Shinzaémon. Au début, elle avait eu honte de ses sentiments. La femme, cette créature insignifiante, devait obéir à son père jusqu'à son mariage, puis à son époux et, si elle survivait à celui-ci, à son fils, le reste de son existence. Mais son époux et seigneur, Sa Majesté le shogun, était mort et elle n'avait eu aucun fils. En temps normal, elle aurait dû retourner dans sa famille. En cette époque troublée, elle ne voyait d'autre issue que de se laisser porter par le destin. N'était-ce pas ce qu'avait fait sa mère ? Mais, tant qu'elle resterait prisonnière de ces murs, ses rêves n'avaient aucune chance de se concrétiser.

Les jours s'écoulaient dans la monotonie. La princesse restait dans ses appartements, passant ses journées à méditer ou prier devant les cendres et le portrait de Sa Majesté, dans le respect des vœux qu'elle avait prononcés.

Vint la saison des pluies. Les gouttes crépitaient sur le toit comme des milliers de chevaux courant au galop. L'eau ruisselait des gouttières, transformait les jardins en lac. La chaleur était insupportable. Les kimonos d'été de Sachi lui collaient à la peau comme un linceul. L'humidité s'insinuait partout, semant des moisissures dans chaque recoin, chaque tiroir en bois, chaque coffre. Le soir, les grenouilles coassaient dans les étangs, les hiboux hululaient dans les arbres. Des myriades d'insectes se précipitaient contre les écrans de papier. L'éventail de Taki était perpétuellement en mouvement pour chasser les mouches qui la harcelaient. Les moustiques remplissaient les nuits étouffantes de leur bourdonnement incessant.

Jour après jour, Taki devenait de plus en plus triste et indifférente. Elle ne parlait jamais de Toranosuké, mais Sachi savait qu'elle non plus ne pouvait se satisfaire de cette existence de recluse, malgré le luxe et le confort.

Un beau matin, n'y tenant plus, Sachi sortit dans le jardin. Marchant dans les flaques qui trempaient le bas de ses jupes et respirant à pleins poumons l'air humide, elle se sentit renaître à la vie. Taki courait derrière elle, tenant un parapluie au-dessus de sa tête.

À la limite extérieure du parc, elles trouvèrent un escalier conduisant au sommet d'un mur. Taki sur ses talons, Sachi gravit rapidement les marches et s'appuya à un parapet, essoufflée et en sueur.

Aussi loin que portait son regard, les toits de la ville s'étiraient comme une mer scintillante, éclaboussée de taches vertes. Une brume vaporeuse se dégageait des tuiles trempées. Au-dessous d'elle, le mur plongeait vers un fossé. Plus loin, une petite grille ouvrait sur un pont. De leur poste d'observation, les deux jeunes femmes apercevaient les résidences des daimyo et, au-delà, une prairie parsemée de pins et de cèdres. Un pavillon de thé se dessinait à travers les arbres.

— Le champ de Goji-in, dit Taki, assez fort pour couvrir le crépitement de la pluie sur l'ombrelle. Sa Majesté avait l'habitude d'y entraîner ses faucons.

À proximité, des casernes se dressaient dans l'ombre des cyprès et des cèdres. Des hordes de chiens errants rôdaient entre les bâtiments presque en ruines.

À l'horizon brillait un fleuve au-delà duquel s'étendait un fouillis de minuscules toits serrés les uns contre les autres. De minces filets de fumée montaient vers les nuages. Même à cette distance, on détectait de furtifs mouvements.

— Les bas quartiers de la ville, souffla Sachi. Au moins, il semble y avoir de la vie, là-bas.

— Si les gens restent, c'est sans doute parce qu'ils n'ont nulle part où aller, remarqua Taki. Tous ceux qui le pouvaient ont déjà quitté Edo.

Elles contemplèrent un long moment le paysage tandis qu'un soleil laiteux s'élevait dans le ciel. Elles tournèrent leurs regards vers le nord-est, vers la « porte du diable » d'où avait surgi le mal, non loin de la place des exécutions. Deux collines se dressaient au-dessus des toits. Sur l'une d'elles, on distinguait nettement des bâtiments rouges surmontés de toits noirs et brillants.

— N'est-ce pas Kanei-ji ? s'enquit Sachi.

Le temple de Kanei-ji, le plus imposant de tout le pays, avait été construit pour protéger le peuple contre les mauvais esprits du Nord-Est. C'était le temple des Tokugawa. Avant les troubles, Sachi y était allée se recueillir sur les tombeaux des ancêtres de Sa Majesté. C'était à Kanei-ji, sur la colline de Ueno, que le seigneur Yoshinobu, le nouveau shogun, s'était retiré, là aussi que la milice avait établi ses quartiers. Shinzaémon se trouvait quelque part sur cette colline. Sachi porta la main à sa taille et sentit la présence réconfortante du petit singe de bois sous sa ceinture.

Dès lors, elle sortit tous les jours pour contempler la ville. En imagination, elle franchissait le pont, longeait le champ Goji-in, se hâtait le long des larges avenues désertes des daimyo, et franchissait le fleuve avant d'emprunter la route montant vers la colline de Ueno. Si elle regardait attentivement, elle pouvait distinguer des silhouettes dans les vastes cours intérieures du temple. Parfois, elle entendait l'écho de tirs de fusil ou de cris.

Elle aurait tant voulu être là-bas avec les hommes… Que ce soit au château ou au manoir des Shizimu, les autres femmes n'avaient jamais connu qu'un univers clos. Sachi et Taki semblaient être les seules à ne pas vouloir subir leur destin.

V

Un matin, comme Sachi attendait au milieu de ses compagnes le moment propice pour rejoindre le mur d'enceinte, un fracas assourdissant les fit sursauter. Plusieurs explosions se succédèrent, ébranlant les murs et les cloisons de papier. Les femmes, jusque-là occupées à lire ou à coudre, échangèrent des regards où se lisaient le soulagement et la satisfaction. Des tirs de canon… La ville était en guerre. L'attente pénible venait de prendre fin.

C'était le quinzième jour du cinquième mois. Elles vivaient recluses dans ce manoir depuis plus de soixante jours.

Sachi se précipita à l'extérieur sous la pluie qui tombait à verse. Taki lui emboîta le pas, essayant tant bien que mal de maintenir le parapluie au-dessus de sa tête. Les deux femmes traversèrent le jardin à vive allure, ignorant les flaques. Les petites mains de Sachi étaient couvertes de boue et ses jupes trempées s'enroulaient autour de ses chevilles.

Des nuages bas planaient sur la ville. Malgré le brouillard et la pluie, on voyait des éclairs zébrer le ciel et illuminer le flanc des collines. Une fumée plus blanche que les nuages tournoyait au-dessus des arbres.

Au sommet du mur, un petit groupe de gens tentaient d'observer la colline à travers le rideau de pluie. Quelques hommes – probablement des domestiques – se mélangeaient aux femmes.

Comme ils s'inclinaient devant Sachi, celle-ci reconnut parmi eux le vieil homme qui les avait laissées entrer au palais. Le voyant prêt à s'agenouiller, elle l'arrêta d'un geste impatient.

— Vieil homme, que se passe-t-il ?

— Beaucoup de nos hommes se trouvent là-bas, madame. Comme j'aimerais les rejoindre ! Mais je suis trop vieux. Je ne leur serais d'aucune utilité.

— Nos hommes ?

— Des gardes du palais. Ils ont réussi à rejoindre la milice juste avant que le château tombe entre les mains de l'ennemi. D'autres sont partis plus au nord, grossir les rangs de notre armée.

— Ainsi, c'est la milice qui combat sur cette colline, murmura Sachi, essayant de contrôler le tremblement de sa voix.

Le vieil homme acquiesça.

— Les nôtres tiennent la ville. Heureusement que les habitants sont de notre côté. La milice multiplie les escarmouches et les guets-apens contre l'ennemi. Ils ont même donné l'assaut à leurs casernes ! Ils se battent bien, vous pouvez m'en croire. À ce qu'on raconte, ceux du Sud auraient l'intention de faire venir le gros de leur armée pour éliminer la milice. Des tracts ont été distribués dans toute la ville, ordonnant aux habitants de s'éloigner.

Il sortit un morceau de papier déchiré de sa manche. Le cœur battant, Sachi déchiffra les mots imprimés sur la feuille : « … assassinent les troupes du gouvernement… ennemis de l'État… employer la force contre eux… »

Ainsi, l'ennemi, usé par la guérilla, lançait une offensive contre la milice. Eh bien, ces lâches verraient de quel bois les gens du Nord se chauffaient ! Ils fuiraient Edo comme des chiens galeux pour regagner leurs misérables garnisons du Sud.

— Nos hommes sauront résister, affirma-t-elle.

Le vieil homme laissa échapper un long soupir.

— Pour être franc, madame, les choses ne s'annoncent pas bien. Le rapport de forces est de l'ordre de dix contre un en notre défaveur. En plus, on dit que ceux du Sud bénéficient du soutien des Anglais et de leurs armes modernes. Nous possédons aussi des fusils, mais pas aussi nombreux ni aussi efficaces. Heureusement, la bravoure de nos hommes compense leur faible nombre. Ils combattront jusqu'à la mort pour venger l'honneur de Sa Majesté le shogun. Vous pouvez y compter, madame. Ils auront une mort digne !

Des canons, des fusils... L'ennemi avait pactisé avec les diables étrangers, sachant qu'il n'avait aucune chance dans les combats d'homme à homme, les seuls dignes d'un guerrier. Ce qu'il visait, c'était la destruction de la milice.

Même si Shinzaémon était le plus valeureux d'entre les braves, son sabre ne lui serait d'aucune utilité contre des armes aussi meurtrières.

Désemparée, Sachi baissa la tête et se mit à prier pour la victoire des siens. Dieux du clan des Tokugawa, pensa-t-elle, je vous en prie, protégez-le. Protégez Shinzaémon. Faites qu'il ne soit pas blessé.

Les déflagrations semblaient provenir de la plus petite des deux collines. À travers la brume et la fumée, Sachi vit des éclairs aveuglants déchirer le ciel, entraînant une pluie de débris et de corps. Dans la vallée séparant les deux collines, les explosions crevaient la trame serrée des toits de tuiles. Tout en haut, des flammes voraces léchaient les murs rouges du temple.

Soudain le pied de la colline de Ueno parut s'embraser et l'air s'emplit de craquements sinistres.

Les éclairs, les sifflements et le fracas des détonations laissaient croire à un interminable et colossal feu d'artifice. Sachi n'en perdait pas une miette, comme hypnotisée. Malgré le parapluie de Taki, elle était trempée de la tête aux pieds. Par-dessus le crépitement entêtant de la pluie, les tambours pulsaient, les conques gémissaient. Il faisait si clair sous cet orage de feu qu'on distinguait nettement les minuscules silhouettes des combattants. Si Sachi avait eu sa hallebarde, elle aurait couru leur prêter main-forte. Au lieu de cela, elle devait rester là, impuissante, à contempler le désastre.

De l'autre côté du fossé, une véritable foule s'était massée dans les rues, levant les yeux vers les flammes et la fumée.

La bataille fit rage tout le jour. La fumée devint si épaisse que les coteaux furent bientôt enveloppés d'un épais linceul blanc. Mais des éclairs déchiraient encore les nuages de façon sporadique. Brusquement, dans l'après-midi, le bruit des canons laissa la place à un silence de mauvais augure. Même les cigales avaient interrompu leur litanie stridente.

Attisées par le vent, les flammes bondissaient comme des feux follets sur les toits. Les bâtiments du temple et les fragiles maisons de bois de la vallée en contrebas s'embrasèrent comme du papier de soie.

Il y eut un hurlement, comme si un dragon avait ouvert sa gueule pour tout consumer de son souffle brûlant. La chaleur devint insoutenable. Une fumée âcre envahit les poumons de Sachi. Les autres spectateurs se mirent à dévaler l'escalier en toussant et pleurant, des mouchoirs plaqués sur la bouche et le nez. Toute la ville était en feu.

Quand Taki lui prit le bras pour l'entraîner, Sachi la repoussa, les yeux toujours fixés sur l'horizon. Le mur de flammes courut jusqu'au fleuve, enjamba son lit pour se répandre dans le champ de Goji-in où il se dispersa en une myriade de lucioles dansant sur une mer de cendres et de décombres fumants.

Sachi aurait voulu courir vers le champ de bataille, savoir qui l'avait emporté, secourir les blessés. Ils devaient être si nombreux… Sans parler des morts. Et puis, il était temps qu'elle se lance à la recherche de Shinzaémon. Elle porterait des vêtements discrets et n'emporterait rien, pas même le surkimono de brocart. Juste un peu d'argent, quelque chose à vendre en cas de nécessité.

Seuls le vieil homme et Taki se trouvaient encore à ses côtés.

— Madame, dit le vieux. Je serai de garde demain.

— Demain ? répéta Sachi, surprise.

— Ceux du Sud sont tous occupés à se battre, expliqua-t-il. Ils nous ont confié la surveillance du manoir.

— Vous voulez dire qu'il n'y aura aucun garde ennemi ?

— En effet. Naturellement, une personne de votre qualité n'a rien à faire de ces détails. Quant à moi, je ne devrais même pas vous adresser la parole. Mais si une ou deux dames avaient l'idée de se faufiler par la porte extérieure, je ne le remarquerais sans doute pas. Ma vue est bien mauvaise, et mes oreilles ne valent guère mieux.

VI

À la première lueur du jour, Sachi se glissa silencieusement hors de son lit, releva ses cheveux et enfila un kimono d'été bleu indigo. C'était la première fois depuis des années qu'elle devait se coiffer et se vêtir seule. Elle sortit le netsuke de Shinzaémon de dessous son futon et le dissimula dans sa ceinture avant de rassembler quelques affaires.

Elle jeta un regard plein de regret à sa hallebarde. Trop longue, trop encombrante, elle ne lui serait d'aucune utilité en ces circonstances. Mais elle veilla à piquer des épingles dans ses cheveux et à glisser son poignard dans sa ceinture.

Elle avait prévu de partir seule, mais c'était compter sans la vigilance de Taki. Quelle que fût l'heure de son réveil, sa suivante se levait aussitôt. Toutefois, ce matin-là, elle n'avait pas été assez rapide pour l'aider à s'habiller, à son grand désarroi. Haru aussi avait deviné qu'il se tramait quelque chose. En un rien de temps, les trois femmes franchirent les portes du manoir, méconnaissables dans leurs vêtements de femmes du peuple.

Elles firent halte à l'extrémité du pont. Les murs des maisons étaient noirs de suie, les tuiles roussies. Les arbres calcinés se découpaient, lugubres, contre le ciel.

Sachi se tourna vers ses compagnes. Elle n'avait pas osé leur parler avant d'avoir quitté le manoir, par crainte d'attirer l'attention.

— Partez, leur dit-elle calmement. Je vous libère. Je n'ai plus besoin de vos services. Vous aurez plus de chances en restant à l'arrière.

Elle esquissa un geste en direction du paysage désolé qui s'offrait à leurs regards. L'odeur aigre des cendres humides leur piquait les narines. La pluie avait cessé, au moins provisoirement. Le soleil venait à peine de se lever mais il faisait déjà si chaud qu'elles étaient en sueur. L'eau sur la chaussée commençait à se transformer en vapeur. Le crissement incessant des cigales faisait vibrer l'air.

— J'ai déjà fait mon choix, lui rétorqua Taki. Je viens avec toi, maîtresse.

Sachi secoua la tête.

— Ne m'appelle plus ainsi. Je ne suis plus dame Shoko-in, la Retirée, mais simplement Sachi.

Haru jetait des regards effarés autour d'elle. Dans son simple kimono d'été, elle semblait à la fois effrayée et excitée, comme une petite fille qui aurait fugué.

— Mon destin est à jamais lié au tien, maîtresse, dit-elle à son tour. Tu es la famille que je n'ai jamais eue. Si tu vas à la colline de Ueno, j'irai aussi. Pas question de te perdre maintenant. D'ailleurs, il pourrait y avoir là-bas des hommes qui ont besoin d'aide. J'ai apporté du tissu pour panser leurs blessures.

Sachi soupira. Rien ne la détournerait de sa résolution. Si ses suivantes voulaient l'accompagner, pourquoi pas. Beaucoup de travail les attendait sans doute sur la colline. Et puis, il serait plus agréable de faire la route à plusieurs.

— Dans ce cas, partons vite, dit-elle. Il ne faudra pas longtemps avant qu'on remarque mon absence.

Hors des murs du manoir, elle se sentait vulnérable et prenait soin de cacher son visage derrière son écharpe. Mais bientôt, accablée par l'horreur du spectacle qui s'offrait à leurs yeux, elle n'y pensa même plus.

Tant de fois, depuis les remparts, elle s'était imaginé emprunter cette route. Elle avait calculé qu'elle devrait marcher avec le soleil à droite pour garder la bonne direction. Mais avec les murs des palais des daimyo qui lui bloquaient la vue, elle avait du mal à se repérer. La route longeait le bas d'une colline puis serpentait au flanc d'une autre avant d'atteindre une rivière. Sur la rive opposée s'étendait un vaste champ de décombres noircis au-delà duquel se dressait la colline que Sachi contemplait si ardemment.

Si la pluie avait ralenti la progression du feu, des quartiers entiers de la ville avaient disparu, engloutis par les flammes ou rasés par les pompiers. Quelques entrepôts tenaient encore debout. Des gens balayaient les cendres et dégageaient les gravats. Ici et là, on voyait des cadavres alignés, tellement carbonisés qu'ils évoquaient plus des bûches noircies que des êtres humains.

Les trois femmes avancèrent au milieu des cendres et des débris, relevant le bas de leurs kimonos. Leurs jambes furent bientôt toutes noires. De temps en temps, Sachi apercevait la colline à travers une brèche.

Des jeunes femmes et des vieillards erraient comme des somnambules, portant des enfants sur leurs dos. Parfois un bébé se mettait à hurler, mêlant ses cris à ceux des colporteurs qui proposaient de quoi se restaurer aux passants harassés, avides de tirer le plus petit profit de la catastrophe. Mais, la plupart du temps, la foule se mouvait dans un silence impressionnant.

Comme elles approchaient de la colline, les trois femmes entendirent un tintement continu de clochettes et des prières qui montaient vers le ciel. Une puanteur nauséabonde empestait l'air. Certains mettaient leur manche devant leur bouche, d'autres pressaient un mouchoir sur leur nez. D'autres, tout blêmes, préféraient rebrousser chemin.

Sachi reconnut immédiatement l'odeur de sueur, de sang, d'excréments et de charnier de la mort. Durant quelques secondes, elle éprouva la tentation de fuir elle aussi.

Des soldats en uniformes noirs brandissaient leurs fusils, essayant de repousser la foule, mais celle-ci tentait par tous les moyens d'atteindre le champ de bataille. Dans l'ombre de la colline, le sol était couvert de cadavres. Même de loin, on distinguait le noir des chevelures, le blanc des visages et les taches bleu clair des *haori*.

D'autres corps désarticulés gisaient dans le lit du ruisseau qui coulait au pied de la colline et pendaient des passerelles qui enjambaient celui-ci. Sur l'autre berge, une palissade fermait une brèche dans le mur d'enceinte du temple. Des soldats patrouillaient, repoussant les cadavres comme s'il s'agissait de vulgaires paquets. Deux d'entre eux portaient le corps d'un de leurs camarades sur leurs épaules. Quelques femmes se déplaçaient en silence sur le champ de bataille.

Une rumeur furieuse monta de la foule :

— Eh ! Il y a des femmes là-bas. Laissez-nous passer !

Un vieil homme maigre et voûté, au menton hérissé de poils blancs, s'avança pour plaider sa cause :

— C'est bon, vous avez gagné. Mais laissez-nous emporter nos morts.

— Ces traîtres resteront là ! lui rétorqua un garde. Vous pensiez vous rebeller contre le gouvernement ?

— Le gouvernement ! ricana quelqu'un. Des imposteurs, oui !

— Vous aussi, vous avez un père, supplia le vieil homme. Laissez-moi au moins vérifier si mon fils est ici.

Les soldats discutèrent entre eux.

— C'est bon, reprit le premier d'un ton radouci. Toi, toi et toi, vous pouvez passer. Mais rappelez-vous : aider ces criminels est punissable de mort.

Sachi, Taki et Haru se dépêchèrent de franchir le cordon derrière le vieil homme avant que les soldats ne resserrent leurs rangs.

L'odeur était insupportable. La plupart des corps, soufflés par l'explosion, n'avaient plus rien d'humain. Des samouraïs qui avaient eu le temps de se suicider gisaient le ventre ouvert, leurs intestins répandus sur le sol. Certains morts paraissaient à peine avoir quinze ou seize ans.

Horrifiée, Sachi enjamba des dizaines et des dizaines de corps décapités ou atrocement mutilés. Certains, dans un sursaut ultime et pathétique, étaient morts en comprimant leurs plaies béantes. D'autres, touchés dans le dos, semblaient avoir été tués alors qu'ils prenaient la fuite. Mais la plupart avaient fait face à l'ennemi jusqu'au bout.

Les trois femmes s'arrêtèrent un instant pour reprendre leur souffle, ne sachant quoi faire ni par où commencer leurs recherches. Les moustiques les harcelaient, mais elles étaient trop hébétées pour seulement s'en apercevoir.

Des corbeaux jetaient des cris sinistres en tournant inlassablement au-dessus des pins et des cerisiers. Certains se posaient pour picorer les yeux des cadavres. Des chiens errants dévoraient des visages. Sachi lança une pierre à l'un d'eux. L'animal gronda et battit en retraite vers les arbres, traînant une tête derrière lui. Un de ses congénères lui courut après, tenant quelque chose de blanc dans sa gueule. Il fallut quelques secondes à Sachi pour identifier une main.

Un homme aux épaules larges était couché en travers du chemin, le visage dans une flaque sanglante, un bras replié au-dessus de la tête. Une profonde entaille déchirait sa veste et une tache brune s'étalait sur son dos.

Sachi plaqua une main sur sa bouche, réprimant une nausée. L'homme avait la carrure de Shinzaémon. Rassemblant tout son courage, elle remonta ses manches et le bas de son kimono.

Les mains du mort ne ressemblaient pas à celles de Shinzaémon, mais elle devait s'en assurer. Glissant un bras sous le cadavre, elle essaya de le soulever. Jamais elle n'aurait cru qu'un homme puisse être aussi lourd. Elle parvint néanmoins à le retourner suffisamment pour voir son visage noir et gonflé.

Ce n'était pas Shinzaémon.

Elle en fut si soulagée qu'un vertige la saisit. Très doucement, elle reposa le corps.

Elle reprit sa lente progression et posa soudain le pied sur quelque chose qui ressemblait à une huître crue. C'était un œil humain. Frappée d'horreur, elle eut l'impression d'être elle-même un cadavre.

Autour d'elle, les soldats ennemis cherchaient aussi leurs morts et leurs blessés. Une veste bleu ciel, à demi cachée sous une pile de cadavres, fut agitée par un brusque spasme. Une lame d'acier étincela fugitivement sous le soleil tandis qu'un des soldats plongeait son sabre dans le corps du malheureux.

Sentant un regard posé sur elle, Sachi tira vivement son écharpe devant son visage. Une paire de bottes boueuses et sanglantes se planta devant elle.

— Vous perdez votre temps, madame, ricana une voix marquée par un fort accent du Sud. Il n'y a personne de vivant ici. Pas même un cancrelat !

Ces sauvages se réjouissaient du carnage qu'ils avaient causé ! Même l'ennemi le plus cruel aurait dû témoigner un peu de respect aux morts qui les entouraient. Une main se posa sur le bras de Sachi, qui se raidit.

— Hé, regardez-moi ce joli visage. Qu'est-ce que t'en dis, Wakamoto ? Un joli petit lot, pas vrai ? Ça ferait un bien beau butin de guerre…

Pas moyen de battre en retraite. Mieux valait encore frapper la première avant d'être abattue ou, pire, emmenée comme otage. Sachi referma la main sur le manche de son poignard.

Au même instant, des pas approchèrent.

— Laisse-les ! aboya une autre voix. Nous avons fait notre travail. Qu'ils recherchent leurs morts. Mais ouvre l'œil. Il est interdit d'enlever les corps.

Sachi jeta un coup d'œil à ses compagnes qui avaient également porté la main à leur poignard. Devant ce spectacle d'épouvante, elles avaient oublié le danger. Si ces soldats les arrêtaient, ils découvriraient qu'elles étaient des fugitives. Elles ne risquaient pas seulement de retourner au manoir, mais d'être emprisonnées ou même exécutées.

Elles s'éloignèrent en silence, la tête baissée, se penchant sur chaque dépouille qui leur paraissait familière. Certains morts avaient tant gonflé qu'ils étaient méconnaissables. D'autres n'avaient plus de tête ou étaient terriblement défigurés. Quand on les soulevait, leurs entrailles se répandaient sur le sol.

Étourdie par l'écœurement et la chaleur, Sachi crut soudain reconnaître un visage. Elle serra les poings si fort que ses ongles s'enfoncèrent dans ses paumes et tomba à genoux, secouée de sanglots.

— Gen…

Genzaburo, son ami d'enfance, qui avait survécu à tant d'épreuves et de folles aventures. Il reposait sur le dos, le regard vitreux, la poitrine ensanglantée. Des mouches bourdonnaient autour de lui, se posant sur ses yeux et sa bouche.

— Des soldats approchent, chuchota Taki en tirant Sachi par le bras.

— Mais nous ne pouvons pas le laisser ici !

— Priez tant que vous voulez, mais ne déplacez aucun corps ! cria une voix à l'accent du Sud.

Sachi caressa la joue froide de Genzaburo avant de lui fermer les yeux.

Taki lui serra la main.

— C'était un paysan, mais il est mort en samouraï, dit-elle.

Le cœur lourd, elles reprirent leur ascension et atteignirent enfin le sommet de la colline. Il n'y avait plus rien là-haut, juste un bourbier creusé de cratères débordant d'eau rougie. Un pan de mur solitaire se dressait parmi les morts. C'était tout ce qui restait du plus magnifique temple qui ait jamais existé. Seule la grande cloche de cuivre et son socle de pierre avaient résisté. Des prêtres agitaient leurs clochettes, psalmodiant des prières pour les âmes des défunts.

Sachi, Taki et Haru poursuivirent leurs recherches, examinant chaque cadavre. D'autres femmes vaquaient à la même tâche sinistre. Personne ne parlait. De temps à autre, l'une d'elles se penchait pour scruter un visage, puis elle secouait la tête. D'autres, à genoux, veillaient la dépouille d'un des leurs. Les soldats rôdaient, s'assurant que personne ne tentait d'emporter une dépouille.

Sachi se redressa après avoir examiné un corps de plus. Elle eut soudain conscience de la douleur qui lui vrillait les reins, des piqûres de moustique sur ses bras. Elle avait les mains à vif, les pieds écorchés par les cailloux.

— Je n'en peux plus, soupira-t-elle. Merci de m'avoir aidée, Taki.

— Je ne t'aidais pas, répondit Taki. Comme toi, je m'inquiète du sort de ces hommes. Shinzaémon, Tatsuémon et…

Sachi passa un bras autour de ses épaules.

L'écho lancinant et monotone des cloches résonnait sur les flancs de la colline. Un prêtre s'approcha d'elles d'un pas chancelant. Sa longue robe noire était souillée de cendres et de boue. Une attelle de fortune soutenait un de ses bras. De l'autre main, il agitait sa clochette.

— Vous aussi, vous recherchez vos morts ?

Sachi et Taki acquiescèrent, soulagées de voir enfin un être vivant qui ne fût pas un ennemi.

— Beaucoup des nôtres se sont repliés vers le nord, reprit le prêtre. Les soldats du Sud nous croient vaincus, mais nos guerriers n'ont pas tous péri.

Il désigna l'océan de boue.

— Regardez, dit-il. Hier encore, le temple de Kaneiji se dressait ici. Les livres, les bibliothèques, les statues, tout a été détruit. Au moins, notre Vénérable Majesté a pu s'échapper. Que les dieux et Bouddha le protègent !

— Vous avez pris part aux combats ?

— Nous avons lutté de toutes nos forces, mais les canons ennemis nous ont infligé des pertes terribles. Et dire qu'ils se considèrent comme des samouraïs ! Ils cachent leur lâcheté derrière la puissance des armes étrangères. On ne pouvait les approcher pour les frapper de nos sabres. Après cela, ils ont fait pleuvoir les balles sur nous. Nous les avons maintenus à distance jusqu'au milieu de l'après-midi. Beaucoup des nôtres y ont laissé la vie. Vous pouvez être fières d'eux.

Il s'éloigna, plongé dans ses prières, et le son aigrelet de sa cloche s'évanouit bientôt.

À quelques pas de là, Haru se tenait agenouillée près d'un blessé. Petit et très mince, celui-ci paraissait à peine quinze ans. Ses vêtements étaient couverts de boue, son bras curieusement tordu. Du sang s'écoulait de sa tempe.

Ses lèvres étaient craquelées, son visage brûlé et noir de poussière. Pourtant, il bougeait encore et gémissait faiblement. Haru enveloppa sa tête d'une bande de tissu et se mit à le bercer en chassant les mouches qui tournaient autour de ses blessures.

Elle se tourna vers ses compagnes qui venaient de la rejoindre.

— Vite, il a besoin d'eau et de secours. Ces soldats du Sud sont des bouchers. Ils décapitent les blessés. Celui-ci n'est encore qu'un enfant.

— Nous risquons des ennuis, intervint Taki. Pleurer sur les morts est une chose, aider les vivants en est une autre.

— Mais si on le laisse ici il mourra !

Ce tout jeune garçon semblait incarner à lui seul l'ensemble de ses frères d'armes. En le sauvant, elles sauveraient tous les autres. Au moins, elles ne mourraient pas pour rien.

— Si seulement ton père était avec nous, soupira Haru. Nous aurions grand besoin de lui.

Sachi scrutait anxieusement le visage du jeune homme, cherchant à distinguer ses traits sous la poussière et le sang séché.

— Tatsu ! s'exclama-t-elle. Tatsuémon, c'est nous… Sachi et Taki !

Elle serra de toutes ses forces la main du blessé, tentant de ranimer ce qui lui restait de vie. Si Tatsuémon gisait ici, Shinzaémon et Toranosuké ne pouvaient être loin. Ils avaient sûrement combattu côte à côte. Les trois femmes entreprirent fébrilement de retourner les autres cadavres, mais aucun ne ressemblait aux deux rônins.

Soudain des rires et des bruits de pas parvinrent à leurs oreilles, puis une voix impérieuse, aux inflexions étranges, se détacha du brouhaha.

Un étranger !

Un petit groupe de soldats ennemis venait vers elles, flanqué de deux géants à l'allure effrayante. L'un était si grand qu'il dominait les soldats de plusieurs têtes. Même son compagnon semblait petit à côté de lui. Une épaisse toison brune recouvrait sa tête et ses joues.

Sachi posa les yeux sur le deuxième étranger et tressaillit. Se pouvait-il que… Oui, c'était bien lui qui les avait sauvés des maraudeurs. Elle se rappela son visage pâle, sa chevelure dorée, et comment il avait soudain surgi sur la route, pistolet au poing, pour disperser leurs agresseurs. Il les avait ensuite escortées, Taki et elle, jusqu'aux portes du palais.

Le soulagement l'envahit. Nul doute qu'il les sauverait à nouveau. Mais la reconnaîtrait-il, ainsi couverte de boue et de sang ?

Elle tenta vainement de se rappeler son nom barbare tandis que le groupe avançait dans leur direction. Puis un détail lui revint en mémoire : son nom évoquait celui de la ville d'Edo.

— Edowadzu, articula-t-elle.

Il y eut un long silence. Les soldats considéraient les trois femmes d'un air soupçonneux, pointant leurs pistolets vers elles. Edwards regarda Sachi et Taki, puis ses yeux s'élargirent sous l'effet de la surprise. Presque aussitôt, il s'écria, la mine menaçante :

— Ainsi, voilà où vous étiez passées !

Sa voix était si sonore que les oiseaux noirs posés sur les cadavres s'envolèrent dans un fracas d'ailes. L'air toujours furieux, Edwards murmura quelques mots à l'oreille de son compagnon avant de se retourner vers les femmes.

— Je vous entretiens, je vous accueille sous mon toit, et voilà comment vous me payez en retour ! Et cet idiot de Jiro… il a bien mérité son sort ! Quant à vous, femmes, n'êtes-vous pas supposées nettoyer ma maison et cuisiner pour moi ?

Sachi le regarda avec une stupeur non feinte.

— Vous ne comptiez pas me voir ici, hein ? reprit l'étranger. Rentrez immédiatement avec moi, tous autant que vous êtes !

Reprenant ses esprits, Sachi tomba à genoux et pressa son front dans la boue.

— Pardonnez-moi, maître, gémit-elle. Je suis à vos ordres. C'est seulement que notre garçon, notre Jiro…

Taki se prosterna à son tour en une attitude de totale soumission. Elle n'avait pas besoin de simuler l'épuisement et la frayeur.

Sachi entendit les soldats murmurer entre eux. Ces femmes-là, des domestiques ? Possible. L'étranger les avait reconnues et les appelait par leurs noms…

— Regardez-moi cette soi-disant gouvernante, lâcha Edwards avec mépris.

— « Gouvernante » ? marmonna un soldat d'un ton incrédule.

— Et le garçon ? souffla un autre. Comment se fait-il qu'il porte cet uniforme ?

— Ma foi, si l'étranger-sama dit qu'il en est ainsi…

Tous se tournèrent vers Edwards et s'inclinèrent avec des sourires serviles.

Sachi se sentit envahie par une lassitude si grande qu'elle craignit de ne pouvoir se relever. Elle avait envie de pleurer de soulagement, mais elle ne pouvait se montrer faible devant ces détestables soldats.

L'imposant étranger aux cheveux noirs se pencha vers Tatsuémon et approcha un flacon de ses lèvres. Avec des gestes délicats, il saisit son bras blessé et lui confectionna une attelle de fortune avec un linge. Puis il le souleva dans ses bras puissants aussi facilement que s'il s'était agi d'un enfant. Les membres du blessé pendaient misérablement, comme ceux d'une poupée de chiffon.

Les femmes les suivirent jusqu'au pied de la colline, avançant précautionneusement entre les cadavres, dépassant des veuves prostrées et silencieuses. De temps en temps, un bruit se mêlait aux croassements des corbeaux, aux bourdonnements des mouches et au crissement monotone des cigales : une plainte ténue d'animal pris au piège, un cri d'agonie et de désespoir.

Les soldats les quittèrent de l'autre côté du pont. Vidées de leurs forces, écœurées par ce qu'elles venaient de vivre, les femmes regardèrent Edwards.

— Merci, murmura Sachi.

— Voici le docteur Willis, dit Edwards. Il prendra soin de votre ami. Il a eu de la chance. S'il avait montré le plus léger signe de vie, les soldats lui auraient tranché la tête.

— Mon hôpital est rempli d'hommes du Sud, objecta Willis. Je ne peux pas le prendre. Ils tuent tous les prisonniers.

— Pourquoi pas chez moi, dans ce cas ? proposa Edwards. J'ai de la place. Après tout, il est censé faire partie de mon personnel.

— Survivra-t-il ? demanda Sachi.

— Je l'ignore, répondit le docteur. Il vous faudra prier vos dieux.

11

Avant l'aube

I

Sachi était de retour au manoir de Shimizu. Elle avait rêvé de quitter ces murs à jamais, mais elle n'avait nul autre endroit où se réfugier. Étendue sur son futon, oppressée par la chaleur, elle transpirait tant que sa tête glissa à plusieurs reprises de l'oreiller en bois. Elle finit par le repousser et resta allongée à plat.

Elle se revoyait fouler les cadavres aux pieds, un goût de mort sur les lèvres. L'image du chien tenant une main humaine dans la gueule la hantait.

Des centaines et des centaines d'hommes en train de pourrir à l'air libre… Elle était si occupée à rechercher Shinzaémon qu'elle avait à peine songé à tous ces malheureux. Ils devaient tous avoir des épouses, des amantes, des enfants, des parents auxquels ils avaient dit adieu avant de prendre la route avec leurs camarades, avides de gloire.

Ces épouses et amantes avaient dû espérer et prier pour leur retour. Beaucoup, comme les femmes qu'elle avait vues sur la colline, continuaient d'espérer et de chercher. La plupart ne sauraient jamais ce qui était advenu de leurs bien-aimés dont les dépouilles pourrissaient sur le champ de bataille, dévorées par les corbeaux et les chiens errants.

Et tout cela pour quoi ? Pour servir leur shogun, barrer la route aux envahisseurs du Sud ? Mais la guerre n'était pas finie… Il y aurait d'autres affrontements aussi meurtriers que celui-ci, et sans doute pires. Après un tel désastre, comment croire encore à une mort honorable et glorieuse ? Tout cela n'était qu'un carnage, une inutile boucherie.

Et Genzaburo… si jeune, si impétueux et pourtant si innocent. Incapable de résister à l'appel du danger et de l'aventure. Elle se rappela son combat à mains nues contre le sanglier qui terrorisait le village, la cicatrice dont il était si fier, ses plongeons dans le fleuve, aussi agile qu'un poisson, les crins gris arrachés aux chevaux qu'il enfourchait à cru… Et le jour où, tandis qu'ils attendaient le cortège de la princesse, il lui avait proposé d'aller se cacher sous les toits. Au lieu de cela, elle était restée au bord de la route, scellant ainsi son destin. Le lendemain, elle était à Edo.

Elle songea à leurs retrouvailles au village, quelques mois plus tôt. C'était un jeune homme si chaleureux, si vivant… Elle avait l'impression que son enfance était morte avec Genzaburo. Malgré toute leur complicité, elle n'avait rien pu faire pour lui, pas même lui procurer une sépulture décente.

Quand elle sombra enfin dans le sommeil, ce n'était pas Genzaburo mais Shinzaémon qu'elle vit étendu parmi les morts, la fixant de ses yeux grands ouverts. Il lui tendait la main mais elle s'éloignait, volant dans les airs tel un fantôme. Le vent hurlait, les esprits des guerriers morts s'élevaient comme des colonnes de fumée pour planer au-dessus de la colline. Elle frémit au son lugubre de leurs pleurs, frissonna sous leur souffle froid. Elle se réveilla en sursaut, trempée de sueur.

Une cloche sonna dans la salle voisine. Haru était restée éveillée toute la nuit, à chanter des sutras pour les morts et supplier le seigneur Amida de sauver Tatsu.

Sachi s'agenouilla à ses côtés, alluma une bougie et pria à son tour, d'abord pour le repos de Genzaburo, puis pour Shinzaémon et Toranosuké.

— O dieux de mes chers ancêtres, murmura-t-elle en égrenant les perles, ô seigneur Amida Bouddha, gardez Tatsu en vie, ne l'envoyez pas rejoindre les guerriers morts. Il est si jeune…

Une autre pensée, dont elle eut honte, se glissa dans son esprit : si Tatsuémon survivait, il pourrait lui dire où se trouvait Shinzaémon, s'il était vivant ou mort.

« Beaucoup des nôtres se sont repliés au nord », avait dit le prêtre.

Shinzaémon se trouvait sûrement parmi eux. Un jour, il réapparaîtrait et viendrait la chercher au manoir. Tant qu'elle se raccrocherait à cette espérance, un miracle demeurait possible.

Le matin vint enfin, aussi étouffant que la veille. Les vêtements de Sachi lui collaient à la peau. Elle pouvait à peine manger et respirer, incapable de penser à rien d'autre qu'aux hommes sur la colline, et à tous ceux qui avaient peut-être survécu : Shinzaémon, Toranosuké et, si les dieux le voulaient, Tatsuémon.

Taki et Haru avaient décroché les cloisons de papier de leurs cadres, délimitant un vaste espace où la brise circulait plus aisément. La stridulation aiguë des cigales faisait vibrer l'air immobile.

Un bruit de galop approchait du manoir.

Sachi se figea. Et si les nouvelles étaient mauvaises ? Si Tatsu était mort cette nuit ? Elle sauta sur ses pieds, releva le bas de son kimono, et courut le long des couloirs sombres, suivie par Taki et Haru.

Prenant à peine le temps de se chausser, elle sortit dans la cour et se heurta à un mur de chaleur. Taki leva une ombrelle au-dessus de sa tête. Le moindre caillou, la moindre feuille se découpait avec une netteté surnaturelle dans la lumière éblouissante. Un homme – un géant ! – avançait vers elle sur le chemin. Ses pieds, ses jambes, ses bras paraissaient démesurés. Même son nez projetait une ombre sur son visage. Il portait le chapeau le plus étrange que Sachi ait jamais vu, noir et cylindrique, comme un petit tambour.

Pourtant, malgré l'étrangeté de son allure, il n'avait rien d'effrayant. Par deux fois déjà, il lui avait sauvé la vie. C'était un bodhisattva, un ange gardien issu d'un autre royaume.

Tout en marchant lentement à sa rencontre, elle s'efforça de lire ses pensées sur son visage. L'ombre au-dessus de sa tête oscilla – la main de Taki s'était mise à trembler.

— Comment va-t-il ? demanda-t-elle, encore essoufflée par sa course folle.

Edwards secoua la tête, le front barré d'un pli soucieux. Le soleil avait rougi sa peau par endroits.

— Impossible à dire pour l'instant, répondit-il. Il dort. Mais il a de la fièvre.

Au moins, il vivait encore. Sachi se sentit presque défaillir de soulagement. Les deux femmes pressèrent Edwards de questions. Quand le blessé se réveillerait-il ? Avait-il dit quelque chose ? Qu'en pensait le docteur Willis ?

— Il a extrait une balle de son bras, mais la fracture a un vilain aspect, répondit Edwards. La blessure pourrait s'infecter. Mon ami n'est pas sûr de pouvoir sauver son bras. Il faudra peut-être l'amputer.

Horrifiée, Sachi plaqua ses deux mains sur sa bouche.

— C'est la guerre, reprit Edwards d'une voix douce. Beaucoup d'hommes perdent des bras et des jambes. Vos médecins ne pratiquent sans doute pas ce genre d'opérations, mais les nôtres si. C'est souvent la seule manière de sauver le patient.

Sachi le savait très bien. Mais elle savait aussi que beaucoup de malades mouraient des suites d'une amputation.

— Notre médecine obtient d'aussi bons résultats que la vôtre, et même meilleurs dans certains cas. Votre ami va mal. Le docteur Willis est un chirurgien célèbre. Il a sauvé beaucoup d'hommes.

— Nous devons nous rendre auprès de lui. Je vous en prie, emmenez-nous.

— Impossible. Le docteur Willis prescrit un repos total.

— Mais à supposer qu'il… aille plus mal ? Il nous connaît. Ce serait un réconfort pour lui de nous voir à son chevet.

— Dès que nous aurons l'accord du docteur Willis, je viendrai vous chercher dans mon chariot à roues.

— Un chariot à roues ? s'étrangla Taki. Comme sur les estampes ?

— Ne sois pas stupide, répliqua Sachi, en réprimant un sourire. Nous irons à pied. Edo n'est pas si loin.

Le pli sur le front d'Edwards se creusa.

— Je vis près de Shinagawa, non loin de la place des exécutions. Le quartier est dangereux. Avant les hostilités, votre milice veillait à la sécurité de la ville. À présent, personne ne se soucie de faire respecter la loi et les troupes du Sud ne peuvent maintenir l'ordre. Les entrepôts de riz sont pillés, les voleurs saccagent tout, les meurtriers rôdent dans les rues.

— Nous savons nous battre, affirma Sachi d'une voix tranquille. Après ce que nous avons vu hier, rien ne peut plus nous effrayer.

Edwards l'enveloppa d'un regard surpris. Ses yeux parurent s'attarder sur elle un peu plus longtemps qu'il n'était nécessaire.

— Sinon, comment se présente la situation ? interrogea Sachi.

— Nous sommes tous dans l'expectative.

Il était évident que la ville était tombée aux mains de l'ennemi. Mais les citoyens d'Edo étaient fidèles au shogun. L'envahisseur devrait livrer de longs et rudes combats avant de les soumettre.

II

Quelques jours après leur expédition sur la colline, un vacarme subit se fit entendre sur la route : fracas de roues, martèlements de sabots, voix masculines hurlant des ordres. On aurait dit qu'un bataillon entier marchait sur le manoir.

Affolées, les femmes accoururent et trouvèrent Edwards dans la cour, son étrange chapeau à la main.

— Je suis venu comme promis, annonça-t-il avec un large sourire. Apportez vos chapeaux de voyage et attachez-les solidement.

Elles durent se frayer un passage au milieu des hautes herbes du chemin qui menait à la grille extérieure du domaine. Le chant des coucous se mêlait aux crissements lancinants des cigales. Le vieil homme complice de leurs précédentes évasions était de garde. En voyant Sachi et Taki, son visage ridé se plissa en un joyeux sourire et, sans poser de questions, il fit coulisser la poutre barrant la porte.

Une crainte superstitieuse saisit alors les trois femmes à la vue de l'objet extraordinaire qui s'offrait à leurs regards. Jusqu'à ce jour, seuls des palanquins et des chevaux avaient pénétré en ces lieux. La présence de cette chose marquait bel et bien la fin d'une époque et d'une civilisation, les seules qui avaient jamais compté pour elles.

On aurait dit un palanquin géant monté sur roues et tiré par deux grands chevaux, des bêtes superbes au pelage brillant et aux longues crinières. Assis à l'avant d'une sorte de coffre ouvert sur le dessus, un étranger à la face velue tenait les rênes. Lui aussi enleva son chapeau afin de saluer les trois femmes.

Un petit groupe de soldats armés d'épées et de bâtons – les mêmes qui les avaient escortées le long de la Route intérieure – se tenaient près de l'étrange équipage. Sachi se demanda à quel camp ils appartenaient. Voyant qu'ils fuyaient son regard et n'arboraient aucune armoirie, elle décida de se tenir sur ses gardes et de surveiller ses paroles.

— *Dozo*, dit Edwards. Montez et prenez place, mesdames, je vous prie.

— N'est-ce pas dangereux ? balbutia Taki.

Sachi fut la première à poser le pied sur la marche. Elle sentit tout à coup la main d'Edwards sur la sienne et sursauta à ce contact. Avant qu'elle ait pu réagir, il l'avait soulevée et installée à l'intérieur du véhicule. Comment un homme digne de ce nom pouvait-il se comporter comme un domestique ?

Désorientée, elle s'agita sur la banquette. Il était extrêmement incorrect de s'asseoir les jambes pendantes. Malheureusement, aucune autre position n'était possible. Edwards aida Taki et Haru à monter à leur tour et les deux femmes se serrèrent craintivement l'une contre l'autre. Un fouet claqua, le second étranger lança un ordre d'une voix forte en agitant les rênes. Les chevaux s'ébrouèrent et le chariot s'ébranla en oscillant de droite et de gauche, beaucoup moins stable qu'un palanquin.

Edwards chevauchait à leur hauteur tandis que les gardes couraient derrière. Le convoi franchit le pont et longea les fossés en cahotant. Le chemin de terre était fait pour des pieds, non des roues.

La ville s'éloignait derrière eux à une vitesse vertigineuse. Taki et Haru se cramponnaient l'une à l'autre en poussant des petits cris tandis que Sachi faisait de son mieux pour rester digne même si, de toute sa vie, elle n'avait jamais voyagé à une telle allure. Les courriers, les soldats et cette sorte de gens pouvaient se déplacer vite, mais pas les femmes et encore moins la concubine du shogun.

Peu à peu, l'excitation la gagna et elle ne put s'empêcher de rire. Chaque fois qu'ils négociaient un virage, elles se retrouvaient ballottées d'un côté à l'autre. Depuis sa place, Sachi pouvait voir la route d'en haut tandis que le vent gonflait ses cheveux. Voilà ce que doivent ressentir les oiseaux en vol, pensa-t-elle. Au-delà du dos de l'étranger assis à l'avant, elle apercevait les crinières des chevaux. Comme le chapeau de paille à bords plats qui la protégeait du soleil menaçait de s'envoler, elle plaqua une main sur sa tête pour le maintenir en place.

Elle reporta ensuite son attention sur le paysage qui défilait à toute vitesse et retint un cri d'effroi. Au-delà des fossés, le grand mur d'enceinte était à demi écroulé et des blocs de granit crevaient la surface de l'eau. Des parias en haillons erraient au milieu des ruines. La chaussée, autrefois si parfaitement ratissée et balayée, était couverte de mauvaises herbes.

La voiture traversa un pont.

— Taki, regarde ! cria Sachi par-dessus le bruit des sabots et les sifflements du vent.

Ils venaient de franchir le pont des Dames du Shogun, où Shinzaémon et elle s'étaient dit adieu sous le clair de lune. Depuis, deux mois s'étaient écoulés, soixante longues et mornes journées.

C'était si pénible d'attendre en vain de ses nouvelles, sans même savoir s'il était vivant et pensait à elle. Elle essaya de se représenter son visage, repensa aux courts moments d'intimité qu'ils avaient eus dans la montagne ou sur le pont, avant de se séparer peut-être pour toujours. Même s'il revenait, le mieux qu'ils pouvaient espérer était de continuer à se voir en secret. Un avenir à deux n'était pas envisageable. Dans ce monde-ci, on ne choisissait pas son destin.

Jour après jour, elle se raccrochait à son souvenir. Ressentait-il la même chose à son sujet ? Après tout, qu'y avait-il eu entre eux ? Des regards, de brefs instants de passion insensée. Néanmoins, elle ne pouvait s'empêcher de penser à lui.

Le chariot volait le long de la route qu'elle empruntait autrefois pour aller prier sur la tombe de Sa Majesté. À cette époque, elle se déplaçait à la tête d'un long cortège de palanquins – le sien était le plus magnifique, avec une escorte de gardes, de domestiques, de porteurs et de dames d'honneur. De temps en temps, elle écartait un store pour regarder les remparts du château et, plus loin, les murs des demeures des daimyo.

Ils longeaient à présent des murs éventrés, des grilles béantes. Tout ce qui signalait la grandeur et la richesse des seigneurs – feuilles d'or, blasons de cuivre, ornements en bronze – avait été détruit ou arraché. Sachi aperçut des poutres carbonisées parmi les gravats, des ruines qui servaient de repaires aux renards et aux blaireaux.

Parfois, ils croisaient des groupes d'hommes au regard mauvais marchant sur la route ou accroupis à l'ombre d'un arbre. Dès qu'Edwards brandissait son pistolet, ils détalaient sans demander leur reste.

Soudain une route pleine de monde s'ouvrit devant eux – un vrai soulagement, après les rues sinistres et désertes du quartier des daimyo.

— La Route de la mer Orientale, leur cria Edwards.

Des dizaines d'hommes et de femmes poussaient des chariots sur lesquels s'entassaient des futons, des provisions, des coffres de vêtements, de la vaisselle, des pots et des casseroles.

Ils ralentirent leur course, dépassèrent une charrette qui s'était renversée sur le bas-côté, envoyant rouler son chargement dans le caniveau. Une toute jeune femme leva vers eux un regard vide. Un petit enfant sur le dos, plusieurs autres pendus à ses basques, elle ramassait les kimonos dispersés dans la poussière. Ses vêtements étaient en lambeaux, ses traits crispés. Derrière ce masque de détresse, Sachi crut distinguer une pâleur et des traits aristocratiques. Elle aurait pu être servante chez un daimyo ou au palais des femmes. Peut-être même était-ce l'épouse d'un des samouraïs qui gisaient là-haut, sur la colline, et qui ne rentreraient jamais chez eux.

Sachi remarqua que les hommes jeunes étaient quasiment absents. Des grappes de femmes, d'enfants et de vieillards se traînaient le long de la route, blêmes et hagards. La population entière semblait déserter la ville.

Des auberges et des boutiques proposaient du thé, un lit ou des vivres aux fuyards. Entre deux bâtiments, Sachi aperçut une immense étendue d'eau qui miroitait au soleil. Elle scruta l'horizon, cherchant l'autre rive, mais elle ne distingua que de l'eau et des bateaux de toutes sortes – des grands, des petits, des bacs, des voiliers dont les voiles pendaient mollement dans la chaleur. Derrière eux se dressait un vaisseau noir aussi imposant qu'une montagne, crachant de la fumée par ses hautes cheminées, hérissé de mâts qui déchiraient le ciel comme une forêt de troncs noircis après un incendie. Des silhouettes couraient sur les ponts, des canons pointaient le long de ses flancs. Un second navire avait jeté l'ancre au large.

Sachi devina qu'il s'agissait des vaisseaux noirs qui avaient amené les étrangers. Elle les avait vus représentés sur des estampes, mais elle ne les imaginait pas aussi immenses. On aurait dit de véritables villes flottantes.

Taki et Haru ouvraient des yeux aussi grands que les siens. C'était le spectacle le plus excitant et en même temps le plus effrayant qu'il leur avait été donné de contempler. Qui aurait pu croire que le monde contenait de tels prodiges ?

— La baie d'Edo, leur expliqua Edwards avec un sourire aimable. Et voici le *Fujiyama,* l'un de vos cuirassés. Le grand bateau derrière est à nous.

La résidence d'Edwards, entourée de pins, se dressait au sommet d'une colline surplombant la baie. Ce n'était pas le palais qu'attendait Sachi, mais une maison ordinaire dans l'enceinte d'un temple. Le chariot s'arrêta à l'entrée, soulevant une gerbe de terre et de graviers. Sachi saisit la main d'Edwards et descendit du véhicule, étourdie et couverte de poussière. Elle resta un moment immobile, soulagée de sentir à nouveau la terre ferme sous ses pieds.

Puis, impatiente de voir Tatsuémon, elle courut vers la porte.

Il flottait une odeur étrange à l'intérieur de la maison – l'odeur de la maladie et du camphre. Appuyé sur des coussins, le blessé paraissait terriblement jeune et vulnérable. De larges bandages blancs enveloppaient sa tête, ses bras et ses jambes. Un de ses bras était maintenu par une attelle. Au moins, il est toujours en vie, songea Sachi. Ses yeux paraissaient dévorer son visage cireux.

La servante assise à son chevet s'inclina brièvement avant de quitter la pièce. Tatsuémon leva vers Sachi un regard vide puis, la reconnaissant, il chercha péniblement à se redresser pour la saluer.

— Tatsu, je suis si heureuse de te voir, dit Sachi.

— Je suis désolé, madame, bredouilla-t-il. Ainsi c'était… vous ? Edwards-dono m'a dit que des dames m'avaient sauvé la vie. Mais je n'ai pas réalisé que…

— C'est grande sœur qui t'a trouvé.

Haru avait pris la place de la servante et tamponnait le front du blessé avec une serviette humide.

— Comment vas-tu ? demanda Sachi.

Sur le point de prendre sa main, elle s'arrêta. Tatsuémon n'était plus le jeune homme timide qu'elle avait connu. Le soleil avait tanné son visage et son regard hanté indiquait qu'il se trouvait très loin en pensée, sur un champ de bataille fumant et détrempé par la pluie.

— Je vais bien, répondit-il. Je serai sur pied en un rien de temps. Il faut… retourner au combat.

Lorsque Sachi avait fait sa connaissance, Tatsuémon était encore un charmant garçon très attaché à son maître, le beau Toranosuké. À l'époque, les trois compagnons ne parlaient que de guerre, d'honneur, de la gloire de mourir en héros. La jeune femme aussi avait vibré devant tant de ferveur. Mais depuis qu'elle avait vu tous ces cadavres, la guerre ne lui paraissait plus du tout glorieuse, malgré ce que ces hommes pouvaient en dire.

— Que faisiez-vous là-bas, sur le champ de bataille ? demanda Tatsuémon.

— Nous avons entendu les canons tonner au-dessus de la ville comme un orage, expliqua Sachi. Nous ne pouvions rester sans rien faire. Nous avons vu beaucoup d'autres femmes chercher leurs blessés et leurs morts.

Le jeune homme resta un long moment silencieux, puis il reprit :

— Edwards-dono m'a dit que les barbares du Sud avaient pris la colline et détruit les temples. Ces lâches ne se battent pas au corps à corps, comme des hommes, mais se cachent derrière des armes à feu.

Toute la matinée, ils nous ont bombardés depuis l'autre côté de la vallée. Nous ne pouvions même pas les voir. Le bruit était terrible. Oh, ces sifflements quand les obus s'abattaient sur nos têtes… On aurait dit les plaintes d'un millier de fantômes. On ne savait pas où ils allaient tomber. Des éclats pleuvaient sur nous, creusant des cratères énormes, soulevant la boue, la terre et tous ceux qui avaient le malheur de se trouver là. Bras, mains, pieds, jambes, entrailles, tout volait ! Ce n'est pas ainsi qu'un homme doit mourir.

« La fumée nous étouffait. Et la puanteur… cette odeur atroce de sang, de cervelle, d'intestins… Quand j'ai tué des hommes à Kyoto, cela ne m'a pas affecté. Il s'agissait d'ennemis, et j'étais fier de les avoir vaincus. Mais cette fois, c'était les nôtres qui périssaient. Et en si grand nombre !

« Nous courions nous abriter dans les arbres, en essayant d'éviter les cadavres qui jonchaient le sol et d'oublier les cris des blessés. Un samouraï doit mourir en silence. Mais là, c'était impossible.

« Nous étions trempés jusqu'aux os. Nous glissions dans la boue en courant pour éviter les obus…

Il s'interrompit, le front luisant de sueur.

— L'après-midi, les bombardements se sont arrêtés. Nous sommes alors redescendus à la porte Noire.

— « Nous » ? souffla Sachi, suspendue à ses lèvres.

— Tora, Shin et moi. Il y avait aussi Genzaburo, un ami rencontré à Kyoto. Shin l'avait retrouvé à Kiso.

— Je sais, chuchota Sachi.

— Les hommes de la porte Noire avaient besoin de renforts. Nous avons tiré sans relâche sur ces porcs du Sud dans leurs uniformes noirs, et sur les hommes de Tosa avec leurs perruques rouges. Au moins, nous n'avions plus affaire à un ennemi invisible. Les détonations de mon fusil me rendaient à moitié sourd et j'avais un drôle de goût de poudre dans la bouche.

Il ferma les yeux.

— Tenir la porte Noire, tel était notre mot d'ordre. Quand l'ennemi a réussi à briser nos rangs, nous nous sommes cachés tous les quatre derrière des rochers pour abattre tous ceux qui passaient à notre portée. Nous avions des fusils, des fusils français. On nous avait montré comment viser, tirer et recharger. Tora était doué. Quand un soldat s'est jeté sur nous, il l'a abattu à bout pourtant. Quant à Shin, il hurlait comme un fou, tirant et frappant à tout va de la pointe de sa baïonnette. Les hommes s'enfuyaient à sa vue. Je l'ai vu en terrasser dix à la fois. Non, pas dix… vingt ! Vous auriez été fière de lui.

Sachi retint un sourire. Elle n'avait guère de mal à se représenter Shinzaémon distribuant les coups à la ronde, avec la témérité et la décontraction insouciante qui le caractérisaient.

— Gen était une vraie terreur lui aussi. Il a tué beaucoup d'ennemis. Nous aurions pu utiliser nos fusils, mais il aurait fallu interrompre le combat pour les recharger. L'ennemi, lui, possédait des armes qui n'arrêtaient pas de cracher le feu. Les balles pleuvaient sans relâche. Après, ils nous ont chargés. Ils étaient des centaines… Chaque fois qu'on en tuait un, dix autres surgissaient. Nous avons été forcés de nous replier. À un moment, nous avons perdu Gen de vue. J'ignore ce qu'il est devenu.

Sachi ne se sentit pas le courage de lui annoncer la mort de son ami.

— À la fin, ces porcs ont réussi à nous repousser au sommet de la colline. Je crois que c'est là que j'ai été blessé.

Il se rembrunit.

— C'était un combat glorieux. Beaucoup ont connu une mort héroïque. Mais moi, j'ai échoué. Je trahis mes amis et mon seigneur. Honte sur moi ! Je devrais avoir péri comme les autres.

Sachi sentit l'air lui manquer. La chaleur l'écrasait telle une chape de plomb.

— Les autres… demanda-t-elle en s'efforçant de maîtriser le tremblement de sa voix. Tu veux parler de Toranosuké et Shinzaémon ?

— Je ne sais pas ce qui leur est arrivé.

Tout espoir n'était donc pas perdu.

— Vous ne les avez pas trouvés à mes côtés ? interrogea le jeune garçon.

— Peut-être sont-ils allés chercher de l'aide, suggéra Sachi, ne voulant pas qu'il croie que ses compagnons avaient fui en le laissant pour mort.

Tatsuémon eut un sourire crispé.

— De l'aide ? Ils ont pensé que j'avais eu mon compte. C'était un véritable massacre.

— Nous les avons cherchés partout, précisa Taki.

— Ils sont sûrement vivants, affirma Sachi, cherchant à se persuader elle-même autant que Tatsuémon.

— Ils ont dû partir vers le nord. C'est ce que nous avions convenu de faire si nous survivions. Je dois me lever et aller les rejoindre.

Sachi ferma les yeux. Elle se revit sur le pont avec Shinzaémon, sentit ses bras l'envelopper… Un homme tel que lui ne pouvait pas mourir. Et s'il était en vie, elle devait lui faire parvenir un message afin qu'il sache où la retrouver à son retour…

Elle se pencha vers Tatsuémon et lui glissa à l'oreille :

— Quand tu auras rejoint tes camarades, pourrais-tu… ?

Leurs regards se croisèrent et il acquiesça d'un signe de tête.

Sachi chercha des yeux une feuille de papier et un pinceau, pria Taki de lui apporter un encrier. Un poème de Teika, composé bien avant l'ère des Tokugawa, lui vint à l'esprit. Il parlait du bonheur d'être ensemble, de l'aube qui approchait, menaçant de séparer les amants, autant de sentiments parfaitement accordés à ceux de Sachi. Elle écrivit en s'appliquant :

Hajime yori
Au wa wakare to
Kikinagara
Akatsuki shirade
Hito o koikeri

« Depuis bien longtemps
Même si j'ai entendu dire
Que se retrouver ne signifiait que se perdre
Je me suis pourtant donnée à toi
Insouciant de l'aube prochaine. »

Elle ajouta une ligne de son cru : « Je vous attendrai au manoir de Shimizu. »

Satisfaite de sa calligraphie, elle souffla sur la feuille afin de sécher l'encre, la roula et écrivit le nom de Shinzaémon dessus avant de la glisser dans la main de Tatsuémon.

— N'oublie pas, murmura-t-elle en refermant les doigts du jeune garçon sur le rouleau.

III

Edwards commanda du thé. Assis sur la natte de tatami, ses grandes jambes repliées sous lui, il ressemblait à un criquet. Il s'inclina et prit une tasse sur le plateau que lui tendait une servante. Dans sa grande main blanche semée de poils roux, la délicate tasse en porcelaine paraissait encore plus fragile.

Sachi promenait des regards curieux autour d'elle. La pièce comportait des tatamis, des portes coulissantes et des cloisons de papier, comme dans tout intérieur japonais. Mais on y trouvait aussi des espèces de grands coffres dressés contre les murs et une table si haute qu'elle semblait faite pour un géant.

Un tableau était accroché au mur de l'alcôve où l'on avait installé Tatsuémon. Il représentait une femme aux joues rebondies, avec des yeux aussi ronds que ceux d'Edwards, coiffée d'un objet en métal brillant. Elle était vêtue d'une ample robe aussi somptueuse qu'un kimono de courtisane qui laissait ses bras et ses épaules nus. Sachi était sur le point d'interroger Edwards quand celui-ci, surprenant son regard, expliqua :

— C'est la reine de mon pays… La reine *Bikutoria*.

Quel était donc ce pays étrange, gouverné par une femme à demi nue ?

Un parfum riche et épicé, très différent des fragrances subtiles auxquelles la jeune femme était accoutumée, flottait dans la pièce. La maison était remplie d'odeurs inconnues qui lui inspiraient à la fois de la fascination et de la répulsion. Elle plaignait Tatsuémon de devoir séjourner en un tel endroit, et en même temps elle l'enviait. Et puis il y avait l'odeur d'Edwards lui-même... Au début, Sachi l'avait trouvée écœurante, mais à présent elle y décelait des notes troublantes. Il y avait chez cet homme quelque chose qui lui évoquait une bête sauvage.

— Puis-je vous poser une question ? dit Haru, baissant timidement les yeux.

Alarmée, Sachi faillit la prier de se taire. Même dans les heures les plus sombres, Haru faisait preuve d'un sens de l'humour pour le moins graveleux et elle avait un goût prononcé pour les histoires scabreuses.

— Est-il vrai qu'il existe dans votre pays des monstres de fer plus rapides qu'un cheval ? J'ai entendu dire qu'ils parcouraient en un jour la même distance qu'un marcheur en une semaine.

Étendu sur son futon, Tatsuémon ne perdait pas une miette de leur conversation. Espérant que ces bavardages futiles le distrairaient de ses sombres pensées, Sachi sourit.

— Des monstres de fer ! s'exclama-t-elle. Vraiment, quelle drôle d'idée, grande sœur !

— Les bateaux que nous avons vus dans la baie étaient aussi des monstres de fer, remarqua Taki. Peut-être certains se déplacent-ils également sur terre.

Edwards jeta un regard perplexe à Haru, puis il renversa la tête en arrière et éclata d'un rire tonitruant qui dévoilait toutes ses dents.

— C'est tout à fait exact, dit-il. Comment diable savez-vous cela, dame Haruko ?

Haru rougit violemment.

— J'en ai vu, répondit-elle avec un sourire espiègle.

— Tu en as vu ? s'écrièrent Sachi et Taki en chœur.

— En effet, acquiesça Haru.

S'étant assurée que Tatsuémon écoutait, elle ménagea une longue pause pour entretenir la curiosité de son auditoire.

— Raconte-nous, grande sœur, supplia Sachi.

Une ombre passa sur le visage de Haru, comme si l'évocation du passé l'attristait.

— Je n'oublierai jamais ce jour, reprit-elle lentement. C'était il y a quatorze ans. Des étrangers sont venus au château juste après la mort du vieux seigneur Ieyoshi. Le seigneur Iesada venait de lui succéder comme shogun.

Quatorze ans… Quatre ans après la naissance de Sachi et la disparition mystérieuse de sa mère.

— Les femmes mouraient toutes d'envie de voir les étrangers, poursuivit Haru. Naturellement, nous n'étions pas admises dans le palais des hommes, mais quand les visiteurs ont pénétré dans la grande cour du palais moyen, nous nous sommes cachées derrière les treillages pour les observer.

Elle jeta un regard plein de malice à Edwards et ses joues rondes se creusèrent d'une fossette.

— Nous nous faisions aussi discrètes que des petites souris. Pourtant, ils regardaient souvent dans notre direction, comme s'ils avaient deviné notre présence. C'est ce jour-là que j'ai vu le monstre de fer. Les étrangers l'avaient apporté en cadeau pour Sa Majesté. Il était en fer, noir et brillant, comme un énorme tronc d'arbre couché.

Adossé à ses coussins, Tatsuémon paraissait suspendu aux lèvres de Haru.

— Le bruit qu'il faisait ! On aurait dit une vieille dame qui ronflait. Et il soufflait autant de fumée que la cheminée d'un potier ou d'un forgeron. Autant que les bateaux que nous avons vus dans la baie.

— Ou qu'un canon ? intervint Tatsuémon.

— Ce n'est pas de la fumée, mais de la vapeur, corrigea Edwards. On appelle ça une locomotive. En effet, la première délégation américaine en a offert une au shogun. Mais il ne l'a guère utilisée. J'ai entendu dire qu'il ne quittait pratiquement jamais son palais.

— Elle roulait sur des rails en métal, expliqua Haru. Des conseillers sont montés dedans. Le vent gonflait leurs robes et ils s'agrippaient les uns aux autres, croyant leur dernière heure arrivée et s'efforçant de rester dignes malgré tout…

Elle rit en cachant sa bouche derrière sa main.

— Il ne s'agissait que d'une maquette, dit Edwards, une sorte de gros jouet pour enfants. Les véritables locomotives sont beaucoup plus grandes. Il y en a partout chez nous. Elles tirent des chariots en métal, beaucoup plus grands que des palanquins, pleins de marchandises et de passagers.

Les femmes le dévisagèrent, les yeux ronds. Comment imaginer un monde si différent du leur ? Pourtant elles avaient vu les bateaux, entendu les canons, elles étaient montées dans un char à roues, autant de choses dont elles ignoraient jusque-là l'existence.

— Il y en aura bientôt dans ce pays, je vous le garantis. Vous trouvez que mon chariot va trop vite ? Ceux dont je vous parle sont encore plus rapides. Vous pourrez parcourir toute la Route intérieure en un seul jour.

Sachi fixa ses petites mains blanches croisées sagement sur son kimono. Elle n'avait nulle envie d'aller aussi vite, sans même prendre le temps d'admirer le paysage. Le but d'un déplacement n'était-il pas le voyage en lui-même ?

— Êtes-vous un devin ? dit-elle pour taquiner Edwards. Pourtant, vous n'avez pas prononcé d'incantations, ni examiné nos visages et nos mains pour y lire l'avenir.

L'Anglais sourit.

— Laissez-moi vous apprendre autre chose : un ingénieur de mon pays va bientôt construire ici une machine qui permet de transmettre des messages à distance. Vous tapez une lettre ici à Edo et quelqu'un – par exemple à Osaka – la reçoit immédiatement.

— On dirait de la magie, lâcha Taki d'un ton désapprobateur.

Sachi avait entendu dire que les étrangers pratiquaient la sorcellerie, mais elle n'y avait guère prêté attention. Pourtant, les derniers mots d'Edwards lui avaient fait froid dans le dos.

— Mais pourquoi ? s'exclama-t-elle. Nous avons déjà nos « pieds volants ». Ils peuvent apporter un message d'Edo à Kyoto en trois jours – un seul si le courrier voyage à cheval. Pourquoi aller plus vite ?

La voix de Tatsuémon s'éleva :

— C'est comme les fusils et les sabres !

Tous le regardèrent, surpris par son teint animé et par l'étincelle qui brillait dans son regard.

— Avec un sabre, reprit-il, un homme se bat dignement. Mais avec un fusil… Jamais il ne voit le visage de son ennemi. Il n'y a aucune gloire dans cette sorte de combat. Mais comme les fusils assurent la victoire à ceux qui en possèdent, nous en voulons aussi. Et si l'ennemi possède ces courriers magiques dont parle Edwards-dono, il nous faudra en avoir. J'aimerais bien voir cette machine, et monter sur ces monstres de fer. Oui, j'aimerais cela plus que tout au monde.

— Cela ne tardera pas, répondit Edwards. Dès l'année prochaine, il sera possible d'envoyer des messages magiques. Nul besoin d'invoquer les esprits pour le savoir. Quant au monstre de fer, quelle que soit l'issue de cette guerre, vous l'aurez.

IV

Jour après jour, Sachi montait sur le mur d'enceinte du manoir pour regarder la ville en ruines et la colline brûlée. Autrefois, la population se serait aussitôt mise au travail pour réparer les dommages, reconstruire les maisons. Mais une étrange léthargie semblait s'être emparée d'Edo. Au rythme où croissait la végétation, on aurait bientôt du mal à déceler des traces d'une occupation humaine.

L'existence de la jeune femme semblait s'être rétrécie aux murs qui l'emprisonnaient. Taki et elle dormaient côte à côte, leur hallebarde à portée de main. Les dernières dames d'honneur et domestiques avaient fui. Désormais, c'était Haru qui cuisinait et prenait soin de la princesse.

Leur allié, le vieux garde, restait fidèle au poste. La nuit, il faisait sa ronde à travers le manoir silencieux, armé d'une canne pour dissuader d'éventuels intrus.

Chaque jour, Sachi se demandait de quoi serait fait le lendemain. Leurs réserves de nourriture et d'argent seraient bientôt épuisées. Chaque fois qu'Edwards envoyait le chariot les chercher, ses amies et elle se rendaient à sa maison et l'écoutaient raconter toutes sortes d'histoires merveilleuses sur son propre pays, où les femmes de bonne famille n'étaient pas obligées de vivre cloîtrées. Sachi redoutait secrètement le moment où Tatsuémon serait guéri, car elles devraient alors interrompre leurs visites.

Un jour, Haru lui apporta un message de la princesse : Son Altesse souhaitait voir immédiatement la Retirée Shoko-in.

Depuis leur arrivée au manoir, la princesse n'avait pas quitté ses appartements. Elle semblait croire encore que tout était sa faute, que sa froideur à l'égard de Sa Majesté le défunt shogun avait entraîné tous ces désastres.

Sachi était impatiente de la revoir. Des trois mille femmes qui avaient formé la cour de Sa Majesté, il n'en restait plus que quatre. La princesse ayant choisi la retraite, la responsabilité de la maisonnée retombait sur les frêles épaules de Sachi.

Une lourde fumée d'encens flottait dans les appartements de la princesse. Les essences de santal, de girofle, de cannelle, de gingembre et d'ambre gris composaient un parfum funèbre, chargé de mystère, qui évoquait les autels dorés, le chant des prêtres, les tambours et la fumée d'un bûcher funéraire. En le respirant, l'âme de Sachi s'éleva vers le calme de la contemplation, ses pensées se libérèrent du présent pour se tourner vers le monde à venir. Elle entendit les prières à travers la porte.

La princesse avait transformé sa chambre en sanctuaire. Une plaque commémorative à l'effigie de Sa Majesté reposait sur l'autel, entourée d'offrandes et de chandelles qui baignaient la scène d'une vive lumière jaune. La princesse égrenait son chapelet à genoux.

Sachi se glissa à ses côtés. Dès que ses yeux se posèrent sur le portrait de Sa Majesté, le souvenir de l'unique nuit qu'ils avaient passée ensemble lui revint à l'esprit : les draps de soie, la chaleur de son corps, sa poitrine pâle, son sourire malicieux... Même après toutes ces années, elle avait encore du mal à retenir ses larmes. Cependant, l'image d'un autre se superposait à celle du shogun. Pendant un instant, elle crut que la princesse pouvait lire dans ses pensées et y voir flotter le visage de Shinzaémon.

Mais la princesse n'appartenait déjà plus à ce monde. Sous son kimono d'été, elle semblait aussi frêle qu'un roseau. Sachi distinguait les veines bleutées sous la peau translucide de ses mains. Quelles que soient les épreuves qui l'accablaient, elle était la sœur du dernier empereur. Et cela, personne ne pourrait le changer.

— Nous avons connu des jours heureux, murmura-t-elle. Du moins le paraissent-ils aujourd'hui. C'est bon de te revoir, mon enfant. Tu t'es épanouie comme une fleur alors que moi je me fane.

Sachi écoutait avec attention, les yeux baissés sur le tatami.

— Je suis sûre que tu as entendu les canons, poursuivit la princesse. Tu sais donc que les derniers défenseurs des Tokugawa ont été anéantis ou qu'ils ont fui Edo. Un nouveau gouvernement dirige désormais ce pays au nom de Sa Grâce l'empereur, mon neveu.

Elle laissa échapper un rire amer.

— Ils m'ont notifié leurs intentions. Même la modeste existence que nous menons ici leur déplaît. Pour punir le clan des Tokugawa, ils réduisent nos ressources à presque rien et nous expulsent d'Edo. Nous avons reçu l'ordre de rejoindre à Suruga le shogun exilé.

Il fallut quelques secondes à Sachi pour comprendre la portée de ces nouvelles. Si elles ne trouvaient pas un moyen d'assurer leur subsistance, elles mourraient. Le pire était de devoir s'exiler à Suruga : autant aller s'enterrer au bout du monde. Surtout, prévenu par Tatsuémon, Shin chercherait à la rejoindre au manoir de Shimizu. Et même si Tatsu ne pouvait l'avertir, il la croirait encore à Edo. Si on l'envoyait à Suruga, elle ne le reverrait jamais, ni lui ni Daisuké.

La princesse était restée silencieuse. Autrefois, elle avait l'habitude d'annoncer les mauvaises nouvelles avec des pleurs et des lamentations, mais à présent un calme mystique l'habitait. De longs mois de prière et de méditation lui avaient apporté une paix intérieure telle que les problèmes de ce monde ne l'affectaient plus de la même manière.

— Douze mille familles devront être déplacées, reprit-elle avec une lueur de colère dans le regard. Cent mille personnes ! Le gouvernement nous a donné un mois pour nous préparer. Après notre départ, la ville sera vide. Ce gouvernement veut détruire Edo et tout ce qu'il représente.

D'ordinaire, Sachi aurait aussitôt répondu : « Je m'en tiens aux ordres de Votre Altesse. Si telle est sa volonté, je quitterai Edo avec elle. » Cette fois, pourtant, elle se sentit envahie par une détermination farouche. Elle devait rester à Edo, même s'il lui fallait pour cela entrer dans la clandestinité.

Il y eut un nouveau silence. La princesse la regardait comme si elle voulait graver à jamais son visage dans sa mémoire.

— Mon enfant, ma petite sœur, murmura-t-elle. Comment oublier le jour où je t'ai vue pour la première fois ? Quand tu as posé sur moi tes grands yeux si pleins de vie et de curiosité, je n'ai pu résister au désir de te connaître. Et ce visage qui ressemblait tant au mien, en plus jeune et en plus heureux.

Elle se redressa et esquissa un sourire.

— Quand je suis entrée par mariage au sein de la famille Tokugawa, j'ai juré de partager son destin. Les changements qui affectent le monde ne me concernent pas. Il en va tout autrement pour toi. Tu as été le soleil de notre palais. Même pendant la courte vie de Sa Majesté, tu lui as apporté du bonheur. Et tu as su accomplir sans faille tes devoirs. Il est temps que je te rende ta liberté. J'efface pour toujours l'engagement qui te lie à moi. Si tu souhaites désobéir aux ordres du gouvernement, cela te regarde. Je suis sûre que tu trouveras le moyen de rester ici, à Edo. Pour ma part, je choisis l'exil.

Sachi leva des yeux pleins de larmes vers la princesse. Leurs destins avaient été si longtemps liés…

— Nous ne nous reverrons peut-être pas, dit la princesse Kazu. J'avais une famille à Kyoto et je l'ai perdue. Mais tu as été une sœur pour moi. Je ne t'oublierai jamais.

12

Chez le prêteur sur gages

I

L'été avait pris fin. Le premier orage d'automne menaçait déjà et Sachi se trouvait dans un état d'agitation extrême. À chaque instant, elle craignait d'entendre des bruits de bottes dans les couloirs du manoir et de voir des soldats faire irruption dans leurs appartements pour les expulser. Mais les jours passaient et rien ne se produisait. Elle se demandait parfois si la princesse ne s'était pas trompée. Peut-être n'y avait-il eu aucun décret d'exil, ou bien personne pour l'appliquer.

Pourtant, à chacune de leurs visites à Edwards, les fuyards étaient plus nombreux sur la route. Bureaucrates, fonctionnaires, gardes, employés, sous-secrétaires de sous-secrétaires, dames d'honneur, servantes, cuisinières avançaient les uns derrière les autres, traînant des chariots chargés de tous leurs biens. Leur unique crime était d'être restés fidèles à leurs maîtres, les Tokugawa. Pour cette raison, on les avait chassés de la seule maison qu'ils avaient jamais connue, les condamnant du même coup au déshonneur, à l'exil et à la pauvreté.

Sachi savait que ses compagnes et elle n'échapperaient pas éternellement au décret gouvernemental. Un jour proche, elles partageraient le destin de ces réfugiés sans visage qui cheminaient misérablement sur la Route de la mer Orientale.

Sachi pensait que les choses ne pouvaient aller plus mal, quand Haru vint lui annoncer qu'elles avaient presque épuisé leurs réserves. Riz, miso, sel, légumes, bois de chauffage, huile de lampe, elles n'auraient bientôt plus rien.

Au palais, Sachi avait toujours eu ce tout ce qu'elle pouvait souhaiter : tissus précieux, kimonos élégants, maquillage, jeux, instruments de musique… S'il lui manquait une chose, elle n'avait qu'à claquer dans ses mains pour la voir apparaître. Quant à la nourriture, elle était si abondante qu'elle n'avait jamais pu finir un repas. Même au village, elle avait toujours mangé à sa faim grâce au potager familial.

— Tu veux dire que nous n'avons plus du tout d'argent ? demanda-t-elle, alarmée.

— Tu peux être rassurée sur ce point, répondit Haru avec une nuance de reproche dans la voix. Penses-tu que ton père te laisserait mourir de faim ? Pourquoi crois-tu que personne n'est venu nous attaquer ? Il te protège – et nous avec – et veille à ce que nous ne restions pas sans ressources.

Sachi demeura sans voix. Elle n'avait pas vu Daisuké depuis leur départ du château. Même après la bataille, il n'était pas venu la réconforter et s'assurer qu'elle allait bien. Pour toutes ces raisons, elle ne le considérait guère comme un père.

Et cependant, elle s'était maintes fois demandé pourquoi elles continuaient à mener une vie aussi paisible. Alors que les propriétés des Tokugawa et de leurs alliés tombaient toutes en ruines ou étaient réquisitionnées par les troupes du Sud, aucun bataillon de soldats n'était venu leur demander de quitter le manoir. Haru avait raison. Daisuké veillait probablement sur leur sort de loin.

— Il va falloir renouveler rapidement nos stocks de riz, dit-elle. Pourquoi n'avons-nous pas été livrées ?

— Les marchands ne viennent plus, répondit Haru, l'air sombre.

Sachi la regarda et les larmes lui montèrent aux yeux. Ses bonnes joues avaient fondu, des cernes noirs soulignaient ses yeux. Elle se privait afin que Sachi mange à sa faim.

— Je vais aller chercher de nouveaux fournisseurs, reprit Haru.

Sachi fronça les sourcils.

— Tu emporteras de l'argent ?

— Naturellement.

— Impossible ! La ville est en proie au chaos. Nous t'accompagnerons, Taki et moi.

— C'est trop dangereux, protesta Haru. Reste au manoir. Taki viendra avec moi. Une dame de ton rang n'a rien à faire dans les rues, parmi les gens du commun.

Mais Sachi en avait assez de se cacher. Elle suffoquait dans ces espaces vides, ces salles silencieuses, imprégnées de poussière et de tristesse. Elle avait faim de vie et de compagnie.

— Voyager à trois est encore plus sûr, déclara-t-elle sur un ton sans réplique.

Sachi revêtit un simple kimono et un *haori* capitonné d'une discrète couleur brune. Elle apprécia le contact familier du coton brut sur sa peau. Dans les bas quartiers, même la plus petite pièce de soie passerait pour une incitation au vol. Haru remplit de pièces d'or une sacoche qu'elle cala contre son estomac et enroula étroitement son obi par-dessus.

Le vent soufflait en rafales. Les femmes pressèrent le pas le long du chemin envahi de mauvaises herbes, de fougères et de plantain avant d'atteindre la porte. Même le pont qui enjambait le fossé commençait à s'écrouler.

Pour atteindre le centre-ville, il leur fallait traverser une bande de terre brûlée entre le manoir et la colline, à l'opposé de la route menant à la maison d'Edwards. De grands corbeaux noirs planaient au-dessus des rues vides. D'autres, perchés au sommet des ruines, semblaient surveiller leur progression. Leurs croassements accentuaient l'impression de désolation. C'était la première fois que Sachi s'aventurait dans ces parages depuis la bataille.

Relevant leurs kimonos, elles marchaient aussi vite qu'elles le pouvaient quand un groupe d'hommes en haillons surgi de nulle part s'avança vers elles, leur coupant toute retraite. Ils étaient au moins une dizaine à brandir des barres de fer et des bâtons.

Haru plaqua les mains sur son estomac. Cette fois, elles ne pouvaient compter ni sur Shinzaémon ni sur Edwards pour les défendre. L'un des maraudeurs s'approcha de Sachi, qui recula, écœurée par son odeur. Manifestement, il ne s'était pas lavé depuis une éternité. Avec son visage maigre, son chignon graisseux et la lueur de folie qui brillait dans ses yeux, il faisait peur à voir. Un rictus mauvais découvrait une bouche édentée où subsistaient encore quelques chicots noircis.

Le déguisement adopté par les trois femmes ne suffisait pas à masquer leur origine aristocratique, mais par chance ces hommes étaient trop ignorants pour deviner leur véritable statut.

— Comme ça, on se promène toutes seules, mes bonnes dames ? Donnez-nous votre argent et on vous laissera tranquilles.

Un des malfrats s'efforçait d'écarter les mains de Haru pour s'emparer de la pochette. Les pieds solidement plantés dans le sol, la préceptrice lui opposait une résistance farouche. De rage, l'homme lui décocha un coup de poing. Haru fit un pas de côté, le déséquilibrant, et esquissa un mouvement si rapide que Sachi elle-même ne comprit pas tout de suite ce qui se passait. L'homme tituba, fit encore quelques pas et s'écroula brusquement, face contre terre. Ses jambes maigres s'agitèrent quelques secondes avant de s'immobiliser.

D'abord stupéfaits, ses camarades se ressaisirent et reprirent leur avance, la mine menaçante.

— Vous avez eu de la chance, grogna l'un d'eux. Mais ça n'arrivera pas deux fois.

Ils refermèrent les rangs. La puanteur qui se dégageait d'eux était insoutenable.

— Nous ne possédons aucun objet de valeur, dit Sachi. Laissez-nous, je vous prie. Nous ne voulons pas d'ennuis.

Tout en parlant, elle referma la main sur le manche de son poignard. Les trois femmes se tenaient dos à dos.

— Vous vous croyez peut-être au-dessus de nous avec vos grands airs ? ricana le meneur du groupe. Mais tous vos beaux atours ne vous serviront à rien. On aura votre argent et vous avec. Pas vrai les gars ?

Sachi analysa la situation. Si leurs agresseurs avaient le nombre pour eux, ils ne savaient pas se battre. Mieux renseignés, ils auraient réfléchi à deux fois avant de s'en prendre à des femmes du palais. Certes, elles n'avaient pas leurs hallebardes et ils étaient armés de barres de fer et de bâtons, mais ils n'avaient reçu aucune formation. Elles n'auraient aucun mal à retourner leur force contre eux pour les déséquilibrer. D'un autre côté, ils étaient aussi désespérés et dangereux que des chiens affamés.

Leur chef lui barrait la route. Elle tenta de faire un pas de côté, puis de l'autre, mais il suivait ses moindres mouvements.

Hurlant comme une meute de loups, ses compagnons s'avancèrent. Du coin de l'œil, Sachi vit deux ou trois bâtons voler vers elle. Elle s'écarta promptement, en saisit un et l'abattit sur son agresseur, qui poussa un grand cri. Comme elle se redressait, elle vit un autre bâton fondre sur elle. Elle fit un pas en arrière et frappa de nouveau. Emporté par son élan, l'homme vacilla et s'étala par terre.

Elle intercepta un troisième bâton et le tordit si violemment que l'homme, surpris, alla voltiger contre un mur. Brandissant son trophée à bout de bras, elle se mit à distribuer des coups tout autour d'elle, visant à la tête, à l'estomac, aux jambes. Un coup qu'elle n'avait pas vu venir la jeta au sol, étourdie. Aussitôt, deux hommes la plaquèrent et lui maintinrent les bras avec tant de force qu'elle crut qu'ils lui brisaient les os.

— J'en tiens une ! hurla une voix. Mais c'est l'autre qui a l'argent ! Emparez-vous d'elle !

En se débattant, Sachi parvint à libérer un de ses bras et saisit le manche de son poignard. Avant d'avoir même compris ce qui lui arrivait, l'homme qui la retenait bascula en arrière et se mit à hurler, portant les mains à son visage.

Sachi bondit sur ses pieds. Les vêtements déchirés, le visage meurtri, les mains toujours plaquées sur son ventre, Haru tentait d'éloigner ses agresseurs à coups de pied. L'un des malfrats la frappa violemment par-derrière. Elle chancela et lâcha prise. Vif comme l'éclair, l'homme s'empara de la sacoche et se mit à courir. Sans réfléchir, Sachi lança son poignard qui se planta jusqu'à la garde dans le dos du voleur. Enjambant le corps, elle ramassa la pochette et récupéra son arme. Étendus au sol, plusieurs hommes pressaient leurs mains ensanglantées sur leurs yeux tandis que Taki essuyait tranquillement son épingle à cheveux sur son kimono.

Le reste de la bande observait la scène à distance prudente. Quand Sachi se tourna vers eux, ils détalèrent comme des lapins. Essoufflée, elle tendit la pochette à Haru qui la replia soigneusement avant de la glisser dans son obi. En silence, les trois femmes remirent de l'ordre dans leur coiffure et leurs vêtements.

Les oiseaux tournoyaient dans le ciel avec des cris aigus. Se guidant sur la colline, les femmes prirent la direction de l'est, vers la ville.

II

À l'approche de la périphérie, elles entendirent des voix. Des odeurs de soupe et de feu de bois flottèrent jusqu'à elles, mêlées à d'âcres relents d'ordures. Elles débouchèrent sur une vaste place où grouillait une foule disparate de jongleurs, de chalands, d'acrobates et de bonimenteurs. Une femme faisait faire des acrobaties à un singe, une autre vendait des fleurs. De petits étals proposaient du poulpe grillé et des omelettes. Les gens se pressaient autour avec des airs gourmands. Des femmes au regard dur traînaient au milieu des passants, offrant leur corps contre quelques pièces. Même dans une ville au bord de la destruction, la vie continuait.

Des hommes maigres rôdaient, guignant les femmes. Haru gardait les mains plaquées sur son ventre tandis que Sachi dissimulait son visage derrière son écharpe. Malgré l'urgence de la situation, Sachi appréciait de se trouver loin de l'atmosphère étouffante du manoir, dans un monde où les hommes et les femmes pouvaient librement se côtoyer.

Beaucoup des magasins alignés le long des rues étaient fermés, et les autres n'offraient que peu de marchandises. Sachi ayant repéré l'enseigne d'un marchand de riz, elles s'approchèrent pour jeter un coup d'œil à travers les planches. Elles tentèrent de pousser la porte, mais celle-ci était fermée à clef. Les marchands de riz semblaient tous avoir quitté la ville.

Elles descendirent une ruelle bordée de taudis, puis une autre. Les maisons étaient si serrées qu'elles ne laissaient pas passer le plus petit rayon de soleil. Sachi, Haru et Taki marchaient l'une derrière l'autre en rasant les murs. Les caniveaux débordaient, l'air empestait les aliments avariés et les excréments humains. Des rats couraient partout, des oiseaux en cage gazouillaient, les insectes bourdonnaient. Ici et là, des miséreux décharnés tendaient pitoyablement leurs bols en réclamant une aumône.

Cette fois, elles étaient bel et bien perdues. Sachi ne disait mot mais son appréhension grandissait. C'est alors qu'une jeune femme s'avança vers elles d'une démarche chaloupée. Elles se serrèrent pour la laisser passer. La femme posa brièvement les yeux sur elles et une profonde stupeur se peignit sur son visage.

— *Hora !* souffla-t-elle. N'est-ce pas Haru-sama ? Et dame Oyuri !

Dame Oyuri… Cela faisait plus de trois ans que personne n'avait appelé Sachi ainsi. À l'époque, le shogun vivait encore et elle était sa concubine, la dame de la chambre attenante.

Cette voix suraiguë avait fait surgir dans sa mémoire l'image d'une fille au nez retroussé, vêtue d'un kimono brodé d'un extraordinaire motif représentant la ville d'Edo dans ses plus petits détails, remontant majestueusement le couloir qui conduisait à la porte des appartements du shogun. Elle revit un combat sans merci que, contre toute attente, elle était parvenue à remporter. Une sandale avait alors traversé les airs pour la frapper à la tempe tandis qu'éclatait un rire sardonique…

Fuyu !

Après leur dernière rencontre dans les jardins, Fuyu avait disparu sans qu'on sache ce qui lui était arrivé, même si certaines femmes du palais prétendaient qu'elle avait été exécutée par sa famille. Sachi s'était souvent demandé si tout cela n'était pas sa faute, si elle n'avait pas causé le malheur de sa rivale simplement en le souhaitant.

Et voilà que Fuyu se tenait devant elle. Était-ce bien elle ou l'esprit rusé d'un renard ?

Sous l'épais maquillage, on reconnaissait le visage en forme de cœur qui distinguait Fuyu des autres novices du palais, mais le temps avait fané la beauté dont elle était si fière. Ses épaules étaient voûtées, comme si elle devait chaque jour s'humilier devant plus fort qu'elle. Un kimono de mauvaise coupe flottait autour de son corps maigre. Visiblement, elle avait traversé de nombreuses épreuves et dû lutter pour survivre.

— Toi ici ? s'exclama-t-elle en regardant Sachi.

Ses dents étaient noires et il en manquait deux. Loin du palais, elle avait retrouvé sa gouaille de citadine.

— Avec la chance que tu as, je pensais que tu t'en sortirais, reprit-elle avec une pointe de venin.

En bonne samouraï, Taki faisait de son mieux pour dissimuler ses sentiments, mais ses minces épaules tremblaient de dégoût.

— Vous autres, les belles dames, vous finirez toutes ici, cracha encore Fuyu.

— Tu veux dire qu'il y a d'autres dames du palais en ville ? l'interrogea Taki.

Quand Sachi pensait à ses anciennes servantes et dames d'honneur, elle les imaginait en sécurité dans leurs familles. Se pouvait-il que certaines aient fini dans ce cloaque ?

— Naturellement. Il y en a plein les rues. D'autres se sont retrouvées dans des bordels à Yoshiwara. Ah, elles crânent moins, maintenant !

— Et toi ? demanda doucement Haru. Est-ce que tu…

— Épargne-moi ta pitié, la coupa Fuyu. Mon maître est prêteur sur gages et il prend soin de moi. J'ai fait une erreur, c'est vrai. De toute façon, tout est sens dessus dessous maintenant, pas vrai ? Concubine du shogun ou pas, ça ne fait plus aucune différence. C'est le chaos, partout…

Maîtresse d'un prêteur sur gages ! Certes, Fuyu ne pouvait s'en prendre qu'à elle-même, mais, malgré ce qui les avait opposées, c'était malheureux de la voir aussi bas. Sachi s'était toujours méfiée de Fuyu et, pourtant, elle ne pouvait s'empêcher de la plaindre. Elle aussi avait parcouru un long chemin, mais pas autant que son ancienne rivale.

— Que faites-vous ici, d'abord ? demanda Fuyu. Vous cherchez un abri ? Du travail ? Venez. Quoi que vous vouliez, mon maître vous aidera.

Sachi consulta ses compagnes du regard avant d'acquiescer. Puisqu'elles étaient perdues, elles n'avaient guère le choix.

Fuyu les conduisit à travers un lacis de rues étroites et sombres. Les trois femmes la suivaient, tous leurs sens en alerte.

— Peut-être a-t-elle l'intention de nous vendre, chuchota Taki en jetant un coup d'œil inquiet à la ronde. Tout est possible par les temps qui courent. Fuyu sait mieux que quiconque qui tu es et combien l'ennemi lui donnerait pour ta capture.

— Ne parle pas ainsi, murmura Sachi.

— Aucun habitant d'Edo ne collaborerait avec l'occupant, rappela Haru d'un ton sévère. Pas même la pauvre Fuyu. Nous sommes tous solidaires contre l'envahisseur.

Elles débouchèrent dans une rue plus large, où l'on trouvait l'échoppe d'un coiffeur, des bains publics, un marchand de légumes et, à côté de ce dernier, une grande boutique avec une enseigne de prêteur sur gages. Fuyu plongea sous les rideaux.

— *Oi*, Fuyu ! C'est toi ? coassa une voix. Où donc es-tu encore allée traîner quand du travail t'attend ?

— *Oi !* fit une autre voix.

L'intérieur de la boutique sentait la fumée et le renfermé. Une vieille femme toute ratatinée était assise dans un coin, serrant une pipe à long tuyau entre ses dents. Elle tourna un visage fané vers les nouvelles venues. Un homme était vautré par terre près d'une pancarte avertissant l'honorable clientèle que la maison n'accordait pas de crédit au-delà de huit mois. Huit mois… Qui pouvait dire comment aurait évolué le monde d'ici là ?

Fuyu eut un regard traqué d'animal aux abois, mais elle se ressaisit et ses lèvres peintes dessinèrent un sourire enjôleur.

— J'ai amené des amies, annonça-t-elle.

L'homme se redressa lentement en voyant les trois femmes. Sa robe de marchand était toute chiffonnée. Après les avoir considérées d'un air soupçonneux, il leur adressa un sourire affable qui découvrait ses chicots.

— Ne dirait-on pas des dames du palais ? Entrez, entrez. Ma boutique est petite, mais si vous avez quelque chose à mettre en gage…

— Nous cherchons seulement un marchand de riz, expliqua Haru.

— Oh, je vois ! Les temps sont durs, pas vrai ? Les gens qui gagnaient leur vie en servant le daimyo, tous partis. Nous aussi, on a fait nos bagages. Pas vrai, Fu-chan *?*

Fuyu murmura quelques mots à son oreille. L'homme se laissa aussitôt tomber à genoux, le visage pressé sur la natte de paille.

— Confus, je suis confus ! dit-il d'une voix étouffée par le tatami. Que l'honorable concubine me pardonne. Merci d'illuminer de votre céleste présence ma misérable boutique. Que puis-je faire pour vous aider ? Jamais nous n'oublierons notre jeune shogun.

Une larme tomba sur la paille crasseuse. L'homme passa une main sur ses yeux. La vieille dame s'était également prosternée.

— Nous sommes tous de fidèles sujets de Sa Grâce, coassa-t-elle. Nous détestons ces envahisseurs autant que vous. Dites-nous ce que nous pouvons faire.

Sachi n'était pas certaine de leur sincérité, mais plus rien ne comptait que de trouver de la nourriture. Haru plongea la main dans sa ceinture et produisit une pièce d'or.

— Nous voudrions du riz, dit-elle.

L'homme mit ses lunettes, approcha la pièce de son visage et l'examina. Il la remit ensuite à la vieille femme qui la mordit.

— J'implore le pardon de Sa Seigneurie, reprit l'homme avec un sourire rusé. Pas sûr que cette pièce fasse l'affaire. Voyez, elle porte le blason des Tokugawa.

Sachi prit la pièce et la fit tourner entre ses doigts, déconcertée.

— On pensera que nous l'avons volée. Les envahisseurs du Sud… ils ont tout mis à sac. Il paraît qu'ils cherchaient l'or du shogun et qu'ils ne l'ont pas trouvé.

— Ne sois pas stupide, frère aîné, coupa Fuyu. Ce sont de gros lingots qu'ils recherchent. N'oublie pas que j'ai vécu au palais, moi aussi. Personne ne pense vraiment que l'or est ici. À mon avis, cela fait bien longtemps qu'il a quitté la ville. Fais une faveur à ces dames. Tu pourras toujours fondre la pièce.

— Vous n'auriez pas plutôt du cuivre ? insista l'homme. Juste quelques *mon.* Cela suffira largement comme garantie. Après tout, c'est pour l'honorable concubine…

Haru fouilla dans sa ceinture et en sortit plusieurs pièces en cuivre enfilées sur une ficelle.

— Je vois que vous êtes honnêtes, mesdames, approuva l'homme. Je ferai mon possible pour honorer la mémoire de Sa jeune Majesté.

III

Le prêteur sur gages tint parole. Le lendemain, Haru annonça qu'on leur avait livré du riz, du sel, du miso, de l'huile de lampe, des légumes et du bois de chauffage en quantité suffisante pour subvenir à leurs besoins pendant de nombreux mois.

Quelques jours plus tard, Sachi était occupée à écrire quand Taki apparut sur le seuil de la pièce et annonça :

— Un visiteur.

Sachi perçut une note d'hystérie dans sa voix.

— Edwards-sama ?

— Ton honorable père. Daisuké-sama.

De saisissement, Sachi lâcha son pinceau.

— Mon père ! Certes, il a pris soin de nous, mais… Je ne suis pas sûre d'avoir envie de le voir.

Les mots avaient jailli de ses lèvres avant qu'elle ait pu en mesurer la portée.

— Je sais que c'est ton père, dit Taki d'un air sévère, mais cela me gênerait qu'il devienne trop proche de toi. Il n'est pas de notre monde. Souviens-toi de ce qui est arrivé à ta pauvre mère.

— Il faut pourtant que je le voie, répliqua Sachi. Je souhaite en apprendre plus sur elle.

Tel un feu couvant sous la cendre, le souvenir de sa mère et de sa mystérieuse disparition avait été brusquement ravivé par l'irruption de son père et la curiosité la consumait à nouveau.

Taki lui apporta un miroir. Sachi vit son image se refléter dans le bronze poli. Ses cheveux avaient repoussé et elle les portait relevés en un chignon lâche. Elle se rappela l'époque où elle changeait de coiffure chaque fois qu'elle était appelée à un rang supérieur et où elle renouvelait sa garde-robe tous les mois. Ces détails futiles revêtaient alors une telle importance à ses yeux…

Elle passa un doigt sur sa joue. Ce visage exprimait de la mélancolie. Il semblait plus mince et des ombres soulignaient son regard. Elle venait d'entrer dans sa dix-neuvième année et ignorait tout de ce que l'avenir lui réservait. Sa mère avait le même âge quand elle avait rencontré son père. C'était étrange d'être ainsi habitée par le souvenir d'une autre, une mère qu'elle n'avait même pas connue.

Précédée par Taki, elle traversa une suite de pièces obscures. Une partie d'elle aurait voulu ne jamais revoir cet homme séduisant et si peu fiable… Cet homme qui se disait son père. Mais une autre désirait ardemment cette rencontre. Elle ralentit l'allure, glissant un pied devant l'autre ainsi qu'on le lui avait enseigné au palais. Mais son esprit, lui, était en feu.

Bien avant d'avoir atteint le grand hall, elle respira l'odeur de tabac et la fragrance si caractéristique qui imprégnait les vêtements de Daisuké. Elle identifia aussi un autre parfum – un mélange de musc, d'aloès, d'armoise, d'encens – qui lui évoqua aussitôt une dame de la cour. Elle pressa le pas malgré elle.

En approchant, elle distingua deux voix qui se répondaient : celles de Haru et de Daisuké. Elle s'immobilisa et fit signe à Taki de garder le silence.

— Ai-je mal agi, Haru ? Aurais-je dû l'attendre au temple ? Cette question m'obsède depuis des années. J'ai cru que ce serait mieux pour elle si je disparaissais.

Pour elle. Il parlait certainement de dame Okoto… la mère de Sachi.

— J'aimerais comprendre pourquoi elle n'est jamais revenue. A-t-elle été emprisonnée ? Exilée ? L'a-t-on obligée à se tuer ? Si j'avais la certitude qu'elle soit morte, je pourrais au moins trouver le repos. Il est si douloureux de ne rien savoir. Durant toutes ces années, j'ai dû enfouir mon chagrin tout au fond de moi.

Il laissa échapper un profond soupir.

— Haru, tu dois savoir ce qu'elle est devenue. Dis-le-moi, je t'en prie. J'ai payé pour mes méfaits. J'ai assez souffert.

— Pas maintenant, frère aîné, murmura Haru. Ma maîtresse est en route. Elle sera ici d'un instant à l'autre.

— Je t'en supplie, gémit Daisuké, dis-moi si elle est vivante. Un seul mot de toi et je trouverai la paix.

Ne pouvant en supporter davantage, Sachi pénétra dans le grand hall.

Des rubans de fumée se déroulaient dans les rayons de soleil qui filtraient à travers les stores avant de se perdre dans les zones d'ombre du plafond. Assis de part et d'autre de la boîte à tabac, Daisuké et Haru se penchaient l'un vers l'autre. Étalé entre eux, le surkimono de brocart était aussi éclatant qu'un pan de ciel. La grande main de Daisuké reposait dessus, aussi légère qu'une caresse.

Ils sursautèrent en voyant Sachi, comme si elle les surprenait en train de commettre quelque mauvaise action. Daisuké éloigna sa main du brocart, l'air stupéfait. Sachi savait que ce n'était pas elle, mais sa mère, qu'il voyait. Il posa sa pipe et s'inclina.

Tout en lui respirait la force, l'honnêteté, la sincérité. Malgré les mois qui s'étaient écoulés, Sachi eut l'impression qu'ils s'étaient vus la veille encore. Pourtant, elle devait se montrer prudente : n'avait-il pas causé la perte de sa mère ? Combattu aux côtés des envahisseurs ? Pourtant, il avait pris soin d'elle et de ses compagnes. Elle ne pouvait s'empêcher de ressentir de la joie et du soulagement à l'idée que cet homme était son père. Elle s'agenouilla à son tour.

Il releva la tête et l'enveloppa d'un long regard, comme s'il craignait de la voir disparaître une nouvelle fois.

— Ma fille, dit-il d'un ton solennel.

Son visage se détendit imperceptiblement et un sourire éclaira ses traits. Sachi s'inclina.

— Bienvenue, répondit-elle avec raideur.

Elle savait qu'il aurait souhaité qu'elle l'appelle « père », mais elle n'y parvenait pas – pas encore. Il n'était plus temps de s'embarrasser des platitudes et des compliments réservés aux visiteurs.

— C'est sans doute très grossier de ma part, reprit-elle, mais j'ai surpris la fin de votre conversation.

Haru se couvrit le visage de ses mains. Son chignon tremblait.

— Haru, je t'en prie, dis-moi la vérité, insista Sachi. Ma mère… Si elle est morte, je dois le savoir. Je suis son enfant. Je ferai des offrandes et je prierai pour son âme. Si personne ne veille sur son repos, elle restera un fantôme pour l'éternité.

— Je te l'ai dit, murmura Haru d'une voix étranglée.

— Tu m'as juste dit qu'après ma naissance ma mère était retournée au palais. Et qu'ensuite on lui avait ordonné de retourner chez les siens.

Elle se souvenait parfaitement des paroles de Haru. La famille de sa mère l'avait rappelée parce que son frère, le seigneur Mizuno, était gravement malade. Pourtant, Sachi avait vu le seigneur Mizuno au bord du fleuve. S'il avait été à l'agonie dix-neuf ans plus tôt, il avait bel et bien recouvré la santé.

— C'est vrai, acquiesça Haru. Je l'ai aidée à préparer ses bagages. Jamais je ne l'avais quittée auparavant, jamais. Mais elle m'a dit qu'il valait mieux que je reste, que je retourne au temple pour en informer Daisuké-sama…

Ce dernier cilla.

— J'ai attendu, Haru, mais tu n'es pas venue.

— Je m'apprêtais à inventer quelque excuse pour sortir quand un message est arrivé au palais.

Des larmes ruisselaient sur les joues de Haru. Sachi posa sa petite main blanche sur la sienne.

— Il disait que ma maîtresse était tombée malade et qu'elle avait succombé.

Un froid mortel envahit Sachi. Un courant d'air fit vaciller les flammes des bougies. Elle frissonna.

— Tu ne m'as jamais raconté cela, grande sœur, dit-elle d'une voix blanche.

Daisuké frappa le tatami du poing.

— Impossible ! gronda-t-il. Elle n'a pas pu mourir aussi soudainement, pas en une journée.

— Elle venait d'avoir un bébé, avança Haru. Il est dangereux pour une femme de se relever si rapidement après une naissance. Elle doit se reposer au moins sept jours pour empêcher le sang de monter à la tête.

Daisuké lui jeta un regard accusateur.

— C'est ce que tu penses, Haru ? Je l'ai vue après qu'elle a mis le bébé au monde. Elle se portait bien.

— La famille a présenté ses excuses au shogun pour l'avoir ainsi privé de sa concubine, reprit Haru. Elle lui a envoyé de l'argent, beaucoup d'argent. Dame Honju-in nous en a parlé après avoir lu la lettre. Elle a dit que nous devions prendre la mort de ma maîtresse comme un avertissement et nous garder de commettre la même erreur qu'elle.

Daisuké serra les poings à en faire saillir les veines sur ses mains.

— As-tu assisté à ses funérailles ? demanda-t-il.

— Je n'en ai pas été avertie. Comme vous le savez sans doute, les femmes n'avaient pas le droit de quitter le château pour des motifs privés. Malgré cela, j'ai réussi à m'échapper pour me rendre au temple, mais vous n'y étiez plus. Et vous aviez emmené l'enfant avec vous.

— Crois-tu vraiment qu'Okoto soit morte ?

— Je n'en sais rien, soupira Haru. Quand une femme commet un crime tel que le sien, il arrive que sa famille la tue ou l'enferme à jamais. Il se peut aussi que les Mizuno l'aient cachée ou confiée à un couvent. Je n'ai pas vu son corps ni participé aux rites funéraires. En ce qui me concerne, elle est encore vivante.

Tout à coup, Daisuké parut vieux et fatigué. Après l'avoir longuement contemplé, il prit le kimono de brocart et enfouit son visage dans ses plis, le mouillant de ses larmes.

— Ne pleurez pas, lui dit Haru. Je vous croyais morts tous les deux, et pourtant vous êtes ici avec nous.

Ils restèrent silencieux jusqu'à ce que les braises du foyer passent du rouge au gris. Taki les remua à l'aide d'un tisonnier et en préleva une pour rallumer la pipe de Daisuké qui la porta à ses lèvres avec une extrême lenteur. Taki prépara ensuite des pipes pour Sachi, Haru et pour elle-même.

— Le rossignol est mort, annonça Sachi avec des larmes dans les yeux. Père, j'aurais tant souhaité vous revoir plus tôt.

Père… Elle fut étonnée de la facilité avec laquelle elle avait prononcé ce mot.

Depuis qu'elle avait quitté le village pour le palais, elle avait toujours vécu entourée de femmes. À présent qu'elle devait prendre des décisions et assumer toutes sortes de responsabilités, elle trouvait réconfortant que quelqu'un veille sur elle.

Elle comprit tout à coup combien il avait été difficile pour Daisuké de lui rendre visite – elle, une représentante des Tokugawa ! Secourir un ennemi était considéré comme un crime, et pourtant il l'avait protégée pendant des mois à son insu, sans attendre de gratitude de sa part. À présent, elle savait ce que c'était que d'avoir un père.

Leurs regards se croisèrent. Elle remarqua les cernes sous les yeux de Daisuké et les fines rides au coin de ses paupières. Des yeux en amande, tellement semblables à ceux dont son miroir lui renvoyait l'image.

Il prit ses petites mains dans les siennes. Sa peau était aussi douce que de la soie. Des mains de notable, et non plus de charpentier.

— Ma fille, j'aurais voulu t'éviter ces révélations pénibles. Je suis venu t'avertir que je retourne à Osaka. Il est question d'y installer la nouvelle capitale.

Sachi se raidit. La capitale de quoi ? La guerre n'est pas encore terminée… Mais elle préféra se taire que d'abîmer le lien fragile et bien trop précieux qui venait de se nouer entre eux.

— J'ai fait en sorte que vous soyez en sécurité et ne manquiez de rien, ainsi que je m'y suis engagé. Aucun soldat, pilleur ou voleur ne viendra vous menacer. Le manoir ne sera pas réquisitionné et personne ne vous demandera de le quitter. Si, comme je l'espère et je le crois, ta mère est toujours en vie, je ferai tout pour la retrouver sitôt que la paix sera revenue. Je te le promets.

CINQUIÈME PARTIE

La capitale de l'Est

13

Une visite de l'empereur

La pluie semblait ne pas vouloir s'arrêter. Elle ruisselait des arbres, formant de grandes flaques sur le sol détrempé. On n'avait encore jamais connu une année aussi humide et mélancolique. Les berges des fossés étaient glissantes et s'effritaient chaque jour un peu plus.

Puis un jour, un rayon de soleil apparut entre les nuages. L'air était vif et frais. Depuis les profondeurs du manoir, Sachi entendit des pas crisser sur le gravier de la cour.

Son cœur fit un bond. Durant un instant, elle crut qu'il s'agissait d'un courrier lui apportant une lettre du Nord. Elle l'imagina sur le seuil, le front couvert de sueur sous son chapeau de paille. Il s'inclinerait, ouvrirait sa boîte laquée ornée de motifs fleuris et lui remettrait un pli. En le déroulant, elle reconnaîtrait l'écriture de Shinzaémon…

La jeune femme soupira. Avec le chaos qui régnait dans le pays, il ne fallait pas s'attendre à ce que le courrier fonctionne encore.

Cela faisait plusieurs mois que Tatsuémon était parti, emportant le message qu'elle lui avait confié. Depuis, elle espérait chaque jour une lettre de Shinzaémon, et chaque jour son attente était déçue.

Quand Tatsuémon lui avait dit au revoir, il était tout excité de reprendre enfin la route.

— Je meurs d'impatience de revoir Tora et Shin, lui avait-il confié, les joues roses de bonheur.

À quinze ans, il était assez vieux pour tuer et se faire tuer comme n'importe quel samouraï. Mais le cœur de Sachi se serrait quand elle pensait à lui. Tatsuémon n'était pas encore tout à fait un homme.

Elle se demandait parfois avec inquiétude s'il avait atteint sa destination. Les routes grouillaient de soldats ennemis. Il était difficile de traverser leurs rangs sans se faire prendre. Et même s'il avait pu rejoindre Shinzaémon et Toranosuké, ils étaient probablement assiégés dans quelque château éloigné. Elle repoussa énergiquement les sombres pensées qui l'avaient envahie, pour ne pas tenter le mauvais sort.

En tout cas, le visiteur qui venait de pénétrer dans le manoir avait le pas trop lourd pour un messager. Le plancher du couloir gémissait sous son poids. Ce ne pouvait être qu'Edwards, avec ses longues jambes et ses bottes en cuir.

Après le départ de Tatsuémon, Sachi avait cru qu'il cesserait de leur envoyer son chariot et que la fenêtre qu'il avait ouverte sur le monde extérieur se refermerait. Toutefois, Edwards avait continué ses visites.

La première fois qu'il s'était présenté à la porte du manoir, Taki avait été scandalisée. Sachi lui avait rappelé qu'un étranger n'était pas véritablement humain. Par conséquent, ce n'était pas enfreindre le protocole que de le recevoir. Par ailleurs, elles devaient lui être reconnaissantes de tout ce qu'il avait fait pour elles. Ne les avait-il pas tous sauvés à la colline de Ueno ? N'avait-il pas traité Tatsuémon avec une infinie bonté ? En outre, elles avaient besoin de lui. Grâce à son travail à la légation britannique, il était toujours au courant des dernières nouvelles et pouvait ainsi les informer de l'évolution du conflit.

Elle trouva Edwards assis en tailleur sur le tatami, ses grandes jambes maladroitement repliées sous lui. Quand il leva les yeux vers elle, elle remarqua aussitôt son expression soucieuse. Il apportait de mauvaises nouvelles. Edwards était incapable de cacher ses sentiments. Colère, peur, inquiétude, tout se lisait sur son visage, comme chez un enfant.

Elle conclut rapidement le cérémonial des salutations et croisa les mains sur ses genoux.

— Quelles nouvelles apportez-vous ? demanda-t-elle d'un ton calme.

Les mois qui venaient de s'écouler avaient sérieusement entamé les espoirs des partisans du shogun. Les troupes du Sud balayaient tout sur leur passage. Elles avaient attaqué Nagaoka et réduit la ville à l'état de décombres. Le château avait été détruit, la plupart de ses défenseurs tués. Cinq semaines plus tard, Yonezawa tombait à son tour. À présent, c'était Aizu Wakamatsu qui se trouvait assiégée. Wakamatsu, la citadelle du Nord, capitale de la résistance. Les fidèles du shogun s'étaient repliés là-bas et, quelques semaines plus tôt, les combats y avaient été particulièrement féroces. À chacune de ses visites, Edwards leur annonçait que les assaillants poursuivaient leur progression. Des rapports récents affirmaient qu'ils avaient atteint l'enceinte du château. Heureusement, la forteresse devrait pouvoir résister au moins quelque temps.

Wakamatsu était leur dernière ligne de défense. Si la place tombait, il y aurait bien quelques samouraïs entêtés pour se replier un peu plus au nord, mais la guerre serait pratiquement perdue.

Un pli soucieux barrait le front d'Edwards. Il prit la pipe que Taki venait d'allumer pour lui et en tira quelques bouffées.

— Aizu Wakamatsu est tombée, dit-il. Je suis désolé.

Un profond silence s'abattit sur la pièce. Sachi s'était préparée au pire, pourtant la nouvelle lui causa un choc. Shinzaémon était toujours là-bas. Elle l'imagina se blottissant avec ses compagnons autour d'un feu de camp, tremblant sous une mince couverture alors que les nuits devenaient de plus en plus froides. Peut-être n'avaient-ils même pas de feu, de couvertures, ni de vivres ! Taki serait certainement fière d'eux s'ils se faisaient tuer jusqu'au dernier. Mais leur expédition sur le champ de bataille avait profondément modifié l'attitude de Sachi. Elle avait ardemment désiré la victoire du Nord et le retour de Shinzaémon. À présent, ses espoirs n'étaient plus que des songes creux.

— Je tiens ces nouvelles du docteur Willis, précisa Edwards. Il s'est rendu au nord à la demande du haut commandement afin de secourir les blessés. Il nous a raconté que la bataille avait été féroce. Les deux camps se sont affrontés bravement, mais l'armée impériale possède plus d'hommes et de meilleures armes.

— L'armée impériale ! cracha Taki en piquant rageusement son aiguille dans son ouvrage. Un ramassis de brigands, oui !

— Les gens du Nord n'avaient que des armes françaises, reprit Edwards avec un sourire sardonique. Tandis que l'armée impériale…

Nul besoin de conclure. Les troupes du Sud étaient armées par les Anglais, ses compatriotes.

— Ainsi le docteur Willis n'a pas vu nos amis, dit Sachi.

C'était un constat, pas une question. Sachi savait que les soldats du Sud ne faisaient aucun prisonnier.

— Vos troupes ont enregistré des pertes terribles, poursuivit Edwards. Et les morts subiront le même châtiment que… les guerriers de la colline de Ueno. Le gouvernement impérial a ordonné de laisser leurs dépouilles sans sépulture.

Sachi pensa à tous ces hommes qui avaient quitté leur foyer pour connaître une fin aussi ignominieuse, à leurs veuves et à leurs mères qui ne sauraient jamais ce qu'ils étaient devenus. Certaines attendraient des mois, des années, avant d'admettre que leur mari, leur fiancé ou leur fils ne reviendrait pas. Il lui apparut tout à coup qu'elle pourrait bien être l'une d'elles.

Cela faisait six mois que Shinzaémon était parti. Depuis, pas un mot de lui. Devrait-elle passer le reste de sa vie dans le deuil, à attendre en vain son retour ? Elle tenta d'imaginer la vie sans lui. Tous les liens qui donnaient un sens à son existence – la famille, le clan, la maisonnée – s'étaient défaits. Daisuké, son père, était retourné à Osaka, et il n'y avait plus de place pour elle dans le village de son enfance. Elle qui avait cru passer toute sa vie au palais en était réduite à camper dans une maison qui n'était pas la sienne. Son errance ne s'achèverait-elle jamais ?

— L'avenir s'annonce sombre pour les survivants, enchaîna Edwards. Ils n'auront ni travail ni argent et devront s'exiler à Suruga avec le shogun Yoshinobu.

— Et Tatsu ? demanda Sachi.

— Je ne sais rien de lui.

— Vous semblez triste, observa-t-elle. Pourtant, les vôtres soutiennent la cause du Sud.

— Je m'inquiète pour ce pays. Je ne peux supporter de le voir ainsi déchiré.

Sachi fut étonnée par la ferveur avec laquelle il avait prononcé ces mots.

— Et je m'inquiète pour vous, reprit-il d'une voix soudain radoucie. Pour vous toutes, ajouta-t-il en hâte.

Mais il était trop tard. Sachi avait lu le désir dans son regard. Cet étranger si différent d'elle n'en était pas moins un homme. Cette brusque prise de conscience la troubla tant qu'elle sentit un frisson glacé le long de son échine. Elle baissa les yeux.

— J'ai d'autres nouvelles pour vous, reprit-il, brisant le silence gêné qui s'était installé. Des bonnes, cette fois.

Des bonnes nouvelles ? Comment pouvaient-elles l'être ?

— Le nouveau gouvernement va faire d'Edo sa capitale. La ville sera rebaptisée Tokyo, la capitale de l'Est.

Mais Edo était Edo ! Et jusqu'à preuve du contraire, elle restait la ville du shogun. Faire d'elle la capitale du Sud revenait à la priver de son âme.

— Kyoto est notre capitale, objecta Sachi.

— Désormais, il y en aura deux. Kyoto sera la capitale de l'Ouest, la ville de l'empereur. Edo deviendra Tokyo, la capitale de l'Est. C'est là que siégera le gouvernement, là que se traiteront les affaires importantes, comme aux temps anciens. La ville sera encore plus animée qu'avant. Un grand destin l'attend. Vous devrez vous habituer à l'appeler Tokyo.

Ainsi Daisuké allait revenir. De temps en temps, il lui écrivait d'Osaka pour lui parler de sa vie là-bas, s'informer de sa santé. Mais jamais il ne mentionnait la guerre ni les bouleversements qui affectaient le pays.

— La guerre n'est pas terminée, grogna Taki. Tout le monde, ici, déteste les envahisseurs. Jamais ils ne gouverneront cette ville.

— C'est vrai, la guerre n'est pas encore terminée, admit Edwards. Mais elle le sera bientôt. On ne peut remonter le temps, mais vous verrez que les choses iront en s'arrangeant. L'empereur est au-dessus des dissensions entre le Nord et le Sud. Il rétablira la paix. Il n'y aura plus différentes provinces mais un seul pays.

— Vous êtes un étranger, murmura Taki. Que savez-vous de notre pays ?

Ils avaient déjà eu cette discussion à maintes reprises. Tout le monde savait que l'empereur n'était qu'un adolescent, que les soi-disant conseillers qui le manœuvraient venaient du Sud. C'était eux, et non lui, qui tenaient les rênes du pouvoir. L'air renfrogné, Taki retourna à sa couture.

Edwards se pencha vers elle avec une lueur malicieuse dans le regard.

— J'ai des nouvelles qui devraient vous intéresser, dame Takiko. Puis-je vous les annoncer ? L'empereur…

— Sa Grâce ? l'interrompit Taki.

— Sa Grâce va venir à Edo.

Les joues de la petite suivante rosirent d'excitation.

— Ici ? s'exclama-t-elle.

— Il a déjà quitté Kyoto et arrivera dans quelques jours. Je vous emmènerai assister à son entrée triomphale dans la ville, si vous le souhaitez. Il va habiter…

— Au château d'Edo ? firent les femmes d'une seule voix.

Ainsi, la cour du shogun avait été expulsée du château pour que l'empereur s'y installe avec toute sa cour ? Son épouse, ses concubines, ses dames d'honneur, ses courtisans et tout son personnel : gardes, cuisinières, domestiques, servantes, servantes des servantes, servantes des servantes des servantes… Ce seraient eux, désormais, qui assisteraient à des représentations et à des concours de poésie sous de splendides plafonds rehaussés d'or, flâneraient dans les jardins, canoteraient sur les lacs, admireraient la floraison des cerisiers au printemps et les érables flamboyants en automne. Par une cruelle moquerie du destin, ils mèneraient l'existence à laquelle la princesse, Sachi, Haru, Taki et la pauvre Fuyu avaient dû renoncer.

Edwards pensait peut-être qu'un nouveau monde, plus glorieux, succéderait à celui-ci. Mais il ne serait pas glorieux pour tous.

Malgré toutes leurs souffrances, elles n'avaient d'autre choix que de vénérer l'empereur. En tant que neveu de la princesse, le Fils du Ciel était assurément humain, au moins en partie. Mais il conversait aussi d'égal à égal avec les dieux. C'était grâce à lui que les saisons se succédaient et que l'on récoltait le riz année après année. Les prêtres veillaient sur leurs fidèles, les maintenaient en bonne santé, les protégeaient contre les épreuves de la vie par leurs prières et leurs bénédictions. Mais Sa Grâce prenait soin de tout le pays.

— Le château sera entièrement reconstruit, précisa Edwards après un temps d'hésitation, comme s'il avait perçu l'amertume de ses interlocutrices.

Sachi avait du mal à accepter que tout ce qu'elle avait connu et aimé finisse ainsi. Elle avait oublié que tout était transitoire en ce monde. Richesse, bonheur, santé, beauté – un jour donnés, l'autre repris. La vie était aussi fugace que le battement des ailes d'un moineau. Elle ne devait jamais oublier cette leçon.

Taki remplit la pipe de leur invité et la ralluma. Un filet de fumée s'éleva vers le plafond en même temps qu'un subtil parfum de tabac.

— On m'a dit que tous les palais et les manoirs possèdent des jardins magnifiques, dit-il. Comment sont les vôtres ?

— À l'abandon, répondit Sachi.

— Voulez-vous me les montrer ? insista Edwards. Cela nous fera du bien de marcher.

Les trois femmes se levèrent et se rechaussèrent.

L'automne avait repeint le jardin avec une palette éclatante de cuivre, d'or, d'orange et de rouge. Edwards marchait devant, repoussant du pied les fougères et l'herbe gorgée d'eau pour faciliter le passage à ses compagnes. Sachi suivait à petits pas prudents, sautant de pierre en pierre pour ne pas marcher dans la boue ou sur les feuilles pourries. Quand elle glissa sur une plaque de mousse, Edwards tendit aussitôt la main pour la retenir. Elle trouvait étonnant qu'un homme se soucie autant de son bien-être. Dans le monde qu'elle connaissait, les hommes étaient les maîtres et les femmes, leurs servantes. D'abord embarrassée de voir l'un d'eux se comporter d'une manière si peu virile, elle finit par trouver rassurantes les attentions d'Edwards.

Ils atteignirent enfin le lac, au milieu duquel se dressait une petite île avec une lanterne de pierre à demi cachée sous les arbres. Un héron était perché sur un rocher. Deux tortues se serraient l'une contre l'autre, aussi immobiles que des pierres. Quelques barques étaient amarrées à un petit embarcadère.

Sachi promena son regard autour d'elle. Taki et Haru s'étaient attardées en chemin. Elle se trouvait seule avec un homme, un étranger… Le caractère inconvenant de la situation lui apparut soudain. Elle allait crier aux deux autres de se presser quand elle se ravisa. La guerre était finie, le pays ruiné. Plus rien ne comptait désormais que le présent. Elle n'était plus la concubine du défunt shogun, mais simplement Sachi. Quant à Shinzaémon… Peut-être était-il temps d'affronter la vérité dans toute sa brutalité. Shin avait certainement péri.

Edwards s'arrêta et enleva lentement son grand chapeau noir un peu chiffonné. Avec leurs yeux à peine fendus, les compatriotes de Sachi gardaient leurs secrets cachés au fond d'eux-mêmes. Mais dans les grands yeux ronds de l'Anglais, on pouvait lire tous les mouvements de son âme. Quand leurs regards se croisèrent, elle fut frappée par le bleu éclatant, aussi lumineux qu'un ciel d'été, du sien. Ses cheveux n'avaient pas la couleur de la paille, comme elle l'avait toujours pensé. Non, c'était de l'or. Sous le soleil, ils formaient un halo autour de sa tête. Et ce grand nez, ce menton avancé, ces sourcils broussailleux… C'était un être d'un autre monde et il la fascinait.

Quand il lui tendit la main, elle frissonna à son contact. Elle considéra avec curiosité sa petite main blanche au creux de sa large paume, s'amusa des poils dorés sur ses grands doigts.

Avant qu'elle ait pu libérer sa main, il la porta à ses lèvres. Elle se raidit, craignant qu'il la morde. Elle sentit alors la caresse humide et soyeuse de sa bouche, le piquant de sa moustache. Elle aurait dû être choquée, même horrifiée. Mais il n'en était rien. Jamais elle n'aurait imaginé qu'un homme pouvait lui témoigner tant de douceur. On aurait dit qu'un souffle d'air frais l'avait brusquement ramenée à la vie.

Quand Edwards lâcha sa main, elle posa celle-ci sur son obi et sentit le netsuke de Shinzaémon sous le tissu. Aussitôt, elle eut honte d'avoir trahi sa mémoire. C'était son devoir de l'attendre, d'être là quand il reviendrait. S'il revenait.

Elle regarda ses pieds posés côte à côte sur une pierre. Des pieds délicats, dignes d'une dame de cour, mais qui avaient perdu leur blancheur de porcelaine. À présent, ils étaient brunis par le soleil et éclaboussés de boue. Elle y vit un présage. Les branches se balançaient au-dessus de leurs têtes, les nuages dérivaient dans le ciel et, sous la caresse du vent, des milliers de gouttes glacées s'échappèrent des ramures pour s'écraser sur ses cheveux et ses épaules.

— Vous êtes si belle, murmura Edwards. Si vous me laissiez… si vous acceptiez… je prendrais soin de vous. Je sais que je suis un étranger, mais vous finiriez par vous habituer à moi. Je vous vénérerai, vous serez ma reine. Je vous emmènerai dans mon pays. Nous parcourrons le monde ensemble. Je voudrais pouvoir vous dire ce que je ressens dans votre langue, mais il n'existe pas de mot pour ça. Ce n'est pas l'affection qu'un homme éprouve pour ses parents, ni le respect qu'il a pour son épouse. Ni même le désir que peut inspirer une courtisane. C'est plus que cela, beaucoup plus. C'est ce qui lie à jamais un homme et une femme. Dans ma langue nous appelons cela *rabu* – « amour ».

Sachi eut un rire gêné. On n'avait pas idée de parler ainsi à une honnête femme, encore moins de son rang. Elle avait abaissé ses défenses, elle lui avait permis de toucher sa main, et voilà qu'il s'imaginait pouvoir partager le reste de son existence ! S'il avait vécu assez longtemps dans son pays, il aurait su que ces choses-là n'avaient rien à voir avec les sentiments.

Pourtant, elle se demandait auprès de qui elle allait passer sa vie. Elle était veuve, et les veuves vivaient habituellement chez leurs parents. Personne n'avait le droit de se marier hors de sa caste, mais qui aurait pu dire dans son cas à quelle caste elle appartenait ? Apparemment, cet homme ignorait tout des conventions qui régissaient la vie dans son pays. Malgré cela, elle devait admettre qu'elle s'habituait à sa présence. Elle attendait avec impatience ses visites.

Leurs regards se croisèrent à nouveau et, au lieu de froncer les sourcils pour exprimer son mécontentement, elle ne put s'empêcher de sourire.

Comme il ouvrait la bouche, elle leva la main pour l'inciter au silence. Des voix venaient de retentir derrière eux. Taki et Haru approchaient.

Le lendemain, des pas rapides résonnèrent dans la cour, accompagnés du bruit caractéristique d'une paire de sandales de paille. Taki se précipita à la rencontre du courrier. Elle revint avec un sourire si éclatant qu'on aurait dit que le soleil était entré à flots, chassant les ombres dans les coins les plus reculés de la pièce. Elle marqua une pause sur le seuil et, d'un geste un peu théâtral, elle tendit un rouleau à Sachi.

Celle-ci reconnut aussitôt l'écriture virile ainsi que les deux derniers vers d'un poème qu'elle connaissait bien :

Akatsuki shirade
Hito o koikeri

« Je me suis pourtant donnée à toi
Insouciant de l'aube prochaine. »

Shinzaémon avait rajouté deux mots au-dessous : « Un jour. »

« Insouciant de l'aube prochaine »… Cela ressemblait tant à Shinzaémon ! Il agissait toujours à sa guise, sans s'inquiéter de ce que l'on pouvait penser ou attendre de lui. La joie envahit Sachi. L'aube venait enfin, le début d'un nouvel âge. Elle relut plusieurs fois la missive. Shinzaémon était vivant et il pensait à elle. Sa patience avait été récompensée.

Puis elle éprouva un mélange de honte et de tristesse en se remémorant la visite d'Edwards, la veille. Malgré sa franchise, elle avait toujours du mal à le comprendre. Peut-être jouait-il la comédie… Elle avait entendu dire que les étrangers aimaient séduire les femmes. Pourtant il s'était montré si doux, si prévenant. Personne ne l'avait jamais traitée de cette manière. Au début, elle avait hésité à tout raconter à Taki. Elle savait à présent que c'était impossible.

Un peu plus tard, quand elle entendit le pas lourd de l'Anglais dans la cour, elle prit une ferme résolution.

— Fais-lui savoir que je suis souffrante, dit-elle à Taki.

« Un jour », avait écrit Shinzaémon, sans plus de précision.

Depuis l'arrivée de sa lettre, chaque fois qu'elle entendait le moindre bruit dans la cour, Sachi envoyait Taki s'informer de ce qui se passait. Un jour où elle tentait d'évoquer son visage, elle se fit la réflexion qu'elle n'était pas sûre de le reconnaître lorsqu'elle le verrait. Peut-être aurait-il le même regard hanté que le jeune Tatsuémon quand il fixait le vide durant des heures. Il avait consacré des mois de sa vie à une cause perdue. Elle l'imaginait fatigué, amaigri et amer.

Il s'était passé tant de choses depuis son départ ! En fréquentant Edwards, elle avait découvert qu'il existait d'autres manières d'appréhender l'existence.

Edwards, la source de toutes ses appréhensions… De même que les envahisseurs avaient changé Edo, il l'avait changée elle aussi en insinuant le doute dans son cœur.

Elle avait cru que l'Anglais, confus de sa propre hardiesse, n'oserait plus se présenter au manoir et qu'elle n'entendrait plus parler de lui. Encore une ou deux rebuffades, et ce serait la fin de leurs relations.

Lorsqu'il revint, elle lui fit encore dire qu'elle était souffrante. Malgré tout, elle ne pouvait s'empêcher de repenser à leur dernière rencontre. Un frisson délicieux parcourait son échine quand elle le revoyait porter sa main à ses lèvres. Le lendemain, Taki lui apporta un énorme bouquet de fleurs et de feuilles d'automne – camélias, chrysanthèmes sauvages, branches d'érable pourpre, orange et jaune – qui lui arracha des cris admiratifs. Le troisième jour, Edwards lui envoya un objet mystérieux – petit et circulaire, tout en métal.

Sachi l'examina longuement puis essaya de le glisser à son doigt. Il lui allait à la perfection. Honteuse, elle se dépêcha de l'enlever.

Même si elle refusait de se l'avouer, ces attentions la flattaient. Shinzaémon était parti depuis longtemps. Quand il reviendrait – si jamais il revenait – il serait comme un étranger pour elle. Edwards, lui, avait toujours été présent à ses côtés. Quel mal y avait-il à le recevoir, ne serait-ce que dans l'intérêt de Taki et de Haru ? Elles aussi appréciaient sa compagnie.

C'est ainsi qu'Edwards reprit ses visites.

Le jour de l'arrivée de l'empereur approchait.

— Il nous faudra de nouveaux vêtements pour l'accueillir, affirma Taki, tout excitée.

Elles ne pouvaient porter pour l'occasion leurs robes de cour, puisque le shogun et sa maisonnée étaient devenus des ennemis de l'État. Si quelqu'un les reconnaissait, elles se retrouveraient en prison ou en exil à Suruga. Pour finir, elles décidèrent de s'habiller comme de riches citadines. Haru commanda des rouleaux de soie, puis Taki et elle se mirent au travail.

Il était tout aussi évident qu'elles ne pourraient assister au défilé aux côtés d'Edwards. Ç'aurait été pure folie de leur part de s'afficher en public avec un géant au grand nez, toujours flanqué de gardes. Elles iraient donc seules.

Mais, la veille du grand jour, un message de Daisuké leur parvint : il revenait à Edo afin de les escorter.

Le matin suivant, Taki aida Sachi à se préparer. Elle lui noircit les dents, rasa ses sourcils et lui fit un chignon qu'elle fixa avec des épingles et des peignes. Puis elle l'aida à passer son kimono rouge brodé de feuilles d'érable. Taki l'avait laissé toute la nuit au-dessus d'un brûleur d'encens, si bien qu'il exhalait un grisant parfum de musc. Les deux dames d'honneur arboraient également de somptueux kimonos neufs pour l'occasion.

Daisuké attendait dans la cour. Sachi remarqua qu'il avait pris du ventre. Dans son costume de dignitaire, il respirait la noblesse et la puissance. Il portait même deux sabres glissés dans sa large ceinture.

— Ma fille, dit-il en souriant.

— Mon père, répondit-elle en s'inclinant.

Dès qu'ils eurent quitté le manoir, Sachi constata combien tout avait changé depuis sa dernière sortie. On avait reconstruit le pont, consolidé les berges du fossé. Les routes avaient été balayées, ratissées et arrosées d'eau pour plaquer la poussière au sol. Cela sentait bon la terre mouillée, comme après une averse.

Une foule turbulente se pressait tout au long des avenues qui menaient au château. La place au pied des remparts était déjà pleine de femmes et d'hommes vêtus de magnifiques kimonos en soie rouge et or.

Daisuké prit la direction de la porte Wadakura, celle que devait emprunter le cortège impérial. Sachi le suivait de près, se frayant difficilement un chemin à travers la cohue. Il y avait là des hommes, des femmes, des vieillards, des enfants, des parents avec leurs bébés sur le dos. Tout en marchant, elle jetait des regards furtifs autour d'elle, espérant apercevoir Shinzaémon. À un moment, il lui sembla le reconnaître, mais quand elle y regarda à deux fois, elle constata avec une pointe de tristesse qu'elle s'était trompée.

Soudain elle remarqua une femme dans la foule. L'encolure de son kimono bâillait, dévoilant sa nuque et la naissance de son dos, comme chez une geisha ou une prostituée. Quand tous avaient les yeux fixés sur la porte que devait franchir l'empereur, elle regardait en direction du château tandis qu'une larme glissait lentement sur sa joue fardée de blanc.

— Fuyu… appela Sachi.

Elle s'approcha et tira son ancienne rivale par la manche. Une bouffée de parfum bon marché effleura ses narines.

— Ce passé n'était peut-être pas aussi merveilleux qu'on le pensait, dit-elle avec douceur.

Alors même qu'elle prononçait ces paroles, elle prit conscience de son mensonge. Désormais, les portes du château leur resteraient fermées. Ce monde tout de beauté et de raffinement était à jamais perdu, tel un fragile vase de porcelaine qui s'est fracassé sur le sol.

Daisuké leur avait trouvé une place près de la porte, dans l'espace réservé aux officiels du nouveau gouvernement. Sachi promena son regard sur la foule. Jamais elle n'aurait imaginé qu'il existât tant de gens au monde.

— Regarde-les, lâcha Fuyu en se tamponnant les yeux et le nez. Ils se disaient prêts à mourir pour le shogun, et les voilà qui se prosternent devant l'empereur ! Quand les nôtres reviendront de Wakamatsu, ils prétendront être de nouveau de leur côté.

Le cœur de Sachi fit une embardée. « Les nôtres »… Shinzaémon se trouvait certainement parmi eux.

— Ils reviennent ? murmura-t-elle d'une voix blanche.

— Ceux qui ont survécu, oui. Ils seront là d'ici à quelques jours. Ce sont eux les véritables héros. Nous saurons les accueillir dignement.

Vint l'heure du cheval. D'ordinaire, des milliers de feux brûlaient à travers la ville pour la cuisson du repas de midi. Mais ce jour-là ils étaient interdits. Une rumeur lointaine monta de l'horizon. On distingua bientôt de la musique, des harmonies d'un autre âge qui semblaient surgir de l'au-delà. Sachi trembla. On aurait dit que les dieux redescendaient sur terre.

Très loin d'eux, des bannières surgirent au-dessus des têtes, traçant un sillon dans la foule. Elles étaient d'un rouge éclatant, rehaussé du blason impérial à motif de chrysanthème. Les pointes des lances et des hallebardes étincelaient au soleil. En plissant les yeux, Sachi distingua de hautes formes noires qui se mouvaient lentement – les chapeaux vernis des courtisans. Puis venait un océan de casques plats, à pointe, à cornes, de toutes formes et de toutes couleurs, avançant en rangs serrés. Les toits dorés des palanquins jetaient mille feux.

Contrairement à tous ceux que Sachi avait pu voir au village, ce cortège n'était pas précédé de gardes criant *Shita ni iyo ! Shita ni iyo !* – « À genoux ! À genoux ! ». Cette armée-là avançait en silence.

Sachi aperçut bientôt des musiciens qui frappaient des tambours ou soufflaient dans des flûtes. Vinrent ensuite les porteurs d'étendards puis les soldats, bataillon après bataillon, vêtus d'uniformes étrangers. L'âge du shogun et des samouraïs était arrivé à son terme. Une nouvelle ère s'annonçait. Certains portaient un fusil sur leur épaule, d'autres se pavanaient, le sabre à la hanche. Les porteurs titubaient sous le poids d'énormes malles laquées, escortés par d'interminables rangées de domestiques.

Les seigneurs et les nobles suivaient, certains dans des palanquins, d'autres à cheval ou à pied, habillés d'amples robes et coiffés de hauts chapeaux noirs à la mode de la cour impériale, tels que Sachi en avait vu sur des copies d'estampes. Une armée de courtisans et de gardes vêtus aux couleurs de la cour impériale les escortait. Des centaines de chevaux marchaient sur leurs talons, suivis de porteurs d'ombrelles, de chaussures, de baignoires et d'innombrables domestiques.

Tout paraissait étrange et nouveau – les uniformes noirs, les costumes des courtisans. Même les visages étaient différents. Ceux des soldats paraissaient taillés à coups de serpe tandis que les nobles avaient de longs nez, des petites bouches et des fronts hauts.

Les prêtres suivaient lentement, fouettant l'air de leurs baguettes en papier de mûrier. À l'approche de l'empereur, tout – personnes, bâtiments, arbres, terre, air – devait être purifié.

Un magnifique palanquin en bois d'ébène rehaussé d'or et drapé de soie rouge approchait, mû par une nuée de porteurs vêtus de soie jaune et coiffés de chapeaux noirs. Son toit était décoré d'un phénix en or qui étincelait de mille feux.

Le silence se fit. Plus aucun enfant ne babillait ni ne pleurait. On n'entendait plus que le bruissement des jupes des porteurs, les claquements de leurs socques noirs sur les pierres de la route et les crissements des cordes de soie qui assuraient la stabilité du palanquin.

Saisie d'une crainte révérentielle, Sachi se prosterna, le visage dans les mains. Un lourd parfum venu du fond des âges flottait dans l'air. Il évoquait non pas l'enseignement austère de Bouddha, mais les dieux de Shinto, non l'obscurité, mais la lumière. Non la mort, mais la vie.

Il ne subsistait aucun doute dans l'esprit de Sachi : l'être à bord du palanquin était bien le fils de la déesse du soleil. Avec le phénix d'or scintillant au-dessus de sa tête, les porteurs vêtus de jaune qui l'entouraient, on aurait dit que l'astre du jour lui-même était descendu sur terre.

Bien après que le palanquin eut disparu, l'assistance osait à peine relever la tête. Tous avaient l'air égaré, comme s'ils doutaient de la réalité de ce qu'ils venaient de voir. Les gens du peuple paraissaient même contrariés de s'être laissé aussi facilement séduire. Les murmures reprirent, mais quelque chose avait changé. Comme l'avait affirmé Edwards, il n'était plus possible de revenir en arrière.

Les palanquins, les seigneurs, les émissaires, les courtisans, les chevaux, les palefreniers, les soldats, les porteurs et les bagages, les domestiques, les femmes, les servantes, tous avaient disparu, avalés jusqu'au dernier par les grandes portes en bois de cèdre du château. Sachi voulut jeter un dernier regard à celui-ci par-dessus les têtes et les casques des soldats, mais c'est à peine si elle entrevit le poste de garde de la première enceinte avant que les lourds battants se referment dans un fracas dont l'écho résonna longuement.

Un vent froid balaya la place, soulevant les feuilles mortes et la poussière. Sachi frissonna et serra plus étroitement les pans de son *haori*.

Les yeux de Daisuké brillaient. Les portes ne s'étaient pas fermées pour lui. Les soldats, les aristocrates au teint pâle, les courtisans dans leurs longues robes de soie jaunes étaient ses alliés. Il partageait leur gloire. Le triomphe de l'empereur était aussi le sien.

— Ils peuvent toujours occuper le château, gronda Fuyu, le visage strié de larmes, mais les rues sont à nous. Qu'ils rebaptisent cette ville du nom qu'ils veulent, elle restera toujours Edo.

Comme s'ils émergeaient d'une transe collective, les spectateurs se secouèrent en échangeant des regards et des sourires timides. Quelques voix s'élevèrent, un enfant recommença à babiller tandis que, par petits groupes, la foule se repliait vers la ville.

Fuyu inclina sèchement la tête et tourna les talons, comme si elle redoutait d'encourir plus longtemps la pitié de Sachi. Cette dernière la vit s'éloigner vers l'est d'une démarche chaloupée avant de se fondre dans la foule. Elle semblait si fragile, désespérée et en même temps si fière. Sachi reconnut un peu d'elle-même dans son orgueil inébranlable et son attachement au passé. Peut-être toutes les femmes du palais étaient-elles ainsi…

Daisuké reconduisit Sachi, Taki et Haru jusqu'au pont menant au manoir. Il ne les accompagna pas plus loin.

— Je dois vous quitter, dit-il. Des affaires importantes m'appellent. Je dois désormais trouver une résidence ici, à Tokyo. Il y aura de la place pour nous tous, et aussi pour des servantes et des domestiques. Je veillerai à ce que vous meniez la vie que vous méritez.

Sachi s'inclina, accablée par un terrible sentiment de solitude. Quand les guerriers survivants reviendraient de Wakamatsu, Shinzaémon en ferait-il partie ? Elle n'avait rien dit à Daisuké. Quelle place pourrait avoir Shinzaémon dans l'existence idyllique que son père lui préparait ? Et Edwards ?

Personne ne gardait la porte extérieure du manoir. Les trois femmes traversèrent les jardins en silence, contournant avec soin les tas de feuilles mortes.

Deux hommes étaient assis dans la véranda baignée de soleil. Absorbés par leur conversation, ils se penchaient l'un vers l'autre, leurs deux têtes se touchant presque. De minces volutes de fumée s'échappaient de leurs pipes. L'un avait le crâne rasé, l'autre d'épais cheveux noirs aussi courts que ceux d'un étranger.

En voyant les femmes, le premier homme bondit sur ses pieds et se précipita vers elles en se répandant en excuses. Sachi reconnut le vieux garde.

— Pardonnez-moi, madame, mais vous avez un visiteur… Il arrive tout juste de Wakamatsu.

Ainsi, un de leurs hommes était revenu, apportant des nouvelles. C'était une raison suffisante pour que le vieil homme ait abandonné son poste. Comme elle se tournait vers le nouveau venu pour le saluer, elle le vit s'avancer vers elle d'un pas tranquille, tête baissée. Sachi sut qui il était avant même qu'il ait levé les yeux vers elle.

Shinzaémon !

14

De retour du pays des morts

I

Shinzaémon posa un regard calme sur Sachi. Ses yeux de félin semblaient la transpercer. Sa beauté ne pouvait se comparer à celle d'un acteur de kabuki ou d'un Daisuké. Ses traits étaient trop anguleux pour cela. Il y avait de l'arrogance en lui, une sorte de grâce ingénue qui lui donnait l'air de vouloir conquérir le monde. Même s'il avait combattu aux côtés des perdants, il conservait toute sa fierté.

Son visage hâlé, ses vêtements usés témoignaient de son long périple. L'ombre d'une moustache voilait sa lèvre supérieure.

Sachi brûlait de se jeter dans ses bras mais elle n'en fit rien. Comme il convenait à une femme de sa condition, elle baissa les yeux et s'inclina.

Taki salua à son tour en cachant son visage derrière sa manche.

— Vous devez être épuisé, dit-elle. Bienvenue à vous. Cela faisait si longtemps…

Shinzaémon se courba en un salut solennel.

— Je suis inexcusable de m'être présenté devant vous sans vous avoir prévenue, dit-il.

Le timbre de sa voix fit frissonner Sachi. En sentant son odeur familière – ce mélange poivré de sueur et de tabac –, elle se revit marcher à ses côtés dans la montagne et se blottir dans ses bras sur le pont d'Edo.

Elle s'inclina à nouveau et prononça machinalement les formules rituelles de bienvenue, consumée par le désir de se retrouver seule avec lui.

Taki tira Haru par la manche et les deux femmes se déchaussèrent avec une lenteur calculée avant de pénétrer dans la maison. Sur le seuil, elles s'inclinèrent une dernière fois et s'enfoncèrent dans l'ombre.

Le soleil plongeait à l'horizon, éclaboussant le ciel de pourpre, d'or et d'argent.

Sachi avait longtemps attendu ce moment. À présent que le jour tant espéré était arrivé, elle se sentait aussi gauche qu'une petite fille. Les *tabi* de Shinzaémon étaient poussiéreuses, ses sandales usées, son pantalon déchiré et taché.

— Vous êtes revenu, souffla-t-elle.

— « Un jour ou l'autre »… Je vous l'avais écrit.

Quand ils s'étaient quittés, ils croyaient ne jamais se revoir. Elle coula vers lui un regard timide, encore tourmentée par le souvenir de leurs adieux. Lui aussi la regardait, dévorant des yeux chaque courbe, chaque détail de son visage. Quelque chose avait changé en lui. Un sourire flottait sur ses lèvres et ses cheveux courts lui donnaient l'air d'un enfant malicieux. Elle remarqua entre ses sourcils une ride qui ne s'y trouvait pas auparavant. Le temps d'un éclair, elle lut dans son regard la même lueur hantée qu'elle avait vue chez Takeshi, comme si les deux hommes avaient contemplé les mêmes indicibles horreurs. Mais la bataille avait eu lieu et il avait survécu. Peut-être était-ce l'avenir qu'il regardait et non le passé.

— Vous avez changé d'apparence, dit-elle. C'est le meilleur des déguisements. Personne ne vous reconnaîtra, ainsi.

— Mais vous, oui.

— Oui, murmura-t-elle.

Elle avait envie de le toucher, mais elle se maîtrisa. Plus elle attendait, plus le désir augmentait.

Il sortit de sa manche un peigne en écaille de tortue incrustée d'or et gravée d'un blason – le peigne qu'elle lui avait remis au moment de leurs adieux. Elle ignorait qu'il appartenait à sa mère lorsqu'elle le lui avait confié.

— Il m'a protégé plus sûrement qu'une armure, dit Shinzaémon.

Il y avait tant de choses qu'elle aurait voulu lui dire… Puis elle se rappela avec une joie immense qu'ils auraient tout le temps de parler plus tard. Ils avaient toute la vie devant eux.

— Venez voir les jardins, proposa-t-elle.

Des touffes de graminées se balançaient sous la brise, envoyant leurs spores tourbillonner dans les airs, tels des flocons de neige. Les insectes bourdonnaient – les derniers de la saison –, les érables flamboyaient. Elle le conduisit au mur d'enceinte.

Accoudés au parapet, ils contemplèrent côte à côte le champ de Goji-in et les anciennes terres des daimyo. Plus loin, la ville était pleine d'échafaudages en bambou sur lesquels s'agitaient des silhouettes pas plus grosses que des fourmis, occupées à reconstruire les murs et les toits. La cadence régulière de leurs coups de marteau flottait jusqu'à eux à travers la plaine.

La colline se dressait, sentinelle silencieuse, au-dessus de toute cette activité.

— Je venais ici chaque jour, expliqua Sachi. Je passais des heures à regarder la colline en me demandant si vous étiez là-bas. J'ai cru ne jamais vous revoir. Tatsuémon m'a raconté ce que vous avez fait…

Le souvenir de ce jour terrible lui revint dans toute sa violence. Les visages mutilés, les blessures béantes, les yeux grands ouverts sur le vide de la mort, les mouches, la puanteur… Elle avait redouté de le trouver là. À présent, il était à ses côtés, si chaud, si vivant. Des larmes de bonheur coulèrent sur ses joues.

Il lui prit la main et la serra. Sa paume était rugueuse à l'endroit où frottait la poignée de son sabre.

Elle retint son souffle quand il l'attira à lui. Elle entendait les battements de son cœur, sentait sa poitrine se soulever à chaque respiration. Ses lèvres effleurèrent ses cheveux. Il lui mordilla les oreilles, la nuque, la joue, puis sa bouche trouva la sienne.

— Ces yeux… murmura-t-il. Jamais je ne pourrai les oublier. Et cette bouche, ce sourire…

Il traça une ligne imaginaire le long de sa joue, de son cou. Elle vibra à son contact, comme si elle s'éveillait subitement à la vie.

Ils descendirent du mur et il l'attira dans les herbes hautes qui formaient une tonnelle au-dessus d'eux. Enivrée par le parfum des fleurs sauvages, Sachi s'abandonna à la douceur de l'instant. Personne ne pouvait les voir à cet endroit.

Le visage de Shinzaémon se découpait contre le ciel, auréolé par les derniers rayons du soleil couchant.

Sachi ferma les yeux tandis que les lèvres de l'homme se posaient sur sa gorge.

II

— Regarde-toi, Shin ! s'exclama Taki. Tu n'as même pas mangé ! Il va falloir te remplumer…

Taki et Haru s'affairaient autour de Shinzaémon, remplissant sa tasse de thé, lui resservant du riz, du poisson et des légumes. Un mélange d'odeurs alléchantes flottait dans l'air.

Sachi tenait au mieux son rôle d'hôtesse, veillant au confort de son invité. Sous sa réserve apparente, elle brûlait d'une joie intense. Elle sentait le sang de sa mère couler dans ses veines. Comme elle, elle vivrait pleinement, au mépris des conséquences.

Mais les obstacles qui se dressaient sur sa route lui apparaissaient d'autant mieux dans la froide lumière du jour. Une femme devait l'obéissance à sa famille. Les liens qui l'unissaient à son père étaient autant de chaînes. Dans son impatience de revoir Shinzaémon, elle avait imaginé que les choses pouvaient être différentes. Elle comprenait à présent que son rêve ne se réaliserait jamais.

Elle regarda Shinzaémon essuyer son bol avec un morceau de radis aigre et le rincer avec du thé. Elle tenta de l'imaginer en beau-fils d'un haut fonctionnaire reçu dans la bonne société. Elle avait encore plus de mal à s'imaginer Daisuké bénissant l'union de sa fille avec un rônin loqueteux qui avait combattu dans le camp des perdants

Mais Daisuké avait été jeune, lui aussi. Comme Shinzaémon, il avait été rebelle, idéaliste, impétueux. Peut-être se retrouverait-il un peu en lui.

Taki débarrassait le couvert de Shinzaémon quand ils entendirent des pas lourds dans la cour.

Edwards !

Sachi frissonna. Elle l'avait autorisé à prendre sa main. Personne ne les avait vus, mais les étrangers étaient si prévisibles, si faciles à deviner… Si Edwards laissait échapper une seule allusion, comment Shinzaémon réagirait-il ?

Il y eut des bruits de portes, puis les pas résonnèrent dans le couloir.

Sachi entendit Taki annoncer à Edwards le retour de Shinzaémon.

Les deux hommes ne s'étaient pas revus depuis qu'ils avaient fait la route ensemble jusqu'à Edo. Shinzaémon s'était montré froid et soupçonneux à l'égard de l'Anglais, et Sachi l'avait vu se rembrunir chaque fois qu'elle parlait à Edwards. Quant à ce dernier, il avait compris depuis longtemps que Shinzaémon n'était pas le garde du corps qu'il prétendait être. Lui aussi avait gardé ses distances.

Elle les revit tous les deux près du pont alors qu'elle s'apprêtait à franchir les portes du château ; le géant étranger et le rônin trapu. Depuis, Edwards les avait sauvés sur la colline et il avait pris soin de Tatsuémon. Shinzaémon avait une dette envers lui.

La pièce parut plus petite dès que l'Anglais en eut franchi le seuil. Ses cheveux brillaient comme de l'or quand il s'avança dans la lumière. Sachi songea avec tristesse qu'elle pourrait ne jamais le revoir. Il lui avait ouvert des portes sur un monde beaucoup plus vaste et riche de possibilités infinies. Elle avait été flattée par ses attentions délicates. Mais, à présent que Shinzaémon était revenu, son cœur lui appartenait à jamais.

Edwards eut l'air étonné de voir Shinzaémon, mais il n'en laissa rien paraître. Les deux hommes étaient aussi différents que peuvent l'être le soleil et la lune, l'un avec ses cheveux dorés, l'autre avec sa crinière brune.

— Et Tatsu… ? s'enquit Edwards.

— Il va bien, répondit Shinzaémon, d'une voix brusque. Nous étions ensemble à Wakamatsu.

Il avait prononcé ce dernier mot avec une lueur sauvage dans le regard, comme pour bien montrer à cet Anglais de quel bord il était.

Sachi écoutait attentivement. Elle mourait d'envie de savoir ce que Shinzaémon avait fait, où il était allé, ce qui lui était arrivé. Elle imaginait des exploits héroïques, des sacrifices grandioses pour une cause désormais perdue. Mais devant son expression farouche, elle n'osa pas le questionner.

— Vous êtes revenus ensemble ? demanda Edwards.

— Tatsuémon est allé rejoindre notre flotte au nord. L'amiral Enomoto commande les vaisseaux de guerre des Tokugawa. Il fait route vers Ezo, d'où il dirigera la résistance. Beaucoup des nôtres ont rejoint ses rangs.

Edwards hocha la tête.

— La guerre n'a pas épargné les gens du Nord, dit-il.

— Elle n'est pas encore terminée, répliqua Shinzaémon.

— Pourtant vous êtes revenu, observa Edwards.

Malgré ses manières affables, il y avait une note de triomphe dans sa voix, comme s'il avait enfin trouvé la faille dans l'armure de Shinzaémon.

Shinzaémon n'était pas un lâche. Il avait sans doute de bonnes raisons pour ne pas avoir accompagné ses camarades vers le nord. Sachi se doutait qu'il n'était pas revenu à Edo uniquement pour la revoir.

Le bras de Shinzaémon tressaillit. Dans d'autres circonstances, il aurait probablement dégainé son sabre. Au lieu de cela, il fit un effort surhumain pour se contenir et rester aussi immobile qu'un rocher.

Une voix s'éleva dans le couloir et Daisuké entra sans y avoir été convié, aussi à l'aise que s'il était chez lui. Il paraissait grand, heureux, confiant… Une chose manquait pourtant à son bonheur : la mère de Sachi.

Il s'arrêta net en voyant les deux hommes et la surprise se peignit sur son beau visage un peu empâté.

Sachi s'avança pour le saluer tandis que Shinzaémon et Edwards s'agenouillaient. Puis l'Anglais se présenta.

— Ainsi, vous travaillez pour la légation britannique, dit Daisuké. Je connais Satow-dono. Il s'est montré très généreux envers nous. Je vous suis reconnaissant d'avoir témoigné tant de bonté à ma famille.

Il s'inclina profondément. Edwards était un étranger, un invité de son pays. Néanmoins il le regardait avec circonspection, comme s'il se demandait ce qu'il faisait là.

Ce fut au tour de Shinzaémon de se présenter.

— Shinzaémon de Nakayama, domaine de Kano.

Sachi coula un regard vers son père. Shinzaémon était un rônin – un homme sans attaches, sans famille, sans personne à qui rendre des comptes. Daisuké verrait tout cela immédiatement.

— Le Nakayama de Kano… dit Daisuké d'un air pensif. Le seigneur de Kano s'est rallié tardivement à la cause de l'empereur, si je me rappelle bien. Il y a eu des querelles au sein de son clan. Tous n'approuvaient pas ce choix.

— Je ne sais pas grand-chose de la politique de Kano, répondit Shinzaémon, apparemment désireux de ne pas se laisser entraîner dans une discussion risquée. Mon père est un samouraï de rang moyen, un magistrat de la ville. Il m'a envoyé à Edo quand j'étais encore très jeune et j'ai passé la majeure partie de ma vie ici, dans les différentes maisons de notre clan.

Sachi les regarda tour à tour. Daisuké et Shinzaémon avaient tous deux transgressé les règles sociales pour tracer leur propre chemin dans la vie. Si seulement Daisuké pouvait voir à quel point ils se ressemblaient…

— Shinzaémon a pris soin de nous sur la route, père, dit-elle. Nous avons voyagé ensemble. C'est un valeureux guerrier.

— Et un frère pour nous tous, renchérit Taki.

Daisuké jeta un regard pénétrant à Shinzaémon.

— Dans ce cas je vous suis grandement redevable, jeune homme, dit-il. Il me semble que nous devrions avoir une discussion, vous et moi. Je dois savoir où vous vous situez, si vous êtes avec nous ou contre nous.

Shinzaémon acquiesça.

— Il y a tant d'épisodes de la vie de ma fille que j'ignore, reprit Daisuké. Je suis heureux de rencontrer les jeunes gens qui ont eu le courage et la générosité de lui venir en aide.

Sachi laissa échapper un soupir de soulagement. Taki alluma des pipes et les distribua tandis que Haru préparait le thé. Shinzaémon et Edwards se retirèrent dans un coin de la salle pour fumer.

— J'ai une nouvelle importante, dit Daisuké à Sachi. Je pense qu'elle te fera plaisir. Dès mon arrivée à Edo, je me suis rendu au manoir des Mizuno pour voir les lieux où ta mère avait vécu, sentir l'air qu'elle respirait. Il était en ruine. En tant qu'alliés proches des Tokugawa, les Mizuno ont sans doute été parmi les premiers à fuir.

« Depuis que je t'ai retrouvée, je rêvais de m'y installer avec toi et tes amies. Et voilà que cela paraît possible. Les palais des seigneurs ennemis de l'État ont été réquisitionnés.

Sachi s'agita, gênée. Elle savait que, par « ennemis de l'État », il entendait les serviteurs fidèles du shogun. Mais elle se garda de tout commentaire.

— Aussi ai-je demandé le domaine des Mizuno.

Sachi réprima un frisson. Elle avait deviné que son père nourrissait de grandes ambitions. Mais la parenté de sa fille avec les Mizuno ne lui donnait aucun droit sur leurs biens. Par conséquent, son initiative lui semblait déraisonnable. Qui sait si elle ne risquait pas de leur porter malheur à tous ?

— Les Mizuno n'étaient pas particulièrement puissants, enchaîna Daisuké. Leur domaine n'est ni très luxueux ni très spacieux. Il conviendrait très bien à quelqu'un de mon rang.

Haru avait pâli en entendant le nom de Mizuno.

— Il y a trop de fantômes là-bas, murmura-t-elle. Trop de souvenirs. Mais peut-être y découvrirons-nous ce qui est arrivé à ma maîtresse.

— Ces terres appartiennent encore au seigneur Mizuno, objecta Sachi.

Le seigneur Mizuno… En prononçant son nom, elle eut l'impression de le revoir aussi nettement que le jour où il s'était présenté chez la princesse avec le seigneur Oguri. Elle frissonna en se rappelant le tic qui agitait son bras. Son sabre était resté à la porte des appartements royaux mais ses doigts le cherchaient encore, comme s'il avait l'intention de se battre en plein palais des femmes.

Daisuké posa sur elle un regard intrigué.

— Que sais-tu du seigneur Mizuno ? Il est mort, n'est-ce pas, Haru ?

— La dernière fois que j'ai entendu parler de lui, il était au plus mal, répondit Haru.

Sa voix vacilla, comme si elle n'était plus du tout certaine de cette affirmation.

— Il n'est pas mort, dit Sachi.

Taki et elle avaient gardé leur secret trop longtemps. À présent que le shogun et le palais des femmes n'existaient plus, rien ne les empêchait de parler.

— Nous avons vu le seigneur Mizuno, n'est-ce pas, Taki ? Il est venu au palais avec le seigneur Oguri, pour nous annoncer que Sa Majesté était tombée malade.

Un silence choqué suivit sa déclaration. Haru secoua la tête.

— Impossible, dit-elle. Vous ne pouvez pas avoir vu le seigneur Tadanaka Mizuno.

— C'était pourtant lui, affirma Taki. Je m'en souviens très bien.

— C'était un mauvais homme, murmura Haru. Un homme impitoyable. Il aurait mieux valu qu'il soit mort.

— Ainsi c'était un mensonge ! s'écria Daisuké, furieux, en abattant son poing sur le tatami.

— De quoi parlez-vous, père ? murmura Sachi.

Le soleil avait disparu. Les bougies et les lampes dispensaient une maigre lumière dans la pièce. De minces rubans de fumée s'élevaient en spirales vers les poutres du plafond. Edwards et Shinzaémon écoutaient en fumant leurs pipes, aussi immobiles que des statues.

— Ta mère disait qu'elle ne craignait personne à part lui. Elle m'avait confié qu'il l'avait forcée à entrer au service du shogun.

— Je les entends encore se disputer, gémit Haru, perdue dans ses souvenirs. « Tu n'es qu'une femme, criait le seigneur Mizuno. Comment oses-tu me défier ! Tu crois pouvoir vivre sans nous ? Tu n'es rien ! Tu obéiras dans l'intérêt de ta famille. »

— Tu ne voulais pas entrer au palais, m'as-tu raconté un jour, dit Daisuké doucement comme s'il parlait à une présence invisible. Tu pensais que c'était pire que le couvent, pire même qu'une prison… Un endroit où vivent trois mille femmes pour un seul homme, où de vieilles douairières épient le moindre de vos gestes, cherchant à vous prendre en défaut. « Ce n'est pas une vie pour moi, disais-tu. Je suis une créature sauvage, je suis un oiseau. Je finirai par m'envoler. »

— Les Mizuno avaient tout, reprit Haru. Un château, des revenus élevés… Mais ils n'étaient que chambellans. Le père de ma maîtresse était le chambellan des Kisshu, mais son fils, le seigneur Tadanaka, ne supportait pas de n'être que le numéro deux. Il frappait du pied en criant pour se faire obéir, maltraitait les domestiques. Et puis sa sœur a grandi et, voyant sa beauté, il a imaginé un plan pour satisfaire enfin ses ambitions.

« Il a décidé qu'elle entrerait au château d'Edo, à n'importe quel prix. Une femme de son statut aurait été acceptée comme novice de rang moyen. Mais la concurrence était rude à ce niveau. Les douairières ne regardaient pas la beauté des candidates, seulement leurs origines et l'ancienneté de leur famille. Il était plus facile d'entrer au palais pour une jeune fille d'une caste inférieure. C'est pourquoi le jeune seigneur a exigé de ma pauvre maîtresse qu'elle se fasse passer pour une autre. Vous imaginez ce qu'elle a dû endurer… Mais qu'y pouvait-elle ? Voilà comment elle est devenue ma sœur adoptive et comment nous avons été engagées toutes deux en tant que servantes de rang inférieur.

« Le seigneur Mizuno savait que le shogun n'aurait qu'à poser les yeux sur elle pour être séduit et la choisir comme concubine. Après quoi, elle aurait fait venir toute sa famille au palais. Son père aurait été promu daimyo, puis le seigneur Mizuno après lui. Mais pour cela, il aurait fallu que ma maîtresse donne un héritier au shogun. Or, son premier-né est mort, et le suivant aussi…

— Après, les choses sont allées de mal en pis, enchaîna Daisuké. Sa Majesté a cessé de lui rendre visite et elle m'a rencontré.

— Elle avait des ennemies, murmura Haru. Les femmes du palais étaient jalouses et bavardaient. Si l'une d'elles avait confié ses soupçons, c'en était fini des Mizuno. Le jeune seigneur aurait dû s'ouvrir le ventre et sa lignée se serait interrompue. Il fallait éviter cela à tout prix.

Daisuké acquiesça pensivement.

— Quelqu'un a dû informer Tadanaka de notre liaison. Il a rappelé sa sœur avant que le shogun et ses conseillers ne découvrent la vérité.

— Alors il a menti ? demanda Sachi. Il n'était pas mourant ?

— Il voulait qu'elle revienne pour étouffer le scandale.

— Mais que lui a-t-il fait, ensuite ? Qu'a-t-il fait de ma mère ?

— Si quelqu'un sait ce qu'elle est devenue, c'est bien son frère, affirma Daisuké. Nous le retrouverons, quoi qu'il arrive.

— Taki et moi l'avons revu à Takasaki il y a quelques mois, confia Sachi. Nous attendions le bac pour traverser le fleuve. Lui venait d'Edo ainsi que le seigneur Oguri. Shin l'a vu aussi.

Sachi se rappela l'expression féroce du seigneur Mizuno, elle l'entendit crier « Va-t'en ! Laisse-moi ! », comme s'il était devenu fou. Comme s'il avait vu un fantôme…

Shinzaémon prit la parole. Son visage était animé, ses yeux brillants.

— Je me souviens de ses malles. Elles paraissaient très lourdes. Quant aux hommes qui les transportaient, ils ne ressemblaient pas à des porteurs, mais à des samouraïs qui avaient laissé pousser leurs cheveux.

— Je ne connais pas le seigneur Mizuno, intervint Edwards, mais le seigneur Oguri était ministre en chef du gouvernement du shogun. Vous avez intérêt à les retrouver avant les troupes du Sud, ou bien il sera trop tard. Vous aurez besoin de toute l'aide possible. Je vous accompagne. Je peux aussi vous fournir des chevaux et des porteurs.

— Je ne peux offrir que la force de mon bras, dit Shinzaémon à son tour, je suis passé par Takasaki en rentrant de Wakamatsu. Je connais bien la région. J'ai une petite idée de l'endroit où se rendaient Mizuno et Oguri.

— Il faut partir immédiatement, décida Daisuké. L'hiver approche et les cols seront bientôt enneigés. Si nous attendons le printemps, il sera trop tard. Je le dois à ta mère et à toi, ma chère fille. Je ne connaîtrai pas le repos avant de l'avoir retrouvée.

15

Le chercheur d'or du mont Akagi

I

Après le départ des hommes, Sachi sortit le kimono de brocart de la boîte où elle le conservait et le pressa contre son visage, respirant ses parfums subtils. Musc, aloès, encens, absinthe, elle souhaitait imprimer chaque fragrance dans sa mémoire afin de pouvoir identifier sa mère quand elle l'aurait retrouvée.

— Nous serons bientôt à nouveau réunies, murmura-t-elle.

Ce soir-là, Taki alluma un feu dans la pièce principale du manoir et disposa des coussins autour du foyer. La fumée envahit rapidement la pièce, les faisant tousser et pleurer. Le feu crachait des étincelles jusque sur le plancher ciré. Le couvercle de la bouilloire suspendue au-dessus des flammes dansait chaque fois qu'un jet de vapeur s'en échappait. C'était un bruit à la fois familier et réconfortant.

Shinzaémon était assis près des femmes, comme s'il faisait déjà partie de la famille. Appuyé sur un coude, les yeux mi-clos, il tirait lentement sur sa pipe. Sachi le regarda d'abord timidement, puis avec plus d'insistance. La lumière vacillante des flammes mettait en valeur les reliefs de son visage, le dessin de son menton, ses lèvres pleines. On le sentait totalement maître de lui, tel un chat, songea-t-elle. Mais cette décontraction n'était qu'apparente. En réalité, il se tenait aux aguets, prêt à bondir sur ses pieds à la moindre alerte.

Courbée sur son ouvrage, Taki feignait de se concentrer sur sa couture, mais Sachi devinait qu'elle brûlait de questionner leur invité au sujet de Toranosuké. Si Shinzaémon avait eu un message pour elle, il le lui aurait déjà transmis… Aussi avait-elle décidé de garder un silence plein de dignité. Mais la tristesse voilait son regard et elle était encore plus pâle que d'habitude.

Après avoir tisonné les braises, elle souleva le couvercle de la bouilloire et versa l'eau chaude dans une théière. Puis elle remplit une tasse, qu'elle offrit à Shinzaémon.

— Ainsi, Tatsu a fini par vous trouver, dit-elle.

Shinzaémon rit.

— Ce n'était pas difficile. Il savait où se déroulaient les combats.

— Il vous a rejoints à… Wakamatsu ? demanda Sachi.

Elle voulait tout savoir de Shin – où il était allé, ce qu'il avait fait, ce qui lui était arrivé durant sa longue absence.

— Vous voulez que je vous parle de Wakamatsu ?

Les trois femmes acquiescèrent. Il garda le silence un instant, les yeux perdus dans la contemplation du feu, avant d'entamer son récit :

— Nous sommes restés plusieurs mois au château de la Grue Blanche. Toranosuké et moi montions la garde sur une hauteur à l'extérieur du château. Tatsu s'est joint à nous à son arrivée. De là, nous pouvions voir la ville au-dessous de nous. Quand les ennemis ont attaqué, ils se sont répandus dans les rues telles des fourmis. On nous a dit qu'ils étaient trente mille… Trente mille contre trois mille de nos hommes. Quelques vieillards, des femmes et des enfants s'étaient réfugiés au château. Ceux du Sud ont ensuite braqué leurs canons sur nos murs pour nous bombarder du matin au soir.

En l'écoutant, Sachi se sentit transportée sur les remparts à ses côtés, loin du feu auquel elle se chauffait les mains et du confort du manoir. Elle vit de gros nuages de fumée recouvrir la ville et les lueurs rougeoyantes des incendies. Elle entendit les flammes ronfler, les toits de tuiles s'effondrer, tout cela dans un silence de mort.

— Puis ce fut l'assaut. Les soldats du Sud ont franchi comme une nuée le mur d'enceinte et les fossés. On aurait dit des blattes, une invasion de blattes. Nous les repoussions, mais ils revenaient sans cesse à la charge. Peu importe combien tombaient, leur nombre ne cessait d'augmenter. Ils ont pénétré dans la troisième enceinte, puis dans la deuxième. Nous distinguions parfaitement leurs uniformes noirs, leurs casques étincelants, leurs capes en peau de chien, sans oublier les perruques rouges des hommes de Tosa. Ils pensaient peut-être que nous allions fuir, terrifiés à leur vue !

Il eut un ricanement de mépris.

— Nous en avons abattu beaucoup avec nos fusils. Ce n'était pas difficile, il suffisait d'attendre qu'ils approchent. Mais ce que j'aurais voulu, c'était me ruer au milieu de leurs rangs, voir leur sang couler, leurs têtes voler. Je savais que vous souhaitiez pour moi une mort glorieuse…

En disant cela, il glissa une main dans la manche où il cachait le peigne de Sachi. Un muscle palpitait à son cou.

— C'est ce qui serait arrivé dans les temps anciens, enchaîna-t-il, quand les hommes se battaient avec des sabres et non des fusils. Quand on pouvait encore regarder son adversaire dans les yeux.

Son visage s'assombrit. Osant à peine respirer, les femmes attendirent qu'il poursuive.

— Tout est terminé, soupira-t-il. Le Nord est défait et le Sud triomphe… Mais il n'y a pas que cela. Nos vieux principes sont morts : honneur, devoir, discipline du sabre, tout ce qui donnait un sens à notre vie…

— Que s'est-il passé ensuite ? murmura Sachi, effrayée par la passion qui vibrait dans sa voix.

— Au vingt et unième jour du neuvième mois, nous étions presque à court de vivres et de munitions. Les tirs de canon se succédèrent toute la journée. Nous reculions sans cesser de nous battre et de tirer. La ville sentait la mort. Il y avait tant de tués de part et d'autre qu'on ne pouvait les enterrer. La fin approchait et nous la regardions venir.

« Notre projet était de contenir l'ennemi jusqu'à ce que Sa Seigneurie s'ouvre le ventre, puis de mettre le feu au château pour faire sauter la réserve de munitions. Vivants ou morts, nous aurions accompli notre devoir. Nous aurions vécu et péri avec honneur.

Taki avait posé son ouvrage. Le visage sombre, Shinzaémon contemplait le feu comme s'il y voyait Wakamatsu se convulser dans les flammes.

— Cette nuit-là, tous ceux qui étaient encore debout firent la fête. Nous avons chanté et dansé autour des feux de joie. Certains ont même exécuté pour nous des danses nô. Toranosuké, qui a toujours été bon danseur, a interprété *Atsumori* pour nous.

La pièce en question évoquait un jeune et beau guerrier tombé au combat. En se penchant sur son corps, celui qui venait de lui ôter la vie découvrait à ses côtés une flûte de bambou. Il comprenait alors que le jeune homme était l'auteur de la musique qui lui était parvenue du camp ennemi durant la nuit. C'était un drame poignant, mêlant gloire, romance et mélancolie ; le drame idéal pour une veille de bataille. Sachi se représenta Toranosuké, son beau visage aussi figé qu'un masque de théâtre, s'éventant lentement et chantant d'une voix grave :

Dans la nuit du sixième jour du second mois
Mon père Tsumemori nous réunit.
Demain, dit-il, nous mènerons notre dernier combat
Cette nuit est tout ce qui nous reste.
Alors nous chantâmes et dansâmes ensemble.

Elle jeta un coup d'œil à Taki. Son visage restait de marbre mais une lueur s'était allumée dans son regard tandis que ses lèvres articulaient en silence le célèbre poème.

Puis la scène qu'imaginait Sachi commença à perdre ses couleurs, comme une peinture sur or très ancienne. À présent qu'elle avait vu briller les crosses des fusils, contemplé les rangées de cadavres, entendu tonner le canon et aperçu les grands navires de guerre dans le port d'Edo, le récit de Shinzaémon n'avait pas plus de réalité à ses yeux qu'une reconstitution historique. L'âge glorieux des samouraïs appartenait désormais à un monde révolu.

— Le lendemain, reprit Shinzaémon, nous avons reçu des ordres du commandement. Nous nous attendions à combattre jusqu'à la mort. Au lieu de ça, on nous demandait de déposer les armes.

Ainsi, les maîtres du Nord s'étaient rendus ! Comme des êtres faibles, ou des femmes…

— Pendant que les nôtres se battaient et mouraient, poursuivit Shinzaémon, Sa Seigneurie négociait dans notre dos ! Nous devions tous nous raser la tête. Un serviteur est sorti avec une bannière où ne figuraient que deux caractères : *Ko-fuku* – « Reddition ». Derrière lui s'avançait Sa Seigneurie, le crâne rasé, en tenue de cérémonie. L'homme pour lequel nos compagnons avaient donné leur vie n'avait même pas eu le courage de se tuer…

« Nous étions censés défiler devant les vainqueurs en signe de soumission. Sur le sol baigné de sang, les corps de nos camarades étaient si nombreux que nous leur marchions dessus.

« Certains des nôtres ont tiré leur sabre et se sont ouvert le ventre. Les autres jetaient leurs armes à terre avant de sortir par la porte principale. Avec Toranosuké et Tatsuémon, nous nous sommes regardés et j'ai dit : "Je ne peux pas faire ça !" "Moi non plus !" s'est exclamé Toranosuké.

« Nous avons gardé nos sabres et ramassé tous les fusils que nous avons trouvés avant de sortir par une porte arrière. Malgré des accrochages avec une ou deux patrouilles, nous avons réussi à contourner les troupes ennemies.

« Toranosuké et Tatsu voulaient gagner Sendai avant le départ de la flotte des Tokugawa. Mais moi, je ne voyais plus aucune raison de me battre.

Sachi aurait aimé poser une main sur son bras pour lui faire comprendre combien elle partageait son dépit d'avoir été ainsi trahi. Mais elle resta de marbre, le regard perdu dans les flammes. Parce qu'elle était heureuse de le savoir en vie, et non en train de pourrir sur quelque champ de bataille. Et parce qu'il avait eu le courage de se battre jusqu'au bout, donnant le meilleur de lui-même. Elle était fière de lui.

Shinzaémon les regarda et sourit comme s'il venait de se débarrasser d'un poids écrasant.

— J'ai gardé un bonnet jusqu'à ce que mes cheveux aient commencé à repousser. Je prétendais être un moine bouddhiste itinérant. Une nuit, après m'être égaré en route, j'ai atteint un village au pied du mont Akagi. On aurait dit une ville fantôme. Terrifiés, les habitants ne m'ont pas adressé la parole. À l'extérieur d'une grande demeure qui se dressait tout au bout du village, j'ai remarqué un blason qui m'a paru vaguement familier. Une demi-journée plus tard, j'ai atteint la rivière Toné à l'endroit où nous l'avions traversée au printemps. En vous entendant parler ce matin avec votre père, j'ai pensé que le mystérieux blason pouvait être celui du seigneur Oguri. Peut-être rentrait-il chez lui quand nous l'avons rencontré au bord de la rivière.

II

Le lendemain matin, ils s'engagèrent sur la Route intérieure qui traversait la ville et longeait la propriété des seigneurs Maeda. La colline de Ueno se dressait à l'horizon, sombre et silencieuse.

Daisuké avait décidé qu'ils voyageraient le plus longtemps possible en palanquins. Adossée à des coussins à l'intérieur du sien, Sachi se prépara à un long trajet. Les cloisons de bois grinçaient et, à chaque virage, le palanquin penchait si fortement qu'elle devait se retenir à la corde de sécurité. Quand les porteurs se mirent à trotter, elle se trouva ballottée d'un côté à l'autre. Elle entendait les hommes jurer et pester chaque fois qu'il leur fallait gravir une côte.

Si peu confortable que fût ce moyen de transport, elle se réjouissait de retrouver la route après les longs mois qu'elle venait de passer au manoir, à attendre la fin de cette guerre interminable.

Quand le palanquin finit par s'arrêter, elle écarta le store de bambou. La ville semblait renaître à la vie. De nouvelles maisons remplaçaient peu à peu les ruines, les boutiques rouvraient leurs portes, les passants se pressaient dans les rues.

Ils atteignirent le poste de contrôle d'Itabashi à l'heure du cheval. Les gardes leur firent signe de passer sans même les contrôler.

Ils quittèrent la ville par une route bordée de bosquets de mûriers. L'odeur du fumier épandu dans les cultures et les rizières leur arrivait par intermittence. De temps en temps, ils dépassaient un convoi de bœufs chargés de riz, de soie, de poisson, de sel et de tabac.

Sachi s'efforçait de ne pas penser à ce qui les attendait. Daisuké et Shinzaémon étaient auprès d'elle, ainsi qu'Edwards. Elle en éprouvait à la fois du plaisir et du réconfort. Une nouvelle vie s'ouvrait devant elle et, cette fois, elle n'était plus seule.

Ils atteignirent la rivière Toné au milieu du second jour. Sachi sortit du palanquin pour se dégourdir les jambes. Edwards avait déjà sauté de cheval pour lui tendre la main. Elle le repoussa en riant, heureuse de retrouver la terre ferme. Des feuilles mortes flottaient à la surface de l'eau. Un couple de hérons s'envola dans un frisson de plumes blanches.

Shinzaémon attacha les chevaux et donna des ordres aux porteurs tandis que Taki, Haru et Daisuké mettaient pied à terre. Edwards aida les deux femmes à descendre. Haru fut la dernière à émerger du palanquin, pâle et défaite.

Elle était la seule à connaître le seigneur Mizuno. Son visage n'exprimait pas seulement la fatigue, mais aussi la peur.

Les seigneurs Oguri et Mizuno avaient traversé la rivière à cet endroit, puis ils avaient disparu aussi brusquement que si la terre s'était ouverte pour les engloutir. À cette pensée, Sachi frissonna.

Sur la berge opposée, la Route intérieure se poursuivait jusqu'à un fouillis de toits couverts de chaume. Au-delà des collines, le ciel était du même bleu fané qu'un vieux kimono indigo maintes fois lavé et relavé.

Shinzaémon fixait l'horizon comme s'il fouillait dans ses souvenirs. En plus de ses deux sabres, il portait un pistolet glissé dans sa ceinture.

— Le village dont je vous ai parlé se trouve par là-bas, dit-il à Daisuké.

— J'ai fait moi-même quelques recherches, dit le père de Sachi. Les Oguri sont bien originaires de cette région. Si nous parvenons jusqu'à eux, ils nous indiqueront peut-être où se trouve Mizuno.

— Cela fait plus de six mois que nous les avons croisés, objecta Taki. Entre-temps, le Nord a perdu la guerre. Peut-être les deux seigneurs que nous cherchons se cachent-ils ailleurs…

— Nous n'avons pas d'autre piste, lui rétorqua Daisuké avant de se tourner vers Shinzaémon. Sauriez-vous retrouver le chemin qui conduit au village ?

— Il n'est pas sur cette route. Pour s'y rendre, il faut suivre cette piste, là-bas, qui s'enfonce dans les bois.

La rivière s'écoulait paresseusement, aussi grise que le ciel. Un vieux bac zigzaguait dans leur direction. Ils montèrent à son bord après avoir laissé leurs palanquins et leurs chevaux au village voisin. Le vieux passeur appuyé sur sa longue perche faillit tomber à l'eau quand le bateau s'éloigna de la rive dans un grincement affreux.

Une fois sur l'autre berge, ils pénétrèrent dans une forêt de cèdres majestueux et de pins dont les aiguilles craquaient sous leurs pas. Les rayons de soleil filtraient à travers les branches, semant des taches de lumière sur le chemin.

À l'avant du cortège, Edwards parlait fort à Daisuké en agitant ses grandes mains. Apparemment, ils discutaient du nouveau gouvernement et du moyen de vaincre les résistances de la population d'Edo. Edwards était un représentant du pays qui avait armé la rébellion et Daisuké un membre du gouvernement formé par ces mêmes rebelles. Sans doute avaient-ils bien des choses à se dire. Sachi ressentit pourtant un malaise en les regardant. Edwards ne cherchait-il pas à se faire bien voir de son père afin de lui demander sa main ? Personne n'avait encore jamais accepté d'étranger dans sa famille, mais Daisuké avait l'esprit assez moderne pour envisager une alliance avec l'Anglais.

Celui-ci marchait à grandes foulées, en cinglant les hautes herbes de sa cravache, ses cheveux d'or brillant au soleil. Comment avait-elle pu encourager ses avances, même un seul instant ? Il était tellement incongru ! Et son comportement avec les femmes… Malgré sa haute taille, il agissait non pas en homme mais en serviteur, les entourant de prévenances, comme si elles étaient malades.

Quand ils atteignirent le sommet de la côte, ils étaient tous hors d'haleine. Ils s'arrêtèrent pour reprendre leur souffle et attendre leurs porteurs. Sachi leva les yeux vers les collines, dominées par les silhouettes fantomatiques des hautes montagnes, puis elle regarda autour d'elle.

Daisuké et Edwards avaient pris un peu d'avance, tandis que Shin marchait juste derrière elle. Comme il levait le bras pour lui désigner un sommet, la manche de son kimono remonta, révélant un avant-bras musclé et doré. Elle s'imagina caressant du bout de ses doigts sa peau aussi lisse que de la soie.

— Le mont Akagi, dit-il. Le village du seigneur Oguri est situé à son pied. Et Wakamatsu se trouve sur cette montagne, là-bas.

Sachi mit une main en visière pour abriter ses yeux du soleil, mais elle ne vit qu'un pic noir et sinistre.

La route redescendait à travers la forêt. Daisuké reprit la tête de leur groupe, accompagné cette fois par Haru. Sachi les voyait de dos, une haute silhouette aux épaules larges, coiffée d'un chapeau plat, et, trottinant à ses côtés, une petite femme ronde qui tirait de temps en temps sur une pipe à long tuyau. Penchés l'un vers l'autre, ils parlaient avec animation, marchant côte à côte au mépris de la bienséance. Sachi en fut profondément choquée. Plus personne ne se souciait donc des convenances ?

De quoi pouvaient-ils discuter avec tant de fièvre ? Peut-être Haru tentait-elle de persuader Daisuké que Shin ferait un excellent beau-fils, même s'il avait combattu à Wakamatsu. À moins qu'ils n'aient abordé des sujets plus personnels… Tous deux recherchaient une femme qu'ils avaient beaucoup aimée. Daisuké éprouvait sans doute le même mélange d'incertitude, d'espoir et de crainte que Sachi pendant qu'elle attendait des nouvelles de Shinzaémon. À moins que le temps n'ait effacé ses sentiments, laissant place à la volonté acharnée d'obtenir une réponse, quelle qu'elle fût. L'incertitude était peut-être l'unique certitude que cette vie pouvait offrir, avec la souffrance. Tel était l'enseignement de Bouddha.

Elle entendit derrière elle la voix puissante d'Edwards et le rire aigu de Taki. Celle-ci, au moins, marchait à une distance convenable de l'étranger. Sachi se réjouit d'entendre son amie rire. Il y avait si longtemps que Taki n'avait été heureuse…

Quant à elle, le seul fait de se trouver près de Shin suffisait à son bonheur. Mais s'ils voulaient passer le reste de leur vie ensemble, le jeune homme allait devoir trouver le moyen de convaincre Daisuké.

Le chemin était bordé de grands arbres qui laissaient entrevoir une pente semée d'herbes et de fougères ainsi qu'une ligne de collines fuyant vers l'horizon.

— Wakamatsu, grommela-t-il. Je n'ai pas eu l'occasion de me battre depuis. Mais, s'il le faut, je le ferai.

Sachi lui sourit et ils poursuivirent leur route en silence. Shin marchait à grands pas, donnant des coups de pied dans les feuilles mortes, de sorte qu'ils eurent bientôt rattrapé Daisuké.

— Quelque chose me préoccupe, dit Shin. Les coffres des seigneurs Oguri et Mizuno… Ils étaient si lourds que quatre hommes avaient du mal à les soulever. Pensez-vous qu'ils aient pu contenir de l'or ? Quant à leurs porteurs… Ils avaient plutôt l'allure de samouraïs qui auraient laissé repousser leurs cheveux.

Sachi se remémora leur visite au prêteur sur gages d'Edo, le souteneur de Fuyu. Il avait refusé la pièce d'or qu'elles lui avaient donnée parce qu'elle portait l'emblème des Tokugawa, ajoutant que les envahisseurs du Sud avaient vainement cherché le trésor du shogun.

— Ces coffres… dit-elle. Et s'ils avaient contenu l'or des Tokugawa ?

Daisuké s'arrêta brusquement.

— Bien sûr ! s'exclama-t-il, si fort qu'un oiseau s'envola d'une branche. Le trésor des Tokugawa ! Nous pensions le trouver au château. Il nous aurait été bien utile pour former un gouvernement et diriger un pays au bord de la banqueroute. Oguri en avait la responsabilité. Pour être sûr que nous ne mettrions pas la main dessus, il a dû le faire sortir d'Edo dès que le shogun s'est trouvé en difficulté. Il projetait peut-être de financer la résistance avec.

— Le trésor des Tokugawa ! répéta Edwards, dont les yeux bleus étincelaient. Nous avons entendu des tas de rumeurs à ce sujet. Imaginez que nous retrouvions cet or en même temps que le seigneur Mizuno ?

Comme il relevait la tête, son regard croisa celui de Sachi. Il lui adressa un petit sourire triste avant de détourner les yeux, comme s'il prenait conscience du fossé qui s'était creusé entre eux.

— Voler l'argent de l'État est un crime grave, observa sévèrement Daisuké. Si on les retrouve en possession de cet or, leur tête ne vaudra pas cher ! Ce sont des traîtres, rien d'autre.

Le visage de Shin se ferma tout à coup. Sachi comprit qu'il faisait des efforts surhumains pour garder le silence. Elle devinait le cours de ses pensées. Si les seigneurs Oguri et Mizuno organisaient la résistance, il devrait décider rapidement de quel côté il se rangeait – avec Daisuké ou contre lui. Et même si le shogun l'avait déçu, elle doutait qu'il trahisse jamais ses principes.

III

Ils atteignirent la vallée en fin d'après-midi. Le village se blottissait contre le flanc de la montagne, au pied d'une forêt de cèdres qui jetait une ombre dense sur les toits des maisons. Des lambeaux de brume flottaient dans le crépuscule.

Pour un village aussi isolé, il y régnait une animation inhabituelle. Des hommes au regard torve, mal rasés, rôdaient dans les rues. Des servantes déjà usées, un tablier noué sur leur kimono, les entraînaient presque de force vers les auberges qui les employaient, à croire que les affaires ne marchaient pas très fort. L'air était chargé d'aigres relents de bière. Sachi perçut des bribes de conversation : « Achète-toi un commerce. Moi, c'est ce que je vais faire… – Moi, je vais descendre à Yoshiwara. Il paraît qu'on y trouve les plus belles femmes des deux cent soixante provinces. – Moi, je prendrai plusieurs maîtresses. – Moi, je jouerai aux dés jour et nuit. »

Daisuké loua une chambre dans le meilleur établissement de la ville, un bâtiment en bois avec d'énormes poutres noircies par la fumée qui rappela à Sachi l'auberge où elle avait grandi. En faisant coulisser la porte-fenêtre, elle découvrit un minuscule jardin avec un bassin décoré de rochers moussus où s'ébattaient des carpes.

Quand ils furent baignés et un peu reposés, une servante toute voûtée par l'âge entra dans la pièce pour la ranger avant le dîner. Elle portait un kimono de coton grossier et un cordon de chanvre dans les cheveux. Elle considéra avec méfiance ce géant barbare, ces femmes à l'allure aristocratique et ces hommes coiffés de manière excentrique qui s'exprimaient avec un fort accent. Dévisageant Edwards, elle émit un grognement désapprobateur et se détourna comme si la présence d'une créature aussi étrange dépassait son entendement.

— Vous venez d'Edo ? demanda-t-elle aux femmes.

Elle avait perdu presque toutes ses dents et son accent rocailleux ne facilitait pas la compréhension.

— Des grands personnages comme vous, d'habitude on n'en voit même pas une fois l'an. D'ici, on ne va nulle part. Pas de source chaude. Pas de temple réputé.

— J'arrive de Wakamatsu, expliqua Shin. Mes amis sont venus me rejoindre.

— Wakamatsu, hein ?

L'expression de la femme s'adoucit, évoquant fugitivement la jeune fille qu'elle avait été.

— Bravo pour votre courage, les garçons. Vous avez fait de votre mieux.

Puis elle sortit en boitillant et revint avec un plateau chargé d'assiettes qu'elle déposa devant Daisuké.

— Nous aussi, nous avons eu nos soucis. Sa Seigneurie…

Sachi retint son souffle.

— Vous voulez dire…

— Oui, oui, le seigneur Oguri, s'impatienta la vieille. Vous avez dû entendre parler de lui. Un homme important en ville – la grande ville, je veux dire. Et brave homme, avec ça. Si l'un de nous avait un problème, il pouvait lui en parler. Mon grand-père était à son service, et j'étais sa nourrice quand Sa Seigneurie n'était qu'un bébé. Plus tard, on l'a envoyé à Edo pour en faire un guerrier. Je ne l'ai plus jamais revu. Mais nous savions qu'il était devenu un homme important et nous étions fiers de lui.

— Donc, Sa Seigneurie…

— Vous ne devinerez jamais ce qui est arrivé. Voyons, quand était-ce ? Avant le repiquage du riz ? Non, non… bien avant. Peut-être avant la fête des fleurs ? Mais, cette année, nous ne l'avons pas fêtée. Comment aurions-nous pu, après ce qui s'était passé…

Elle ressortit et revint avec un nouveau plateau qu'elle posa devant Edwards. Le silence s'abattit sur la pièce. Tout le monde gardait les yeux baissés, n'osant demander ce qu'était devenu le seigneur Oguri. La vieille femme rapporta un plateau destiné à Shin.

— De l'ours, dit-elle avec un sourire qui creusa un peu plus ses rides. Je vous en ai mis quelques morceaux de plus, en mémoire de Wakamatsu. Nous aussi, nous avons vu ces bons à rien du Sud. Ici même, au village. On ne comprenait pas un mot de ce qu'ils racontaient. Ils en avaient après Sa Seigneurie. Nous ne savions même pas qu'il était de retour ! Ils l'ont cherché dans chaque maison. Regardez ce qu'ils ont fait…

Le plafond de bambou partait en lambeaux. Les soldats avaient dû le transpercer de leurs baïonnettes pour s'assurer que le fugitif ne se cachait pas dans les combles.

— On a eu beau leur dire « Il n'est pas là. On ne l'a pas vu. Vous le trouverez à Edo », ils nous répondaient « Nous savons qu'il est ici » – enfin, pour autant qu'on pouvait les comprendre… C'était juste avant la saison de repiquer le riz. Oui, oui, c'est bien ça.

Elle se tut et s'essuya les yeux sur sa manche.

— Le fait est qu'ils avaient raison. Sa Seigneurie et le jeune seigneur ne s'étaient pas enfuis, non. Ils les attendaient là-haut, dans la grande maison. Pour sûr, ils savaient ce qui allait leur arriver. Les soldats les ont arrêtés ainsi que tous les serviteurs personnels de Sa Seigneurie et ils les ont emmenés au bord du fleuve. Là, les têtes ont volé.

Sachi tressaillit. Le doux visage d'Oguri passa devant ses yeux. Elle revit ses mains de lettré, des mains qui n'avaient jamais rien tenu de plus lourd qu'un pinceau.

— Ils ont promené la tête de Sa Seigneurie dans tout le village à titre d'avertissement, reprit la vieille femme. C'était la première fois que je revoyais le visage de notre cher seigneur depuis qu'il était bébé. Puis ils ont accroché sa tête à la grille de la prison, avec un écriteau où on pouvait lire « Traître à l'empereur ». Ce n'était pas un traître. Nous sommes ses sujets. Et fiers de l'être.

Elle sursauta et promena un regard inquiet autour d'elle, comme si elle prenait conscience de la portée de ses paroles, avant de se ruer hors de la pièce.

Sachi n'avait plus faim. C'est à peine si elle grignota quelques champignons et avala un peu de soupe aux haricots.

Ce fut Edwards qui rompit le silence.

— Et le seigneur Mizuno ?

— Nous savons qu'il est passé par ici et qu'il a pris le bac avec Oguri, répondit Daisuké. S'ils ont bien emporté l'or des Tokugawa, il doit savoir ce que celui-ci est devenu.

— Il est même probablement le seul à le savoir, reprit Edwards. Oguri est mort. Quant aux porteurs, je doute qu'ils soient encore de ce monde. Leurs maîtres ont dû les éliminer une fois l'or déposé à l'endroit qu'ils avaient choisi.

— Les seigneurs Oguri et Mizuno ont dû alors se séparer, observa Shin, les yeux brillants. Oguri ne pouvait ignorer que sa vie était menacée. Mizuno non plus. Ils auront fait en sorte que l'un d'eux au moins survive. Sinon, le trésor aurait été perdu.

— Qu'est-ce qui vous fait croire qu'ils l'auraient partagé ? demanda Edwards. Peut-être le voulaient-ils tous les deux. L'un a très bien pu assassiner l'autre et s'enfuir avec toute la fortune. Qui nous dit que Mizuno n'a pas trahi Oguri en le livrant aux soldats ? L'or pousse les hommes à la folie. *Rabu* aussi, murmura-t-il en fixant le sol. Parfois, il vaut mieux admettre sa défaite.

Shin et Daisuké le regardèrent avec étonnement tandis que Sachi adressait des prières aux dieux : pourvu qu'aucun d'eux ne devine à quoi il faisait allusion !

— Nous ne savons même pas s'il y a de l'or, dit Taki pour briser le silence.

— Que feraient tous ces hommes à traîner dans les rues ? demanda Shin. Ils cherchent quelque chose.

— Nous ne savons toujours pas où se trouve le seigneur Mizuno ni même s'il est encore en vie, objecta

Sachi. Supposons qu'il ait eu la même idée que le seigneur Oguri et qu'il ait regagné son village natal ?

— Il s'agit de Shingu, dans le comté de Kii, intervint Haru.

— C'est à l'autre bout du pays, soupira Taki. S'il se trouve vraiment là-bas, nous n'avons plus qu'à rebrousser chemin… ou à renoncer.

— J'aimerais d'abord découvrir ce qui se passe ici, déclara Shin. Qui sait ? Nous pourrions y trouver des indices qui nous mèneraient à Mizuno. Nous savons qu'il est venu ici. Où se trouvait-il quand on a tué le seigneur Oguri ? Qu'a-t-il fait ensuite ?

Ils se turent car la vieille femme venait d'entrer pour débarrasser les plats. Comme elle prenait le plateau de Shin, elle tordit le cou pour le regarder.

— Wakamatsu, hein ? Vous vous êtes bien battus, les jeunes. C'est la première fois que je vois l'un des vôtres.

Elle posa une main décharnée sur son genou et hissa son visage ridé tout près de celui de Shin, qui plongea son regard dans le sien.

— Dis-moi, grand-mère, tous ces hommes qui rôdent dans les rues, qui sont-ils ? Tu m'as dit qu'il n'y avait ni source chaude ni temple réputé dans les environs. Alors, qu'est-ce qui peut les attirer ici ?

— Quoi, ces vauriens ? Peuh ! Ils se retrouvent tous les soirs pour boire jusqu'à plus soif. Une aubaine pour les geishas et les prostituées, pour sûr. Ici, c'était un village paisible avant que ces voyous y débarquent. Et vous voilà, vous, ainsi que cet honorable barbare… On n'avait jamais vu ça avant, jamais.

Elle se mit à dodeliner de la tête, si longtemps que Sachi finit par se demander si elle ne s'était pas endormie. Soudain, elle se redressa.

— Tout a commencé peu après la mort de Sa Seigneurie. Des fêtards, des joueurs, des yakuzas, même des proscrits : il en arrivait chaque jour de nouveaux. On ne les voyait pas dans la journée, juste le soir. Parfois, ils se battaient dans la rue.

— Ainsi, personne ne sait pourquoi ils sont ici ni ce qu'ils manigancent ? insista Shin.

— Je m'occupe pas de ce genre de choses. C'est pas mes affaires. J'ai bien assez de soucis comme ça. Demandez donc à mon bonhomme. Il est allé quelquefois dans la montagne. Paraît qu'il s'en passe de belles là-haut. Si vous voulez, il vous y conduira.

IV

Le mari de la vieille femme vint les chercher le lendemain matin. Il avait l'air encore plus vieux que son épouse, comme s'il avait vécu sept vies exposé au vent, à la pluie et à la neige, et parlait un dialecte à peine compréhensible. Il s'était équipé pour une excursion en montagne, portant des bottes et un manteau en paille, et tenait un bâton dans sa main noueuse.

Ils commencèrent par emprunter un sentier broussailleux qui semblait avoir été frayé tout récemment. Plus ils s'élevaient au flanc de la colline, plus la végétation devenait dense. À un moment, ils dépassèrent un abri fait de branchages, puis un autre, puis d'autres encore.

— Certains garçons vivent ici, leur expliqua le vieil homme.

Peu après, ils atteignirent une clairière pleine de trous et de monticules. On aurait dit que la terre avait été remuée par des vers géants. Des hommes maigres creusaient fébrilement, penchés au-dessus du sol. Certains étaient vêtus de pantalons loqueteux, d'autres d'un simple pagne malgré le vent qui secouait les branches et faisait tournoyer les feuilles. En voyant approcher le petit groupe, ils levèrent la tête. Sachi remarqua que Shin et Edwards portaient la main à leur pistolet.

Les hommes restèrent bouche bée de stupeur quand ils aperçurent Edwards.

— Qu'est-ce que c'est que ça ? marmonna l'un d'eux. Un *tengu* ?

— Non, dit un autre. Pas un *tengu,* mais un barbare…

Les hommes s'attroupèrent autour des nouveaux venus pour mieux les examiner.

— Eh, grand-père, qu'est-ce qui te prend de nous amener des étrangers ? grogna un petit homme au visage étroit, aux yeux fureteurs.

Il se baissa pour ramasser une pierre.

— Allez-vous-en ! dit-il en crachant un long jet de salive jaunâtre.

— Passez votre chemin, ajouta un autre. Dégagez !

Lorsqu'ils se furent éloignés, Shin interrogea leur guide :

— Ils cherchent de l'or, n'est-ce pas ?

Le vieux pinça les lèvres.

— Donc, ces hommes qui traînent au village n'ont pas d'or à dépenser ? intervint Shin.

— Je n'irais pas jusque-là, répondit le vieil homme avec une grimace. Mais ils n'ont pas eu beaucoup de chance, comme vous l'avez constaté. D'autres creusent plus haut dans la montagne.

Le sentier s'interrompait plus haut et, bientôt, la forêt se referma autour d'eux. Ils durent escalader des rochers et des troncs d'arbres, se faufiler entre des buissons, enjamber des tas de feuilles, éviter de grosses racines noueuses. Ils avançaient dans une lumière crépusculaire, sous un dais de branches entrelacées.

Enfin les arbres s'espacèrent et ils débouchèrent dans une vaste prairie pleine d'herbes sèches qui ondulaient dans le vent. Devant ce spectacle, Sachi se remémora les vers de Basho évoquant la mort :

Tabi ni yande
Yume wa kareno o
Kakemeguru

« Malade en voyage
Mes rêves vagabondent
À travers les champs flétris. »

Le vieil homme marchait en tête, suivi de Daisuké, de Shin et d'Edwards. Taki et Haru venaient juste derrière, le front ceint d'un bandeau blanc.

La voix du vieux flotta jusqu'à Sachi.

— Il se passe de drôles de choses sur cette lande. Mon grand-père racontait une histoire à propos d'un voyageur qui s'y était perdu une nuit. Il avait tant erré qu'il avait fini par rencontrer une femme. Une vraie beauté.

Sachi frissonna. Ces histoires finissaient toujours de la même manière. La femme entraînait chez elle, quelque part au fond de la lande, le voyageur séduit par sa beauté. Quand il revenait le lendemain, c'était son tombeau qu'il découvrait à la place de sa demeure, un tombeau vieux de plusieurs siècles avec son nom gravé dessus. Elle n'avait pas envie de braver le destin, surtout alors qu'elle recherchait sa mère. Elle ralentit le pas, laissant les autres prendre un peu d'avance.

Elle passa les doigts dans les herbes, les regarda se courber et se redresser. Des nuages couraient dans le ciel sombre, annonçant de la neige. Elle n'entendait plus que le bruissement des herbes qu'elle fendait en marchant et le crissement de ses sandales de paille.

Soudain elle perçut un bruit sourd suivi de coups plus légers. On aurait dit qu'un esprit frappait sous terre. Saisie d'une crainte superstitieuse, elle retint son souffle et prêta l'oreille. Ce n'était pas un fantôme. Non loin d'elle, quelqu'un creusait le sol à l'aide d'une bêche. Devant elle, la piste tracée par ses compagnons s'étirait à travers la prairie.

Se guidant sur le bruit, elle se fraya un chemin à travers les graminées et s'arrêta net au bord d'un trou assez large et profond pour servir de sépulture à un shogun.

Au fond, un homme creusait fébrilement, si absorbé par son travail qu'il ne l'avait pas entendue approcher. Il était d'une maigreur extrême, avec des cheveux sales et nattés. Son dos presque noir luisait de sueur malgré le froid. Ses omoplates saillaient sous sa peau telles des ailes à chacun de ses mouvements. Une serviette déchirée était nouée autour de sa tête et son pantalon crasseux découvrait ses chevilles décharnées. L'air autour de lui empestait la sueur, l'urine et les excréments.

Pourquoi cherchait-il de l'or ici, tellement à l'écart des autres ?

Avec un grognement bestial, il porta la main à ses reins. Ses ongles sales étaient aussi longs que des griffes. Il se redressa lentement et se retourna.

Ce profil de faucon, ces joues grêlées… Il avait dans le regard la même lueur féroce qui avait fait frissonner Sachi le jour où elle l'avait vu descendre du bac, six mois plus tôt.

L'homme sursauta et eut un mouvement de recul.

— Laisse-moi tranquille, murmura-t-il d'une voix à peine audible.

Ils restèrent face à face.

Sachi était incapable de bouger ou de parler, paralysée comme une biche devant un chasseur. Entre-temps, l'expression de l'homme s'était modifiée. À la peur avaient succédé la colère et la haine. D'un bond, il sortit à moitié du trou et agrippa les jambes de la jeune femme, qui perdit l'équilibre. Étourdie, Sachi se retrouva au fond de la fosse. La chute avait entrouvert son kimono, dénoué ses cheveux. Elle tenta de reprendre son souffle tout en cherchant la poignée de sa dague.

Mais, avant qu'elle ait pu atteindre son arme, il la plaqua au sol. Un goût de terre et de sang emplit la bouche de la jeune femme. L'attrapant par les cheveux, il lui tira la tête en arrière. Elle sentit quelque chose de dur contre sa gorge.

Elle voulut crier mais ne put émettre qu'un gémissement. Le visage mal rasé de l'homme frottait contre sa joue. Une odeur abjecte émanait de lui.

Elle crut sa fin venue… Une mort sans gloire au fond de ce trou où on ne la retrouverait pas avant longtemps.

— *Mayotta na !* murmurait Mizuno d'une voix rauque. *Mayotta na !* Retourne d'où tu viens !

Sachi comprit qu'il cherchait à la renvoyer dans l'autre monde. Ce n'était pas elle qu'il croyait voir, mais le fantôme de sa mère revenu le hanter.

— *Mayotta na ! Mayotta na !* répéta-t-il, comme pour un exorcisme. Tu t'es égarée… Tu as perdu ton chemin.

Soudain, il parut reprendre ses sens, et une expression perplexe se peignit sur son visage.

— Mais tu es chaude ! Comment est-ce possible ? Tu étais si froide quand je t'ai enterrée… Froide comme la terre. Je ne voulais pas faire ça, je te l'ai dit. Mais il le fallait. C'était mon devoir. Pourquoi ne me laisses-tu pas en paix ? Tu veux m'emmener avec toi, c'est ça ?

Son bras empêchait Sachi de respirer et son odeur lui donnait la nausée. Pourquoi avait-elle laissé les autres prendre autant d'avance ? Même si elle avait pu crier, ils ne l'auraient pas entendue. Si on ne la retrouvait pas, elle resterait à pourrir dans ce trou, au milieu des hautes herbes.

Tout à coup elle entendit des appels lointains et reprit espoir. Puis les voix s'éloignèrent et disparurent.

— Je vais en finir une bonne fois pour toutes avec toi, gronda Mizuno. Je vais te découper en morceaux si petits que tu ne reviendras plus jamais.

Il relâcha sa prise assez longtemps pour que Sachi puisse reprendre son souffle. La panique s'éloigna et elle réfléchit. Mizuno avait tué sa mère. Cette certitude mettait fin à tous leurs espoirs, leurs désirs, leurs prières. Elle ne connaîtrait pas sa mère. Daisuké ne la reverrait jamais et Haru non plus.

Il était d'autant plus important qu'elle survive, pas seulement pour elle-même, mais aussi pour Daisuké.

— Tu oses me défier ? gronda Mizuno. Tu as attiré la honte sur notre famille et ruiné sa réputation. Je vais t'effacer si complètement que personne ne se rappellera que tu as existé, Hiro !

Ohiro… Le nom de sa mère avant qu'elle entre au palais. Les certitudes de Sachi vacillèrent. N'était-ce pas elle qui avait commis ce crime affreux et déshonoré sa famille ? Sa mère revivait à travers elle. Elle aussi avait été la concubine du shogun avant de le trahir et de se laisser emporter par la passion. Elle avait oublié que l'obéissance était le seul devoir d'une femme. Elle avait cru pouvoir agir en toute impunité. Était-ce là sa punition ?

— Hiro ! répéta Mizuno. Prépare-toi à mourir. As-tu un dernier mot à dire ?

Sachi réfléchit à toute allure. Si elle parvenait à lui faire respecter la procédure habituelle des exécutions, il serait obligé de la relâcher. Il aurait besoin de ses deux mains pour saisir son sabre et le lever. Elle aurait alors une seconde pour lui échapper.

— Faites ce que vous avez à faire, dit-elle d'une voix rauque. Mais faites-le dans les règles. Vous êtes un samouraï, pas un meurtrier. Accordez-moi le privilège de mourir dignement.

Elle se prépara à pivoter sur elle-même dès qu'il la lâcherait, mais il resserra sa prise.

— Tu ne m'échapperas pas, cette fois. J'ai vu ton sang couler. Je t'ai vue morte. Pourtant, tu n'as pas cessé de revenir. Je te sais rusée comme un renard. Je frapperai autant de fois que nécessaire, jusqu'à ce que tu sois tout à fait morte. Jusqu'à ce que tu me laisses enfin en paix.

Lentement, délibérément, il lui renversa la tête en arrière. Sachi vit les hautes herbes se balancer au bord de la fosse. Une buse tournoyait dans le ciel. La jeune femme se sentait parfaitement calme. C'était donc cela, la dernière image qu'elle emporterait de ce monde. La poitrine osseuse de Mizuno pesait contre son dos. Elle remarqua que sa main tremblait. Une douleur la traversa quand la lame écorcha sa peau. Un filet de sang chaud coula le long de sa gorge. Elle ferma les yeux.

Soudain il y eut un léger bruit au-dessus d'eux. Des cailloux roulèrent dans le trou. Sachi sentit le bras de Mizuno se raidir.

Elle rouvrit les yeux. Une silhouette se profilait sur le ciel gris : une femme bien en chair, au visage rond. Nimbée de lumière, elle évoquait une apparition céleste, un bodhisattva venu enlever Sachi pour l'emmener au paradis de l'Ouest.

— Haru ! s'écria Sachi, oubliant sa mère pour réintégrer son propre corps.

Haru demeura un instant les yeux écarquillés, la bouche ouverte, puis son expression se teinta de réprobation.

— Frère aîné, dit-elle avec fermeté comme si elle parlait à un mauvais garnement. Tadanaka, c'est moi, Haru. Que faites-vous là ?

Mizuno sursauta violemment.

— Haru ! fit-il d'une voix rauque.

— Posez ce couteau, frère aîné. Ne faites pas de folies. Qu'est-ce qui vous prend ? Auriez-vous encore vu un fantôme ?

Mizuno relâcha légèrement son étreinte.

— Mais… mais, Haru, que fais-tu ici, toi ? Pourquoi n'es-tu pas au palais ? demanda-t-il.

Haru se laissa glisser dans la fosse, puis elle fixa Mizuno d'un regard brûlant.

Sachi la dévisagea avec un sentiment d'impuissance, imaginant le spectacle qu'elle lui offrait : l'œil hagard, les vêtements en désordre, la gorge ensanglantée, entre les mains d'un fou aussi maigre qu'un squelette. Ses cheveux dénoués pendaient devant son visage comme ceux d'un fantôme… le fantôme de sa mère.

Haru s'avança pas à pas, montrant ses mains vides.

— Donnez-moi ce couteau, dit-elle. Ohiro est morte. Vous l'avez punie pour son crime. Vous avez fait votre devoir. Pour la famille, pour l'honneur. Mais tout est terminé à présent. Ce n'est pas elle que vous tenez. Montrez-moi où vous l'avez enterrée et, ensemble, nous prierons pour elle. Son esprit trouvera le repos et elle cessera de vous tourmenter.

Quand Haru fut toute proche, Mizuno se raidit et resserra son étreinte autour du cou de Sachi.

— Ne te mêle pas de mes affaires, grogna-t-il. Vous autres, femmes, vous ne créez que des soucis, comme les renards. Retourne d'où tu viens.

— Personne ne vous blâme, insista Haru. Donnez-moi ce couteau.

— Ta maîtresse a déshonoré la famille. Il faut que je l'exécute avant que le palais ne découvre la vérité. Si je ne le fais pas, c'est la police du shogun qui s'en chargera. Tu veux qu'elle force notre porte ? Qu'elle oblige mon père et mon frère à s'ouvrir le ventre à cause d'une misérable femme ?

— C'était la coutume autrefois, dit une voix grave.

Daisuké sauta dans la fosse sans quitter Mizuno des yeux, comme un chasseur guettant sa proie.

— Mais plus maintenant, reprit-il d'une voix ferme. Les choses ont changé. Le shogun s'en est allé. Il n'y a plus de palais, plus de police. Vous n'avez rien à craindre.

Il était si près que Sachi sentait son parfum épicé. Puis une autre odeur flotta jusqu'à elle. Shin était là, juste derrière Mizuno. L'instant de la délivrance approchait.

— Qui êtes-vous ? demanda Mizuno avec méfiance. De quel droit vous mêlez-vous des affaires de ma famille ?

— Cette femme n'est pas Ohiro, dit Daisuké. Votre sœur est morte depuis longtemps.

— Qui êtes-vous ? hurla Mizuno.

Daisuké durcit le ton.

— Lâchez-la. Je vous dis que ce n'est pas votre sœur, mais l'enfant de celle-ci, votre nièce. Vous n'avez aucune raison de lui faire du mal.

— Vous mentez ! hurla Mizuno. Je connais ma propre sœur !

— C'est pourtant vrai. Il s'agit de ma fille. Je suis son père.

Mizuno émit une sorte de râle et repoussa violemment Sachi, qui fit quelques pas avant de s'écrouler.

Il y eut un bruit de lutte. Reprenant ses esprits, Sachi vit un bras levé, l'éclat d'une lame plongeant vers la gorge de Daisuké, puis Haru qui s'interposait entre les deux hommes. Atteinte à la poitrine, elle s'affaissa comme une poupée de chiffon. Mizuno arracha sa dague, faisant jaillir un flot de sang qui aspergea le visage de Sachi.

— Haru ! cria-t-elle.

Soudain Shin apparut au bord de la fosse, Edwards à ses côtés. Derrière lui, on apercevait le petit visage effrayé de Taki. Shin arma son pistolet.

— Shin, non ! hurla Daisuké.

L'air hagard, Mizuno regardait fixement Haru qui saignait abondamment. Oubliant ce qu'elle venait d'endurer, Sachi se précipita, le visage souillé, les vêtements déchirés. Elle s'agenouilla près de son amie, lui frictionna les mains, posa tendrement sa tête sur ses genoux.

— Haru, Haru, murmura-t-elle.

Mais Haru respirait avec difficulté.

— Je t'en prie, ne meurs pas, gémit la jeune femme. Ne meurs pas. J'ai besoin de toi.

Mizuno tomba à genoux. Il semblait désorienté, comme s'il venait de s'éveiller d'un long cauchemar. Puis il s'effondra, face contre terre, les épaules secouées de spasmes.

— Madame Ohiro… souffla Haru. Je vous en prie, dites-nous où elle est… Je veux mourir en paix.

Mizuno releva la tête. Les larmes traçaient des sillons dans la crasse qui recouvrait ses joues. Il les balaya de la main sans même y penser.

— Le vieux prunier dans le parc de notre maison d'Edo… là où nous jouions à cache-cache enfants. C'est là que je l'ai enterrée.

Haru remua les lèvres. Son visage bleuissait et du sang moussait aux coins de sa bouche. Le silence retomba, à peine troublé par le bruissement de l'herbe, les cris des oiseaux et la respiration sifflante de la mourante.

Daisuké lui prit la main et le visage de Haru s'éclaira. Au seuil de la mort, elle ressemblait à la jeune fille qu'elle avait été, la fidèle servante et confidente d'Ohiro. Ses yeux étaient fixés sur Daisuké. Sachi réalisa combien celui-ci avait dû compter pour elle. Approchant son visage du sien, il murmura :

— Nous allons retourner à Edo, Haru, et nous retrouverons ta maîtresse.

Retenant ses larmes, Sachi caressa le front de la mourante, dont les yeux basculèrent vers elle. Son visage – et, à travers elle, celui de sa mère – fut la dernière chose que vit Haru avant de fermer les yeux pour toujours.

Tous tombèrent à genoux. Taki sanglotait au bord de la fosse. Mizuno gisait au sol, face contre terre.

Daisuké fut le premier à se ressaisir.

— Elle s'est sacrifiée pour moi, dit-il. Le coup m'était destiné. Il y a eu assez de meurtres comme cela. Nous allons retourner à Edo et prier sur la tombe de votre sœur.

Mizuno se redressa lentement.

— Il me reste encore une tâche à accomplir, dit-il en brandissant sa dague.

Un instant, Sachi crut qu'il allait s'ouvrir le ventre. Mais il s'était tourné vers Daisuké.

— Adultère ! C'est vous qui êtes la cause de tous ces malheurs, vous qui avez détruit notre famille et tué ma sœur !

Daisuké fit un pas en arrière. Son regard brillait étrangement. Sachi devina qu'il pensait à sa bien-aimée. Sans elle, le monde lui semblait vide et il n'aspirait qu'à la rejoindre. Un sourire se dessina sur ses lèvres. Il n'avait pas l'intention de lutter ni de chercher à s'échapper.

Mizuno abaissa le bras.

Au même moment, une explosion retentit, si forte que Sachi sursauta et tomba en arrière. Un nuage de fumée emplit la fosse, accompagné d'une odeur acide que Sachi reconnut : celle de la poudre. Étourdie par le bruit, elle regarda autour d'elle. Le seigneur Mizuno était étendu sur le dos, sa dague à portée de main. Des bulles rougeâtres se formaient sur ses lèvres et du sang jaillissait de sa poitrine brûlée par le soleil.

Vu du fond du trou, Shin avait l'air d'un géant. Il tenait à la main son pistolet encore fumant.

— Pardonnez-moi, dit-il. Je voulais seulement le blesser, mais il était trop près de vous. Je ne pouvais pas prendre ce risque.

Très pâle, Daisuké leva les yeux vers lui.

— Je pensais être arrivé au terme de ma vie. Mais le destin ne l'a pas voulu. Je vous en serai toujours redevable, dit-il en inclinant la tête.

Sachi voulut se relever, mais ses jambes étaient incapables de la porter. Elle eut vaguement conscience que Shin sautait dans la fosse, la prenait dans ses bras et la hissait à l'extérieur. Quand elle posa sa tête sur son épaule, à ce moment seulement, elle réalisa qu'elle était enfin sauvée.

Épilogue

L'ultime secret

Tokyo, le 14 octobre 1872

— Aujourd'hui, tout doit être parfait, dit Taki.

Elle ouvrit les tiroirs de son coffret de maquillage et en sortit brosses, pinces à épiler, peignes et pots de cosmétiques, qu'elle disposa sur un carré de soie. Le coffret était un des rares objets que Sachi avait emportés du palais. Tout ce qu'il contenait était laqué et gravé d'un minuscule écusson en or, celui des Tokugawa. Il exhalait le parfum subtil et inimitable des jours anciens.

Dans un bruissement de kimono, Taki se glissa hors de la chambre et revint avec une petite bouilloire de fer remplie de mélange pour noircir les dents. L'odeur acide du vinaigre et des feuilles de sumac envahit la pièce.

Elle s'agenouilla en face de Sachi, qui considéra son visage pâle et pointu. Parfois, quand elle pensait qu'on ne la regardait pas, elle laissait tomber son masque impassible. Sachi la soupçonnait alors de penser à Toranosuké.

Celui-ci n'avait jamais reparu, pas plus que Tatsuémon. Une amnistie générale venait d'être décrétée pour les combattants du Nord. Même l'amiral Enomoto, qui s'était enfui avec la flotte des Tokugawa, occupait à présent un poste important au gouvernement. Si Toranosuké et Tatsuémon avaient voulu sortir de la clandestinité, ils auraient pu le faire. Mais personne ne savait ce qu'ils étaient devenus, ni même s'ils étaient toujours en vie. Beaucoup de leurs camarades n'étaient jamais revenus de la guerre. Sans doute ne saurait-on jamais ce qui leur était arrivé.

Shin était bien déterminé à retrouver la trace de ses amis. Pas question pour lui de mener à Tokyo une vie de bureaucrate. Toutefois, Sachi avait pris la résolution de ne jamais s'opposer à sa soif d'aventure. Car, en dépit de tous les obstacles, ils étaient toujours ensemble. Quand elle se penchait sur le passé, Sachi se disait qu'ils avaient eu de la chance.

Après la mort de Haru, ils avaient regagné directement Tokyo. Les grandes demeures des seigneurs vaincus étaient occupées par des ministères ou servaient de logements de fonction à d'importantes personnalités politiques. Daisuké se vit attribuer la propriété des Mizuno. Ils enterrèrent Haru à côté de la mère de Sachi, sous le vieux prunier du parc.

Le vieil homme qui les avait conduits dans la montagne fut chargé d'ensevelir le seigneur Mizuno et reçut l'autorisation de poursuivre les travaux d'excavation dans la lande. Il était persuadé d'y découvrir de l'or. Fasciné par le trésor des Tokugawa, Edwards décida de rester après le départ de Daisuké, de Sachi et de ses compagnons.

En réalité, l'or n'était qu'un prétexte. Edwards avait fini par admettre que Shin était plus qu'un ami ou un frère pour Sachi. Celle-ci s'en réjouit, car son cœur avait fait son choix, même si, en tant que femme, elle n'était pas maîtresse de sa vie. À l'évidence, Daisuké voulait un héritier. Sachi redoutait qu'après leur installation il fasse appel à un faiseur de mariages. Beaucoup de jeunes gens ambitieux ayant combattu du côté du Sud ne demanderaient pas mieux que de l'épouser afin de succéder à son père.

Un jour, peu après les funérailles de Haru, Sachi tenait compagnie à son père dans la grande salle de leur manoir. Daisuké l'observait par-dessous ses sourcils broussailleux tout en fumant sa pipe. Comme s'il lisait dans ses pensées, il déclara soudain :

— Ma chère fille, je ne t'ai pas retrouvée pour te rendre malheureuse. Ta mère m'a choisi et je l'ai choisie, moi aussi. Je n'ai nullement l'intention de t'imposer un mari qui ne te plaise pas. Il est manifeste que tu aimes Shin autant qu'il est épris de toi. La guerre est finie. C'est un brillant jeune homme, et je lui dois la vie. Si j'ai vu juste, je serai heureux d'en faire mon fils adoptif.

Le mariage fut célébré peu après. En prélude aux festivités, qui durèrent toute une semaine, Sachi fut promenée à travers les rues dans un palanquin nuptial, somptueusement vêtue, avec une escorte de demoiselles d'honneur et de serviteurs portant des lanternes, des coffres et une lance. Daisuké avait fait venir Jiroémon, Otama, Yuki et les enfants de la maisonnée. Les parents de Shin s'étaient déplacés pour la circonstance. Ils semblaient ravis de cette alliance avec Daisuké, un membre éminent du nouveau gouvernement, et soulagés de voir leur fils rebelle devenu un homme respectable. Shin s'installa chez Daisuké, dont il prit le nom. Sachi et lui adoptèrent Yuki, qui resta avec eux après que le reste de la famille fut reparti pour le village.

Les sourcils froncés, Taki se concentrait. Les deux femmes aimaient ce rituel quotidien durant lequel elles oubliaient tout pour exécuter parfaitement cette tâche certes modeste, mais néanmoins importante. La petite suivante épila les sourcils de Sachi, lui noircit les dents, puis elle enduisit son visage de fard blanc et lui dessina des sourcils en ailes de papillon. Elle peigna ensuite ses longs cheveux noirs jusqu'à ce qu'ils brillent comme de l'argent et les attacha avec des rubans, suivant l'usage du palais. Pour terminer, elle lui peignit les lèvres en rouge.

On gratta à la porte et le petit Daisuké entra en gambadant. Il grimpa sur les genoux de Sachi, noua ses bras autour de son cou et gémit :

— Moi aussi je veux venir ! Moi aussi !

Sachi lui caressa la joue en riant.

— Pas aujourd'hui, Daisuké.

Il se mit à fouiller parmi les peignes, les brosses et les pots de cosmétiques. C'était un enfant charmant, qui promettait d'être aussi beau que son grand-père, dont il avait le visage ouvert, les grands yeux noirs et sans doute également la curiosité, l'énergie et la détermination.

Taki avait sorti plusieurs robes de cérémonie datant de l'époque où Sachi faisait partie de la suite de la princesse. Cela faisait des années qu'elle ne les avait pas portées. Taki l'aida à les passer successivement, prenant soin d'harmoniser les couleurs visibles à l'encolure et aux poignets. Elle lui tendit ensuite un éventail de cérémonie.

Quand Sachi se regarda dans le miroir, un frisson la parcourut. Elle avait devant elle la concubine d'un shogun, une beauté au visage pâle, avec une petite bouche charnue et un nez à la courbure aristocratique. Était-ce la Retirée Shoko-in, veuve du quatorzième shogun, ou dame Okoto, concubine du seigneur Ieyoshi ? Le passé qu'elle croyait profondément enfoui resurgissait avec une facilité désarmante.

Puis elle songea que Shin ne la reconnaîtrait pas, ainsi vêtue. Comme les autres dames d'honneur, Taki et elle avaient fait le serment de ne jamais rien révéler sur leur vie au palais. En cette époque pleine d'ombres, tout le monde avait ses secrets. Shin le savait et il respectait son silence. Aussi ne lui avait-il jamais posé de questions sur son passé.

Mais aujourd'hui il allait rencontrer la princesse. Aujourd'hui, la porte allait s'entrouvrir. Cette révélation risquait-elle d'influer sur ses sentiments ?

Shin l'attendait dans le hall d'entrée en compagnie de Daisuké. Lui aussi avait revêtu une tenue officielle : *haori* et *hakama* traditionnels, associés à des bottines européennes, un chapeau melon et un parapluie. Avec ses cheveux coupés court à la *jangiri*, il était le prototype de l'homme moderne.

Un dicton populaire disait : « Donnez des petits coups sur une tête à chignon, elle résonnera d'une mélodie passée, mais frappez sur une tête coiffée à la *jangiri*, elle vous parlera de civilisation et de lumières. »

En vérité, il n'était plus question, à présent, que de civilisation et de lumières. Sachi ne savait pas trop ce qu'il fallait entendre par là, mais, à ses yeux, Shin en était l'incarnation même.

Daisuké avait également adopté des éléments de la mode européenne. Il s'était mis un peu en retrait, abandonnant certaines de ses responsabilités à son beau-fils. Si ses tempes commençaient à grisonner, il était toujours le bel homme raffiné pour lequel dame Okoto avait pris tous les risques.

Les deux hommes regardèrent Sachi et Taki s'avancer vers eux dans leurs costumes d'apparat, les bords matelassés de leurs kimonos s'ouvrant en éventail derrière elles. Shin ne dit pas un mot, mais il approuva d'un signe de tête.

Daisuké avait pâli à la vue de sa fille, comme s'il avait vu un fantôme. Sans doute Okoto portait-elle le même genre de vêtements quand elle venait le retrouver au temple qui abritait leurs rencontres.

Avant de partir, ils allèrent déposer des fleurs fraîches et réciter des sutras sur les tombes d'Okoto et de Haru, puis Shin et Daisuké montèrent dans une voiture avec Sachi tandis que Taki suivait dans une autre. Le vieil homme qui gardait la grille s'inclina quand ils la franchirent. La vue de son bon visage marqué par le temps, de son grand sourire et de ses jambes arquées réjouissait toujours Sachi. C'était lui qui avait veillé sur elles au palais et au manoir des Shimizu. Quand ceux-ci avaient été forcés de partir, Sachi l'avait emmené dans sa nouvelle demeure. La sécurité de ses maîtres lui tenait toujours autant à cœur, mais, en raison de son grand âge, c'était plutôt eux qui veillaient sur lui.

Les rues étaient encombrées de pousse-pousse et de *jin-riki-sha* tirés par des hommes. Ils semblaient s'être multipliés pendant la nuit comme des champignons. Manœuvrés par des garçons maigres et tatoués qui hurlaient à tue-tête pour avertir les piétons de s'écarter, ils passaient dans un bruit assourdissant. Sachi se souvint de son émotion la première fois qu'elle était montée dans la voiture d'Edwards. On croisait à présent les véhicules les plus divers : carrioles, omnibus à chevaux, rickshaws à deux ou à quatre roues. Le trafic intense rendait la circulation presque impossible. C'était sans doute là un apport de la civilisation et des lumières... Un autre apport visible était la présence des très nombreux étrangers qui contribuaient à transformer la ville. Ils avaient déjà construit dans le port une tour coiffée d'une lumière baptisée « phare » et installé un télégraphe pour envoyer les « messages magiques » dont leur avait parlé Edwards.

Daisuké contemplait tout cela avec une évidente satisfaction. Ces transformations, il les avait appelées de ses vœux et il lui plaisait d'être un des promoteurs de ce changement. Il participait à l'édification du nouveau Japon. Sachi était fière de son père.

Ce jour-là, il régnait une ambiance de fête dans les rues de Tokyo. Les femmes portaient des costumes traditionnels, tandis que les hommes se partageaient entre les tenants de la vieille école et les adeptes de la mode européenne à laquelle ils empruntaient bottines, chapeaux ou pardessus. Sachi se demanda si Fuyu se trouvait quelque part dans la foule qui les entourait. Elle ne l'avait pas revue depuis le jour où elles avaient assisté à l'arrivée de l'empereur au château. Les quelque trois mille femmes qui vivaient auparavant dans le palais semblaient s'être évaporées.

Bientôt ils arrivèrent en vue d'un groupe de constructions modernes de style occidental : deux bâtiments de pierres blanches, semblables à deux tours jumelles, presque entièrement recouverts de drapeaux et de lanternes colorées. Des domestiques les escortèrent jusqu'à une vaste salle très lumineuse, au bout de laquelle s'ouvrait un passage à ciel ouvert qui rappelait les arcades reliant entre elles les différentes ailes du château ou, en beaucoup plus imposant, la « voie fleurie » permettant aux acteurs de circuler au milieu du public dans le théâtre kabuki.

Ce passage-là conduisait à une esplanade au centre de laquelle se dressait un énorme monstre d'acier monté sur des rails. Sachi ne put retenir une larme en songeant à Haru. La machine ressemblait exactement à celle qu'elle leur avait décrite. Elle les dominait de toute sa hauteur, jetant sur la nombreuse assemblée une ombre épaisse et crachant de la fumée à grand bruit.

Ils en firent le tour, admirant ses hautes roues reliées par des bras articulés, puis reculèrent pour mieux voir la puissante cheminée. Non sans appréhension, ils grimpèrent les quelques marches permettant d'accéder aux chars couverts qui devaient transporter les voyageurs. De temps en temps, un sifflement strident déchirait leurs oreilles et la cheminée crachait un jet de fumée.

Les dignitaires, presque tous des hommes, commençaient à se rassembler. Les rares femmes présentes occupaient une position élevée ou entretenaient des relations privilégiées avec l'empereur. On comptait de nombreux étrangers parmi les invités.

Edwards s'avança pour les saluer. Il avait beaucoup changé depuis leur équipée dans la montagne. Ses cheveux d'or paraissaient moins éclatants, des rides marquaient son visage et ses yeux avaient pâli, même s'ils avaient toujours la couleur d'un ciel d'été. Ils échangèrent quelques propos aimables. Edwards s'enquit du petit Daisuké et Sachi demanda des nouvelles du docteur Willis.

— A-t-on finalement retrouvé l'or des Tokugawa ? demanda Edwards, avec cette franchise qui le caractérisait.

Daisuké eut un sourire mélancolique.

— Si c'était le cas, j'en aurais entendu parler. Le vieil aubergiste du village d'Oguri doit toujours être en train de creuser.

— Je m'étonne toujours que le seigneur Mizuno ait ignoré où se trouvait le trésor, intervint Shinzaémon.

— Apparemment, Oguri et lui se seraient disputés, expliqua Edwards. Quelqu'un du village les a entendus, et c'est ainsi qu'est née la rumeur sur la présence d'un trésor enfoui. Le vieux pense qu'Oguri a cherché à gruger Mizuno. Il l'a éloigné sous un prétexte quelconque et s'est débarrassé de l'or durant son absence. Mizuno était convaincu qu'il l'avait enterré dans la montagne. Le problème, c'est que le trésor aurait été enfoui au printemps et qu'en été la végétation recouvre la lande. Impossible dans ces conditions de savoir si la terre a été retournée ou non.

Sachi frémit à l'évocation du trou au fond duquel elle avait trouvé Mizuno. Elle eut une pensée pour

Haru, sa protectrice, dont le destin était lié au sien bien avant sa naissance. Des larmes lui vinrent aux yeux quand elle songea qu'elle n'était plus là pour vivre ces expériences nouvelles avec eux.

Soudain elle remarqua un peu à l'écart un groupe de dames vêtues comme à la cour. Au milieu d'elles se tenait une petite femme menue, aux cheveux courts et lustrés, que rien ne distinguait de ses compagnes. Les yeux baissés, elle semblait plongée dans de profondes réflexions. Les halètements de l'énorme machine, les coups de sifflet perçants, les nuages de fumée, tout s'évanouit comme par magie. Le cœur gonflé d'amour, Sachi ne voyait plus que ce pâle visage au milieu de la foule.

Les traits de la princesse Kazu s'éclairèrent d'un sourire quand elle l'aperçut.

— Mon enfant ! Il y avait si longtemps... Tu es aussi épanouie qu'une fleur.

Elle salua gaiement Taki avant de répondre à leurs questions.

— Je passe la majeure partie de mon temps en prières et en contemplation. Mais mon neveu l'empereur m'a priée de venir aujourd'hui. Sa Majesté s'est montrée très bonne avec moi. Je l'ai suivie à Tokyo quand elle y a installé sa cour. Je mène ici une existence très paisible. J'écris de la poésie, je médite... C'est une bonne vie.

En l'écoutant, Sachi eut l'impression d'être à nouveau au palais, parmi les dames d'honneur en robes somptueuses.

— Et Haru ? demanda alors la princesse. Qu'est-elle devenue ?

Quand Sachi lui eut raconté la fin tragique de son amie, elle resta un long moment silencieuse.

Soudain, Sachi sentit que Shin les regardait et elle fut saisie d'angoisse. Comment la princesse allait-elle réagir en découvrant qu'elle avait refait sa vie au lieu de se consacrer au souvenir du shogun, à son exemple ?

Tremblante, elle fit les présentations.

— Mon mari. Il a combattu jusqu'à la dernière extrémité pour les Tokugawa.

— Je suis heureuse de vous connaître, dit la princesse. Dame Shoko-in a été une amie fidèle et une sœur pour moi. J'étais l'épouse du shogun et elle, sa concubine. Nous sommes sans doute des reliques du passé, mais nous sommes encore en vie. Tous, nous avons trouvé une place dans ce nouveau monde. Que votre union soit bénie.

La princesse salua Shin de la tête.

Le dernier secret, l'ultime mystère, était révélé. Shin savait à présent que Sachi n'était pas seulement une dame de cour, mais aussi la dernière concubine du shogun. En d'autres temps, ils n'auraient jamais pu vivre ensemble, lui, le rônin de Kano, et elle, la concubine de Sa Grâce. Ils avaient réussi ce que leurs parents n'auraient jamais rêvé d'accomplir.

Shin s'inclina devant la princesse sans faire de commentaires. À son grand soulagement, Sachi lut dans son regard de la fierté, de l'admiration, de l'affection et plus encore. C'est alors que lui vint à l'esprit le mot qu'Edwards lui avait appris des années auparavant, le jour où il lui avait pris la main dans le jardin. Ce n'était pas l'affection qu'on éprouve pour ses parents, le respect qu'un homme témoigne à son épouse, ni même le désir qu'il ressent pour une courtisane. C'était tout cela en même temps et quelque chose de plus. Deux syllabes qui évoquaient un sentiment rare et précieux : *rabu,* l'amour. Oui, c'était bien cela qu'elle lisait dans ses yeux.

Un jeune homme venait d'arriver dans une voiture découverte, accompagnée d'une imposante escorte. Sachi réalisa que c'était lui qu'elle avait vu entrer au château en grand apparat. À cette époque, le seul fait de poser les yeux sur lui pouvait valoir la mort. Elle lui jeta un regard intimidé. Il portait un pantalon rouge de cérémonie, une robe blanche, des bottines européennes et il paraissait aussi jeune que Sa Majesté le shogun quand elle l'avait connu. Aussitôt, elle baissa les yeux.

La princesse s'avança, échangea quelques mots avec lui et fit signe à Sachi d'approcher. Un parfum extraordinaire flottait autour de sa personne… Le légendaire parfum impérial. La princesse fit les présentations.

— Voici la Retirée Shoko-in, concubine de Sa Dernière Majesté le seigneur Iemochi. Elle a été pour moi une amie fidèle, une sœur et un réconfort pendant de nombreuses années.

Sachi fit une profonde révérence.

— Ah, le seigneur Iemochi !

L'empereur avait une voix jeune et flûtée.

— Je me souviens bien de lui. Un homme très aimable. C'est tragique qu'il soit mort si jeune. Feu mon père l'aimait beaucoup. Tous ces drames… Il est bon à présent d'aller de l'avant ensemble. Très heureux de vous avoir rencontrée, madame.

L'empereur s'éloigna. Il fit un discours tandis que la machine crachait de la fumée, puis il monta à bord en compagnie de quelques dignitaires. Sachi, Shin, Daisuké et Taki virent la princesse monter également dans le wagon.

Un long sifflement retentit, les grandes roues se mirent à tourner, d'abord lentement puis de plus en plus vite. Le train s'ébranla et, bientôt, disparut dans le lointain.

Note de l'auteur

Pendant mes recherches pour *La dernière concubine*, je découvris une allusion à l'or perdu des Tokugawa dans une note de bas de page d'un ouvrage consacré à l'histoire de la firme Mitsui. Apparemment, le seigneur Oguri avait sorti clandestinement d'Edo les réserves d'or du shogun alors que le seigneur Yoshinobu était encore au pouvoir, pour les enterrer sur le mont Akagi. Il fut décapité peu après et toute trace du trésor disparut. L'auteur ajoutait que, depuis, trois générations de chasseurs de trésor avaient creusé des tunnels et des tranchées sur les pentes inférieures du mont Agaki.

N'ayant trouvé aucune autre référence à cet or dans tous les livres que j'avais compulsés, je conclus à une rumeur. Cependant, l'idée de ce trésor enfoui excitait mon imagination.

Peu de temps avant de terminer mon roman, je décidai de me rendre au mont Akagi. Celui-ci se trouve à l'écart des circuits touristiques traditionnels et ne figure dans aucun guide de langue anglaise, mais je parvins à dénicher l'adresse d'un hôtel. Je pris le train à grande vitesse à destination de Takasaki, puis louai une voiture pour suivre la longue route en lacets qui s'enfonce dans la montagne.

Une fois à l'hôtel, je ne pus m'empêcher d'interroger le propriétaire sur la légende du trésor des Tokugawa. À ma grande surprise, cette question ne l'étonna guère. « Il n'est pas ici, répondit-il, mais sur l'autre versant de la montagne. » Il me montra une carte et, dès le lendemain, je fis route dans cette direction sous une pluie battante. Complètement perdue, je me renseignai auprès du propriétaire d'un magasin isolé qui m'orienta vers une maison délabrée auprès de laquelle s'élevait un tertre boisé. Une foreuse mécanique trônait au sommet. Je partageai une tasse de thé avec un homme dont la famille avait creusé la montagne pendant trois générations pour chercher l'or du shogun. Je fus très excitée d'apprendre que cette légende se fondait sur une réalité, même si, à ce jour, personne n'a encore retrouvé le trésor disparu. Voilà comment cette énigme finit par entrer dans mon récit.

Si l'histoire de Sachi est purement romanesque, je me suis efforcée de recréer son contexte historique avec la plus grande rigueur, malgré quelques libertés. Ma description des guerres, des soubresauts politiques et même du climat – l'été 1868 fut exceptionnellement froid et humide – colle assez fidèlement à la réalité historique. Les différents shoguns mentionnés ont bien existé et les détails de leurs vies sont largement puisés dans des ouvrages de référence. La princesse Kazu épousa le shogun Iemochi à l'âge de quinze ans et emprunta la Route intérieure qui traversait la région de Kiso pour se rendre au château d'Edo.

On sait très peu de choses de la vie quotidienne au palais des femmes, celles-ci étant tenues au secret. Après l'effondrement de ce système si bien réglé, des domestiques commencèrent à rassembler leurs souvenirs. J'ai puisé dans leurs récits de quoi alimenter le mien. Les intrigues et les meurtres sont hélas véridiques et les noms des diverses concubines ont été conservés. La princesse Kazu se querellait avec sa belle-mère, la Retirée Tensho-in, et continua à se vêtir à la manière impériale même après que les femmes eurent été chassées du palais pour s'établir au manoir Shimizu. Avant que le shogun n'entreprenne son dernier voyage vers Kyoto, elle lui donna en cadeau d'adieu une concubine. Après la mort de son époux, elle devint religieuse et mourut du béribéri en 1877, à l'âge de trente et un ans.

Dame Okoto, la mère de Sachi, exista réellement et l'histoire de sa liaison avec un beau charpentier est bien connue. Elle appartenait à la famille Mizuno et fut la dernière – et la favorite – des concubines du douzième shogun, le seigneur Ieyoshi. Si on ignore le nom de son amant – lequel n'était pas charpentier, mais un maître d'œuvre chargé de surveiller la bonne marche des travaux –, on sait en revanche qu'il ressemblait au séduisant acteur de kabuki Sojuro Sawamura. Les sombres machinations de son frère pour la faire entrer au palais du shogun et les circonstances de sa triste fin sont également authentiques, à deux détails près : ces événements se déroulèrent en 1855, après la mort du seigneur Ieyoshi, et non en 1850. Par ailleurs, il n'est fait nulle part mention d'un enfant.

Le Japon des années 1860 était un pays tout à fait unique. Personne ne soupçonnait que ce système féodal et fermé subirait bientôt une mutation aussi subite, et non une lente évolution comme celle que connut la société victorienne. Dans ce monde étonnant, les parfums occupaient une place prépondérante et les chars à roues n'étaient employés que pour transporter des marchandises. On se déplaçait à pied ou en palanquin. On utilisait peu les armes à feu, car les samouraïs se battaient au sabre et les femmes nobles maniaient la hallebarde. J'ai cherché à décrire avec exactitude les vêtements, les coiffures, les parfums, les modes de vie et, dans la mesure du possible, les sentiments éprouvés par les acteurs de cette tranche de l'histoire japonaise. J'ai également respecté le calendrier de l'époque, ainsi que les heures et les distances.

Le destin des femmes était bien différent alors. Celles qui appartenaient à l'élite quittaient rarement leur résidence et devaient demeurer impassibles en toutes circonstances, quelles que soient les catastrophes qui s'abattaient sur elles. Le concept d'amour et le mot correspondant furent introduits dans cette société par l'Occident. Dans le Japon de l'époque se laisser submerger par la passion au point d'en oublier ses devoirs était considéré comme un désastre. Les pièces de kabuki et les romans abordant ce sujet se terminaient rituellement, non par un *happy end*, mais par des suicides. De même, il n'existait aucun mot pour « baiser ». Le baiser était l'apanage des geishas, et donc ignoré des femmes respectables comme Sachi. Ce fut un véritable défi d'écrire une histoire d'amour dans une société qui ignorait le concept et le mot même d'amour.

Peu de temps après sa reconversion en palais impérial, le château d'Edo fut rasé. Des jardins s'étendent aujourd'hui à la place du palais des femmes. La porte

Hirikawa se dresse toujours au même endroit, tout comme la porte extérieure du manoir Shimizu. Le Musée national de Tokyo, sur la colline de Ueno, fut construit à l'emplacement du temple de Kanei-ji. Au temple Zojoji de Tokyo, je me suis inclinée devant les tombes du seigneur Iemochi et de la princesse Kazu ; on peut d'ailleurs voir la statue grandeur nature de cette dernière. Je me suis inspirée des villages de Tsumago et de Magomé pour décrire celui de Sachi. À mon arrivée au Japon, j'ai vécu deux ans à Gifu, le nom actuel de Kano. Toutefois, la trahison du daimyo de Kano relatée dans ce roman est pure fiction.

L'histoire a toujours été écrite par les gagnants, et cela ne s'est jamais autant vérifié que lors de la guerre civile qui dévasta le pays en 1868 – un épisode baptisé par la suite « Restauration de Meiji », et décrit comme une révolution particulièrement sanglante. Je me suis souvent demandé ce qu'avaient pu ressentir les centaines de milliers de perdants, tout particulièrement les femmes du palais d'Edo.

Le paysage politique d'alors, fait de complots, d'intrigues et de renversements d'alliances, était d'une complexité inextricable. J'ai un peu simplifié la situation en regroupant les clans Satsuma, Choshu, Tosa ainsi que leurs nombreux alliés au sein d'un parti unique baptisé « l'ennemi du Sud ».

Au moment où se situe ce récit, le Japon commençait à peine à s'ouvrir à l'Occident. Les sujets de la reine Victoria qui visitèrent le pays étaient conscients de contempler les vestiges d'un monde merveilleux condamné à une proche disparition. Nombre de ces étrangers publièrent à leur retour des récits de voyage que j'ai dévorés avec passion. En ce qui me concerne, la rédaction de *La dernière concubine* fut le dernier chapitre d'une longue, très longue histoire d'amour avec le Japon. Tous ceux qui visitent le pays rêvent de connaître ce monde délicat et magique à jamais enfui. Ce livre m'a permis de me projeter à cette époque et d'emmener mes lecteurs avec moi.

Remerciements

Ce livre n'existerait pas sans mon agent Bill Hamilton. C'est lui qui a insisté pour que je me lance dans ce projet, auquel il a collaboré du début à la fin en m'apportant son soutien et ses conseils judicieux. Toute ma reconnaissance va aussi à Sara Fisher, Corinne Chabert et à tous les membres de l'agence A. M. Heath.

J'ai eu énormément de chance de pouvoir travailler à Transworld avec Selina Walker. Elle m'a aidée à concevoir cet ouvrage et à garder le cap. Je lui dois beaucoup, ainsi qu'à toute son équipe, y compris Deborah Adams et Claire Ward. Merci pour leur patience et leur enthousiasme.

Un grand merci également à Kimiko Shiga pour son livre *Life in the Women's Palace at Edo Castle* – « La vie au palais des femmes du château d'Edo ». Gaye Rowley et Thomas Harper ont participé de bout en bout à ce travail par leur connaissance approfondie du Japon et de l'ère Edo, spécialité de Tom. Colin Young – un des trois grands maîtres, hors du Japon, de l'école de sabre Shodai Ryu – m'a fourni de nombreuses informations sur ce domaine particulièrement ésotérique et m'a donné l'occasion de m'exercer au sabre japonais, une expérience inoubliable. Tous ont bien voulu jeter un œil critique sur le manuscrit, de même que Dea Birkett, Louise Longdin et Ian Eagles. Merci aux maîtres et aux élèves de la London Naginata Association, où je me suis entraînée et où j'ai pu assister à des duels de *naginata* (hallebarde) dignes d'une compétition. Yoko Shiba et John Maisonneuve (un autre maître de sabre) m'ont également renseignée sur le maniement de la hallebarde.

Je dois beaucoup aux historiens dont j'ai exploité les travaux pour rédiger ce livre, mais j'assume l'entière responsabilité des erreurs que j'ai pu commettre comme des libertés que j'ai prises avec les faits. Les professeurs Donald Keene et Timon Screech ont bien voulu contrôler mon travail. Concernant les dernières années du règne des Tokugawa, je me suis inspirée des œuvres remarquables du professeur Conrad Totman et de celles du professeur M. William Steele pour l'année 1868 et Edo. J'ai eu de longs échanges par e-mail avec le docteur Takayuki Yokota-Murakami, de l'université d'Osaka, au sujet des relations amoureuses et sexuelles dans l'ancien Japon. Je lui dois l'information concernant la poudre de lézard séché.

Je terminerai par la personne la plus importante à mes yeux, mon mari Arthur, dont l'amour et le soutien m'ont permis d'écrire ce roman. En tant que spécialiste de l'histoire militaire, il m'a évité de grossières erreurs en matière de fusils et de canons. Nous avons parcouru ensemble la Route intérieure, flâné autour du château d'Edo, visité le château Himeji et le temple Zojoji pour voir la tombe de la princesse Kazu. Il est devenu un expert de cette période de l'histoire du Japon et sait même reconnaître le blason des Tokugawa – un privilège auquel bien peu peuvent prétendre ! Ce livre lui est dédié.

Le feu de la vengeance

(Pocket n° 13445)

En 1410, en Allemagne, la pure et virginale Marie est promise en mariage au peu scrupuleux Rupertus en échange d'une dot substantielle. À la veille de ses noces, la jeune femme est accusée de dévergondage, jetée en prison et violée tandis que son fiancé accapare toute sa fortune. Recueillie par des femmes de petite vertu, Marie est contrainte de vivre de ses charmes... en attendant l'heure de la vengeance.

Un destin sans frontières

(Pocket n° 13853)

Catherine Cabot, vingt et un ans, a déjà connu son lot d'aventures : une vie errante en Russie, infirmière pendant la révolution, capturée par les Bolcheviques. De retour en Angleterre, elle rencontre Yu Fu-kuei, une étudiante chinoise au passé de révolutionnaire. Apprenant que son père est toujours en vie quelque part en Chine, elle embarque pour l'Orient avec Yu Fu-kuei. Dans un pays au bord de la guerre civile, menacé par le Japon, Catherine croisera la route de deux frères que tout oppose...

Il y a toujours un Pocket à découvrir

Composé par Nord Compo Multimédia
7, rue de Fives, 59650 Villeneuve-d'Ascq

POCKET – 12, avenue d'Italie – 75627 Paris cedex 13

Achevé d'imprimer : septembre 2009 par Liberduplex
Dépôt légal : octobre 2009